Myers/Gay

Une singulière famille

DU MÊME AUTEUR

La République de Monsieur Pompidou, Fayard, 1974.

Les Français au pouvoir, Grasset, 1977.

Éclats (en collaboration avec Jack Lang), Simoën, 1978.

Joseph Caillaux, Hachette Littérature, 1980 ; « Folio Histoire », 1985.

Un coupable (roman), Gallimard, 1985 ; « Folio », 1997.

L'Absence (roman), Gallimard, 1986 ; « Folio », 1988.

La Tache (nouvelles), Gallimard, 1988.

Sieyès, La clé de la Révolution française, Éditions de Fallois, 1988 ; « Le Livre de Poche », 1990.

Un enfant sage (roman), Gallimard, 1990 ; « Folio », 1996.

Battements de cœur (nouvelles), Fayard, 1991 ; « Le Livre de Poche », 1993.

Bernard Lazare – De l'anarchiste au prophète, Éditions de Fallois, 1992 ; « Le Livre de Poche », 1994.

L'Affaire, Fayard/Julliard, 1993.

Comédie des apparences (nouvelles), Odile Jacob, 1994.

Encore un peu de temps (roman), Gallimard, 1996 ; « Folio », 1997.

Convaincre, Dialogue sur l'éloquence, en collaboration avec Thierry Lévy, Odile Jacob, 1997.

Jean-Denis Bredin

de l'Académie française

Une singulière famille

Jacques Necker, Suzanne Necker
et Germaine de Staël

Fayard

Avertissement

Ce livre n'a d'autre projet que d'aider à connaître un peu Jacques et Suzanne Necker, et Germaine de Staël, à les connaître ensemble, à rencontrer cette étrange et fascinante famille, dont le génie – qu'ils se consentaient l'un à l'autre si volontiers – a secoué l'histoire et la littérature françaises.

L'écriture fut leur vie, à tous les trois. Celle de Germaine de Staël est souvent célébrée, celle de Jacques Necker est peu connue, celle de Suzanne Necker ne l'est pas du tout. Or leurs écrits disent l'essentiel d'eux, la force de l'esprit, des convictions et des sentiments, le talent d'expression et surtout la vérité d'eux-mêmes. Parce qu'écrire était pour eux vivre, l'acte qui assemble le cœur, l'esprit et l'âme, on ne découvre, me semble-t-il, leur personnalité, exposée ou secrète, enveloppée d'éloquence ou brutalement révélée, qu'en les lisant. C'est pourquoi j'ai fait le choix, pour tenter de les approcher, de les citer longuement, assumant le risque de la surprise qui peut naître de citations plus longues qu'il n'est d'usage.

Prologue

Germaine de Staël avait cinquante ans quand, dans les premiers mois de l'année 1817, elle vit la mort approcher d'elle. Encore eut-elle la force, jusqu'aux derniers jours, dans son appartement de la rue Royale à Paris, de convier ceux qu'elle aimait, ou dont elle appréciait l'esprit, à des goûters, à des dîners et même à des bals. C'est sa fille Albertine de Broglie qui faisait alors les honneurs de la maison[1]. Après les repas, on venait, à son chevet lui parler, l'entendre, elle conduisait la conversation de son art toujours merveilleux. Ses enfants, Auguste et Albertine, son gendre Victor de Broglie, son amie Fanny Randall l'entouraient de leurs soins vigilants et de leur tendresse. John Rocca, qu'elle avait secrètement épousé quelques mois plus tôt, était lui aussi très malade. Elle redoutait de lui survivre, elle redoutait de quitter pour un temps ceux qu'elle aimait, elle ne redoutait pas la mort mais elle regrettait la vie[2]. Chateaubriand a raconté, dans ses *Mémoires d'outre-tombe*, sa dernière visite à son amie : « Un matin, j'étais allé chez elle, rue Royale [...]. Mme de Staël, à demi assise, était soutenue par des oreillers. Je m'approchai, et quand mon œil se fut un peu accoutumé à l'obscurité, je distinguai la malade. Une fièvre ardente animait ses joues. Son beau regard me rencontra dans les ténèbres, et elle me dit : "Bonjour, *my dear Francis*. Je souffre mais cela ne m'empêche pas de vous aimer." Elle étendit sa main que je pressai et baisai[3]. »

Le dimanche 13 juillet, rue Neuve-des-Mathurins où elle s'est installée, elle a encore reçu des amis, dont le très cher Mathieu de Montmorency. Elle s'est fait rouler, sur son fauteuil, dans le jardin de sa maison parisienne et Rocca a cueilli pour elle quelques roses. Des taches livides ont commencé d'apparaître sur son corps, signifiant sans doute la gangrène. Le soir, Mme de Staël ne put trouver le sommeil. Elle demanda à son amie fidèle Fanny Randall une dose d'opium plus forte que d'habitude ; Fanny refusa, puis, sur son insistance, y consentit. À cinq heures du matin, quand Fanny Randall s'éveilla, elle tenait dans sa main la main glacée de Germaine de Staël. Celle-ci était morte au petit matin, ce 14 juillet 1817. Vingt-huit ans plus tôt, ce même jour, le nom de son père, le nom de Necker, l'idole du peuple de Paris, le symbole de la liberté, avait été acclamé par une foule en délire[4].

Benjamin Constant, que Germaine de Staël n'avait pas revu durant sa maladie, accourut. Auguste et Albertine consentirent à ce qu'il veillât avec eux le corps de leur mère, de celle qui l'avait tant aimé. Ce corps fut embaumé. Puis le cercueil fut lentement conduit, par Auguste de Staël et par l'ami Schlegel, à Coppet, sur les bords du lac Léman, dans le château familial où l'attendaient les autres membres de la famille. Trop malade, Rocca ne put assister à la douloureuse cérémonie qu'avait voulue Germaine de Staël afin de rejoindre ses parents dans leur sépulture. En présence de Victor de Broglie, une équipe d'ouvriers avait percé la porte du mausolée en pierre grise imaginé par Mme Necker, et dont, en 1794, à la mort de sa femme, Jacques Necker avait fait achever la construction, au bout du parc du château dans un bosquet ceint de murs. Mme Necker avait voulu, afin que son corps fût conservé, qu'il fût noyé dans l'esprit-de-vin. À la mort de Jacques Necker, en 1804, sa dépouille avait été placée auprès de celle de sa femme, selon leur volonté commune, dans la cuve de marbre noir qui devait les réunir. Quand fut ouverte la porte murée du monument pour que leur fille pût les rejoindre, Victor de Broglie vit les corps de Suzanne et de Jacques Necker étendus l'un près de l'autre et recouverts d'un manteau rouge. « La tête de Mme Necker s'était affaissée sous le manteau ; je ne vis point son visage ; le visage de M. Necker était à découvert et parfaitement conservé[5]. »

Le 28 juillet, le cercueil de Mme de Staël fut déposé, comme elle l'avait voulu, au pied de la cuve où reposaient ses parents. Puis l'ouverture fut scellée, définitivement. Au-dessus de la porte de ce mausolée, qui devait ainsi enfermer Jacques, Suzanne et Germaine, celle-ci avait fait placer un bas-relief dû au ciseau de Tieck, qui parlait d'eux trois : Mme de Staël à genoux pleure sur le tombeau de ses parents, tandis que son père, attiré vers le ciel par Mme Necker, se retourne pour faire de la main, à sa fille un dernier signe d'adieu[6]...

Visitant le château de Coppet, en 1832, avec Juliette Récamier, Chateaubriand ira en pèlerinage jusqu'au mausolée où dormait son amie, morte depuis quinze ans déjà. Il a raconté ces heures mélancoliques[7] :

« Je ne suis point entré dans le bois : Madame Récamier a seule obtenu la permission d'y pénétrer. Resté assis sur un banc devant le mur d'enceinte, je tournais le dos à la France et j'avais les yeux attachés, tantôt sur la cime du mont Blanc, tantôt sur le lac de Genève : des nuages d'or couvraient l'horizon derrière la ligne sombre du Jura ; on eût dit d'une gloire qui s'élevait au-dessus d'un long cercueil. J'apercevais de l'autre côté du lac la maison de lord Byron, dont le faîte était touché d'un rayon du couchant ; Rousseau n'était plus là pour admirer ce spectacle, et Voltaire, aussi disparu, ne s'en était jamais soucié. C'était au pied du tombeau de Madame de Staël que tant d'illustres absents sur le même rivage se présentaient à ma mémoire : ils semblaient venir chercher l'ombre leur égale pour s'envoler au ciel avec elle et lui faire cortège pendant la nuit. Dans ce moment, Madame Récamier, pâle et en larmes, est sortie du bocage funèbre elle-même comme une ombre. Si j'ai jamais senti à la fois la vanité et la vérité de la gloire et de la vie, c'est à l'entrée du bois silencieux, obscur, inconnu, où dort celle qui eut tant d'éclat et de renom, et en voyant ce que c'est que d'être véritablement aimé. »

« COMBIEN TU FUS AIMÉ ! »

« Je n'ai qu'un conseil à donner à mes enfants », avait écrit Germaine de Staël dans son testament, « c'est d'avoir en tout présents à l'esprit la conduite, les vertus, les talents de mon père et de tâcher de l'imiter chacun suivant leur carrière et selon leurs forces. Je n'ai connu dans ce monde personne qui ait égalé mon père, et chaque jour mon respect et ma tendresse pour lui se sont gravés plus profondément dans mon âme[8]... »

Sa mère, qui avait préparé sa propre mort pendant plusieurs années, concevant le monument funèbre qui serait élevé, disposant du mode d'embaumement et de conservation de son corps[9], avait, s'adressant à son mari dans un testament qu'il « devait lire à loisir, après que j'aurai été embaumée et déposée dans le monument », dit une même passion, avec d'autres mots :

« Adieu, cher ange ! chère vie ! Je veux bien que tu donnes des larmes à ma perte, mais je voudrais aussi que tu remerciasses le ciel avec moi de ce qu'il a épargné à ma faiblesse l'horreur de te survivre, et de ce que tu me restes pour recevoir et exécuter mes dernières volontés. Ah ! mon ami, combien tu fus aimé ! Adieu, adieu ! »

L'arrière-petit-fils de Mme de Staël, le comte d'Haussonville, a raconté comment Necker, après la mort de sa femme, « s'enfermait souvent dans un petit cabinet qui contenait encore les robes de Mme Necker » afin que le bruit de ses sanglots ne fût pas entendu, et qu'il épargnât à sa fille la vue de sa douleur[10]. Des papiers de lui furent retrouvés par sa famille où Necker avait alors tenté d'écrire son amour et sa souffrance :

« Les pleurs qui coulaient de mes yeux pendant sa maladie la rendaient si malheureuse qu'au moment où je ne pus me contenir, elle poussa des cris de désespoir.

« Quel calme, quelle beauté dans son lit de mort !

« Quelle résignation à la volonté de Dieu pendant ses souffrances ! Elle opposait toujours à ceux qui la plaignaient les trente années de bonheur qu'elle avait tenues de la bonté céleste.

« Elle avait une peur manifeste de me survivre : c'était un malheur qu'elle considérait au-dessus de ses forces... »

« SINGULIÈRE FAMILLE QUE LA NÔTRE ! »

Tels ils furent, tous les trois. « Tous trois à genoux, en constante adoration les uns des autres. » Ainsi Napoléon les décrira-t-il, les yeux évidemment fixés sur l'insupportable Mme de Staël. Celle-ci a revendiqué, dans le beau texte qu'elle a écrit, après la mort de son père, accompagnant la publication de ses derniers manuscrits[11], cette « adoration » familiale : « Je laisserai donc dire, à qui se plaira dans cette observation bien gaie à côté de la mort : *que nous sommes une famille qui nous louons les uns les autres.* Oui, nous nous sommes aimés, nous avons eu le besoin de le dire, et dédaignant de jamais repousser les attaques de nos ennemis, de faire usage de notre talent contre eux, nous leur avons opposé un ferme sentiment d'élévation et de fierté, dont je reste seule le triste mais fidèle dépositaire. »

Mme de Staël ajoutait : « Mon père, dans une de ses notes, écrit : *"Singulière famille que la nôtre !"* Singulière peut-être ; mais qu'il lui soit permis de rester telle ; la foule ne se presse pas dans la route qu'elle a choisie... » C'est cette « singulière famille » que je voudrais ici tenter de regarder et de décrire.

Il serait présomptueux de vouloir suivre Germaine de Staël tout au long de sa vie tumultueuse. Plusieurs des membres de sa famille, d'excellents biographes nous ont très bien parlé d'elle. Les remarquables travaux de Simone Balayé, ceux de Béatrice Jasinski, et beaucoup d'autres auxquels ce livre se référera nous permettent de penser que nous ne cesserons de la connaître mieux. La postérité entretiendra la gloire qu'elle a conquise par son œuvre littéraire, et aussi par son courage et son audace dans les années si mouvementées de l'histoire qu'elle traversa, et encore par ses amours et par ses amitiés, par toute cette exaltation du cœur et du corps, de l'esprit et de l'imagination, dont elle restera un extraordinaire exemple. Elle aura, sans doute, après Rousseau, éclairé mieux que personne le chemin qui allait des Lumières au romantisme. Mme de Staël ne risque pas d'être oubliée : elle ne cesse au contraire de surgir, tant exigeante, tant rayonnante, et de régner sur son temps !

« UNE HORLOGE QUI RETARDE »

Tout autre est le sort que l'histoire a réservé à Jacques Necker. Ses biographes ont parlé excellemment de lui. Quelques-
uns de ceux qui l'ont rencontré, au hasard de leurs travaux,
ont vu en lui l'un des hommes qui eussent pu, comme Turgot,
quoique autrement, conduire sagement le despotisme français
vers une monarchie représentative, et eussent peut-être permis
à la France, s'il en avait reçu les moyens, de faire l'économie
de la Révolution. Mais cette vision de Necker l'a rendu à
beaucoup détestable. L'image de ce trop riche banquier protestant, dont la France fit un temps son idole, encourage vite
à la détestation. Déjà Condorcet, en 1777, décrivait en Necker
« l'homme aux enveloppes », « M. Boursouflé ». « Voilà M.
Necker, écrivait-il, aussi rayonnant de gloire qu'il en était
bouffi [12]... » Mirabeau, qui le rencontra plusieurs fois, mais ne
le supporta pas, vit en lui « une horloge qui retarde », et encore
un pauvre homme sans « l'ombre de talent », sans « l'ombre
de caractère [13] », peu à peu devenu « aussi impuissant qu'il
était incapable ». Michelet décrira Necker devenu, en juin
1789, l'instrument de la Cour du roi : « Sa vanité satisfaite,
l'ivresse d'entendre crier "Necker" lui ôtait toute autre pensée. » Il ne restait en place que « pour servir d'affiche [14]... »
Lamartine le verra enfermé dans sa popularité et son opulence,
aussi incapable que vaniteux, sanctifiant ses livres « des mots
de vertu, de religion, d'humanité, d'amour du peuple, de félicité publique [15] ». Même Tocqueville, dont le regard n'est
pourtant pas aveuglé, jugera sévèrement les hésitations de Necker, sa soumission aussi à l'opinion publique : « C'était un de
ces esprits qui ne savent jamais jusqu'où ils vont, parce qu'ils
se dirigent non d'après ce qui est dans leur propre esprit mais

s'assurant les idées qu'ils voient passer dans l'esprit des autres[16]. »

Concluant son remarquable ouvrage *Les Idées de Necker*, Henri Grange constate et tente d'expliquer l'injuste antipathie que n'a cessé de susciter dans une large part de l'historiographie française « ce banquier genevois aussi insensible à la mystique des fleurs de lys qu'au romantisme de la Révolution, crime inexpiable qu'on fait payer cher à ce personnage laid et lourd, vaniteux et bête, suisse et riche par surcroît[17] ». Necker a contre lui, écrit Marcel Gauchet, la proscription sans appel qui s'attache à la mémoire des vaincus[18]. Tous ceux « qui idolâtrèrent ou détestèrent la Révolution en un bloc » et n'y virent jamais que des bienfaits qu'il faut célébrer ou des crimes qu'il faut maudire ont rejeté, comme l'a observé François Furet[19], les premiers « modérés de la Révolution française » tel Necker, les « monarchiens » inspirés par le modèle anglais, qui rêvèrent un temps de limiter la souveraineté du roi sans l'anéantir... Ainsi Jacques Necker est-il sans doute aujourd'hui l'un de ceux que notre histoire, volontiers schizophrène, rejette le plus aisément.

Du moins est-il demeuré pour l'histoire le père de sa fille, inséparable d'elle. Et cela, sans doute, les eût tous deux comblés. « Quand je n'aurais pas l'espérance d'une vie à venir, disait-elle, je rendrais encore grâce à Dieu d'avoir connu et aimé mon père[20]. »

CETTE ÉPOUSE TROP PARFAITE

Quant à Mme Necker, elle ne sera jamais, pour la postérité, que la femme de son mari et la mère de sa fille. Si ses proches l'aimèrent, si ceux qui l'ont regardée d'un peu près ont observé ses talents et ses mérites, si Voltaire et Diderot lui écrivirent volontiers, si Grimm et Buffon lui portèrent un culte, si Sainte-Beuve a pu regretter en son temps qu'elle n'eût pas obtenu « dans notre littérature un souvenir et une place plus marqués qu'on ne les lui a généralement accordés jusqu'à cette heure[21] », elle demeure dans la mémoire collective cette épouse dévouée corps et âme à Jacques Necker, à sa carrière, cette femme belle, austère, « roide et froide » que décrivait la marquise du Deffand, « vertueuse, calme, sèche et compassée » qui déplaisait à Mme de Genlis[22], cette épouse trop parfaite, cette mère trop rigide, cette femme des Lumières qui tint un salon très influent, se dévoua aux œuvres charitables, rêva de transmettre à sa fille sa culture et sa vertu, et tôt malade ne pensa plus qu'à préparer sa mort et vénérer son mari.

« MON PÈRE, MON FRÈRE, MON AMI »

Ainsi leur histoire à tous trois, comme leur tombeau, les tient ensemble, et nul de ceux qui les a observés ne les a tout à fait séparés. « Singulière famille » certes, où chacun ne cesse de célébrer l'autre. « Il n'a peut-être manqué à Mme Necker, dira Jacques Necker, pour être jugée parfaitement aimable, que d'avoir quelque chose à se faire pardonner[23] » : ce quelque chose, bien sûr, ne pouvait exister. Tel était M. Necker pour Mme de Staël. « Il était grand cet homme, écrira-t-elle dans ses *Dix Années d'exil,* qui, dans aucune circonstance de sa vie, n'a préféré le plus important de ses intérêts au moindre de ses devoirs[24]. » Évoquant ce jour où elle vit son père à Coppet pour la dernière fois, Mme de Staël parlera ainsi de lui : « Je le vis, oh mon Dieu, pour la dernière fois, dans cet adieu le plus tendre, le plus rempli de l'espérance d'une prompte réunion, que nos cœurs aveuglés se fussent encore faits. » Mathieu de Montmorency présent, cet ultime jour, vit son père la bénir. « Ah ! cette bénédiction, écrira-t-elle, le ciel ne l'a pas confirmée ! Je devais perdre dans cette absence mon protecteur, mon père, mon frère, mon ami, celui que j'aurais choisi pour l'unique affection, si le sort ne m'avait pas jeté dans une autre génération que la sienne[25]. »

CETTE ÉTONNANTE TRINITÉ

Ainsi fut cette étonnante trinité. Je voudrais tenter ici de les regarder tous trois ensemble, de les voir vivre, s'aimer, aimer, rencontrer l'histoire. Je voudrais tenter d'observer leurs relations, semblables, ou différentes, avec Dieu, la morale et la vertu dont ils n'ont cessé de célébrer le culte, chacun à sa manière, avec la vie, le bonheur, le désespoir, la mélancolie, avec la littérature et l'écriture qu'ils cultivaient tous trois, avec l'esprit enfin, qui pour eux devait tout animer.

Cette étude sera conduite jusqu'aux premiers mois de l'année 1793. Une telle limite comporte une part évidente d'arbitraire. Publiant et commentant les *Lettres de jeunesse* de Mme de Staël[26], Béatrice Jasinski clôt cette jeunesse à la fin de l'année 1791. Mme de Staël avait alors vingt-cinq ans. À ce stade, écrira Mme de Staël, le « sort » de chacun est « à beaucoup d'égards [...] fixé[27] ». « Personnellement, précise Béatrice Jasinski, elle se sent moins jeune déjà, et commence à s'ôter une année lorsqu'on lui fait dire son âge. » Sa correspondance sera désormais celle d'une femme « jeune encore, mais dont l'expérience passera de loin celle de son âge ».

Suzanne Necker, de plus en plus pessimiste tandis que s'écoulaient les ans, avait elle aussi jugé qu'elle vieillissait alors qu'elle allait atteindre ses vingt-neuf ans. « Depuis trois ans, toutes mes facultés se dégradent dans l'âge où elles devraient prendre de nouvelles forces ; je me sens dépérir avec des regrets infinis ; car enfin que devient une femme à vingt-huit ans, si elle ne remplace les agréments de la figure par les grâces de l'esprit[28] ? » Comme sa mère, Germaine de Staël ne cessera d'être hantée par le temps qui passe. Souvent reviendront dans ses correspondances – et dans ses fictions – l'évocation de ces vingt-cinq, ou vingt-six, ou vingt-huit ans qui semblaient pour elle marquer le tournant de l'existence d'une femme. À vingt-huit ans, pour Mme de Staël, paraît venue « l'époque où la souffrance s'installe. À ce moment, la vie appartient au passé[29]... »

Mais ce ne sont pas les étapes que Mme Necker et Mme de Staël croyaient observer dans la vie des femmes qui m'ont persuadé de ne conduire cette étude que jusqu'à l'hiver de 1792-1793, alors que « Minette », ainsi que l'appelaient souvent ses parents, approchait de ses vingt-sept ans. D'autres raisons le suggèrent. En 1792, Jacques Necker a achevé son rôle dans l'histoire politique de la France. Revenu en Suisse, sur les bords du lac Léman, dans son cher château de Coppet où il s'ennuie doucement, il travaille, comme il le fera jusqu'au terme de sa vie, à plaider sa cause, celle de la vertu et de la raison, devant la postérité. Il entretient l'idée de son influence, il cultive sa gloire, il écrit, il ne cessera jamais d'écrire. Mais il est désormais un penseur méditatif, un théoricien sans cesse plus détaché de l'action. L'Être suprême, sa femme et sa fille remplissent l'essentiel de son existence même si, par Germaine, les tumultes de l'histoire continuent de parvenir jusqu'à lui.

Suzanne Necker, elle, prépare sa mort et son enterrement. Elle écrit ses dernières pensées et réflexions. Elle ne dort pas la nuit mais le jour, racontera sa fille, elle s'assoupit parfois, posant la tête sur le bras de son mari qui reste immobile des heures entières pour ne pas la réveiller. Chaque soir ou presque, Suzanne Necker fait venir des musiciens, et sa fille parfois consent à chanter[30]. Mme Necker ne cesse de devenir plus fragile et plus sombre, elle ne vit plus que du culte de Dieu et de son mari, et des tourments aussi que lui causent les amours de sa fille. Elle mourra le 15 mai 1794.

Dans ces années où se referment sur ses parents l'espace de la vie, Germaine de Staël a commencé, elle, à connaître et affronter ces grandes secousses qui lui conviendront bien. Le temps est passé de la Révolution de 1789, celle de la liberté, d'autres révolutions vont s'imposer, si différentes de celle qu'elle avait rêvée. Le temps vient de Robespierre, puis de Bonaparte, puis de Napoléon. Par ailleurs, l'illusion merveilleuse du bonheur dans le mariage lui a été peu à peu retirée. Et voici que semblent conquis Narbonne, l'amant tant rêvé, et la divine exaltation de l'amour offert, reçu, partagé. L'écriture, conduite à la fois par le cœur et l'esprit, lui donne maintenant l'espoir que son nom retentira dans le siècle. La gloire serait pour une femme « le deuil éclatant du bonheur[31] » ? Cela, Mme de Staël l'a écrit pour d'autres. Voici venu pour elle un temps nouveau où la vie semble lui promettre, loin des rives familières où l'attendent ses parents, les passions mêlées du bonheur et de la gloire...

I

La belle Curchod

Suzanne Curchod est née le 2 juin 1737 au presbytère de Crassier, village du pays de Vaud tout proche de la frontière française. Son père, le pasteur Curchod, habitait une modeste maison aux murs badigeonnés en blanc, aux volets peints en vert. La mère de Suzanne appartenait à une famille de réfugiés français, les d'Albert de Nasse, venus de Montélimar, qui semblaient d'origine noble[1]. Plus tard, Suzanne se parera de ce joli nom. Fille unique, elle reçut de son père pasteur, héritier d'une longue lignée de ministres du culte, une éducation fort exigeante[2]. À seize ans, dit-on, elle parlait couramment le latin et connaissait le grec. Elle étudiait la physique et la géométrie, et fréquentait en outre les arts. Elle jouait agréablement du clavecin. Par surcroît, elle était belle, se décrivant elle-même ainsi, rapporte d'Haussonville, citant un portrait d'elle écrit de sa main : « Un visage qui annonce la jeunesse et la gaieté ; le teint et les cheveux d'une blonde, animés par des yeux bleus, riants, vifs et doux ; un nez petit mais bien tiré ; une bouche relevée, dont le sourire accompagne celui des yeux avec quelque grâce ; une taille grande et proportionnée, mais privée de cette élégance enchanteresse qui en augmente le prix ; un air villageois dans la manière de se présenter et une certaine brusquerie dans les mouvements qui contraste prodigieusement avec une voix douce et une physionomie modeste ; telle est l'esquisse d'un tableau que vous pourrez trouver trop flatteur[3]. »

Le presbytère de Crassier, assure J.-Christopher Herold dans sa biographie de Germaine de Staël, devint pour les jeunes ministres de l'Évangile un lieu de réunion très couru. « Ils essayaient leurs sermons sur le père et leurs compliments sur la fille[4]. » Selon l'usage du temps, de nombreux vers lui furent dédiés. Sans doute Suzanne était-elle très vertueuse. « Sa taille élancée, dira Sainte-Beuve la décrivant, n'avait encore que de la dignité décente sans raideur et sans apprêt[5]. » L'un de ses admirateurs se plaignait dans un poème de son « éternelle morale », qui lui fut toujours si fatale[6]. Cette rigueur morale ne lui passera jamais.

Quand elle fut en âge de voyager seule, Suzanne fit de fréquents séjours à Lausanne. Elle y connut des soirées agréables mais aussi la pédanterie des sociétés littéraires. Elle consentit à présider sous le nom de « Thémire » une « académie de la Poudrière » où l'on dansait, l'on parlait, l'on discutait de sujets plaisants ou savants : « Le mystère rend-il réellement l'amour plus doux ? » ou encore : « Quel est le plaisir le plus délicat ? » On la désignait sous les surnoms de Sapho ou de Suzette. Elle ne détestait pas les hommages, si même elle les tenait à juste distance.

La « belle Curchod », comme on l'appelle alors, a juste vingt ans en juin 1757, quand elle rencontre à Lausanne un jeune Anglais qui, écrira-t-elle, « avait de beaux cheveux, la main jolie et l'air d'une personne de condition », et qui, surtout, semblait un homme d'esprit. Edward Gibbon – qui deviendra un historien fort réputé[7], grand spécialiste de l'histoire de la décadence romaine confrontée à l'histoire des religions, vrai écrivain par surcroît – était né la même année qu'elle. Son père l'avait envoyé à Lausanne, chez le pasteur Pavillard, dans l'espoir de lui faire abjurer le catholicisme qu'Edward avait imprudemment embrassé à Oxford, après avoir, paraît-il, trop bien lu Bossuet[8] : mais l'enseignement reçu n'avait fait que le débarrasser de toute religion. Gibbon s'éprit aussitôt de la muse qui animait les cercles académiques de Lausanne. « Je la vis et je l'aimai », écrira-t-il dans ses *Mémoires*. « Je la trouvai savante, sans pédanterie, animée dans la conversation, pure dans ses sentiments et élégante dans ses manières. » Gibbon se rendit, à plusieurs reprises, chez le pasteur de Crassier. Les parents de la jeune fille ne parurent pas insensibles aux qualités de ce gentleman anglais bien né et fortuné. Sans doute était-il physiquement disgracieux : petit, épais, les jambes très courtes, le visage enfoncé dans de grosses bajoues[9]. Mais cela importait-il ? Sa famille était bonne, sa conversation éblouissante. Sa carrière s'annonçait brillante. Et Suzanne Curchod devait penser au mariage...

Aima-t-il vraiment la belle Curchod ? Suzanne en tout cas s'éprit de lui, fort impressionnée par son esprit, et fut vite amoureuse. Gibbon parut heureux. « À Crassier, à Lausanne, écrira-t-il, je me livrai à l'illusion du bonheur[10]. » Ils étaient presque fiancés quand, au printemps de 1758, le père de Gibbon ordonna soudain à son fils de regagner l'Angleterre, car ce projet de mariage ne lui convenait pas du tout. « Je soupirai comme amant, écrira Gibbon, j'obéis comme un fils. Insensiblement le temps, l'absence et l'habitude d'une vie nouvelle guérirent ma blessure... » Le 24 août, il adressait à sa chère Suzanne sa lettre de rupture, devenue fameuse, assure Herold[11], dans les annales de la suffisance masculine : « Je ne puis commencer ! Cependant il le faut. Je prends la plume, je la quitte, je la reprends. Vous sentez à ce début ce que je vais dire. Épargnez-moi le reste. » Il n'en continue pas moins, pendant plusieurs pages, expliquant pourquoi il est contraint d'obéir à son père. Voilà Suzanne abandonnée. « J'étais pauvre, écrira-t-elle, incertaine de mon sort [...] et je cherchais vainement dans les brillantes assemblées quelques traces de la vive impression que j'éprouvais alors. »

Les épreuves ont commencé d'accabler la malheureuse Suzanne. Son père mourra en 1761, sa mère en 1763. L'exemple et la mémoire de ses parents l'accompagneront jusqu'à la mort. Elle fera plus tard élever, dans l'église de Coppet, un monument « de piété filiale » à la mémoire de « ses vertueux parents ». Elle fera graver sur le socle ces textes :

NOBLE
« LOUIS ANTOINE CURCHODI

*Pasteur de l'Église de Crassier, Naquit
sans fortune, mais avec des talents
supérieurs, il vécut dans la retraite,
il y partageait son tems entre les lettres
qu'il aimoit & dont il faisoit
l'ornement, les devoirs de son état
l'éducation de sa fille unique, &
la jouissance des sentiments délicieux
attachés à l'union la plus rare & la
mieux assortie, il mourut en 1760,
âgé de 63 ans. Pleuré de toutes
les ames sensibles et regretté de
tous les gens de bien.*

*Magdelaine d'Albert Née
à Montélimart, quitta sa patrie, ses
affections, & sa fortune pour obéir aux mouvements
de sa conscience, jeune, elle vécut dans la retraite
sans regretter les plaisirs & les succez auxquels sa
naissance, sa rare beauté, & les agréments de son
esprit sembloient l'avoir destinée, mais elle ne pût
supporter la perte de l'époux que son cœur s'étoit choisi,
& succombant à sa douleur elle laissa sur la terre une
fille qui ne vivoit qu'en elle, & qui resta en proye*

*aux plus affreux desespoir, cependant l'Être Suprême
ému sans doute par les prières de ces deux justes,
confia le cœur désolé de leur enfant au plus tendre
des maris, ses soins rendirent moins amère une
douleur qu'il voulut partager, & ses vertus & son rare
genie firent ensuite la gloire de sa compagne ;
Que cette urne funèbre soit donc à la fois un
monument de douleur & de reconnoissance, & puisse
la Fille respectueuse & sensible qui vient l'arroser
de ses larmes, recevoir à son tour de son Époux
dans quelques lieux solitaires, le même tribut
d'amour & de regret ; c'est le seul vœu qu'il
lui laisse à former dans
ce monde. »*

Après son départ brutal en 1758, Gibbon n'avait plus écrit à Suzanne. Seulement lui avait-il envoyé son *Essai sur l'étude de la littérature*, avec une dédicace juste polie. Mais voici qu'en cette triste année 1763, qui laisse Suzanne orpheline, Gibbon passe par Lausanne et s'arrête quelques jours à Mézery. Suzanne se réfugie à Genève pour l'éviter. Elle adresse à l'infidèle une lettre suppliante :

« Monsieur,

« La démarche que je risque me fait rougir moi-même ; je voudrais me l'épargner à moi et à vous. Grand Dieu ! est-il possible qu'un cœur innocent s'abaisse à ce point. Quelle humiliation ! J'ai déjà souffert davantage, mais jamais je n'ai senti plus profondément ma souffrance. Je dois à mon repos de faire cette démarche : si je perds l'occasion qui m'en est offerte, il n'y a plus de paix possible pour moi : pourrais-je la goûter, tant que mon cœur habitué à être son propre bourreau croirait voir dans les témoignages de votre froideur croissante simplement des marques de délicatesse ? Depuis cinq années révolues, je me sacrifie à cette chimère, avec une incroyable constance ; enfin mon âme trop romanesque s'est rendu compte de sa désillusion ; je vous conjure à genoux d'éclairer un cœur égaré. Signez l'aveu complet de votre indifférence et mon âme saura se résigner ; la certitude me rendra la tranquillité à laquelle j'aspire. Vous seriez le plus méprisable des hommes si vous me refusiez cette preuve de sincérité, et Dieu qui connaît mon cœur, Dieu qui m'aime sans aucun doute, quoiqu'il m'éprouve si douloureusement, Dieu vous châtiera en dépit de mes prières, s'il y avait la plus légère dissimulation dans votre réponse ou si votre silence jetait un défi à ma tranquillité [12]. »

Gibbon répondit-il, promettant son amitié ? Elle lui écrivit à son tour, lui promettant la sienne :

« Cinq ans d'abandon n'avaient pu produire le changement que je viens d'éprouver ; il serait à souhaiter pour moi que vous m'eussiez écrit plus tôt ou que votre première lettre eût été conçue dans un autre style [...]. Ne versez aucune larme sur la rigueur de mon sort : mes parents ne sont plus, que m'importe la fortune ? D'ailleurs, ce n'est point à vous que je l'ai sacrifiée, mais à un être factice qui n'existera jamais que dans une tête romanesquement fêlée telle que la mienne ; car dès le moment que votre lettre m'a désabusée, vous êtes rentré pour moi dans la classe de tous les autres hommes, et, après avoir été le seul que j'aie jamais pu aimer, vous êtes devenu un de ceux pour qui j'aurais le moins de penchant, parce que vous ressemblez le moins à ma chimère céladonique ; enfin il ne tient qu'à vous de me dédommager. Suivez le plan que vous me tracez, joignez votre attachement à celui que mes amis me témoignent, vous me trouverez aussi confiante, aussi tendre et en même temps aussi indifférente que je le suis pour eux. Croyez-moi, monsieur, ce n'est point le dépit qui s'exprime ainsi ; et si j'ajoute cette dernière épithète (quelque vraie qu'elle soit), c'est uniquement pour vous persuader que mon cœur sauvera le vôtre ; ma conduite et mes sentiments ont mérité votre estime et votre amitié ; je compte sur l'une et sur l'autre ; qu'à l'avenir donc il ne soit plus question de notre ancienne histoire... »

Un dernier espoir subsistait-il de reconquérir Gibbon ? Suzanne, depuis la mort de sa mère, instruisait à Genève les enfants du pasteur Moultou, qui était devenu son confident et son protecteur. « Moultou, écrira-t-elle au soir de sa vie, mon ami Moultou, était enthousiaste et beau, ses traits ne sont ni mâles ni efféminés, son sourire est doux et tendre ; sa physionomie fine, expressive, un peu singulière, peint naturellement la candeur et la gaieté[13]... » Moultou lui avait offert l'hospitalité et elle vivait en donnant des leçons à plusieurs jeunes gens doués et fortunés. Le pasteur était l'ami de Voltaire, et parfois, le samedi, il emmenait la belle Suzanne à Ferney. Il était aussi l'ami intime de Jean-Jacques Rousseau. Moultou, en visite chez Rousseau, apprit que celui-ci connaissait bien Gibbon : il écrivit donc à Rousseau pour lui raconter la triste aventure de Suzanne et le prier d'intervenir. « Vous connaissez la douleur de l'âme, vous la plaindriez sans doute, mais vous pouvez lui être utile et vous ne négligerez rien pour cela. » Hélas, Rousseau ne fit rien, prétendant qu'il ne pouvait réussir à rencontrer Gibbon. Il écrivit à Moultou une lettre fort sévère pour l'Anglais infidèle : « Monsieur Gibbon n'est point mon homme ; je ne puis croire qu'il soit celui de Mlle Curchod. Qui ne sent pas son prix n'est pas digne d'elle, mais qui l'a pu sentir et s'en détacher est un homme à mépriser[14]. »

De Rousseau à Voltaire ? Dans la soirée du 4 août 1763 Suzanne et Gibbon se revirent, par hasard, l'un et l'autre invités dans le théâtre privé de Voltaire à Ferney. Le vieux philosophe y jouait le rôle de Gengis Khan dans son *Orphelin de la Chine*. Ensemble ils applaudirent puis ils soupèrent, puis ils dansèrent. Que se dirent-ils ? Elle lui écrivit ensuite une lettre violente : « Oui, je commence à le croire : vous auriez gémi sur mon existence ; elle pouvait nuire à vos projets de fortune ou d'ambition. »

Cela ne les empêcha pas de se revoir à Lausanne, souvent, de février à avril 1764, à des soupers, des réunions, des représentations théâtrales. Un jour Gibbon la vit, à une représentation de *Zaïre*, de Voltaire, « sanglotant sans ostentation ». « Que cette fille joue la sensibilité », écrira-t-il [15]. Déjà Suzanne Curchod révèle quelques-uns des dons qu'elle transmettra à sa fille. « Que Suzanne Curchod pût dans la même journée toucher le fond du désespoir et briller en société sans se faire aucune violence [16] » semblait à Gibbon invraisemblable, et cependant c'était ainsi. Suzanne est triste. Mais « la mélancolie écrira-t-elle plus tard, est la convalescence de la douleur [17] ». Il faut vivre !

À PARIS

Le destin va frapper à sa porte. À Genève, le célèbre médecin Théodore Tronchin, dont la réputation parcourt l'Europe, attire de nombreux patients. Parmi eux est venue, de Paris, une jeune et charmante veuve de vingt-six ans, Anne Germaine de Vermenoux, vaguement malade, et qui passe à Genève un agréable hiver. Elle a loué le rez-de-chaussée de la maison qu'habite le pasteur Moultou. Par celui-ci elle fait la connaissance de Mlle Curchod, belle personne, guindée sans doute, mais fort cultivée, et qui, pour gagner sa vie, donne des cours. Souhaitant rentrer à Paris, Mme de Vermenoux propose à Suzanne Curchod de l'emmener, à la fois pour lui tenir compagnie et pour servir de répétitrice à son jeune fils Louis-Auguste. Aller à Paris, la capitale des beaux esprits ? Ce pourrait être une chance, si même les émoluments proposés

– quatre cents francs par an – semblent fort médiocres. Le pasteur Moultou encourage Suzanne à changer ainsi de vie. Au printemps de 1764, Mme de Vermenoux part donc avec sa jeune protégée. Voici Suzanne Curchod à Paris, dans l'hôtel de la rue Neuve-Grange-Batelière où habite Mme de Vermenoux, la voici dame de compagnie, occupée à s'habiller bien, à rencontrer de beaux esprits, à tenir son rang. Elle prend le nom de sa mère, et devient Mlle d'Albert de Nasse pour rassurer la société qu'elle fréquente. Mme de Vermenoux lui apprend à faire la révérence[18].

Chez Mme de Vermenoux, surnommée « l'enchanteresse », se montre très assidu un riche financier qui déjà l'a demandée en mariage avant qu'elle ne partît pour la Suisse. Sans doute ne l'a-t-il guère séduite, mais il ne désespère pas de la persuader. Car Jacques Necker souhaite se marier...

II

Suzanne, Jacques et Louise

La famille de Jacques Necker était sans doute d'origine irlandaise[1]. Ses ancêtres protestants, contraints de s'expatrier pour fuir les persécutions religieuses, avaient trouvé asile en Allemagne. Les pasteurs luthériens avaient été nombreux dans cette famille. Karl Friedrich Necker, père de Jacques Necker, était né à Küstrin en 1686. Il avait fait ses études de droit et s'était inscrit au barreau de Küstrin, qu'il avait vite quitté, ayant trouvé un emploi de précepteur du fils du comte von Bernstorff, principal ministre de l'Électeur de Hanovre. Karl Friedrich accompagna son jeune élève en diverses villes, notamment à Genève, et en Angleterre où l'Électeur de Hanovre était devenu roi sous le nom de George I[er][2]. Puis il devint précepteur chez le comte de Bothmar, et ensuite secrétaire chez le général de Saint-Saphorin, ambassadeur de Grande-Bretagne à Vienne. En 1722, Saint-Saphorin se retirera dans son château de Morges sur les bords du lac Léman. Est-ce lui qui conseilla à son ancien secrétaire de se fixer à Genève[3] ? Sans doute Karl Friedrich Necker fut-il séduit par cette république de Genève qui exerçait une grande influence en Europe. Il décida de s'y installer et de diriger, aidé par une gratification annuelle du Parlement britannique, une maison d'éducation à l'usage de jeunes Anglais qui venaient à Genève achever leurs études. Il fut bientôt nommé professeur de droit germanique à l'université, élevé à la dignité de citoyen de la République. En 1726, il épousa Jeanne Gautier, d'une famille de souche française, fille du premier syndic de Genève. En 1742, Charles Frédéric Necker, comme il écrit désormais son nom, publie un *Traité du droit politique du Saint Empire romain*, dédié aux magistrats de la République. Le voici membre de la meilleure société genevoise, et il acquiert une propriété de campagne à laquelle il donne, par attachement pour son ancienne patrie, le nom de « Germanie ». La mort le prendra en 1762.

De leur mariage, Charles Frédéric Necker et Jeanne Gautier avaient eu deux enfants. L'aîné, Louis, né en 1730, qui prendra le nom de M. de Germany, fut comme son père précepteur puis professeur à l'université de Genève. Un adultère suivi d'un procès scandaleux l'obligeront plus tard à quitter sa ville. Il rejoindra son frère Jacques à Paris, puis s'en ira à Marseille où il fera fortune. M. de Germany présidera un établissement bancaire réputé. Il mourra en 1804, la même année que son frère.

C'est le 30 septembre 1732 que commença l'étonnant destin de ce Jacques Necker, qui devait jouer dans l'histoire de la France un rôle qui ne ressemble à aucun autre, ce Necker qui sera tant magnifié et tant maudit. À Genève, Jacques Necker fit ses humanités jusqu'à l'âge de seize ans, bon élève, sérieux, consciencieux, charmant, comme le racontera son petit-fils Auguste de Staël-Holstein préfaçant les *Œuvres complètes de M. Necker*[4] : « Le trait saillant de son esprit était une gaieté piquante, une plaisanterie sans amertume dont les autres ou lui-même étaient alternativement l'objet. » Le père de Jacques, le professeur Necker, éprouvait une vive amitié pour le pasteur Vernet, théologien très respecté de l'Académie de Genève, dont il fut un temps le recteur. Isaac, le frère du pasteur Vernet, dirigeait une riche maison de banque établie à Paris. Quel plus bel avenir que celui d'un banquier ? Le professeur fit donc de son fils Jacques, dès sa sortie du collège à l'âge de seize ans, l'employé, à Paris, d'Isaac Vernet. Jacques dut abandonner ses études, le goût de l'écriture qui l'avait pris fort tôt et ses ambitions genevoises pour commencer cette singulière carrière.

Dans ce Paris comblé de spectacles, de débats, de querelles, de frivolités, Jacques Necker travaille comme aucun. Il travaille si bien qu'en 1753, quand meurt l'associé de Vernet, Lobhard, auquel son fils ne parvient pas à succéder dans son travail, c'est à Jacques Necker que celui-ci laisse la place. D'année en année s'affirme la réussite de ce banquier jeune et très doué. Quand, en 1762, Vernet décide à son tour de se retirer des affaires, c'est à Necker qu'il remet des fonds considérables, pour l'aider à développer, avec MM. Thellusson, de Genève, parents des Vernet, déjà associés, une maison de commerce qui deviendra la première banque de France. Trois ans plus tard, Jacques Necker assurera l'entière direction de l'établissement. Une vaste spéculation sur les grains, encouragée par la disette de blé de 1764, la liquidation des possessions françaises au Canada, des prêts heureusement consentis à l'État, des opérations conduites pour tenter de redresser la Compagnie des Indes fondée par Louis XIV lui permettront de construire une considérable fortune. À trente ans, le banquier Jacques Necker est un homme puissant, entouré d'une belle réputation. Mais sur ce temps de sa vie il gardera toujours un silence discret, par modestie, ou par désintérêt, ou, diront ses détracteurs, pour en cacher les aspects troubles. Entre 1750, date probable de son arrivée à Paris, et son mariage en 1764, Jacques Necker nous demeure à peu près inconnu[5].

La belle et séduisante Mme de Vermenoux plaisait à ce riche banquier, mais Necker ne réussit pas à lui plaire. « Elle refusa l'offre de Necker sans rejeter son amitié[6]. » Est-ce pour se débarrasser d'un soupirant importun que Mme de Vermenoux lui suggéra de reporter sa flamme sur Mlle de Nasse[7] ? Est-ce

Necker qui, rencontrant chez Mme de Vermenoux cette belle personne, fut sensible à son charme ? Est-ce Suzanne qui, songeant au mariage, chercha à le séduire ? Toujours est-il qu'ils ne traînèrent pas. Après un séjour à Genève, où sans doute Jacques Necker prit d'utiles renseignements sur la famille Curchod, il demanda la main de la belle Suzanne, qui la lui accorda aussitôt. Le 30 septembre 1764, ils se marièrent, presque à la sauvette, dans la chapelle de l'ambassade de Hollande. Mme de Vermenoux n'avait pas même été prévenue. La nouvelle lui fut annoncée par une lettre embarrassée de Mlle Curchod devenue Mme Necker [8] :

« Mille et mille pardons, Madame, pour la petite supercherie dont je viens d'user avec vous : mais mon cœur n'a pu se résoudre à tout l'attendrissement de nos adieux. Si vous aviez assisté à la cérémonie, vous m'auriez fait oublier que je m'unissais à l'homme du monde qui m'est le plus cher. Je n'aurais vu dans ce lien que la séparation qu'il m'allait coûter. Cependant, Madame, je l'aurais regardé sous un faux jour, puisque mon mariage ajoutera, s'il est possible, à l'attachement que je vous ai voué. Je vais adopter tous les sentiments de M. Necker, et nous ne serons jamais mieux unis que dans notre empressement à contribuer au bonheur de votre vie. C'est le sujet de nos conversations. Aidez-nous à réussir dans nos projets. Ils seront aussi constants que vos vertus et notre reconnaissance. Ma maladie a engagé M. Necker à précipiter notre union. Je viendrai m'excuser demain matin si mes forces me le permettent. Ah ! quelle amie je vais quitter et que M. Necker aura de choses à faire s'il veut me dédommager. »

« Ils s'ennuieront tellement ensemble, commentera Mme de Vermenoux, que cela leur fera une occupation. » Elle s'appliquera à dissimuler son mécontentement, sans bien y parvenir. Mme Necker en rendra compte au pasteur Moultou, par qui elle avait connu Mme de Vermenoux :

« S'il y a quelque refroidissement, certainement il n'a été ni de mon côté ni du sien. J'aurais voulu seulement qu'elle ne se fût pas attribué notre mariage, mon cœur s'en offensait un peu et mon mari, qui prétend n'avoir jamais eu de passion que pour moi seule, est piqué de ses discours ; voilà tout, je vous assure ; elle ignore le tort qu'elle a avec nous et je serais au désespoir qu'elle le sût ; j'ai tâché de redoubler d'attentions pour elle depuis notre mariage[9]. »

Necker gérera la fortune de Mme de Vermenoux, s'appliquant ainsi à la consoler un peu. Elle consentira à être la marraine de leur premier enfant. Mais jamais l'enchanteresse et son ancienne dame de compagnie ne retrouveront une relation sans nuage. Et quand, vingt ans plus tard, Mme de Vermenoux mourra, Mme Necker écrira à Moultou en des termes qui trahiront encore un ressentiment que le temps n'avait pas tout à fait effacé :

« J'ignore si elle ne me rendait pas le sentiment intime que j'avais pour elle, mais si elle m'a su mauvais gré d'un événement qu'elle aurait pu éviter, elle n'a pas assez senti en même temps que toutes ses suites heureuses n'auraient peut-être pas existé dans une autre combinaison des choses. Quoi qu'il en soit, sur les apparences, j'aurais dû être convaincue de son amitié et quand elle aurait été injuste, j'ai trop appris par de vives affections à les séparer de mon amour-propre, pour me consoler de la perte d'une personne qui me fut chère par la connaissance de ses torts envers moi[10]. »

Le mariage de Mlle Curchod et de M. Necker sera vite, par la grâce de Dieu et la ferveur des deux époux, un grand mariage d'amour. Pendant la soirée qui précéda la cérémonie, Suzanne avait écrit, pour son futur mari, un étrange billet doux :

« Oh ! mon Jacques, mon cher Jacques, ne me demande jamais l'expression de mes sentiments, laisse-moi jouir de mon bonheur sans y réfléchir. En le contemplant, je crains qu'il ne s'échappe et je ne puis penser aux douceurs de ma vie sans prévoir l'instant qui doit la finir. Le trouble de mon cœur et les images funèbres qui l'agitent devraient m'empêcher de te satisfaire. »

Le texte laisse apparaître, déjà, l'incessante préoccupation qu'aura Mme Necker de sa propre mort, et même cette obsession qui lui inspirera plus tard le projet de son tombeau[11]. Elle dit encore dans ce même billet : « Oui, mon ami, tu es la chaîne qui m'unit à l'univers [...]. Mon cher ami, ne te rassasie jamais d'un sentiment que mon cœur rend inépuisable. Que l'instant de ma mort soit le plus haut degré de ton amour, et ce sera le plus beau jour de ma vie. » « Tu es la chaîne qui m'unit à l'univers ». Cette chaîne, Suzanne Necker l'aimera chaque jour davantage. « J'épouse un homme, écrivit-elle alors à une amie de Suisse[12], que je croirais un ange si l'attachement qu'il a pour moi ne prouvait sa faiblesse. » Quelques mois plus tard, écrivant à la belle-sœur de Moultou, elle dressera ce portrait railleur de l'homme aimé, qu'elle rédigera sous les yeux de celui-ci :

« Figure-toi le plus mauvais plaisant de l'univers, si heureusement enchanté de sa supériorité qu'il ne s'aperçoit pas de la mienne ; si convaincu de sa pénétration qu'il se laisse attraper sans cesse ; si persuadé qu'il réunit tous les talents dans le plus haut point de perfection qu'il ne daigne pas chercher ailleurs des modèles ; jamais étonné de la petitesse d'autrui, parce qu'il l'est toujours de sa propre grandeur ; se comparant sans cesse à ce qui l'entoure pour avoir le plaisir de ne point trouver de comparaison ; confondant les gens d'esprit avec les bêtes parce qu'il se croit toujours sur une montagne dont la hauteur met de niveau tous les objets inférieurs ; préférant cependant les sots, dit-il, parce qu'ils font un contraste plus frappant avec son sublime génie ; d'ailleurs, aussi capricieux qu'une jolie femme et plus curieux qu'elle. J'ai lieu de me flatter cependant que le remède innocent que cette lettre lui fera avaler le guérira pour quelque temps de cette insupportable maladie. »

Mme Necker peut s'appliquer alors à plaisanter – ce qu'elle fera de moins en moins –, elle ne cessera plus de louer ce mari que Dieu lui a donné et auquel elle entendra désormais consacrer toutes les forces de sa vie. « Je serais la plus ingrate des créatures, écrira-t-elle six mois après son mariage, si tous les instants de ma vie n'étaient marqués par des actions de grâces [13]. » Cette femme pauvre, solitaire, qui semblait condamnée à un difficile destin, est d'abord reconnaissante à son mari de l'avoir épousée. Sa gratitude s'épanche en de nombreux billets. Mais elle va aussi, le temps passant, lui vouer une admiration qui bientôt ne connaîtra plus de bornes. Son mari deviendra le seul homme toujours bon, juste, raisonnable, courageux, que l'on puisse connaître. Elle aimera tout en lui, jusqu'aux défauts qu'elle avait lucidement observés avant son mariage, et qu'elle transformera en vertus. Le sentiment de sa supériorité intellectuelle et morale qui ne cessera d'habiter Necker, cette haute opinion de soi qui, souvent, approchera la vanité, elle n'y verra que les signes des plus rares mérites. Elle admirera son « génie ». Elle fera pour son mari, remarque lady Blennerhassett, tout ce qu'elle n'eût pas daigné faire pour elle-même : elle lui sacrifiera « ses sympathies personnelles, son temps, ses forces, son repos et sa santé [14] », elle lui donnera sa vie, heureuse de la lui offrir. M. Necker, écrira-t-elle à Moultou quelques années plus tard [15], est « l'âme de mon âme ». Elle ajoutera : « Je suis le lierre qui embrasse le tronc, qui tâche de le rafraîchir et qui laisse ses branches s'agiter et s'agrandir dans le vague des airs... » Quand l'âge la surprendra « par sa marche sans bruit [16] », Suzanne Necker fera l'éloge de « l'amitié conjugale », la plus belle des amitiés, le plus fort des sentiments. Elle s'appliquera jusqu'à la mort à toujours être une femme amoureuse, admirative, attentive. Jalouse, elle le sera aussi : le sentiment passionné qui unira son mari et sa fille la fera beaucoup souffrir. Jacques Necker pouvait-il tant aimer deux femmes à la fois ?

« CE DIEU QUI A JOINT NOS DEUX CŒURS »

On voit tout ce qui, nourrissant leur amour, rapprochait Jacques et Suzanne, au point presque de les confondre. L'un et l'autre sont portés non seulement par une même morale, mais par une religion qui ne cessera, au fil des ans, de les tenir davantage. Dieu ne cessera d'être présent dans leurs comportements quotidiens comme il le sera dans leurs écrits. L'amour conjugal n'est pas qu'un sentiment pour eux : il est le plus impérieux et le plus noble des devoirs. L'un et l'autre ressembleront à leur temps. La philosophie et la littérature les environneront, et ils vivront « la plume à la main [17] » : l'écriture sera ressentie par eux comme un bonheur nécessaire, et aussi comme un devoir social. L'un et l'autre rechercheront la fréquentation des esprits distingués, ils croiront aux bienfaits de l'intelligence et de la raison, ils aimeront les livres, les conversations, les correspondances, tout ce qui transmet la pensée, et aussi les élans du cœur et la confidence. L'amour lui-même ne pourra chez eux vivre sans l'écriture. L'un et l'autre, même s'ils le diront peu, aimeront et voudront la réussite intellectuelle et sociale qui enchante et rassure. Rencontrer Voltaire, écrire à Diderot, être reçus par la reine, correspondre avec les souverains étrangers, être familiers des aristocrates de la naissance ou de l'esprit, mener une vie mondaine, fréquenter les salons, mesurer son importance à celle des personnes que l'on rencontre... ils voudront tout ce que cherchent leur monde et leur temps ! Pourtant ils n'effaceront jamais la distance qui les séparent de la société française où ils vivent. Leur religion, leur morale protestante les singularisent, aussi leurs familles, leurs souvenirs, le lac d'où ils viennent, où ils retourneront. Suzanne restera, à beaucoup d'égards, la fille du pasteur de Crassier.

Jacques demeurera un banquier très protestant qui regarde vers Genève et vers Lausanne. C'est à Coppet, au bord du lac, dans leur étrange tombeau, que s'achèvera cette commune aventure.

Et Necker ne cessera, écrivant à sa femme, de lui dire, avec des mots souvent très proches de ceux dont elle usait, un amour que le temps ne devait que renforcer : « Ah mon ange, lui écrira-t-il quand sera venu le temps des épreuves, l'amour que j'ai pour toi passe toute expression. C'est mon sang qui coule dans tes veines, c'est le tien qui est dans les miennes [18] », et comme souvent elle lui parlait de la mort, il lui dira encore : « Bien-aimée, âme de ma vie, objet de mes pensées, mon appui, ma gloire, et ma consolation, toi qui es si digne d'approcher de l'Être suprême, recommande-lui notre bonheur ensemble et attire-moi vers ce séjour céleste qui t'est réservé afin que j'y sois témoin de ta félicité... » Lorsque Suzanne Necker mourra, elle laissera des lettres passionnées destinées à celui qui devait rester seul [19] : « En quittant ce monde, unique et cher objet de toute mon affection, l'idée de la solitude où je te laisse est la seule qui vienne troubler mes derniers instants. » Et encore : « Tu pleures, cher ami de mon cœur ; tu crois qu'elle ne vit plus pour toi, celle qui avait réuni dans tous les points son existence à la tienne. Tu te trompes : ce Dieu qui avait joint nos deux cœurs, ce Dieu, bienfaiteur de toutes ses créatures, et qui me combla de ses faveurs, n'a point anéanti mon être. Quand j'écris cette lettre, un sentiment secret, un instinct qui ne m'a jamais trompée, répand un calme imprévu dans mon âme. Je crois voir que cette âme veille encore sur ton sort, et que, dans le sein du Dieu que je ne cessai jamais d'adorer, je jouirai encore de ta tendresse pour moi. »

Ainsi vivront-ils jusqu'au dernier jour, de plus en plus aimants, animés de sentiments enflammés que porteront des mots plus enflammés encore.

POUR LA VIE ET POUR LA MORT

Les voici donc mariés, pour la vie et pour la mort, le 30 septembre 1764, à minuit, heure qu'ils ont choisie. Jacques a trente-deux ans, Suzanne en a vingt-sept. Amoureuse des âmes et des esprits, Suzanne Necker l'est sans doute moins des corps. Les sens lui semblent entraver les élans de l'âme[20]. Mais elle veut un enfant, par respect de la loi religieuse sans doute, mais aussi pour renforcer le lien qui tient son Jacques, et aussi pour que leur amour survive à la mort. Suzanne s'inquiète, au bout de quelques mois, de n'être pas enceinte. « Mariée depuis huit mois, écrit-elle à son amie Mme Puthod le 9 juillet 1765, je n'ai pas une apparence de grossesse, cette idée me harcèle car j'aime mon mari à la passion, et si je meurs sans enfant il faudra que je le laisse en proie à des héritiers avides, ou qu'une autre... je ne puis achever[21]. »

Vite rassurée, elle connut les tourments d'une grossesse qui lui parut très difficile : « Depuis un mois, écrit-elle en avril 1766, j'ai perdu le sommeil, et même la possibilité de me coucher ou de m'asseoir dans toute la longueur des nuits[22]. » Elle vit son accouchement plus mal encore que sa grossesse : « J'ai été trois jours et deux nuits dans les tourments des damnés. La mort était à mon chevet[23]. » Le drame devait s'achever le 22 avril 1766 à sept heures du soir, dans l'hôtel de la rue de Cléry où habitaient alors les Necker. Une petite fille était née.

« TRÈS IMPATIENTE DE JASER »

Suzanne Necker avait demandé à Marie Vernet, la femme du banquier chez lequel Jacques Necker avait commencé sa carrière, d'être marraine. « Si je meurs, cet enfant ne sera pas sans mère... si Dieu me conserve la vie, vos vertus nous serviront de modèle... » Mme Vernet n'accéda pas à ce souhait, et il fallut s'adresser à Mme de Vermenoux. Celle-ci consentit à tenir ce rôle.

Cinq jours plus tard, à la chapelle de l'ambassade de Hollande, était dressé l'acte suivant :

« Le vingt sept avril mil sept cent soixante six, Anne Louise Germaine, née à Paris le mardy vingt deux avril mil sept cent soixante six, fille de noble Jacques Necker, citoyen de Genève, et noble dame Louise Suzanne Curchod, son épouse ; a eue pour parrain M. Louis Necker, son oncle paternel, absent, et pour marraine Madame Anne Germaine Larrivée de Vermenoux, par qui elle a été présentée au saint baptême et a été baptisée le dimanche vingt sept des dits mois et an dans la chapelle de Leurs Hautes Puissances Nos Seigneurs les États généraux des Provinces-Unies en l'hôtel de Son Excellence M. Lestevenon de Berkenroode, leur ambassadeur à la Cour de France, par moi soussigné J. Duvoisin, chapelain. »

Cet adorable enfant, qui restera unique, fallait-il que Suzanne Necker le nourrît ? Jean-Jacques Rousseau, très admiré d'elle, avait vivement conseillé que les jeunes femmes remplissent avec une vertueuse intrépidité ce devoir si doux que la nature leur imposait. Il était bon d'allaiter son enfant et de le protéger des risques qui pouvaient lui faire courir de mauvaises nourrices. Mais le conseil était difficile à suivre, car la beauté du corps, celle des « sources de vie », tant appréciée des hommes, ne risquait-elle pas d'en souffrir ? Suzanne Necker avait cru prudent de consulter, avant la naissance, le docteur Tronchin qui lui avait répondu, en décembre 1765, par une lettre énigmatique : « Devant partir, ma chère Madame, entre le 8 et le 15 du mois prochain, je serais tenté de renvoyer jusqu'alors ma réponse à la question que vous me faites, parce qu'il faut examiner bien des choses, pour savoir si vous serez bien en état de nourrir. Ce devoir n'en est un que lorsqu'on est en état de le remplir, et si vous me permettez de comparer deux choses qui ne se ressemblent guère, je dirais qu'il en est de l'allaitement comme du carême, qui n'est obligatoire que pour ceux qui peuvent le supporter [24]. »

Suzanne essaya donc de supporter l'allaitement comme le carême, elle s'y appliqua, mais dut bientôt renoncer, avec « un amer chagrin ». En septembre elle abandonnait cette impossible mission [25] : « Je me suis obstinée à nourrir jusqu'à trois mois et demi ; la nature défaillante a refusé du lait dans le moment où je tombais dans une langueur ; je suis très bien actuellement et ma petite se trouve beaucoup mieux du sein d'une grosse Flamande ; je ne la perds pas de vue ; elle est très jolie et très impatiente de jaser. »

La grosse Flamande travailla bien, et le bébé se porta à merveille. En 1769 il fallut penser à l'inoculer. La comtesse Golovkine conseillera à son amie Suzanne un fameux spécialiste, M. Hewitt, qui avait inoculé « plus de sept mille personnes de sa main sans qu'il lui soit arrivé le moindre accident [26] ». L'inoculation aura lieu le 26 juin 1769, et tout se passera fort bien.

La petite Louise, que ses parents appelleront le plus souvent « Minette », se développait normalement. Déjà elle semblait ardente et joyeuse. Sa marraine, qui vint la voir pendant une absence des parents, put leur écrire : « Je viens de passer quelques heures avec votre charmante enfant. [...] Je l'ai trouvée on ne peut mieux portante, pleine de grâces et de gaieté [27]. » Louise est décidément adorable, et Suzanne tout heureuse...

III

Le salon de Madame Necker

Suzanne Curchod avait échappé à son triste destin. Elle avait épousé un homme riche, religieux, vertueux, et qui travaillait à faire une belle carrière. Une petite fille était née, qui avait ébranlé sa santé, mais dont il lui fallait faire une enfant prodige. Elle est une femme qui doit et veut servir Dieu et son mari. Cela n'empêche qu'elle tient les femmes pour « des individus à part entière, douées d'intelligence et de raison[1] », et qui doivent parler, écrire, se faire entendre. « Si les femmes, même celles qui sont célèbres, écrira-t-elle dans les manuscrits que publiera son mari, ont toujours été médiocres, c'est qu'elles ont toujours usé leurs forces à vaincre les obstacles[2]. » Voici que grâce à Jacques Necker elle dispose d'une situation sociale et financière privilégiée. Comme d'autres, au XVIIIᵉ siècle, comme Mme du Deffand, comme Mme d'Épinay, comme Mme du Châtelet, Mme Necker refusera l'ombre et la médiocrité, elle fera connaître et reconnaître ses talents. Elle est séduisante, intelligente, cultivée, elle aime la fréquentation des esprits éclairés. Elle doit servir un mari ambitieux. Elle tiendra un salon.

Mais la belle Suzanne ne ressemble guère à la plupart des « femmes des Lumières » qui, découvrant peu à peu leur jeune émule, seront souvent sévères avec elle[3]. Elle aime plaire mais garde sa réserve, car Dieu ne peut la laisser libre. Elle est fort instruite, plus que beaucoup des femmes qu'elle rencontrera à Paris[4], mais elle craint que lui manque le bon goût, la sûreté de jugement, le commerce facile avec les personnages éminents. C'est par les livres qu'elle s'était formé une idée des auteurs et des gens d'esprit, uniquement par les livres, et elle découvrira vite que le monde où elle devrait tenir son rang était bien autrement divers et compliqué qu'elle ne l'avait cru. « Arrivant dans ce pays-ci, dira-t-elle, je croyais que les lettres étaient la clef de tout, qu'un homme ne cultivait son esprit que par les livres et n'était grand que par le savoir[5]. » Elle ne tarde pas à s'apercevoir de sa méprise : « Je n'ai pas un mot à dire dans le monde... j'en ignorais même la langue. Obligée, par mon état de femme, de captiver les esprits, j'ignorais toutes les nuances de l'amour-propre, et je le révoltais quand je croyais le flatter. Ce qu'on appelait franchise en Suisse devenait égoïsme à Paris ; négligence des petites choses était ici manque aux bienséances ; en un mot, détonnant sans cesse et intimidée par mes bévues et par mon ignorance, ne trouvant jamais l'à-propos, et prévoyant que mes idées actuelles ne s'enchaîneraient jamais avec celles que j'étais obligée d'acquérir, j'ai enfoui mon petit capital pour ne le revoir jamais, et je me suis mise à travailler pour vivre et pour accumuler un peu si je puis. »

Sans doute, avouera-t-elle, « c'est la maladie de tous les Suisses, enchantés d'être dans une grande ville et d'en médire ». Mais la plupart des beaux esprits lui semblent « de fades et mauvais plaisants[6] », et pour plaire elle doit « prendre sans cesse sur elle, sur sa santé, sur ses habitudes chéries, sur ses autres goûts[7] ». « Je dois vous faire un aveu, écrira-t-elle en 1771 à une amie de Suisse, c'est que depuis le jour de mon arrivée à Paris, je n'ai pas vécu un seul instant sur le fonds d'idées que j'avais acquises ; j'en excepte la partie des mœurs, mais j'ai été obligée de refaire mon esprit "tout à neuf" pour les caractères, pour les circonstances, pour la conversation[8]. »

Marmontel, qui deviendra l'un des familiers du salon de Mme Necker, la décrira peu parisienne : « Mme Necker n'avait aucun des agréments d'une jeune Française. Dans ses manières, dans son langage, ce n'était ni l'air ni le ton d'une femme élevée à l'école des arts, formée à l'école du monde. Sans goût dans sa parure, sans aisance dans son maintien, sans attrait dans sa politesse, son esprit, comme sa contenance, était trop ajusté pour avoir de la grâce. [...] On la voyait tout occupée à se rendre agréable à sa société, empressée à bien recevoir ceux qu'elle y avait admis, attentive à dire à chacun ce qui pouvait lui plaire davantage ; mais tout cela était prémédité, rien ne coulait de source, rien ne faisait illusion[9]. »

Sans doute Suzanne Necker sera-t-elle peu à peu conquise par le charme de Paris, et de la société parisienne. Elle parviendra à s'y conformer, ou à s'y soumettre, avec une fervente application. Cette foule de beaux esprits « plus ou moins galants et mécréants », raconte Sainte-Beuve, elle apprendra à leur être agréable. Elle s'obstinera à leur plaire, à les réunir. « Il y a ici, écrira Diderot à Sophie Volland en 1765, une Mme Necker, jolie femme et bel esprit, qui raffole de moi ; c'est une persécution pour m'avoir chez elle. » Ce goût passionné pour les activités de l'esprit, venu de sa famille et qui avait occupé sa jeunesse, encouragea sans aucun doute cette « fleur transplantée » et dépaysée. Pourtant elle dut souffrir. « Quel pays stérile en amitié[10] », écrira-t-elle. Elle fera en sorte de s'adapter, elle aura des amis chers, et elle sera heureuse, à sa manière, dans ce monde étrange où elle pouvait tenter de réaliser quelques-uns de ses rêves de jeunesse. Mais il lui faudra vivre même la réussite de sa vie dans l'inquiétude et la mélancolie qui ne cesseront de l'accompagner, dans les soucis de sa santé et dans l'angoisse de la mort qui ne feront que croître au fil des ans.

Tenir un salon, conquérir un peu de l'influence de Mme du Deffand ou de Mme Geoffrin, ce pouvait être une belle ambition pour celle qui était arrivée à Paris comme dame de compagnie et qui bien que mariée se faisait encore appeler Mme de Nasse Necker. Mais ce n'était pas à soi que Suzanne semblait songer d'abord, c'était à son mari. Marmontel le dira dans ses *Mémoires*[11] : « Ce n'était pas pour nous, ce n'était point pour elle qu'elle se donnait tous ces soins ; c'était pour son mari... Nous le faire connaître, lui concilier nos esprits, faire parler de lui avec éloge et commencer sa renommée, tel fut le principal objet de la fondation de sa société littéraire. » Jacques Necker aussi aime les lettres, et la fréquentation des esprits influents. Il veut, il doit réussir dans cette société parisienne, où la carrière et la gloire doivent tant à la réputation. Aussi Suzanne veut-elle être la meilleure des femmes, pour bien servir le meilleur des maris.

L'abbé Morellet, qui sera lui aussi l'un des familiers du salon, si même il sera, un temps, en conflit avec Necker[12], expliquera dans ses *Mémoires*[13] comment fut fondé ce salon, qui deviendra fameux : « Marmontel et l'abbé Raynal étaient liés avec Mme de Vermenoux, et nous connaissions tous trois M. Necker, faisant la banque dans la maison du Genevois Vernet, établi rue Michel-le-Comte. Mme Necker s'adressa à nous trois pour jeter les fondements de sa société littéraire. On choisit un jour pour ne pas se trouver en concurrence avec les lundis et les mercredis de Mme Geoffrin, les mardis d'Helvétius, les jeudis et les dimanches du baron d'Holbach. » Ainsi naquit le salon du vendredi, « le jour de Mme Necker ».

Le salon fut aussitôt « un temple consacré à la gloire naissante de Necker », et sa femme se voulut « la grande prêtresse du culte[14] ». Elle se donnera beaucoup de peine pour attirer en son salon tous les beaux esprits qui semblaient alors régner sur la pensée. Les « habitués » du salon seront des écrivains, du moins des écrivains consacrés par la renommée, car Mme Necker ne fera guère de place à des talents inconnus. Ce seront des philosophes réputés, des hommes de science et de droit, et aussi des gens de cour et de gouvernement, car le salon devait avoir, pour bien servir M. Necker, une influence philosophique et politique. Il devait éclairer l'opinion publique : « On y parlera Liberté, Démocratie, Constitution, Révolution [15]. » Elle recevra de même manière protestants et catholiques, ministres et prélats. Les abbés « de Cour plus que d'Église », tels Morellet et Galiani, se retrouveront volontiers chez elle. Elle aimera accueillir des athées illustres, comme Diderot auquel elle écrira : « Vous m'étonnez, je vous admire, et je suis loin cependant de partager vos opinions [16]. » Tolérante, elle le sera autant qu'elle pourra, mais elle redoutera cependant les ennemis jurés de Dieu, et ceux surtout qui étalaient la débauche. Chez Mme Necker, les opinions religieuses ne pouvaient guère être abordées, ni la vertu ouvertement critiquée. « Je me suis souvenu, écrira l'abbé Galiani à Mme Necker en 1771, de cette soirée affreuse et à jamais mémorable où je fus un monstre parce que j'osais dire ce que tout le monde pensait. Je disais que je n'aimais les hommes que pour l'argent et M. Necker en a ; que je n'aimais les femmes que pour la beauté et vous en avez [17]. » L'étonnante aventure de ce salon, elle voulait la réussir, écrit Diesbach, « drapée dans sa vertu, armée du bouclier de sa foi [18] ».

« VOILÀ MES VENDREDIS »

Cette aventure qui devint bientôt fameuse commença dès 1765 en l'hôtel d'Hallwyl qu'avait loué Necker 28 rue Michel-le-Comte. Puis elle se poursuivra à l'hôtel Le Blanc, rue de Cléry, un hôtel suffisamment somptueux pour sembler un lieu favorable. Plus tard, Necker louera le château de Madrid, au bois de Boulogne, où les Necker passeront leurs étés, en attendant d'acquérir le château de Saint-Ouen sur les bords de la Seine. La cuisine chez Mme Necker ne passait pas pour bonne. « Sœur Necker, dira Grimm, fait savoir qu'elle donnera à dîner tous les vendredis ; l'Église s'y rendra parce qu'elle fait cas de sa personne et de son époux ; elle voudrait pouvoir en dire autant de son cuisinier. » Galiani laissera une description amusée de ces dîners du vendredi :

« Il n'y a point de vendredi que je n'aille chez vous en esprit. J'arrive, je vous trouve tantôt achevant votre parure, tantôt prolongée sur cette duchesse. Je m'assieds à vos pied. Thomas souffre tout bas, Morellet en enrage tout haut. Grimm, Suard en rient de bon cœur et mon cher comte de Creutz ne s'en aperçoit pas. Marmontel trouve l'exemple digne d'être imité, et vous, Madame, vous faites combattre deux de vos plus belles vertus, la pudeur et la politesse, et, dans cette souffrance, vous trouvez que je suis un petit monstre plus embarrassant qu'odieux.

« On annonce qu'on a servi. Nous sortons, les autres font gras, moi je fais maigre, je mange beaucoup de cette morue verte d'Écosse, que j'aime fort, je me donne une indigestion tout en admirant l'adresse de l'abbé Morellet à couper un dindonneau. On sort de table, on est au café, tous parlent à la fois. L'abbé Raynal convient avec moi que Boston et l'Amérique anglaise sont à jamais séparés d'avec l'Angleterre ; et dans le même moment Creutz et Marmontel conviennent que Grétry est le Pergolèse de la France ; M. Necker trouve tout cela bon, baisse la tête, et s'en va. Voilà mes vendredis[19]... »

La conversation ? Elle devait être brillante, cultivée, elle devait aborder les sujets à la mode sans jamais devenir scandaleuse. Parfois Mme Necker s'enfermait seule à la campagne pour un ou deux jours, pour préparer son rôle[20]. Selon l'usage, la maîtresse de maison conduisait la conversation. Mme Necker semblait souvent raide, sans naturel et sans grâce, par surcroît trop occupée de bien servir son mari. Elle le concédera elle-même dans les papiers qui seront publiés après sa mort[21] :

« Fornier[22] m'a fait remarquer que je ne me laissais pas assez aller à mon naturel tant pour l'esprit que pour le cœur et que j'avais toujours l'air de combiner ce que j'allais dire ; qu'un auteur par exemple ne me savait pas le même gré de mettre la conversation sur ses ouvrages, de le louer, parce qu'il voyait que je m'étais préparée à lui plaire. Tâchons donc de nous abandonner davantage, ce défaut tient surtout à l'inattention et à l'occupation d'autres objets pour n'avoir pas suivi en conversation, je reviens et je dis des choses apprêtées – je manque l'à-propos qui fait souvent la grâce et qu'on ne peut réparer par la finesse. Je n'ai point les grâces du mouvement, mais j'ai les grâces posées. »

Ceux qui furent les familiers de ce salon en ont volontiers décrit les défauts parfois même les ridicules. Le beau langage y dégénérait volontiers en pédantisme, l'invention forcée en caricature. Suzanne Necker était hantée par la pureté de la langue, détestait toute expression familière[23]. Un jour, racontera Marmontel[24], « je lui citais quelques expressions familières que je croyais, disais-je, pouvoir être reçues dans le style élevé comme *faire l'amour, aller voir ses amours, commencer à voir clair, prenez votre parti, pour bien faire, il faudrait, vois-tu, faisons mieux...* Elle les rejeta comme indignes du style noble. Racine, lui dis-je, a été moins difficile que vous, il les a toutes employées. Et je lui en fis voir les exemples. Mais son opinion, une fois établie, était invariable, et l'autorité de Thomas, ou celle de Buffon, était pour elle un article de foi. »

L'abbé Morellet, présent chaque vendredi, se montrera plus indulgent. « La conversation y était bonne, quoique un peu contrainte par la sévérité de Mme Necker, auprès de laquelle beaucoup de sujets ne pouvaient être touchés, et qui souffrait surtout de la liberté des opinions religieuses. Mais en matière de littérature, on causait agréablement, et elle en parlait elle-même fort bien. Pour M. Necker, il y était nul, ne sortant de son silence que pour lâcher quelque trait piquant et quelque persiflage fin des philosophes et des gens de lettres, dont sa femme, à son avis, était un peu engouée. Sa femme, de son côté, le plaisantait sur ses gaucheries et sur son silence, mais toujours de manière à le faire valoir[25]. »

Ce que tous s'accorderont à reconnaître, c'est que Necker, présent, semblait absent. Il se taisait, écoutant ou faisant semblant, et il n'intervenait le plus souvent que pour faire un mot. Il semblait n'avoir qu'un « regard distrait » pour les « zélateurs de sa célébrité naissante[26] », certes invités pour servir sa carrière ou sa gloire. Sans doute Necker souhaitait-il, dans le salon de sa femme, n'apparaître que comme un invité privilégié. Il l'approuve, il l'encourage, il aime ce qui peut la rendre heureuse, il tire un évident profit de tant de rencontres et il en mesure l'importance, mais sa nature, sa réserve, son éducation l'en tiennent à l'écart. L'opinion publique aura vite pour lui une dimension plus vaste que celle d'un cercle de beaux esprits auquel il ne lui déplaît pas de plaire. Sans doute Necker regarde-t-il ailleurs, plus loin. Mais il aime Suzanne, il aime ses ferventes initiatives, il redoute sa mélancolie. Il sait aussi qu'elle travaille pour lui...

Les femmes furent souvent sans indulgence pour ce pédant salon, parfois rival, et sur celle qui l'animait afin de servir son trop ambitieux mari. La baronne d'Oberkirch, rendant à Saint-Ouen visite à Mme Necker, livrera ainsi ses impressions : « Dieu, avant de la créer, la trempa en dedans et en dehors dans un baquet d'empois[27]. » Mme du Deffand dira, dans une lettre à Walpole, lui parlant du salon Necker et de Necker lui-même : « L'on est plus bête avec lui qu'on ne l'est tout seul ou avec d'autres. » Mme Necker, proclamera Mme Geoffrin, « a la religion de la gloire, comme elle a la famine de l'esprit ». Ce jugement sévère n'empêchera pas Mme Geoffrin d'être peu à peu conquise par l'enthousiaste amitié que lui témoignait Mme Necker. « Ma très chère belle, lui écrivait-elle en 1766, savez-vous bien que les éloges outrés que vous me donnez me confondent au lieu de me toucher ou de me flatter[28]. » Pourtant elle deviendra son amie, elle ira souvent dîner chez les Necker, et même s'amuser avec la petite « Cendrillon », comme elle appellera leur fille. Quant à Mme d'Houdetot, elle deviendra une amie chère. « Votre destinée est bien d'être aimée, écrira-t-elle à Suzanne Necker, jouissez de ce bonheur, le premier de tous, et conservez-vous pour en jouir longtemps. Vos amis absents ou présents doivent vous rappeler sans cesse à cette douce idée[29]. » Mme Necker fut aussi l'amie de Mme de Boufflers, duchesse de Lauzun, qui sera très proche d'elle, et, un temps, celle de Mme de Marchais, « l'une des plus jolies femmes de l'époque, influente et intrigante[30] ». Mme de Genlis entretiendra avec Mme Necker une relation agréable – avant que ne lui vienne sa haine pour Mme de Staël[31].

Mais le salon de Mme Necker paraîtra à beaucoup d'autant plus critiquable qu'il prendra, peu à peu, la place dont elle rêvait. Sans doute s'était-elle contentée, dans les premiers temps, « de recrues de second ordre », comme l'écrit sévèrement Diesbach[32] : Marmontel, l'abbé Raynal, Duclos, l'abbé Galiani, l'abbé Morellet, Suard, Thomas qui deviendront ses intimes et les actifs soutiens de son mari. Le salon fut bientôt assez fameux pour que Mme Necker pût faire choix également d'un second jour – le mardi – où elle se plut à réunir « ceux des habitués des vendredis qui étaient l'objet de sa prédilection[33] », assemblant ses hôtes tantôt à dîner – à quatre heures –, tantôt à souper, et la soirée alors se prolongeait fort tard. Des écrivains tel Beaumarchais, des juristes comme Malesherbes ou Beccaria, des scientifiques comme Buffon, des ministres, des diplomates s'y retrouvèrent. Grimm, après avoir hésité, céda à l'insistance de Mme Necker[34] et il a laissé le récit de ce dîner célèbre où dix-sept « véritables philosophes », dira-t-il – dont Diderot, Suard, l'abbé Raynal, d'Alembert, Helvétius, Thomas –, réunis à la table de Mme Necker, décidèrent d'ériger par souscription une statue à Voltaire. Cette statue que réalisera Pigalle, sculpteur du roi, ne plaira ni au patriarche de Ferney, ni à Mme Necker, ni semble-t-il à personne, et elle achèvera son destin au palais de l'Institut puis au Louvre. Diderot, que Mme Necker avait, dira-t-il, « persécuté » pour qu'il consentît à venir chez elle, s'y rendra fréquemment et il échangera avec elle des lettres amicales, non exemptes, nous dit d'Haussonville, « de ces polissonneries qui souillent toutes ses œuvres [35] », mais toujours élogieuses et destinées à plaire. Ainsi lui écrira-t-il de La Haye, le 6 septembre 1774 [36] :

« Il est bien fâcheux pour moi de n'avoir pas eu le bonheur de vous connaître plus tôt. Vous m'auriez certainement inspiré un goût de pureté et de délicatesse qui aurait passé de mon âme dans mes ouvrages. Ces dévergondées qui tourbillonnent dans nos jardins ne sont pas sans attraits. Plus piquante peut-être pour la jeunesse et pour le vice, c'est la jeune fille grande, belle et modeste qui fixe les regards de l'homme de bien. Il n'y a nulle comparaison à faire des bacchantes de Rubens ou de Jordaens, aux vierges de Raphaël. Je le sais, je le sens, j'en conviens ; mais il est trop tard pour prendre ce style pur et chaste. »

D'Alembert aussi viendra. Il adressera à Mme Necker des lettres affectueuses, notamment après la mort de Mlle de Lespinasse, quand il sera plongé dans un cruel chagrin [37] :

« Que vous avez de bonté, Madame, vous et M. Necker, de vouloir bien vous occuper de ma situation et de ma douleur ! J'ai perdu la douceur et l'intérêt de ma vie, je n'y tiens plus que par la triste et chère occupation d'exécuter les dernières volontés de ma malheureuse amie ; quand j'aurai rempli ce devoir douloureux, mais sacré pour mon cœur, je ne sentirai plus que l'abandon et le vide, et je ne pourrai supporter l'existence que par l'intérêt que voudront bien y prendre encore quelques âmes honnêtes et sensibles ; la vôtre, Madame, est de ce nombre, ainsi que celle de M. Necker, et c'est à ce titre que je vous demande la continuation de vos bontés à l'un et à l'autre ; elles me sont plus nécessaires et plus chères que jamais, elles me feront sentir plus vivement encore que par le passé toute la reconnaissance que je vous dois et tous les sentiments de respect et d'attachement que vous m'avez inspirés... »

Mais le salon n'était pas que le lieu de dîners et de soupers où régnait la mauvaise cuisine, et de conversations brillantes que Mme Necker avait tendance à diriger trop raidement. On y écoutait aussi des morceaux de théâtre – et Mlle Clairon venait volontiers se faire entendre – et des lectures d'œuvres nouvelles : ainsi fut un soir donnée, dans un ennui pesant, la première lecture de *Paul et Virginie*, et ce souvenir laissa Bernardin de Saint-Pierre malheureux. Comme il se faisait dans les autres salons, les élections à l'Académie française occupaient une place importante. Marmontel, Buffon et d'autres tinrent fidèlement Mme Necker au courant des candidatures, des visites, des intrigues, des compliments et des calomnies répandus. Il était bon d'être soutenu par Mme Necker, comme il avait été bon, autrefois, de l'être par Mme de Lambert. Ainsi Mme Necker devait-elle recevoir de son ami Dorat, battu à l'Académie en 1771 quoiqu'il eût été soutenu par elle, cette lettre consolatrice : « Je ne serai point de l'Académie, mais je serai de votre société et je ne ferai rien qui m'en rende indigne. J'aime mieux un caractère qu'un fauteuil et votre suffrage que celui des quarante[38]. »

L'AMOUR DE L'AMITIÉ

Le salon donnera à Mme Necker quelques-uns de ses amis les plus chers. Moultou, qui avait été tant mêlé à sa vie et auquel elle devait tout, n'y apparaissait pas. Ils ne se sont pas revus depuis onze ans, s'écrivant sans cesse, quand il viendra enfin passer quelques mois auprès d'elle. Il repartira comme il était venu, discrètement, et Necker, redoutant pour sa femme l'émotion des adieux, cachera à Suzanne le jour du départ de l'ami tant aimé. Quand elle apprendra ce départ, elle écrira à Moultou une lettre désespérée[39] : « Je vous ai revu pour vous reperdre encore. Où êtes-vous ? Dans quel cœur puis-je à présent reposer les pensées qui m'agitent ? À présent, mon aimable ami, me voici de nouveau seule dans ce désert que vous étiez venu peupler... »

Buffon et Thomas furent aussi ses plus chers amis. Buffon, elle l'avait connu par Mme de Marchais. Suzanne Necker avait trente ans de moins que lui. Elle fut heureuse et fière de l'amitié enthousiaste d'un homme dont elle ne cessera de vanter le génie. Ils passeront de longues heures ensemble, ils échangeront des lettres enflammées. Ainsi ce post-scriptum ajouté par lui à une lettre écrite de Montbard en 1781 : « Que d'ingénieuses images, quelle tournure charmante dans votre dernière lettre et sur des choses désagréables quel vernis de beauté ! quel fond de bonté ! que je vous dois donc aimer ; mais aussi combien donc je vous aime ! chaque jour je vous vois plus aimable et tous les jours également spirituelle et sensible ; les miens vous sont consacrés, et tous ensemble ne m'acquitteront pas de ce que je dois à la tendresse de ma divine amie. C'est en le lui protestant que j'ose l'embrasser[40]. »

Quand, en 1788, Buffon, malade, sera dans un état désespéré, Suzanne Necker se rendra à son chevet afin de partager son agonie, lui tenir la main pour l'aider à mourir : « Je vous trouve encore charmante », aura-t-il la force de murmurer, « dans un moment où l'on ne trouve plus rien de charmant ».

Thomas aussi, l'obscur Thomas, le vertueux Thomas, « cet écrivain estimable et moral, dit Saint-Beuve, qu'il est de mode de venir railler aujourd'hui », fut très proche d'elle. Suzanne et lui partagèrent l'amour des livres, le goût des émotions, et aussi un penchant commun pour la tristesse[41], pour les méditations douloureuses sur la mort, sur Dieu. « Voilà donc, lui écrira-t-il après la mort de Mme Geoffrin, le terme de tout.

C'est pour arriver là qu'il faut faire un voyage souvent pénible, à travers les passions, les faiblesses et les ridicules des hommes. » Il ajoutera : « Heureusement on rencontre quelquefois sur la route des âmes douces et sensibles qui charment l'ennui du voyage. » Suzanne ne cessera de lui écrire : « Mes regards se tournent vers vous comme un rivage chéri. [...] Vous manquez plus que jamais à mon bonheur [42]. » Elle laissera, dans ses papiers, un portrait amoureux et lucide de son ami :

« Les petits rapports qui unissent les hommes entre eux sont autant de fils déliés par lesquels ils se touchent dans tous les points de leur existence ; mais M. Thomas ne tient à ses semblables que par deux grandes chaînes, la gloire et la vertu : ces chaînes, fortes en apparence, isolent en effet celui qui n'en porte point d'autres ; car ce n'est plus le suffrage des particuliers qu'il doit rechercher, c'est celui des nations et des siècles ; ce n'est plus l'approbation de l'individu, c'est celle de son cœur et de son Dieu. Ces grands rapports font disparaître et le désir de plaire, et l'art de captiver les suffrages : aussi voyez M. Thomas dans la société ; l'on dirait qu'il y surnage sans pouvoir jamais se mêler avec elle : tranquille et solitaire au centre des secousses de l'intérêt personnel, les hommes ne sont pour lui que le sujet de ses pensées ; observateur indifférent, s'il est dans un cercle, il se tait, tout l'ennuie et rien ne lui échappe.

« M. Thomas juge les caractères avec trop de sévérité, et le génie avec trop d'indulgence ; et j'en conclus qu'il est un peu jaloux des talents ; car on ne peut reconnaître ses défauts qu'à l'excès de ses vertus.

« Le travail est pour M. Thomas la seule mesure de la vie ; il veut que chaque jour lui rapporte l'éternité ; et si la nature fatiguée réclame ses droits et le ramène au milieu du monde, qu'il perd trop souvent de vue, il est comme un exilé qui revient dans sa patrie après une longue absence, et qui s'afflige de n'y reconnaître personne.

« M. Thomas écrit tantôt comme Bossuet, tantôt comme

Tacite, et quelquefois comme Fontenelle ; cependant on ne dira pas qu'il leur ressemble, car l'empreinte forte et continue de son caractère et de son âme efface toutes les apparences de l'imitation[43]. »

Quand mourra Thomas en 1785, comme elle aurait voulu qu'il meure, demandant enfin à Dieu la solution des problèmes qui avaient agité son esprit[44], elle se reconnaîtra la mission de veiller à la gloire posthume de son ami disparu et elle instruira son autre ami, le comte de Guibert, successeur de Thomas à l'Académie française, afin qu'il parle bien de celui qui avait tant occupé sa vie.

Moultou, Buffon, Thomas, elle leur a écrit des lettres passionnées, elle fut leur amie très ardente. La vivacité des sentiments, les mots enflammés, les ardeurs de l'écriture, et encore l'appel à la passion et les cris de désespoir, et l'incessante contemplation de la mort permettent-ils « de reconnaître en elle la véritable mère de sa fille[45] ? » Mais chez Suzanne Necker ni l'admiration du génie, ni l'amour de l'amitié, ni le sublime de l'éloquence n'ont changé le destin. Elle est la femme de Jacques Necker. Sa passion et sa vie, elle les lui a données, et le temps qui passe ne fait que renforcer son devoir. Elle travaille à la gloire de Jacques Necker, c'est sa raison de vivre, et c'est aussi l'ordre de Dieu. « Mme Necker, écrira son mari quand il préfacera les *Mélanges* de Mme Necker publiés après sa mort, aima l'esprit pour l'esprit, la vertu pour la vertu, et Dieu pour lui-même[46]. » Elle aima d'abord Necker. Mais n'unissait-il pas en lui le goût de l'esprit, la passion de la vertu et le culte de Dieu ?

IV

Telle est la destinée d'un grand homme...

Dans le salon que tient sa femme, Jacques Necker, générale-ment silencieux, presque maussade, semble souvent s'en-nuyer. Mais son indifférence, apparente ou réelle, n'empêche qu'il est entouré d'égards. Sa réputation d'habile homme d'affaires lui vaut une considération croissante. On sait qu'il prête des sommes importantes au Trésor royal, qu'il rencontre souvent les ministres en place, qu'il se fait écouter d'eux. « Il flotte autour de lui une odeur de puissance et d'argent à laquelle personne ne se trompe ni ne reste insensible[1]. » C'est un homme qui semble promis à une grande carrière, et qui y travaille bien.

Jacques Necker est devenu l'un des membres influents du conseil d'administration de la fameuse Compagnie des Indes, autrefois fondée par Colbert pour étendre la puissance éco-nomique de la France, mais qui, à la suite des dépenses de la guerre et de la perte de l'Inde, était, en 1764, parvenue au bord de la faillite[2]. Au conseil d'administration, Necker tente l'impossible : il dresse un plan de réorganisation qui, pense-t-il, pourrait sauver la Compagnie. « Il se livra à ce travail », expli-quera son petit-fils, le baron de Staël-Holstein, dans sa préface aux œuvres complètes de Necker, « moins dans un but d'inté-rêt personnel que pour l'amour du bien public et pour le désir de se faire connaître dans une Compagnie qui comptait au nombre de ses membres beaucoup d'hommes marquants par leurs talents ou par leur naissance[3]. » D'autres soutiendront que Necker avait saisi cette occasion parmi d'autres de s'enrichir et qu'il s'en servit fort bien. Le voici en 1768 l'un des syndics de la société en déconfiture, et semble-t-il le plus écouté. Ses suggestions retiennent l'attention des actionnaires. On sait que Necker dirige l'une des plus grandes maisons de banque installées en France, qu'il est influent, qu'il est devenu l'ami personnel du ministre Choiseul qui conduit les Affaires étrangères de Louis XV et a aussi en charge le portefeuille de la Guerre. Ce banquier genevois, protestant, va-t-il devenir le maître de la Compagnie ? Les adversaires de sa politique chargeront étrangement l'abbé Morellet, qui fréquente assidûment le salon des Necker, de conduire l'attaque contre les projets de ce redoutable financier...

Les compatriotes de Necker sont eux aussi convaincus de son talent et de l'influence qu'il peut conquérir en France. La république de Genève, sa ville natale, croit utile de lui proposer la succession, comme représentant de la République à Paris, de Jean-Pierre Crommelin, ancien professeur d'histoire qui avait pris, aux côtés de Voltaire, une grande part à la réhabilitation de Calas. Crommelin était mort en poste le 18 juillet 1768. Necker a-t-il discrètement sollicité cet honneur, comme le diront ses ennemis ? Il fait savoir en tout cas qu'il acceptera volontiers cette mission diplomatique qui ne peut qu'accroître son influence auprès de la Cour et du roi de France. Le ministre Choiseul agrée la nomination de Necker. Le 2 août 1768, le Petit Conseil de Genève expédie à Necker ses lettres patentes de nomination et lui demande de ne rien négliger pour conserver à la République la bienveillance du roi de France[4]. Necker est alors au Mont-Dore où il prend les eaux, en compagnie de sa femme, de son frère Louis, et du cher ami Thomas. Il adresse aussitôt à Choiseul une lettre bien rédigée pour plaire[5] :

« Monseigneur,

« On me mande de Genève que le Petit Conseil m'a fait l'honneur de me choisir pour remplir la place de ministre de la République auprès du Roy ; il me reste à désirer, Monseigneur, que ce choix vous soit agréable et, retenu aux eaux du Mont-Dore par la santé de Mme Necker, je ne puis différer jusques à mon retour à Paris à solliciter avec respect votre approbation et à vous assurer, Monseigneur, que je ferai toujours tous mes efforts pour la mériter.

« J'ai l'honneur d'être avec un profond respect, Monseigneur, votre très humble et très obéissant serviteur,

Necker

« Aux eaux du Mont-Dore, en Auvergne, le 12 août 1768. »

Recevant la lettre, le ministre de Louis XV se montre satisfait et écrit en marge : « Répondre qu'on est fort aise du choix[6]. » Mais il fait donner aussitôt à Necker le conseil de se retirer prudemment des affaires : « Comme le commerce de la banque est quelquefois exposé à de fâcheuses révolutions, malgré l'intelligence et la probité de ceux qui l'assurent, M. Necker éviterait de compromettre le privilège du droit des gens si, se restreignant à continuer le commerce sous le nom de ses associés, il s'en retirait publiquement[7]. »

Le 29 septembre, Choiseul reçoit en audience le nouveau résident de Genève. Puis Jacques Necker est introduit auprès de Louis XV, parmi d'autres dignitaires étrangers. Il est présenté au roi de France comme « ministre » de la république de Genève alors que son prédécesseur avait été accrédité comme « chargé d'affaires ». Mais les intrigues se multiplieront vite contre ce nouveau diplomate, dont les premières initiatives inquiéteront le Conseil de Genève. Un certain Philibert Cramer sera bientôt envoyé à Paris, pourvu d'une mission officieuse, pour « soulager » Necker qui se disait volontiers souffrant et « pour ménager à la Cour de France les intérêts de la république de Genève[8] ». Mais déjà Necker a conquis la confiance de Choiseul et de son entourage. Choiseul refusera de recevoir cet étrange envoyé, n'admettant pas que la ville de Genève pût être deux fois représentée. Ainsi s'achèvera la mission de Cramer.

Necker, lui, a pris goût à ses fonctions. Il s'est habilement rapproché de Choiseul. C'est à la demande de ce dernier qu'il a réussi à obtenir du Conseil de Genève que les fils de Jean Calas soient admis à la bourgeoisie genevoise, ce qui lui a valu les félicitations de Voltaire. Surtout le banquier Necker fera consentir, par Thellusson, Necker et Cie, de concert avec de grandes maisons de Londres et d'Amsterdam, une avance de plusieurs millions au Trésor royal gravement endetté[9]. Pourtant le ministre de Genève a entrepris de se retirer des affaires, comme le lui avait conseillé Choiseul. Il a cédé ses parts à son frère Louis Necker, devenu Louis de Germany. Celui-ci sera désormais l'associé de Girardot, beau-frère de Thellusson, et c'est lui qui gérera la banque familiale, la « nouvelle maison » qui prendra pour raison sociale « Germany, Girardot et Cie ». Car Jacques Necker ne veut plus que son nom puisse encore servir au commerce. « Mon frère, a-t-il écrit le 21 août 1771 à Isaac Vernet, depuis qu'il est ici a pris le nom de Germany, et c'est celui qui entre dans la nouvelle maison, ne me convenant pas vu ma position dans ce pays, que le nom de Necker soit manié par personne que par moi[10]. »

Au début de l'année 1772, quand il a achevé cette difficile opération, Jacques Necker a trente-neuf ans. « La richesse, commentera son petit-fils, n'avait jamais été pour lui un but, mais un moyen ; dès l'instant qu'il eut acquis une fortune suffisante pour lui promettre les plaisirs de l'indépendance et de la générosité, il quitta avec empressement un genre d'occupation qui depuis longtemps le fatiguait[11]. » Sa fortune, évaluée à sept ou huit millions de livres, lui permet sans doute cette apparente retraite[12]. La gestion de cette fortune, il la remettra à sa femme sans garder, précisera-t-elle dans ses souvenirs, ni un seul papier ni la plus légère somme. L'ambition de Necker n'est plus dans le commerce. Elle est dans la chose publique, qui ne cesse de l'attirer davantage.

Au printemps de 1770, les Necker, pour vivre plus agréablement et mieux recevoir, ont acquis le château de Saint-Ouen. La maison est vaste et belle. Les invités, qui viennent dîner, souper, dormir, sont souvent des gens fort influents. Le 7 février 1771, M. Necker, dont chacun sait qu'il est désormais informé de tout, avise le Conseil de Genève que le duc d'Aiguillon va remplacer le duc de Choiseul, disgracié parce qu'il était hostile à la réforme du Parlement et parce que la mort de Mme de Pompadour lui avait retiré son principal soutien. Choiseul ne cachait pas son hostilité à Mme du Barry, maîtresse du roi. La nomination du duc d'Aiguillon « me rendra fort aise » écrit Necker au Conseil de Genève[13], et il passera sans peine de la confiance de Choiseul à celle de son successeur. Il se donnera beaucoup de mal pour défendre les intérêts de la république de Genève, pour accroître son influence et son audience auprès de la Cour, et Louis XV ne cachera pas qu'il est fort satisfait de ce remarquable ambassadeur. Le Conseil de Genève décidera de manifester à celui-ci sa gratitude : en 1773, il sera nommé membre du Conseil des Soixante.

Financier, diplomate, habile à rechercher les meilleurs appuis, Jacques Necker semble décidément fait pour la vie publique. Pourtant sa femme, qui s'est tant dévouée pour servir son ambition, semble parfois s'en inquiéter. Qu'en sera-t-il de leur bonheur si son mari devient un homme public ? Et ne s'éloignera-t-il pas d'elle ? Elle lui écrit une lettre passionnée et inquiète :

« Il me semble, mon cher ami, que je ne t'ai jamais autant aimé que je le fais à présent. Le sentiment qui m'attache à toi pénètre mon âme tout entière, je ne sens plus mon existence que par toi ; je ne pense jamais à moi qu'en second, et c'est toujours par toi qu'il faut que je passe pour venir jusqu'à moi. Si je ne craignais un peu l'inconstance de ton caractère, si je m'imaginais qu'une vie agitée t'est nécessaire et que le sentiment sans inquiétude ne subsisterait pas dans ton cœur, crois que je te ferais sans peine tous les sacrifices imaginables. Je te le dis ici du meilleur de mon cœur : si un ange m'assurait que tu conserverais pour moi dans un désert le même attachement que tu me témoignes à Paris, je t'y suivrais demain sans la plus légère peine et peut-être avec plaisir. J'aimerais à ne jouir et à ne respirer que par toi, et, par un sentiment bien différent du tien, je ne goûte qu'avec de pénibles regrets, tous les plaisirs qui ne me viennent pas de toi. Voilà le fond de mon âme, et je me connais bien. Cette manière d'être est invariable ; elle ne me quittera qu'à la mort. Ma devise sur la terre est : *Ou toi ou rien.* [...] Mon cher ami, le bonheur dont je jouis avec toi est quelquefois légèrement obscurci par mes craintes. Ton caractère n'est pas aussi invariable que le mien. Souvent même tu te méconnais. Le monde et les affaires te sont nécessaires. Tu trouves avec moi tous tes plaisirs, mais non pas tes besoins. Peut-être un jour... ma plume se refuse à le tracer. Ah ! si jamais je t'étais moins chère, je ne survivrais pas un moment à la perte de ta tendresse. Pour moi, je le sens, je n'ai plus qu'une âme, et c'est la tienne. Il faut t'aimer ou mourir[14]. »

Mais Suzanne Necker fut impuissante, observe lady Blennerhassett, « à retenir la pierre qu'elle avait commencé à faire rouler ». Necker est lancé dans la politique. Le roi, la Cour, les hommes et les femmes influents, et surtout l'opinion publique, sont devenus ses partenaires.

LE PREMIER APPEL À L'OPINION PUBLIQUE

L'étonnante relation que Necker ne cessera d'entretenir avec l'opinion publique a pris son départ dès 1769. À l'instigation, semble-t-il, du contrôleur général des Finances d'alors, Magnon d'Invau, l'abbé Morellet, quoiqu'il fût l'ami des Necker, avait étrangement consenti à prêter, ou louer sa plume, pour rédiger et publier un vigoureux mémoire prétendant démontrer que l'exploitation de la Compagnie des Indes ne pouvait en aucun cas être rentable et qu'il fallait, très vite, mettre fin à ses activités. L'abbé Morellet se présentait comme le défenseur des actionnaires. Ceux-ci ne devaient pas écouter ceux qui, comme M. Necker, les berçaient d'illusions.

Le mémoire de Morellet avait été rendu public, et Necker, indigné, s'était aussitôt mis au travail pour répondre. En une cinquantaine de pages il s'appliqua à réfuter les thèses de l'abbé – inspirées, pensait-il, par le gouvernement – et à fustiger les nombreuses erreurs commises par l'impudent rédacteur. Necker affirmait que l'« utilité publique » invoquée par l'abbé ne pouvait être placée au-dessus des droits imprescriptibles des actionnaires. Écartant, avec un soin implacable, tous les arguments de Morellet, Necker n'hésitait pas, comme il le fera si souvent, à donner à son contradicteur les leçons de vertu qu'il méritait[15] :

« Sans mandat, sans commission de la part des actionnaires, sans être ni leur coassocié ni leur créancier, vous évaluez leur fortune ; vous discutez leurs droits, toujours pour les diminuer, toujours pour les restreindre, et avec une partialité qui se manifeste à chaque instant.

« Mais si vous n'êtes pas l'homme de confiance des actionnaires, quel est donc le motif qui vous anime ? L'amour de la vérité, dites-vous. Triste et singulier amour de la vérité que celui qui vous engage à introduire une inquisition terrible sur les propriétés des citoyens. Mais nous verrons bientôt si vous y avez procédé avec justice ; nous verrons comment vous avez cherché à la connaître, cette vérité que vous aimez. »

Et Necker, en péroraison, reproche, avec des mots mesurés, à celui qui se prétend son ami la déplorable initiative qu'il a prise[16] :

« Je ne saurais finir cette lettre sans vous faire un petit reproche sur les attaques indirectes que vous faites, en plusieurs endroits de votre mémoire, à la pureté des intentions des personnes qui ont défendu jusqu'à présent l'utilité de la Compagnie des Indes : laissez tous ces vils soupçons de motif et d'intérêt particuliers à ces hommes médiocres qui, n'ayant jamais aperçu d'autre levier dans leur cœur, croient que le monde entier se remue comme eux ; et jusqu'à ce qu'on vous prouve le contraire, croyez les hommes tels qu'ils doivent être, francs et honnêtes, mais capables de se tromper. »

Le 8 août 1769, Necker lut son texte à l'assemblée générale des actionnaires de la Compagnie et il y remporta un grand succès. L'assemblée générale en décida la publication immédiate. Cela n'empêchera pas que, le 12 août, un arrêt du Conseil du roi suspendra le privilège de la Compagnie, bientôt condamnée à disparaître. Necker serait-il vaincu ?

Tout au contraire. Le mémoire de Necker fut imprimé, répandu, et aussitôt lu et applaudi dans Paris. « Je sollicite, avait écrit Necker, avec insistance l'attention de ces hommes honnêtes et non prévenus dont le jugement sévère et impartial fera tôt ou tard l'opinion publique. » À la tête de celle-ci, Voltaire prit publiquement partie en faveur de l'auteur, aidant beaucoup au succès du mémoire. « Cet ouvrage, écrit Mme Necker tout heureuse, a eu ici un succès prodigieux ; les femmes l'avaient sur leur toilette, l'auteur modeste osait à peine passer dans les rues [...]. On a été tout étonné qu'un homme qui s'était occupé de finances toute sa vie écrivît avec autant de noblesse et d'élégance [17]. » L'abbé Morellet ne cessera pas pour autant d'être, dans le salon des Necker, l'un des familiers les plus assidus. Il rédigera plus tard pour ses *Mémoires* un éloge de Necker, s'appliquant à habiller ses compliments de reproches simplement suggérés [18] :

« Des ennemis acharnés ont révoqué en doute jusqu'à sa probité. Je ne daigne pas repousser une telle imputation qui ne saurait l'atteindre, et qui paraîtra absurde à tous ceux qui l'ont connu. Le désir insatiable de renommée, dont M. et Mme Necker étaient possédés, eût été seul un préservatif contre des sentiments vils : cette passion est noble, et donne nécessairement l'exclusion à toute bassesse.

« On a recherché avec malignité les sources de sa fortune, pour appuyer cette accusation ; mais ce reproche est injuste et dicté par la haine. Il a dû sa fortune à la banque et à quelques opérations avantageuses avec la Compagnie des Indes, avant qu'il en fût directeur. Les profits de ce genre, quelque médiocre que soit l'intérêt, sont toujours considérables avec de gros capitaux ; et lorsqu'ils sont au taux de la place et à prix défendu, il n'y a que l'ignorance ou la méchanceté, et le plus souvent l'une et l'autre, qui puissent en faire un crime. »

L'« ÉLOGE DE JEAN-BAPTISTE COLBERT »

Jacques Necker sait désormais qu'il peut parler à l'opinion publique, qu'elle l'écoute, et peut-être qu'elle l'attend. Son éducation, le salon tenu par sa femme et surtout l'usage sinon la mode des Lumières l'incitent à écrire et à publier. Voici qu'il décide de participer au concours d'éloquence qu'organise chaque année l'Académie française et qui doit, en 1773, récompenser un « éloge de Colbert ». Necker se sait soutenu à l'Académie, assuré du concours de plusieurs des familiers du salon que tient sa femme. Surtout Colbert l'intéresse beaucoup. Il est en quelque sorte son modèle. Ainsi que l'observe Édouard Chapuisat dans sa biographie[19], il semble à Necker que le ministre de Louis XIV a montré la voie : il a diminué les impôts sur les terres, il a ouvert des routes et des canaux, il a supprimé des charges inutiles ; surtout il a incarné le grand « administrateur des finances » que Necker pourrait être un jour[20]. Celui-ci rédige, avec un grand soin, cet *Éloge de Jean-Baptiste Colbert* qui remportera le prix d'éloquence.

« Ô quelle éminente et redoutable fonction que celle où l'on peut se dire : Tous les sentiments de mon cœur, tous les mouvements de ma pensée, tous les instants de ma vie peuvent nuire ou servir au bonheur de vingt millions d'hommes, et préparer la ruine ou la prospérité de la race future ! »

Colbert a été vertueux. Le thème de la vertu nécessaire à l'homme public est obsédant tout au long de ce texte éloquent au point d'en devenir parfois emphatique :

« La vertu nécessaire à un administrateur des finances n'est fixée par aucune borne : à chaque instant le bien public lui demande le sacrifice de son intérêt, de ses affections, et même de sa gloire. Il faut qu'il soit poursuivi par cette pensée, que la bienfaisance d'un homme d'État est une justice inébranlable, que cette justice fait le bonheur d'un peuple, et la faveur celui d'un seul homme ; il faut qu'il soit entraîné vers ces principes, ou par un heureux instinct, ou par une méditation profonde sur les lois de la société, ou par un mouvement plus grand, plus rapide et plus impétueux, par l'idée d'un Dieu qui tient entre ses mains les premiers anneaux de cette vaste chaîne, qui nous a permis d'entrevoir l'harmonie de l'univers, et qui, dans cet exemple magnifique, nous donnant une idée de l'ordre, nous excite à l'observer, par l'ardent désir de lui plaire. »

Colbert n'était pas un courtisan. Il ne cessa d'être attaqué, calomnié, par tous ceux que conduisaient la cupidité et l'intérêt personnel, sous la marque du bien public. Tel est, tel sera le destin de tous ceux qui donneront à un peuple leur vertu, leur courage et leur intelligence :

« Enfin, telle est la destinée d'un grand homme, il est rarement témoin de son triomphe, et ce fut le sort de Colbert. Mais le jour arrive où la Vérité, conduite par le Temps, s'approche de son tombeau et lui crie : Lève-toi, jouis de ta gloire, les hommes commencent à te connaître.

« Français, qui contemplez les bienfaits de ce grand homme, et qui vous affligez de l'injustice de ses contemporains, consolez-vous ; jeunes gens, qui sentez dans votre âme cette fermentation, cette ardeur des grandes choses qui vous presse de vous livrer aux affaires publiques, que l'exemple de Colbert ne vous décourage point ; il fut heureux, il eut sa récompense, il fit le bien [21]. »

Les esprits éclairés ne pouvaient qu'applaudir ce discours, long hommage rendu à la vertu et à la sagesse. Couronné par les suffrages de l'Académie française, loué par les esprits éclairés, de plus en plus connu de l'opinion publique, Necker entend poursuivre ce chemin qui s'ouvre devant lui.

« MON PÈRE N'AIMAIT VIVEMENT QUE LA GLOIRE »

Le 10 mai 1774, monte sur le trône de France Louis XVI, qui succède à son grand-père. Persuadé que les réformes entreprises par Louis XV avaient été mauvaises, que celui-ci avait été mal entouré, le nouveau souverain veut de nouveaux ministres, recommandés par leurs vertus et par leur amour du bien public [22]. Le plus illustre sera Turgot, nommé par Louis XVI, le 20 août 1774, contrôleur général des Finances.

Le nouveau contrôleur général « arrive au pouvoir coulé dans le bronze de sa future statue, froid comme ce métal, tout d'une pièce et d'une insupportable raideur, mais fort susceptible, très jaloux de ses prérogatives et poussant l'intolérance jusqu'à la fureur dès que l'on s'avise de railler son libéralisme ou de vouloir le contrecarrer[23] ». Le problème de la libre circulation des grains, lié à leur extrême cherté est, quand vient Turgot, au cœur du débat des économistes. L'abbé Galiani, autre familier du salon de Mme Necker, avait publié en 1770 des *Dialogues sur le commerce du blé*, texte « moitié socratique, moitié burlesque » qui alimentait la controverse et suggérait des restrictions au libre commerce adaptées selon les localités et les circonstances. L'ouvrage avait connu un grand succès. Disciple officiel des physiocrates, Turgot avait évidemment, sur cette question tant controversée, une idée très ferme : la liberté du commerce des grains était un dogme. À peine est-il appelé au pouvoir que cette liberté est proclamée par arrêt du Conseil du roi du 13 septembre 1774.

Necker, qui désapprouve une opinion si tranchée et qui n'aime pas Turgot[24], ne perd pas un jour. Déjà il s'est mis à travailler à un nouvel ouvrage, *Sur la législation et le commerce des grains*, qui devra dire ce que commandent, selon lui, la connaissance, la vertu et le courage confondus. Les événements ajoutent à l'intensité de la controverse. La récolte de 1774 a été mauvaise, les greniers sont vides, la rareté du blé entraîne la hausse du prix du pain, la disette menace. Necker croit convenable, ou prudent, de demander à être reçu par Turgot. Il est prêt, dans ces circonstances difficiles, à renoncer à publier son livre si Turgot l'exige. Celui-ci le reçoit froidement et refuse de lire le manuscrit. « M. Necker peut faire imprimer ce qu'il veut[25]. » L'ouvrage paraîtra le 19 avril 1775, avec l'approbation de la censure, et Turgot, remerciant Necker de l'envoi de son livre, lui répondra[26] : « J'ai reçu, Monsieur, l'exemplaire de l'ouvrage que vous avez fait mettre à ma porte :

je vous remercie de cette attention. Si j'avais eu à écrire sur cette matière et que j'eusse cru devoir défendre l'opinion que vous embrassez, j'aurais attendu un moment plus paisible où la question n'eût intéressé que les personnes en état de juger sans passion. Mais sur ce point, comme sur d'autres, chacun a sa façon de penser. »

L'ouvrage suscita aussitôt une vive sensation, et de violentes controverses. Turgot, convaincu que Necker animait un complot dirigé contre ses réformes et contre lui, inspirera de vives attaques contre l'ancien banquier. Condorcet publiera trois réfutations successives dont l'une, la *Lettre d'un laboureur de Picardie*, sera franchement injurieuse pour Necker. M. de Voltaire, champion de toutes les libertés, dont évidemment celle des grains, exprimera sa mauvaise humeur et la fera exprimer par d'autres. Mais le *Traité sur la législation et le commerce des grains* peut être critiqué par de beaux esprits, ceux notamment qu'inspirent les physiocrates, il passe, non sans quelque raison, pour être comme un coup de grâce porté au malchanceux Turgot, et il connaît aussitôt un grand succès. Henri Meister, Grimm, Diderot le louent ardemment. Necker, disent-ils, y démontre non seulement son talent d'écrivain, son éloquence sans cesse présente, mais aussi sa compétence, son aptitude à entrer dans les détails de l'économie comme à brasser les belles idées et les grands sentiments, la vertu, la morale, la justice. Ce banquier genevois ose s'en prendre, dans sa conclusion, à cette vieille société française où toutes les institutions civiles ont été faites, écrit-il, « pour les propriétaires[27] » :

« En arrêtant sa pensée sur la société et sur ses rapports, on est frappé d'une idée générale qui mérite bien d'être approfondie ; c'est que presque toutes les institutions civiles ont été faites pour les propriétaires. On est effrayé, en ouvrant le code des lois, de n'y découvrir partout que le témoignage de cette vérité. On dirait qu'un petit nombre d'hommes, après s'être partagé la terre, ont fait des lois d'union et de garantie contre la multitude, comme ils auraient mis des abris dans les bois pour se défendre des bêtes sauvages. Cependant, on ose le dire, après avoir établi les lois de propriété, de justice et de liberté, on n'a presque rien fait encore pour la classe la plus nombreuse des citoyens. Que nous importent vos lois de propriété ? pourraient-ils dire : nous ne possédons rien. Vos lois de justice ? nous n'avons rien à défendre. Vos lois de liberté ? si nous ne travaillons pas demain, nous mourrons.

« Une grande vérité, cependant, s'élève de ces réflexions ; c'est que les institutions politiques et les lois d'administration sont presque les seules qui défendent le peuple. Une distribution sage et paternelle des impôts, des lois intelligentes sur la circulation des grains, les soins continuels qu'on prend de l'indigence, les secours plus étendus qu'on répand dans les temps de disette ; voilà les dispensations salutaires qui ont le plus d'influence sur le sort de la multitude. »

Necker répète à plusieurs reprises ce que l'on doit attendre, aujourd'hui et demain, de ceux qui gouverneront[28] :

« Ô vous qui gouvernez ! n'oubliez jamais que la plus nombreuse partie des hommes ne fut point appelée à la composition des lois ; que, condamnée à un travail continuel, elle ne participe point aux lumières qui se répandent ; en sorte que sa faiblesse et son délaissement réclament sans cesse votre tutelle. Ceux qui ont une part aux biens de la terre ne vous demanderont que liberté et justice ; ceux qui n'ont rien ont besoin de votre humanité, de votre compassion, de lois politiques enfin, qui tempèrent envers eux la force de la propriété, et puisque le plus étroit nécessaire est leur unique bien, le soin de l'obtenir, leur seule pensée, c'est surtout par la sagesse des lois sur les grains, que vous approcherez de plus près de leur bonheur et de leur repos.

« Que la méditation ne cesse donc jamais de s'exercer sur cet important objet : puisse-t-il en résulter un jour une lumière générale et des vérités permanentes qui, en assurant le repos et la prospérité de l'État, deviennent en même temps la sauvegarde des faibles contre les puissants.

« Je les ai cherchées, ces vérités, sans esprit de parti, sans humeur et sans crainte ; mais je n'ose faire hommage que de mes efforts ; il en est une, cependant, dont je crois être sûr, c'est que la modération est la condition essentielle de toute administration sage, et de toute législation durable en matière de subsistances.

« Je ne sais si cette modération peut réussir de même en matière d'opinions ; ce que le sentiment nous a fait haïr, notre esprit le proscrit : et en suivant les traces de la vérité, sans l'outrepasser, en se conformant à sa route onduleuse, souvent on ne plaît à personne ; il faut de l'excès pour entraîner, il faut un panache blanc pour se faire suivre ; les hommes aiment à classer toutes les opinions sous un mot de ralliement, et c'est ce mot qui les attache ou qui les éloigne. Mais peut-on aimer la vérité, et se prêter à tant de politique ? De tous les sacrifices de sa pensée, le plus lâche, sans doute, est celui que l'on fait à la faveur publique, puisqu'il est toujours sans danger. »

Pourtant la faveur publique est devenue, pour Necker, sa lumière. « Mon père, écrira Germaine de Staël évoquant ces années-là, n'aimait vivement que la gloire ; il y a quelque chose d'aérien dans la gloire, elle forme pour ainsi dire la nuance entre les pensées du Ciel et celles de la terre[29]. »

DIRECTEUR DU TRÉSOR ROYAL

Est-ce pour trouver abri entre le ciel et la terre ? Au début de l'année 1776, M. et Mme Necker décident soudain de partir, emmenant la petite Minette – elle a à peine dix ans – et Suard, l'ami intime qui vient d'être élu à l'Académie française, pour un séjour reposant et distrayant en Angleterre. Ils quittent Paris le 14 avril, accompagnés de Suard et de Gigot de Garville, « homme cultivé et spirituel », veuf depuis peu, inconsolable. Ils sont à Douvres le 16 avril. La mère et la fille ont beaucoup souffert, beaucoup vomi durant le voyage, racontera Mme Necker. À Londres, ils courent les rues, ils vont à l'opéra où l'on joue le *Caio Mario* de Piccini, ils assistent à plusieurs représentations théâtrales et voient onze fois Garrick, l'illustre acteur, qui interprète notamment *Hamlet* et dont les spectacles sont tant recherchés. Ils vont à une séance de la Chambre des lords où se déroule le procès de la duchesse de Kingston, ils sont présentés à de nombreuses personnalités, dont la duchesse de Northumberland, qui réunissait chez elle trois ou quatre cents personnes « de la plus grande distinction ». Suard, qui connaît fort bien Londres, les accompagne partout. « C'est l'époque de l'anglomanie », nous rappelle L.-A. Boiteux, qui a étudié ce singulier voyage de la famille Necker[30]. Et sans doute chez Necker le souvenir de son père, qui dut beaucoup à l'Angleterre[31], est-il présent tout au long de ces journées. Mme Necker semble contente. Surtout, elle revoit Gibbon : « Je suis très occupé des Necker, écrira-t-il le 20 mai, je vis près d'elle tout à fait comme il y a vingt ans. Je me moque de son vernis parisien et l'oblige à redevenir une simple et raisonnable petite Suisse[32]. » Necker se tient-il au courant de ce qui se passe en France ? A-t-il voulu être absent tandis qu'à Paris on intrigue pour lui[33] ? Le séjour semble si agréable que le départ est plusieurs fois reporté.

Entre Louis XVI et Turgot, la situation, depuis plusieurs mois, n'avait cessé de se dégrader. Les conflits du ministre avec le Parlement et avec l'entourage du roi s'étaient multipliés, notamment au sujet des jurandes, des corvées, de la politique des blés. Dans ses remontrances du 8 mai, le parlement de Paris avait attaqué de front la politique de Turgot, « les branches d'un système qui détruit sans cesse sans élever[34] ». Turgot avait proposé au roi de réunir les assemblées provinciales afin qu'elles pussent discuter des intérêts de leurs régions. Cette nouvelle initiative avait mis le comble au mécontentement de Louis XVI, qui avait sommé son ministre de démissionner. Ce qu'avait fait Turgot, le 12 mai, se retirant très dignement[35].

La nouvelle de la disgrâce de Turgot paraît avoir été connue de la famille Necker le 21 mai. Suard ne cacha pas ses regrets. Necker, lui, resta silencieux. « Nous n'avons pas le charlatanisme, écrira Mme Necker à son ami Salomon Reverdil, de déguiser le plaisir que nous en ressentons[36]. » Les voyageurs quitteront Londres le 28 mai pour être le 30 mai à Calais. « M. et Mme Necker sont fort contents, écrit Suard, et doivent l'être ; ils ont été fort caressés. Il leur tarde cependant d'être de retour. Les affaires de Paris les intéressent encore plus que les curiosités de Londres[37]. »

Voici les Necker à Paris le dimanche 2 juin, à Paris où l'on s'inquiète fort de la succession de Turgot. Pour remplacer Turgot au Contrôle général, Louis XVI fait appel à un dévoué serviteur, M. de Clugny, qui rétablit aussitôt les corvées, institue une loterie royale, et surtout abandonne tous les projets de son prédécesseur. On dit bientôt qu'il met le Contrôle général au pillage et qu'il en fait un des mauvais lieux de Paris, « rassemblement de fripons et de catins[38] ». « Je crois que nous nous sommes encore trompés », soupire bientôt l'infortuné souverain.

Déjà le comte de Maurepas, « Premier ministre sans en avoir le titre » et qui exerce sur Louis XVI un fort ascendant, a, semble-t-il, sollicité les avis du représentant de la république de Genève. On racontera que le marquis de Pezay, d'origine genevoise, amant en titre de Mme de Montbarrey, femme du secrétaire d'État à la Guerre, elle-même amie intime de Mme de Maurepas, aurait beaucoup intrigué pour servir les intérêts de Necker[39]... Mais voici que la mort brutale de M. de

Clugny, le 18 octobre, ouvre à nouveau le chemin du Contrôle général. Maurepas reçoit Necker, qui n'a cessé de se rapprocher de lui depuis le départ de Turgot, et lui propose une habile combinaison. Necker, protestant, ne saurait évidemment être désigné comme contrôleur général, ni entrer au Conseil du roi. Mais on se servira d'un prête-nom et l'on créera pour Necker un poste de directeur du Trésor royal, conseiller des Finances, d'où il pourra, en fait, diriger les finances de la France. Necker accepte d'emblée cette solution que le roi daignera agréer. Maurepas est convaincu que la réputation de Necker, son crédit personnel, sa puissance financière, l'influence de ses nombreux amis, son éloquence, sa vertu, tous ses mérites justifient ce choix audacieux en des temps difficiles, et que les effets en seront très favorables, notamment sur l'opinion publique. Le 22 octobre, M. Taboureau des Réaux – qui a consenti, non sans s'être fait beaucoup prier, à accepter une fonction d'apparence – est nommé contrôleur général. Le 12 novembre, Jacques Necker est nommé directeur du Trésor royal. Il avise aussitôt Genève, et le Conseil se félicite de cette heureuse nouvelle. « Puisse M. Necker porter dans les affaires du roi la même activité et la même habileté qu'il a employées dans les siennes [40]. »

Autour de Louis XVI on semble satisfait. On voit en Necker l'adversaire de Turgot, l'efficace financier, l'ami de l'opinion publique éclairée. Il reste que sa nomination est audacieuse, et que Maurepas a consenti à prendre des risques. Ce Necker n'est pas français. Surtout il est protestant et les protestants ne sont que tolérés en France. Les évêques croient bon de faire les représentations nécessaires. « Je sacrifierai M. Necker, répond Maurepas, si le clergé veut se charger de payer la dette publique [41]. »

Pour rassurer tous ceux qu'il inquiète, Necker fait savoir qu'il ne touchera jamais aucun traitement, qu'il refusera même une loge gratuite au théâtre, qu'il écartera toute faveur. L'opinion publique semble bien accueillir cette nomination, qu'approuvent la plupart des philosophes. Voici enfin aux Finances un représentant des Lumières ! Turgot et ses amis se désolent. Les finances de la France, aurait alors dit Turgot, étaient maintenant « dirigées, comme l'univers, par la trinité Maurepas-Taboureau-Necker, dans laquelle ce dernier représentait le Saint-Esprit [42] ».

V

Minette

Mme Necker pouvait être belle, le savoir, aimer la littérature et la philosophie, chercher la fréquentation des grands esprits, vouloir la réussite de l'homme qu'elle adorait, elle n'en restait pas moins fidèle à elle-même, dominée par sa morale et par son caractère. « Son attention toujours tendue vers le bien, écrira Mme Necker de Saussure dans sa préface aux *Œuvres complètes de Mme la baronne de Staël,* nuisait à l'aisance de ses manières ; il y avait de la gêne en elle et auprès d'elle ; son caractère aurait vraisemblablement été âpre et sa volonté passionnée si elle n'avait pas senti de bonne heure la nécessité de se dompter : ayant beaucoup obtenu par l'effort, elle exigeait l'effort des autres, et elle n'accordait d'indulgence que quand le devoir de la charité chrétienne se présentait distinctement à son esprit [1]. »

La naissance d'Anne Louise Germaine avait été pour elle une dure épreuve physique. Elle lui imposait de grands devoirs moraux. Il ne semble pas que cette petite fille lui ait apporté beaucoup de joie. Mme Necker, dira encore Mme Necker de Saussure, « avait trop dominé la nature pour avoir conservé beaucoup d'instinct. Il lui fallait admirer ce qu'elle aimait, et une tendresse toute de pressentiment et d'imagination devait lui rester un peu étrangère [2] ». Suzanne Necker avait chéri ses parents, elle aimait Dieu, son mari, ses amis. Cet enfant, qui restera unique, pourra-t-il être aimé comme eux ?

Du moins entreprit-elle son éducation avec le zèle que lui inspirait sa forte idée du devoir. Suzanne Necker admirait les écrits de Jean-Jacques Rousseau, mais elle ne pouvait accepter de suivre ses conseils, ni consentir que les idées pourraient venir par les sens. Elle se méfiait trop de la nature physique, et de son emprise sur la nature morale. Elle ne croyait qu'à l'éducation de l'esprit par l'esprit, et à l'enseignement quotidien de la morale. Ainsi tentera-t-elle d'élever cet enfant que ses parents appelleront Louise et plus souvent Minette.

« Mme de Staël a toujours été jeune et n'a jamais été enfant », diront la plupart de ses biographes, reprenant une formule de Mme Necker de Saussure. La vérité est que l'on ne sait pas grand-chose des premières années de Minette qui, devenue Germaine de Staël, n'en parlera guère.

Du moins est-il sûr que Mme Necker avait décidé de pourvoir elle-même à l'éducation de sa fille. « Après avoir bien réfléchi, écrivait-elle en 1767 à l'une de ses amies, sur l'éducation de ma chère petite, j'ai vu qu'il ne m'était pas impossible de m'en charger moi-même ; les bonnes ont toujours un grand inconvénient ; si elles sont propres à leur état, elles interceptent la tendresse de l'enfant pour sa mère ; je voudrais une simple femme de chambre, protestante, douce, souple et bien élevée qui sût lire dans la perfection et très instruite dans sa religion [3]. »

Protestante convaincue, Mme Necker se souciait en effet de ne pas mettre sa fille entre les mains d'une gouvernante catholique. Minette avait à peine plus de deux ans que sa mère demandait à une amie suisse de lui envoyer « une Bible [...] et les livres de piété qui peuvent m'être nécessaires pour l'instruction de ma petite qui commence à parler et à comprendre [4] ».

Suzanne Necker ne cessera de lire à sa fille, dès qu'elle sera en âge de l'écouter, l'Ancien et le Nouveau Testament et bientôt de les lui faire commenter. Béatrix d'Andlau nous donne, dans le livre qu'elle a consacré à *La Jeunesse de Mme de Staël*, quelques-uns des « commentaires » que Minette, quand elle aura grandi, remettra à sa mère[5]. Il convenait d'autre part de faire entrer dans cette jeune tête une quantité de connaissances et d'idées « sans perdre trop de temps à les mettre en ordre ». Minette devra donc écouter sa maman qui lui lira tous les textes capables de développer son esprit. Puis elle sera astreinte à les lire elle-même à haute voix et à les commenter. « Mlle Necker était une enfant pleine de gaieté, de vivacité. Son teint était un peu brun, mais animé, et ses grands yeux noirs brillaient d'esprit et de bonté. » Mais, pour plaire à sa mère, elle devait devenir « extraordinaire[6] », ne pas être détournée par de fausses distractions et n'être jamais paresseuse. Ainsi Minette sera-t-elle tenue à l'écart des jeux, des exercices physiques, de la fréquentation des autres enfants, de tout ce qui pourrait retarder les progrès de son esprit. Mme de Saussure n'aperçoit chez la fillette « qu'un seul trait qui porte le caractère du premier âge », et encore les goûts du talent s'y reconnaissaient-ils déjà[7] : elle s'amusait à fabriquer des rois et des reines avec du papier et à leur faire jouer la tragédie. « Elle se cachait pour se livrer à ce plaisir qu'on lui défendait ; et c'est là d'où lui est venue la seule habitude qu'on lui ait connue, celle de tourner entre ses doigts un petit étendard de papier ou de feuillage[8]. »

Mme Necker, elle-même fort instruite, enseigna à sa fille le latin, et l'anglais, qu'à douze ans Minette parlait facilement[9]. Elle lui apprit aussi l'histoire et la géographie. Elle l'obligea à répondre à des questions de principe par des textes écrits. Ainsi dut-elle, par exemple, répondre à cette question : « Quel est le meilleur des gouvernements ? » « Je crois, écrivit Minette, que des quatre gouvernements principaux établis en

Europe, savoir le gouvernement Monarchique, l'Aristocratique, le Démocratique et le Mixte, c'est le gouvernement Mixte
qui est le meilleur [10]. »

Minette fut aussi initiée aux mathématiques, à la physique,
à la théologie. Mais l'essentiel était bien sûr qu'elle apprît à
s'exprimer avec élégance et correction, ce sur quoi sa mère
veillera chaque jour, multipliant les exercices. Mme de Staël,
nous rappelle Béatrix d'Andlau, donnera plus tard raison à sa
mère, quand elle écrira dans son livre *De l'Allemagne* : « Un
enfant qui, d'après le système de Rousseau, n'aurait rien
appris jusqu'à l'âge de douze ans, aurait perdu six années
précieuses de sa vie ; ses organes intellectuels n'acquerraient
jamais la flexibilité que l'exercice, dès la première enfance
pouvait seul lui donner [11]. » À douze ans, Minette aura commencé d'écrire...

Quel rôle joua son père ? Sans doute ne put-il, dans ces
années où ses fonctions et ses livres l'occupèrent tant, se mêler
beaucoup de l'éducation de sa fille. Au surplus, Mme Necker
était convaincue que c'était sa tâche à elle. Mais il semble que
Necker aperçut vite les inconvénients d'une éducation trop
rigoureuse qui excluait la distraction et se méfiait de toute joie.
« Les caresses de son père, écrira Mme Necker de Saussure [12],
qui encourageaient sans cesse l'enfant à parler, contrariaient
un peu les vues plus sévères de Mme Necker ; mais les applaudissements que suscitaient ses saillies lui en inspiraient à tout
moment de nouvelles ; et déjà elle répondait aux plaisanteries
continuelles de M. Necker avec ce mélange de gaieté et d'émotion qui a si souvent caractérisé ses rapports avec lui. » Jacques
Necker aime embrasser sa fille, il aime l'applaudir, lui faire des
compliments, il aime plaisanter, rire avec elle, et peut-être
pense-t-il qu'il complète ainsi l'éducation très rigide, mais si
profitable, que conduit sa femme. Souvent Suzanne s'inquié-
tera : Jacques et Minette s'amusent ensemble, et Jacques a sans
doute tendance, se distrayant avec sa fille, à oublier tout ce

que, par les qualités de son esprit et de son âme, il peut et doit lui apporter. Minette aime déjà papa et maman différemment. À l'âge de dix ans, sachant l'admiration familiale qui entourait Gibbon, elle proposera très sérieusement à ses parents d'épouser ce merveilleux ami « afin qu'ils jouissent constamment d'une conversation qui leur était si agréable [13] ». Ce beau projet fit rire papa. Il n'amusa guère maman...

Le témoignage le plus précis, et le plus émouvant, qui ait été donné sur l'éducation de Minette est celui de Catherine Huber qui fut, par la volonté de Mme Necker, la seule amie d'enfance permise à sa fille [14]. Minette avait onze ans, Catherine Huber en avait treize, lorsqu'elle fut conduite à Paris pour rencontrer la petite Necker. Catherine Rilliet-Huber racontera dans ses *Notes sur l'enfance de Mme de Staël* ce que fut cette rencontre d'où naîtra une grande amitié : « L'éducation sévère, dira-t-elle, que j'avais reçue au sein d'une famille connue de Mme Necker par l'autorité de ses principes lui faisait désirer de donner pour amie à sa fille une jeune personne élevée dans la retraite [15]. » Catherine fut d'abord présentée à Mme Necker : « Mon extérieur, ma timidité achevèrent de lui plaire, elle voulut que je visse sa fille dès le lendemain. "Minette, voilà une amie que je te donne..." Mlle Necker me dit qu'elle m'attendait depuis longtemps, qu'elle était sûre qu'elle m'aimerait jusqu'à la mort, que je serais sa seule véritable amie ; que ce moment décidait d'une affection qui serait éternelle ; elle me parla avec une chaleur et une facilité qui étaient déjà de l'éloquence [16]. »

« Nous ne jouâmes point comme des enfants, racontera encore Catherine Huber, elle me demanda tout de suite quelles étaient mes leçons, si je savais quelques langues étrangères ? Je lui dit que oui. Si j'allais souvent au spectacle ? Je lui dis que j'y étais allée trois fois dans ma vie ; elle se récria, me promit que nous irions souvent, mais qu'au retour il faudrait écrire le sujet des pièces que nous aurions vues, et ce qui nous aurait frappées, que sa mère l'exigeait. J'y consentis volontiers et lui répondis : "Ce sera comme quand je reviens du ser-mon." »

Cette première conversation fut interrompue par le dîner. Et dès ce premier jour, Catherine découvrit que Minette avait déjà sa petite place dans le salon que tenait sa mère, qu'elle devait s'y instruire, y apprendre l'art de la conversation, dans la fréquentation des meilleurs esprits :

« Quand nous rentrâmes, tout le monde causait et l'on ne prit pas garde à nous, nous nous glissâmes derrière les fauteuils de nos mères ; à côté de celui de Mme Necker était un petit tabouret de bois où sa fille était toujours assise, obligée de se tenir bien droite. À peine eut-elle pris sa place accoutumée que quatre ou cinq vieux messieurs s'approchèrent d'elle, lui parlè-rent avec le plus tendre intérêt ; l'un d'eux, qui avait une petite perruque ronde, lui prit les mains, les serra dans les siennes, où il les retint longtemps et se mit à faire la conversation avec elle comme si elle avait eu vingt-cinq ans ; cet homme était l'abbé Raynal, les autres étaient Thomas, Marmontel, le marquis de Pezay et Grimm. Le premier soin de Mlle Necker fut de me présenter à ses vieux amis qui de ce moment devinrent les miens, surtout l'abbé Raynal dont la tendresse pour moi est demeurée éternelle jusqu'à la fin de sa vie.

« On conçoit que pendant le dîner nous ne dîmes rien ; nous écoutions ; mais il fallut voir comment Mlle Necker écoutait ! Ses regards suivaient les mouvements de ceux qui parlaient et avaient l'air d'aller au-devant de leurs idées. Elle n'ouvrait pas la bouche et semblait pourtant parler à son tour, tant ses traits mobiles avaient d'expression. [...] Après le dîner il vint beau-coup de monde : chacun, en s'approchant de Mme Necker, disait un mot à sa fille, s'occupait d'elle, lui faisait un compli-ment ou une plaisanterie, suivant le degré d'intimité et d'habi-tude ou l'on était avec M. et Mme Necker ; elle répondait à tous avec aisance et avec grâce. Souvent, tandis que sa mère tenait la conversation générale, Mlle Necker tenait la sienne particulière. On se plaisait à l'attaquer, à l'embarrasser par des questions au-dessus de son âge ; on cherchait à exciter cette petite imagination qui se montrait si vive et si brillante. Les hommes les plus marquants par leur esprit étaient ceux qui s'attachaient davantage à la faire parler ; les plus familiers dans la maison lui demandaient compte de ses lectures, lui en indiquaient de nouvelles, et lui donnaient le goût de l'étude soit en l'entretenant de ce qu'elle savait, soit en lui parlant de ce qu'elle ignorait. Au plaisir de voir se développer l'esprit d'une enfant si extraordinaire, se joignait chez beaucoup de personnes le désir de faire sa cour à Mme Necker qui, si sévère à d'autres égards, trouvait fort bon que l'on s'occupât de sa fille sous ses yeux et qu'on la fît causer ; elle regardait cela comme une espèce de gymnastique des facultés intellectuelles [17]. »

Ainsi, constatera Catherine Huber, Mlle Necker se formait déjà « à cette éloquence flexible qui dans la suite donna un charme si prodigieux à ses paroles ».

Les familiers du salon travaillent, à leur façon, à l'éducation de la charmante enfant. Marmontel qui ne cesse de vouloir plaire à la famille et de composer des poèmes, s'empresse autour de la petite fille. Il écrit quelques vers, destinés à être offerts par Minette à son papa, à propos d'un petit dessin la représentant [18] :

> « *Je crois me connaître, Papa,*
> *dans l'image que je te donne,*
> *je viens de la trouver, ne dis rien à personne*
> *et pour m'obliger, garde-la.*
> *Je sais, je l'ai vu, j'en suis sûre*
> *que tu sens du plaisir lorsque sur tes genoux*
> *mes deux petites mains caressent ta figure ;*
> *maman sourit alors, et me fait les yeux doux.*
> *De tout cela, tiens mon image approche ;*
> *voilà moi, qui saute sur toi,*

voilà maman qui sans reproche
t'aime presqu'autant que moi.
Tiens papa, baise-moi et mets tout dans ta poche. »

Ou encore Marmontel prête son talent à Minette pour célébrer la convalescence de Mme Necker souffrante[19] :

« Tendre maman, vis pour l'enfant qui t'aime
Vis pour l'époux qui t'est plus cher encor.
Ménage bien leur unique trésor
Prends pitié d'eux en veillant sur toi-même.

En vain pour eux la fortune et la gloire
Auraient tout fait. S'ils te voyaient languir,
Tu changerais, en poussant un soupir,
Leurs plus beaux jours en la nuit la plus noire.

À la vertu tu veux qu'on rende hommage
Et tu te plais à la voir honorer.
Fais plus encore, pour la faire adorer
Conserve-lui sa plus touchante image. »

Il n'y eut pas que Marmontel pour entourer Minette et la mettre en humeur de poésie. Pour les uns elle fut Louise, pour d'autres Mélanie, pour d'autres Aglaé. Une pièce célébra l'éclat des « yeux de Louise » quand elle eut dix ans. Un autre admirateur lui fit l'envoi d'un *Bouquet à Germaine* qui s'achevait ainsi[20] :

« Comme elles, j'ai quitté les lieux qui m'ont vu naître
Comme elles, près de toi je veux vivre et mourir.
Cette rose et mon cœur trouvent un nouvel être :
Mon sort fut de t'aimer, le sien de t'embellir. »

Des femmes aussi entourent la charmante Minette, non de leurs poèmes, mais de leur affection. Mme de Vermenoux vient la voir chaque fois qu'il lui est possible, notamment au château de Madrid qu'avaient loué les Necker pour y passer l'été, avant d'acquérir le château de Saint-Ouen. Mme Geoffrin aussi multiplie les signes de son attention. Mme d'Houdedot, voisine de Saint-Ouen, prendra l'habitude de s'y rendre régulièrement quand les Necker laisseront leur fille seule à la maison. Elle causera avec Minette, admirant sa vivacité, sa curiosité et ses yeux merveilleux. Mme de Genlis, en revanche, critiquera cette éducation trop publique[21]. « Les beaux esprits, dira-t-elle, dissertaient avec Mlle Necker sur les passions et sur l'amour. [...] Ils ne lui donneront pas que de bons exemples. [...] La solitude de sa chambre et de bons livres auraient mieux valu pour elle[22]. »

Mme Necker elle-même est consciente des défauts de cette éducation trop mondaine. Elle tente de la corriger par une extrême sévérité. Si la petite est précoce, très douée, semble-t-il, trop vite aimée et admirée, elle doit d'autant plus assidûment consacrer à Dieu le temps qu'il exige, elle doit former son âme par la religion et la vertu, elle doit se méfier de toute frivolité. La maman et la fille ne cessent de s'écrire : « Si je me sentais digne de vous, digne de vos leçons, écrit Minette à sa mère, je jouirais avec transport du bonheur de vous faire hommage de mes progrès [...]. Mais lorsque je ne puis vous offrir que la honte et la confusion de retomber sans cesse dans les mêmes fautes, la plume m'échappe des mains, je m'abandonne au découragement, à la tristesse. » « Dis-moi que tu m'aimes bien, lui répond sa maman, et prouve-le moi en perfectionnant ton cœur et ta raison, en faisant continuellement le sacrifice de ton caractère, en élevant ton âme par la religion[23]. » Pour Mme Necker, chez une femme l'intelligence et la vertu ne devront jamais être séparées.

Mais Catherine Huber nous rassure : l'éducation de Minette

n'était pas faite que des leçons de sa mère et de la fréquentation du salon. Déjà Minette aime lire, apprendre par cœur des scènes entières qu'elle déclame le soir, tant bien que mal, avec Catherine. Elle se promène dans la bibliothèque de sa mère, elle grimpe sur l'échelle, elle jette tous les livres à terre, elle s'assied au milieu des volumes épars, elle les feuillette, cherchant l'objet de ses désirs. « Nous allions, écrit Catherine Huber, jusqu'à nous persuader que nous apprendrions par cœur vingt tragédies d'un bout à l'autre. » En revanche, Minette semble n'avoir encore aucun goût pour la musique – qu'elle aimera plus tard –, et elle s'ennuiera à l'opéra, où Mme Necker voudra que les deux amies se rendent ensemble. De même, le dessin, la peinture ne l'intéressent pas encore. « Elle fit pour moi, racontera Catherine Huber[24], un dessin et, depuis, elle n'a plus jamais touché un crayon. »

L'exercice, les promenades, les jeux, « tout ce qui amuse et fortifie les enfants n'entrait pour rien dans le plan de Mme Necker [...]. Sa fille savait danser et non pas courir[25] ». Il fallut que la mère de Catherine Huber sollicitât Mme Necker pour être autorisée à promener les deux amies au bois de Boulogne. Mme Necker hésita, puis accepta. « Sa mère, raconte Catherine Huber, fit à la mienne toutes les recommandations possibles, sur les portières de la voiture, sur la manière d'en descendre, sur les chevaux et les carrosses qu'on rencontrait, assurant que l'extrême vivacité de sa fille rendait toutes ces précautions nécessaires, et que ce serait la première fois qu'elle sortirait sans elle[26]. » Cette première promenade en dehors de ses horizons familiers fut pour Minette, qui avait alors onze ans, un événement : « Son cœur battait visiblement en s'élançant dans cette voiture ; elle ne pouvait parler tant son émotion était vive, elle ne faisait que baiser les mains de ma mère et de se jeter à mon cou. Elle se calma peu à peu, mais ne regarda ni le chemin, ni le bois, ni les équipages, ni les gens qui se promenaient : elle ne voyait que son bonheur et ne s'occupait que de lui[27]. » Les promenades se renouvelèrent ensuite mais l'enthousiasme passa...

« LES INCONVÉNIENTS DE LA VIE À PARIS »

À douze ans, Louise avait commencé d'écrire. La *Correspondance* de Grimm le mentionne en septembre 1778 : « Pendant que M. Necker fait des arrêts qui le couvrent de gloire et qui rendront son administration éternellement chère à la France, pendant que Mme Necker renonce à toutes les douceurs de la société pour consacrer ses soins à l'établissement d'un nouvel hospice de charité, leur fille, une enfant de douze ans, mais qui annonce déjà des talents au-dessus de son âge, s'exerce à composer de petites comédies. Elle vient d'en faire une, en deux actes, intitulée *Les Inconvénients de la vie à Paris*, qui n'est pas seulement fort étonnante pour son âge, mais qui a paru même fort supérieure à tous ses modèles[28]. » La pièce a été jouée à Saint-Ouen, devant papa, maman et quelques familiers, par Minette et son amie. Marmontel y assistait bien sûr et fut ému jusqu'aux larmes. Ainsi commença la carrière littéraire de Mlle Necker.

Cette même année 1778, le 26 mars, Mme Necker emmène Minette rendre visite à Voltaire, pour qu'elle ait eu la chance d'avoir rencontré l'illustre vieillard, de l'avoir entendu avant qu'il ne mourût. Puis la petite est ramenée à Saint-Ouen. Elle y passera tout l'été de 1778 dans la compagnie de Catherine Huber. Minette, alors séparée de ses parents, dit sa tristesse, sa tendresse et déjà « son angoisse de la solitude[29] », sa soif aussi d'être aimée :

« Ma chère, maman, J'ai besoin de vous écrire ; mon cœur est resserré ; je suis triste, et dans cette vaste maison qui renfermait il y a si peu de temps tout ce qui m'était cher, où se bornait mon univers et mon avenir, je ne vois plus qu'un désert. Je me suis aperçue pour la première fois que cet espace était trop grand pour moi, et j'ai couru dans ma petite chambre pour que ma vue pût contenir au moins le vide qui m'entourait...

« Ah ! maman, pourriez-vous penser qu'il y ait un moment dans ma vie qui ne soit consacré à vous ? Je sens croître à chaque instant une tendresse qui, si elle pouvait aller au-delà, ne ferait qu'augmenter jusqu'au dernier instant de ma vie. »

Mais Mme Necker est alors souffrante, mélancolique, et elle ne cessera plus de l'être. « Je m'étais flattée, ma chère petite, d'aller te voir aujourd'hui ; mais comme tu t'intéresses à ma santé, tu ne voudrais pas que je sortisse dans un moment où l'air est pernicieux ; me voilà donc enfermée pour trois jours [30]. »

« Je tousse un peu, ma petite, lui écrira encore Mme Necker, mais j'aimerais bien que tu n'exagères rien, même en matière de sentiments. Tu sais qu'il faut toujours faire sa cour à cette bonne raison que j'aime tant, qui sert à tout, et qui ne nuit à rien [31]. »

« AH, MAMAN, CORRIGEZ-MOI ! »

C'est dans les premiers mois de 1778 [32] qu'Anne Louise Germaine, fidèle au modèle de sa mère, a commencé d'être souffrante, atteinte d'une langueur mêlée de crises d'excitation. Elle semble sérieusement malade, et le docteur Tronchin, médecin des beaux esprits, évidemment consulté par la famille, ordonne un long séjour à la campagne, le grand air, et moins de leçons. C'était, écrira Béatrix d'Andlau, la revanche de l'*Émile* [33]. Il fut donc décidé que Mlle Necker resterait au château de Saint-Ouen, jusqu'à ce que sa santé s'améliorât, en compagnie d'une gouvernante, d'une vieille bonne et d'une jeune femme de chambre. Catherine Huber la rejoindrait toutes les semaines, du vendredi au lundi. Ce temps passé, dira Catherine Huber, « entre l'enfance et la jeunesse » fut à Minette d'un grand profit. Elle apprit à sauter, à gambader, à courir, elle grandit, elle engraissa et elle « prit une force qui lui fit trop compter dans la suite sur une santé que rien ne semblait pouvoir altérer ».

Mme Necker, qui rendait visite à sa fille deux jours par semaine, dirigeait et corrigeait ses devoirs, mais par nécessité la laissait plus libre. Quant à M. Necker, très occupé, il n'avait pas de plus cher délassement que d'aller embrasser Minette. « Il ne la grondait jamais, jouissait de l'esprit qu'elle montrait, y applaudissait avec transport, la caressait, et la quittait satisfait et égayé[34]. » Minette et Catherine imaginaient ensemble des comédies, des tragédies, qu'elles s'appliquaient à jouer ensuite. Les deux amies se promenaient dans le parc ; chacune, racontera Catherine Huber, prenait une allée différente, chacune recherchait le sujet et le plan d'une nouvelle comédie. « La première qui avait fini son plan courait à l'autre, l'appelait toute joyeuse, criant de loin comme Archimède : "Je l'ai trouvé."[35] »

Minette rougissait et pâlissait avec une grande facilité. Ses yeux se remplissaient vite de larmes. « Ses lectures favorites étaient toujours des histoires tristes mais possibles, elle n'aimait ni les contes de fées, ni *Les Mille et Une Nuits*, ni le merveilleux de l'imagination, ce qui l'amusait était ce qui la faisait pleurer. » Ce qui était frivole la blessait, « elle soutenait que l'on était plus fréquemment méchant par la frivolité que par caractère. La bonté était à ses yeux une qualité inhérente à la supériorité de l'esprit ». Minette dormait bien, à des heures très régulières. « Excepté les amusements où l'esprit entrait pour quelque chose, Mlle Necker n'en cherchait aucun. » Les longues promenades lui étaient insupportables. « J'eus beaucoup de peine, raconte Catherine Huber, à l'engager à aller voir un moulin à vent qui est à deux cents pas de Saint-Ouen et dont j'étais curieuse de connaître le mécanisme. Le seul plaisir d'exercice que je lui ai connu fut celui de tirer de l'arc, encore fut-il pour elle un amusement poétique[36]. »

Ainsi grandit Minette, âgée de douze ans, de quatorze ans, de quinze ans, passant de l'enfance qu'elle n'a jamais eue à la jeunesse qu'elle ne perdra jamais. Sa mère a quelques raisons d'être inquiète. La maladie de Minette, ce long séjour à Saint-Ouen avaient sans doute troublé son éducation. « Mme Necker aurait voulu que l'on ne pût plaire que par ses qualités, et sa fille plaisait justement par ce qu'elle avait dans le caractère de dangereux pour son bonheur[37]. » Louise ressemblait à sa mère et cependant lui ressemblait mal. Par surcroît, elle était capable d'étourderies, « sa vivacité, en entraînement lui donnaient sans cesse des torts, et tandis que sa mère regardait les petites choses comme des dépendances des grandes, les minuties n'avaient nulle importance à ses yeux[38] ».

Minette aimait sa mère. Minette voudrait être digne d'elle. « Ma chère maman, lui écrivait-elle quand elle avait douze ou treize ans, je me défie de ma faiblesse ; je craindrais qu'en écrivant je ne voulusse retrancher un mot ; je sens qu'il me serait impossible de tout dire, je rougirais de ne pouvoir vous entretenir que de mes fautes ; pourquoi n'ai-je pas à vous raconter les victoires que j'aurais remportées sur moi ? Ah, maman, ma chère maman, corrigez-moi[39]. »

Elle écrira à sa mère quelques mois plus tard[40] :

« Mademoiselle Huber est arrivée hier au soir, comme vous voyez, ma chère maman, et restera avec moi jusqu'à demain. Samedi est encore bien loin pour ne pas vous voir jusqu'à ce terme. Je ne vous parle sans cesse que de votre absence ; pardonnez ; vous voulez que je vous dise tout ce que je pense. Loin de vous, le chagrin de ne pas vous voir m'occupe sans cesse, et quand je jouis de ce plaisir, cette seule idée m'occupe.

Oui, maman, quand je vivrais mille ans pour vous contempler, si vous retourniez un instant la tête, il me semble que j'en serais encore jalouse. Adieu, ma tendre maman. Au travers de toutes mes folies, daignez voir que vous êtes aimée comme... que dirai-je de plus fort que : comme vous le méritez. Permettez-moi de vous embrasser mille fois, en vous serrant contre un cœur qui est à vous seule et à mon papa. »

Elle lui redira son amour, usant déjà de mots dont elle se servira souvent[41] :

« La pluie m'empêche de sortir. Je m'occupe à vous écrire. Je ferai mes comptes demain. Je dois voir ma bonne amie, elle me l'a écrit. Ma chère maman, je mettrai tous mes soins à réprimer mes fantaisies et à vous contenter (s'il m'est possible) à toutes sortes d'égards. Vous me recommandez de vous aimer. Ah ! maman, pourriez-vous penser qu'il y ait un moment dans ma vie qui ne soit consacré à vous ? Je sens croître à chaque instant une tendresse qui, si elle pouvait aller au-delà, ne ferait qu'augmenter jusqu'au dernier instant de ma vie. Pardonnez, ma chère maman, si je vous écris si mal, mais j'ai un bouton au doigt qui écrit, ce qui me gêne infiniment pour tenir ma plume. Permettez-moi de vous embrasser tendrement.

« Votre très respectueuse et très obéissante fille. »

Pourtant, Mme Necker a le sentiment que Louise s'éloigne d'elle, ou, peut-être, qu'elle-même s'éloigne de sa fille. Elle expliquera, plus tard, à son mari ce que fut le vrai bilan des treize années pendant lesquelles elle s'était dévouée, croyait-elle, corps et âme, à l'éducation de leur fille[42] :

« Pendant treize ans des plus belles années de ma vie, au milieu de beaucoup d'autres soins indispensables, je ne l'ai presque pas perdue de vue ; je lui ai appris les langues et surtout à parler la sienne avec facilité ; j'ai cultivé sa mémoire et son esprit par les meilleures lectures. Je la menais seule avec moi à la campagne pendant les voyages de Versailles et de Fontainebleau ; je me promenais, je lisais avec elle, je priais avec elle. Sa santé s'altéra ; mes angoisses, mes sollicitudes donnèrent un nouveau zèle à son médecin et j'ai su même depuis qu'elle exagérait souvent des accès de toux auxquels elle était sujette pour jouir de l'excès de ma tendresse pour elle ; enfin je cultivais, j'embellissais sans cesse tous les dons qu'elle avait reçus de la nature, croyant que c'était au profit de son âme, et mon amour-propre s'était transporté sur elle. »

La vérité était que, durant ces années où Mme Necker s'était donné tant de peine, M. Necker, lui, n'avait cessé de devenir plus proche de sa fille. Il ne lui donnait guère d'ordre, si même il ne prêchait jamais l'indiscipline. Il cultivait en elle, avec elle, une part de gaieté, de drôlerie dont la vie publique le privait. Il s'amusait avec elle. Un jour que Mme Necker entendit un grand vacarme dans la salle à manger, elle ouvrit brusquement la porte et découvrit son mari et sa fille, leurs serviettes nouées sur la tête en guise de turban, qui se poursuivaient en dansant autour de la table[43]. « Un regard attentif, écrit Mme Necker de Saussure, découvrait entre le père et la fille bien plus de ressemblance que la réserve de l'un et la manière ouverte et communicative de l'autre n'eussent porté à le présumer[44]. » À beaucoup d'égards ils se ressemblent, et déjà ils sont complices. Vite Minette prendra appui sur l'autorité de son père, pour tenter d'adoucir, ou même d'écarter les exigences de sa mère. L'appui prêté par M. Necker, sans qu'il s'en aperçoive, à l'indiscipline de sa fille, fera souffrir Mme Necker qui y verra une forme d'abandon. Quand Minette approche de ses quatorze ans, Mme Necker entretient le douloureux sentiment que son influence sur sa fille s'efface peu à peu[45]. Jamais Minette devenue Germaine ne reniera sa mère. « Plus je comprends ma mère, dira-t-elle plus tard à sa cousine Mme Necker de Saussure, et plus mon cœur a le besoin de se rapprocher d'elle[46]. » Mais, au temps de sa jeunesse, sa mère contrarie sa vivacité, son imagination, et surtout son amour de la vie, son besoin de se distraire, de se laisser emporter par ses sentiments.

UNE SECONDE SUZANNE ?

On décrira souvent Mme Necker jalouse de sa fille, découvrant tristement que celle-ci avait, peu à peu, conquis la place essentielle dans le cœur de Jacques. Mais d'Haussonville a sans doute raison d'écrire qu'elle jugea sincèrement sa fille engagée dans une mauvaise voie, et qu'elle s'inquiéta de ce que M. Necker n'y prît pas garde : « Elle s'irritait de la résistance que rencontraient ses conseils et son irritation se tournait en tristesse lorsque M. Necker prêtait à cette résistance un appui un peu inconsidéré[47]. » Quant à Minette, elle sera sans doute lucide sur le rôle tenu par ses parents. À quelqu'un qui lui dira : « Votre père paraît vous aimer mieux que votre mère », elle répondra : « Mon père pense davantage à mon bonheur présent, et ma mère à mon bonheur à venir[48]. » Et il est vrai que l'avenir de sa fille ne cessera d'inquiéter Mme Necker.

Celle-ci vit, chaque jour plus angoissée. Non seulement parce qu'elle est souvent malade, d'une maladie qui semble nerveuse et la pousse à la mélancolie, parfois au désespoir, mais parce qu'elle redoute sans cesse davantage les tristes effets du temps qui passe. Elle n'avait pas vingt-neuf ans quand elle avait écrit dans son journal, au printemps de 1766[49] :

« Depuis trois ans, toutes mes facultés se dégradent dans l'âge où elles devraient prendre de nouvelles forces. Prenons une résolution très ferme : il ne tiendra qu'à moi de prolonger ma jeunesse ; mes amis ignorent encore ce que je vaux ; mon mari ne me connaît lui-même ; j'ai une sorte de fraîcheur dans les goûts que je ne connais à personne, un désir de plaire effréné, une activité d'âme et une force de volonté dont on ne se fait aucune idée ; mais faut-il s'étonner si on m'a vue au-dessous de moi-même – je raye les cinq premiers mois de mon séjour à Paris et je ne me donne pas la peine d'en détailler les raisons ; mariée, mon imagination se porta tout entière sur l'hymen et sur mon époux ; bientôt ses goûts et ses fantaisies me contraignirent, mes devoirs m'obligèrent à descendre dans mille détails étrangers à mes idées ; accoutumée à les enchaîner les unes aux autres, je ne sais où loger cette classe si détachée. »

Tout au long des années qui suivirent, elle continua à s'exa-miner, à se faire reproche et à se défendre, dans son journal « de mes défauts et des fautes qui en sont la suite avec à côté les pensées que je recueille comme remèdes [50].

« Je me fâche aisément contre mes domestiques, contre mon mari.

« Je ne sais être ni indifférente avec les uns, ni peu exigeante avec l'autre – au lieu de m'arranger à son caractère de lui pardonner ses défauts, de fermer les yeux sur le manque de complaisance, d'attentions, de prévenances, je voudrais qu'il fût toujours comme un amant que je cherche à séduire et c'est mon cœur qui le désire et il faut vaincre la faiblesse. Écartons du bonheur tout ce qui n'est qu'illusions ; je voudrais que mon mari fût un amant ; mais est-il encore temps de l'amour et d'en exiger ? Ne suis-je pas trop heureuse d'avoir un mari honnête, généreux, sensible, qui attente fort peu sur ma liberté, qui a mille qualités intéressantes, qui jouit d'une grande considéra-tion, qui partage avec moi ses plaisirs et ses peines, qui m'aime (non d'amour quoiqu'il en soit convaincu et que je le laisse croire aux autres, mais qui m'aime de tout son cœur et comme une partie de son être) ; si j'ai la sottise de soupirer quelquefois après un sentiment plus vif encore, laissons-lui ignorer ces secrètes peines ; elles sont plus ridicules, plus inquiétantes qu'intéressantes. Il s'ennuie avec moi, loin de l'en gronder tâchons de l'amuser. Il ne pense pas à ce qui peut me plaire.

Qu'importe, travaillons nous-mêmes à notre bonheur ; et faisons pour lui ce qu'il ne fait pas pour nous ; il gronde, ne l'écoutons pas et adoucissons-le ; il veut des choses qui me déplaisent, cédons ; mon âme n'est-elle pas indépendante ; et tant que je n'offense pas l'être qui l'a créée, que m'importent les accessoires, les minuties de ce monde qui ne peuvent jamais parvenir jusques à elle ; son imagination se blesse aisément, il me voit des défauts que je n'ai point, des torts chimériques, et que serait-ce si je les avais, alors seulement je serais vraiment à plaindre ; présentons notre innocence à Dieu qui juge des cœurs ; et tâchons de détromper mon mari de son erreur en devenant tous les jours plus aimable et en nous conformant davantage à son caractère, enfin regardons-nous sur la terre comme un être qui n'attend son bonheur que de Dieu seul ; faisons pour mon mari tout ce qui est honnête ; sans exiger qu'il fasse rien pour nous. »

La carrière de son mari, qui brisait le tête-à-tête conjugal, la vie tumultueuse de sa fille ne cesseront d'éprouver davantage Mme Necker. Elle multipliera les démonstrations de tendresse et de tourments, et aussi les pressentiments funèbres et les recommandations macabres.

M. Necker lui fit-il quelques discrets reproches ? Elle plaidera, jusqu'au bout, sa cause de mère avec une éloquente conviction [51].

« J'ai vu manifestement dans tes discours que tu désapprouvais mes sentiments et ma conduite relativement à ta fille ; et que tu ne la croyais pas conforme à mes principes ou à ceux de la véritable vertu. Si tu éclaires ma conscience tu n'as plus qu'à me dicter ce que je dois faire ; et j'espère de surpasser même ton attente car si dans les premiers moments de ma vie et de la vivacité de mes passions je n'ai jamais résisté un instant à la conviction d'un devoir ou d'une vertu ; et je ne commencerai pas une exception lorsque je suis près du terme et lorsque le petit nombre d'années qui me restent encore à vivre ne peuvent être remplies. »

Peu à peu, elle s'avouera vaincue, dépassée par le tempérament de sa fille et la déplorable indulgence de son mari[52]. Elle aura le triste sentiment d'avoir été sacrifiée à Minette. « Son caractère bien reconnu, écrira-t-elle, m'apprend que, pour vivre avec elle sans être malheureuse, il faut que j'oublie absolument qu'elle devait travailler à mon bonheur ; ainsi je ne dois rien exiger d'elle et supporter même beaucoup, ne la reprendre que par l'exemple ; si elle m'a trop offensée, que mes reproches soient tous sans exagération et si doux et si raisonnables qu'ils pussent être faits devant son père ; je dois fermer les yeux sur toutes les contradictions qu'elle me fait éprouver ; penser que notre union convient au bon exemple et au bonheur de son père et en faire tous les frais. »

Elle avait voulu instruire, former, une seconde Suzanne, aussi courageuse, aussi vertueuse, capable sans doute d'une pensée plus forte et d'une meilleure écriture. Or cette tumultueuse adolescente, elle ne la reconnaissait plus.

VI

Le porteur de flambeaux

Il était difficile de se faire des illusions sur ce que serait le travail commun de Taboureau des Réaux, contrôleur général des Finances, et de Jacques Necker, directeur du Trésor royal. « Le bœuf et l'âne », disait-on, tireraient chacun de son côté. Étrange mariage : « Je crois qu'ils ne tarderont pas à faire lit à part », avait prédit le spirituel comte de Lauraguais[1]. Taboureau souhaite ne rien changer, mais Necker ne cache pas qu'il veut le contraire. Dès la fin de l'année 1776, le directeur du Trésor royal lance un grand emprunt, dont les conditions sont fort avantageuses pour les emprunteurs et qui est bien accueilli par les banquiers. Ainsi tire-t-il momentanément le Trésor de sa situation dramatique. On parle partout de ses très ambitieux projets[2]. Déjà les nouvellistes annoncent le possible départ du contrôleur général. Quant à M. Necker, il semble fort satisfait de lui, et beaucoup déjà le jugent insupportable. Il part hardiment à l'assaut, et propose la mise en congé de six intendants des Finances qui coûtent au Trésor un argent considérable : Necker veut tout à la fois réaliser des économies et permettre une concentration des pouvoirs[3]. Les intendants menacés se défendent aussitôt et revendiquent la protection de Taboureau. Mais Necker tient bon et, soutenu par Maurepas, il fait en sorte qu'un édit supprime ces postes encombrants. La guerre d'Amérique, conduite contre l'Angleterre, semble inévitable en ce début de l'année 1777, et le roi a un urgent besoin d'un grand financier. Taboureau, qui a pris la mesure de son impuissance, offre le 29 juin sa démission, que Louis XVI accepte, non sans hésitations car un protestant ne peut le remplacer. Là encore, Maurepas imagine une habile solution : Necker sera nommé à un poste nouveau, « directeur général des Finances », le 2 juillet 1777. Sans avoir le titre de contrôleur général mais en en remplissant l'office, il ira s'installer à l'hôtel du Contrôle, rue Neuve-des-Petits-Champs. Mme Necker devra y transporter son salon. Bien sûr, Necker refusera le traitement de contrôleur général, alors fixé à 200 000 livres. « Rien de direct, rien d'indirect n'a jamais altéré la pureté du dévouement dont je m'étais fait une loi », écrira-t-il plus tard[4], toujours préoccupé de son propre éloge.

Les admirateurs de M. Necker sont nombreux, en France et en Europe, à le féliciter. Le roi de Suède, Gustave III, écrit, à son ambassadeur à Paris, le comte Creutz : « S'il vient à bout de son grand ouvrage, il aura rendu un aussi grand service à moi qu'au roi de France. L'Europe lui devra sa tranquillité car c'est la France seule qui est en état de la maintenir[5]. » Joseph II, l'empereur germanique, s'entretient avec le nouveau directeur général des Finances. La plupart des philosophes, dont d'Alembert, vantent ses mérites. Ainsi le salon de Mme Necker a-t-il produit ses effets. Minette décrira plus tard son père travaillant sans relâche, servant le roi, la justice, la vérité, la vertu confondus, tandis que sa mère avait entrepris de se livrer « avec un zèle admirable aux soins des prisons et des hôpitaux ». Quels avantages ses parents pouvaient-ils retirer d'une vie si exemplaire ? « Ils n'en attendaient rien d'humain, assurera-t-elle, que l'estime publique, et mon père l'obtenait chaque jour[6]. »

Necker entreprend ses réformes, généralement marquées d'un esprit d'économie systématique. Il veut lutter contre le gaspillage qui règne dans les finances françaises, et notamment dans la Maison du roi. Il réussit à réduire quelques dépenses, faisant supprimer un certain nombre d'offices subalternes qui conféraient à leurs possesseurs de nombreux privilèges[7], obtenant même quelques réductions des dépenses du roi et de la reine : ainsi, le voyage annuel de la Cour à Fontainebleau, qui obligeait à des dépenses considérables, sera-t-il simplifié pour être désormais moins onéreux. De même Necker œuvre-t-il pour obtenir la réduction des « grâces royales » dont bénéficiait la noblesse de Cour, et plus largement les favoris du roi, grâces viagères ou grâces occasionnelles, qui coûtaient au Trésor royal des sommes fort importantes, « genre de dépenses presque inconnu, écrira Necker[8] dans la plupart des États ». De même entreprendra-t-il de recenser les innombrables pensions souvent cumulées, qui caractérisaient la société française, et d'en obtenir la révision. Par ce travail, constatera Necker dans son *Compte rendu au roi* qu'il publiera en 1781, il avait réussi à considérablement alléger les dépenses de l'État. La guerre avec l'Angleterre, officiellement déclarée au printemps de 1778, justifiera cette politique, mais aussi la compliquera beaucoup. En temps de guerre, constatera Necker, « dans un temps où chacun connaît au gouvernement des besoins extraordinaires, le changement le plus conforme à l'ordre et au bonheur des peuples » ne peut qu'être mal reçu, mal compris[9].

Necker était très critique à l'égard du système fiscal français, dont il expliquera plus tard dans son *Traité de l'administration des finances de la France* tous les défauts[10]. Mais il ne put mettre en œuvre que des réformes limitées, tant les obstacles dressés sur sa route étaient alors invincibles. Il réussira cependant à obtenir que la taille, le plus ancien des impôts directs et qui pesait si lourdement sur la population des campagnes, ne puisse plus être augmentée arbitrairement par de simples arrêts du Conseil, et qu'elle ne le soit désormais que par des lois authentiques enregistrées[11]. De même rendra-t-il plus faciles et moins onéreuses les procédures de réclamation des contribuables contre le montant – très souvent arbitraire – de la taille réclamé. Par un patient effort, et en dépit de la résistance des parlements, il multipliera les garanties données aux contribuables dans les procédures de vérification de l'impôt cédulaire sur les différentes formes des revenus, impôt dit du vingtième, dont le calcul autorisait en fait toutes les fantaisies. Après que Turgot eut supprimé la corvée en 1776, Necker pense à s'attaquer à la gabelle. Il dénoncera, dans son *Compte rendu,* en 1781, les dangers et les injustices de cet impôt établissant le monopole du sel en France, à des prix très variables selon les régions[12]. Il commence à réfléchir sur une réforme des « traites », de tous ces droits de douane exigés à l'entrée et à la sortie du royaume, et aussi à la ligne de séparation de certaines provinces. Abolir les péages ? Que le roi pût enfin « faire marcher, d'un pas égal, sa justice envers les particuliers et sa bienfaisance envers l'État[13] » ? Cela pourra se faire quand sera finie la guerre. En attendant, Necker, par l'arrêt du Conseil du 17 août 1779, faisait ordonner à tous les propriétaires de péages de produire leurs titres, leurs baux, leurs états de recettes et de dépenses, afin que le roi fût en état, quand la paix le permettrait, d'abolir tous les péages...

Necker savait que par ces projets de réformes il se faisait beaucoup d'ennemis. Mais il travaillait en même temps dans des directions plus apaisantes. La grande misère des hôpitaux parisiens avait beaucoup ému Mme Necker, dont l'activité charitable n'avait cessé de s'accroître[14]. Elle s'était déjà donné beaucoup de peine pour expliquer aux uns et aux autres que les hôpitaux ne devaient pas être un lieu d'agonie, une misérable antichambre de la mort. Elle s'était efforcée de faire du couvent de bénédictines de la rue de Sèvres un hôpital modèle, où chaque malade aurait son lit et recevrait des soins dispensés par des médecins et des chirurgiens compétents. À ce grand projet elle consacrait beaucoup de son temps. Rejoignant le travail de sa femme, Necker avait fait rendre par le Conseil du roi, en août 1777, un arrêt créant une commission de seize membres pour assurer la surveillance des hôpitaux de Paris. Pour débarrasser ceux-ci des miséreux professionnels, il avait fait publier une ordonnance enjoignant aux mendiants « établis à Paris » de regagner leur lieu de naissance. Pour aider à l'entretien des hôpitaux, et aussi pour lutter contre l'usure, il avait fondé, à l'exemple des Provinces-Unies, un « mont-de-piété » destiné à prêter de l'argent à un taux très inférieur au taux des usuriers. Mais cette espèce de « fonctionnarisme de la charité », observe Ghislain de Diesbach, avait provoqué la fronde sarcastique de beaucoup de Parisiens, car la charité, objectait-on, devait demeurer spontanée, et elle ne pouvait devenir une institution[15]. Que Mme Necker s'occupe de l'hospice de la rue de Sèvres, qui plus tard portera son nom, c'est bien. Mais que son mari la soutienne par des réformes charitables...

Dans le moment, Necker croit du moins pouvoir compter sur l'appui du roi, qui lui dit souvent sa confiance. Et le temps semble venu des réformes audacieuses. L'année 1779 verra l'abolition du servage sur toutes les propriétés et tous les domaines de la Couronne. L'année 1780 apportera la suppression de la question préparatoire...

Le plus pressé est fait sans doute des besoins de l'État, continuellement accrus par cette guerre contre l'Angleterre, menée en faveur des colonies américaines, cette guerre à laquelle Necker s'était vainement opposé. En 1778, Necker fait un très beau geste pour aider l'État, un de ces gestes qui, pense-t-il, doivent dire à l'opinion publique son désintéressement et son dévouement : il dépose au Trésor 2 400 000 livres, c'est-à-dire la plus grosse partie de sa fortune, qu'il prête au taux, très réduit alors, de 5 %[16]. Pour équilibrer les finances, il multipliera les emprunts et notamment les emprunts « viagers », permettant au souscripteur de verser des fonds au Trésor en échange d'une rente viagère constituée sur une tête de son choix. Ce système connaîtra un grand succès[17]. Un emprunt ouvert le 30 novembre 1779 créera, en moins de huit jours, 6 500 000 livres de rentes viagères, et il faudra, dans la maison du Trésor royal, faire écarter, par une garde de soldats, « la foule de ceux qui faisaient instance pour qu'on prît leur argent [18] ». Car l'emprunt viager ouvrait un champ rêvé à des spéculateurs ingénieux...

Ainsi Necker pense-t-il travailler à une conduite « économe et sage » des finances de la France, et veut-il préparer d'utiles réformes. Mais il réfléchit aussi à de plus vastes perspectives, à une réforme de l'État lui-même. Au mois de mai 1778, il a remis au roi un mémoire, tenu secret, sur les « Administrations provinciales » où il dénonce les effets d'une « bureaucratie tatillonne qui, persuadée d'avoir la science infuse, exerce au nom du roi un despotisme nuisible aux véritables intérêts du pays [19] ».

« Les impôts sont à leur comble, rappelle Necker, et les esprits sont plus que jamais tournés vers les objets d'administration ; en sorte que, tandis que la multiplicité des impôts rend l'administration infiniment difficile, le public [...] a les yeux ouverts sur tous les inconvénients et tous les abus. Il en résulte une critique inquiète et confuse qui donne un aliment continuel au désir que les parlements ont de se mêler de l'administration. Ce sentiment de leur part se manifeste de plus en plus et ils s'y prennent comme tous les corps qui veulent acquérir du pouvoir en parlant au nom du peuple, en se disant les défenseurs des droits de la nation et l'on ne doit pas douter que, bien qu'ils ne soient forts ni par l'instruction ni par l'amour du bien de l'État, ils ne se montrent dans toutes les occasions aussi longtemps qu'ils se croiront appuyés par l'opinion publique. Il faut donc ou leur ôter cet appui, ou se préparer à des combats répétés qui troubleront la tranquillité du règne de Votre Majesté et conduiront successivement ou à une dégradation de l'autorité, ou à des partis extrêmes, dont on ne peut mesurer au juste les conséquences. »

Un jugement aussi lucide sur l'état de la France à la veille de la Révolution fut rarement porté. Necker conseille au roi de créer des « assemblées provinciales » capables de briser la résistance des parlements en soustrayant les impôts à leur compétence, et en même temps de réaliser une certaine décentralisation, rendant aux provinces le droit de disposer d'une partie des impôts. Et il suggère à Louis XVI de faire un essai, en créant une première « assemblée provinciale », pour le Berry, que présiderait l'archevêque de Bourges, Mgr Phélypeaux, le propre neveu de Maurepas[20]... Turgot s'étonnera, s'indignera. Necker ne faisait que reprendre ses idées, celles-là même qui avaient conduit à sa propre disgrâce.

« LE VENT DE TERRE QUI LE FAISAIT NAVIGUER... »

Mais vient peu à peu le temps de la lassitude. Voici quatre ans que Necker est aux Finances et qu'« il occupe la France de ses faits et gestes[21]. » Maurepas commence à s'agacer. Necker, qu'il a longtemps soutenu, semble maintenant impatienter la plupart des ministres. S'attaquant à la Maison du roi, qui assemble quinze mille personnes vivant aux dépens du Trésor, s'en prenant aux intendants, aux parlements, ne cessant de vouloir supprimer des fonctions ou des rentes, ce banquier protestant multiplie ses ennemis et complique le travail de Maurepas.

Au mois de juin 1780, circule à Paris, parmi beaucoup d'autres libelles dénonçant l'encombrant ministre, une « Lettre de Monsieur Turgot à Monsieur Necker[22] ». Turgot, alors gravement malade, n'en est pas l'auteur, mais c'est un fermier général, fort bien en cour, M. Augeard, secrétaire des commandements de la reine, qui ne cache pas avoir écrit ce texte pour aider à débarrasser la France de M. Necker. Le pamphlet connaît un grand succès, et Mme Necker, que bouleversent les calomnies colportées – son mari préparerait la soumission de la France à la finance internationale –, s'applique à racheter, sans en rien dire à quiconque, tous les exemplaires qu'elle peut trouver de cette maudite brochure. L'initiative de Mme Necker, qui sera vite connue, ajoutera à la campagne conduite contre le ministre. Quand, en août, un édit supprime 406 emplois dans le service « de la bouche et des communs » de la Maison du roi, l'agitation monte à la Cour. Necker devient insupportable. Maurepas commence à tâcher de persuader le roi que le directeur des Finances cherche à devenir le vrai maître de la France. « Dans Versailles, l'inquiétude ne cesse de grandir : qui sera réformé ? Qui sera épargné ? Et pour combien de temps [23] ? » Louis XVI est journellement assiégé.

Pourtant Necker croit encore disposer de la confiance du roi. Souvent il travaille avec Sa Majesté, alors que Maurepas, vieilli, malade, est volontiers absent [24]. Necker voudrait bien se concilier la reine, mais il sait que les humeurs de Marie-Antoinette sont changeantes ; il sait aussi quel déplaisir lui a causé la restriction des dépenses de la Maison du roi. Maurepas commence, dit-on, à louer ouvertement les pamphlets lancés contre celui qu'il a choisi pour redresser les finances de la France. Louis XVI lui-même se fatigue à défendre ce ministre qui accumule autour de lui tant d'hostilités. Lorsqu'il répète à Necker : « Comptez sur ma fermeté », c'est qu'il est prêt à faiblir [25]. Quand s'achève l'été de cette année 1780, la plupart des observateurs prévoient le départ de Necker, de plus en plus mal vu à la Cour.

L'incident attendu se produira vite. Le lieutenant général de police, Antoine de Sartine, était devenu en 1774 secrétaire d'État à la Marine, en remplacement de Turgot, porté au Contrôle général. Depuis lors, pour reconstruire la flotte française, Sartine avait gaspillé tous les crédits, refusant en grand seigneur de fournir aucun compte. Comptable négligent, il avait beaucoup fait pour armer la marine française, et servir la guerre d'Amérique. Mais Necker entend le soumettre aux exigences de sa politique financière. Sartine s'en moque, et le conflit ne peut qu'éclater. Le 24 septembre, Necker offre brusquement au roi sa démission : il ne peut continuer de remplir ses fonctions s'il doit supporter les initiatives du secrétaire d'État à la Marine qui fait n'importe quoi. Maurepas est alors retenu dans sa chambre par une crise de goutte. Louis XVI hésite : « Renverrons-nous Necker ? dit le roi. Renouerons-nous avec Sartine ? Je ne suis pas mécontent de celui-ci. Je crois que Necker nous est plus utile [26]... » Le roi se résout dans le moment à donner raison au Genevois. Il sacrifie Sartine, auquel il substitue le marquis de Castries, dont le nom a été suggéré par le vainqueur [27]. Ainsi Louis XVI semble-t-il garder sa confiance à Necker. « Je suis charmé d'apprendre que vous avez des ennemis, lui dit-il, le 3 février 1781, et que vous êtes jalousé ; vous le seriez moins si vous aviez moins de mérites [28]. » Ce même mois, Necker lance un nouvel emprunt viager qui connaît un nouveau succès. Beaucoup dénoncent cette politique à court terme qui, au gré de l'opportunité, ne cesse d'endetter le Trésor.

Necker poursuit courageusement son action. Il mesure les animosités qu'il déchaîne et qui s'expriment notamment par les pamphlets et les libelles qui l'accusent. Dans le même temps, il garde les yeux fixés sur l'opinion publique, non plus seulement, remarque Jean Égret, l'opinion des hommes et des femmes influents, des esprits distingués, des prélats et des aristocrates qui fréquentent la Cour, mais « l'opinion publique nationale [29] » qu'il voudrait maintenant conquérir. Des milliers de lettres lui sont parvenues, durant les années de son ministère, qu'il a conservées, lues et relues. « Après ses devoirs religieux », écrira Germaine de Staël dans ses *Considérations sur les principaux événements de la Révolution française*, « l'opinion publique était ce qui l'occupait le plus ; il sacrifiait la fortune, les honneurs, tout ce que les ambitieux recherchent, à l'estime de la nation ; et cette voix du peuple, alors non encore altérée, avait pour lui quelque chose de divin. Le moindre nuage sur sa réputation était la plus grande souffrance que les choses de la vie pussent lui causer. Le but mondain de ses actions, le vent de terre qui le faisait naviguer, c'était l'amour de la considération [30]. »

C'est pour se justifier devant l'opinion publique, pour expliquer sa politique et en vanter les résultats, que Jacques Necker s'est mis à rédiger, au cours de l'année 1780, le *Compte rendu au roi par M. Necker, directeur général des Finances au mois de janvier 1781*, qu'il publiera, après avoir sollicité et obtenu l'assentiment de Louis XVI, le 19 février 1781. L'ouvrage est mis en vente au prix de trois livres, mais « le produit de la vente est destiné à soulager les malheureux qui trouveront un adoucissement à leur misère dans le tableau des finances de l'État [31] ». Le *Compte rendu au roi* était précédé d'un beau prologue dans lequel le ministre, offrant à Louis XVI son travail, lui exposait, en serviteur consciencieux, les raisons pour lesquelles il publiait cet ouvrage [32] :

« Sire,

« Ayant dévoué tout mon temps et toutes mes forces au service de Votre Majesté, depuis qu'elle m'a appelé à la place que j'occupe, il est sans doute précieux pour moi d'avoir un compte public à lui rendre du succès de mes travaux, et de l'état actuel de ses finances.

« Mais quelque prix que doive mettre un serviteur fidèle à ce tableau de sa conduite, cependant j'eusse renoncé à cette satisfaction, et j'eusse réuni ce nouveau sacrifice à tant d'autres, si je n'avais pas pensé que la publicité d'un pareil compte et son authenticité pouvaient être infiniment utiles au bien des affaires de Votre Majesté. Je ne sais même si une semblable institution, devenue permanente, ne serait pas la source des plus grands avantages. L'obligation de mettre au grand jour toute son administration influerait sur les premiers pas que fait un ministre des Finances dans la carrière qu'il doit parcourir. Les ténèbres et l'obscurité favorisent la nonchalance ; la publicité, au contraire, ne peut devenir un honneur et une récompense qu'autant qu'on a senti l'importance de ses devoirs, et qu'on s'est efforcé de les remplir. Ce compte rendu mettrait aussi chacune des personnes qui composent les conseils de Votre Majesté à portée d'étudier et de suivre la situation des finances ; connaissance importante, et à laquelle toutes les grandes délibérations doivent se lier et se rapporter.

« En même temps, l'espoir de cette publicité rendrait plus indifférent encore à ces écrits obscurs, avec lesquels on essaie de troubler le repos d'un administrateur, et dont les auteurs, sûrs qu'un homme d'une âme élevée ne descendra point dans l'arène pour leur répondre, profitent de son silence pour ébranler les quelques opinions par des mensonges.

« Enfin, et c'est ici une considération digne du plus sérieux examen, une pareille institution pourrait avoir la plus grande influence sur la confiance publique.

« En effet, si l'on fixe son attention sur cet immense crédit dont jouit l'Angleterre, et qui fait aujourd'hui sa principale force dans la guerre, on ne saurait l'attribuer en entier à la nature de son gouvernement ; car quelle que soit l'autorité du monarque en France, comme ses intérêt bien entendu reposeront toujours sur la fidélité et sur la justice, il ferait oublier aisément qu'il a le pouvoir de s'écarter de ces principes ; et c'est à Votre Majesté qu'il appartient, et par son caractère et par ses vertus, de faire sentir cette vérité par l'expérience.

« Mais une autre cause du grand crédit de l'Angleterre, c'est, n'en doutons point, la notoriété publique à laquelle est soumis l'état de ses finances. Chaque année, cet état est présenté au

Parlement, on l'imprime ensuite ; et tous les prêteurs, connaissant ainsi régulièrement la proportion qu'on maintient entre les revenus et les dépenses, ils ne sont point troublés par ces soupçons et ces craintes chimériques, compagnes inséparables de l'obscurité.

« En France, on a fait constamment un mystère de l'état des finances ; ou si quelquefois on en a parlé, c'est dans des préambules d'édits, et toujours au moment où l'on voulait emprunter ; mais ces paroles, trop souvent les mêmes pour être toujours vraies, ont dû nécessairement perdre de leur autorité, et les hommes d'expérience n'y croient plus que sous la caution, pour ainsi dire, du caractère moral du ministre des Finances. Il est important de fondre la confiance sur des bases plus solides. Je conviens que dans quelques circonstances on a pu profiter du voile répandu sur la situation des finances, pour obtenir, au milieu du désordre, un crédit médiocre qui n'était pas mérité ; mais cet avantage passager, en entretenant une illusion trompeuse, et en favorisant l'indifférence de l'administration, n'a pas tardé d'être suivi par des opérations malheureuses, dont l'impression dure encore, et sera longue à guérir. Ce n'est donc qu'au premier moment où un grand état se dérange, que la lumière répandue sur la situation de ses finances devient embarrassante ; mais si cette publicité même eût prévenu le désordre, quel service n'eût-elle pas rendu !

« [...] C'est donc une grande vue d'administration de la part de Votre Majesté que d'avoir permis qu'on rendît un compte public de l'état de ses finances ; et je désire, pour le bonheur du royaume et pour sa puissance, que cette heureuse institution ne soit point passagère. Eh ! que craindre en effet d'un pareil compte, si, pour qu'il soit le fondement et l'appui du crédit, il ne faut autre chose que ce qu'exigeraient d'un souverain les règles les plus simples de la morale, c'est-à-dire, proportionner les dépenses aux revenus, et assurer un gage aux prêteurs, toutes les fois que dans les besoins de l'État on a recours à leur confiance ! »

Le *Compte rendu* de Necker connaît aussitôt un prodigieux succès. En deux semaines, la vente atteint trente mille exemplaires et plus de cent mille seront écoulés, « chiffre jamais réalisé pour aucun livre jusqu'alors, la Bible exceptée[33] ». Toutes les imprimeries travaillent à la reproduction du *Compte rendu*, beaucoup d'acheteurs le font encadrer. Il est au cœur de toutes les conversations intelligentes. Ainsi, pour la première fois, un ministre veut-il faire des affaires de l'État « une chose commune », servir de cette manière le monarque très éclairé, l'aider à gouverner et à bien gouverner. Portée par la vérité et la justice, l'opinion publique doit être pour Necker comme un tribunal suprême auquel le roi peut faire confiance. Mais le ministre ne dissimule pas le rôle que cette opinion publique doit jouer aussi pour soutenir l'homme juste, désintéressé, insensible à tous les avantages et les caprices du pouvoir qu'il prétend être.

« Il use, constate Simone Balayé, du seul moyen dont il dispose pour se justifier devant l'opinion[34]. » L'opinion publique a pour mission de le soutenir, lui, Necker. « Enfin, et je l'avoue aussi, j'ai compté fièrement sur cette opinion publique que les méchants cherchent en vain d'arrêter ou de lacérer, mais que, malgré leurs efforts, la justice et la vérité entraînent après elles[35]. » Le *Compte rendu* est une apologie, un plaidoyer : Necker ne cesse d'y faire son propre éloge. Mais la vérité et l'excellence du travail du ministre, sa publicité nécessaire doivent servir le souverain et son peuple.

L'immense succès du livre est fait d'estime, et aussi de scandale. Necker a le bonheur de recevoir une lettre anonyme qui le couvre de louanges, où il peut reconnaître l'écriture de sa fille[36]. Les esprits éclairés se réjouissent. Galiani voit dans le *Compte rendu* « le tocsin de la paix » ; Marmontel assure qu'ayant lu le *Compte rendu* il « ne rêve que de finances » ;

Buffon exprime une admiration sans mesure : « Necker devient une gigantesque chauve-souris qui se dérobe d'un coup d'aile à ses admirateurs pour planer sous les voûtes du firmament à une altitude digne de la hauteur sublime de son sujet[37] », et il écrit à Mme Necker, son amie si chère : « Je vois M. Necker non seulement comme un génie mais comme un dieu tutélaire, amant de l'humanité, qui se fait adorer à mesure qu'il se couvre. »

Mais les pamphlets se multiplient aussi, dénonçant les mensonges, les faux chiffres, les élucubrations du *Compte rendu*. Augeard répand une *Lettre d'un ami à M. Necker*. On prête à M. de Calonne un sévère libelle, les *Comment*, qui dénonce les erreurs de Necker. La *Lettre du marquis de Curaccioli à M. d'Alembert*, pamphlet anonyme, s'en prend à l'étrange culte qui semble entourer à Paris ce ridicule personnage dont le livre maintenant « trône sur les toilettes, dans les boudoirs et même dans les alcôves[38] ». Mme Necker, que l'amour et le courage ne cesseront d'inciter à la maladresse, croit utile d'écrire à M. de Maurepas, sans en rien dire à son mari, pour le prier d'user de son autorité pour défendre son ministre contre d'infâmes calomnies... Cette fâcheuse démarche, dira Mme de Staël[39], fit comprendre à Maurepas combien M. et Mme Necker étaient sensibles à tout ce qui pouvait leur ôter la faveur de l'opinion publique et quel était le plus sûr moyen de les blesser. « Il faut se garder, commentera-t-elle, d'apprendre à ses ennemis comment ils peuvent vous faire du mal, mais presque jamais les femmes ne se laissent guider par cette réflexion. »

LE DÉPART DE NECKER

Le 20 avril 1781, six membres du parlement de Paris reçoivent chez eux une brochure anonyme qui divulgue le mémoire « confidentiel » remis par M. Necker au roi en 1778, l'encourageant à la création d'assemblées provinciales[40] qui recevraient les droits que s'étaient arrogés les parlements dans le domaine des impôts. Aussitôt le parlement de Paris frémit d'indignation. Les intendants aussi s'ameutent pour dénoncer ce détestable ministre dont les projets secrets sont pires encore que les mauvaises réformes. Qui est à l'origine de l'indiscrétion ? Est-ce un certain Cromot, trésorier du comte de Provence, frère de Louis XVI – auquel Necker avait dû, à la requête du roi, faire connaître ce mémoire secret – et qui était l'ennemi juré du ministre[41] ? Est-ce Maurepas lui-même auquel Louis XVI avait révélé ce projet ? Par ailleurs, la *Lettre d'un bon Français* destinée à montrer que Necker n'en est pas un, publiée anonymement, connaît, à son tour, un grand succès. Un mémoire écrit par M. Bourboulon, trésorier du comte d'Artois, deuxième frère du roi, et qui accuse Necker d'avoir usé de chiffres faux, suscite la colère de ce dernier[42]. Tel il est : convaincu de sa vertu et de son bon travail, il ne supportera jamais la calomnie. Le voici prêt à demander réparation.

Le 10 mai, il sollicite donc de Louis XVI la permission de publier lui-même son *Mémoire sur les assemblées provinciales*, et de se justifier devant l'opinion. Louis XVI hésite, prend le conseil de Maurepas. Celui-ci sait que Necker, blessé, entend maintenant demander au roi de lui manifester publiquement sa confiance en l'admettant en son Conseil d'où il était tenu à l'écart puisque protestant. Ce Necker veut décidément l'impossible ! Louis XVI consulte également Vergennes qui, de notoriété publique, déteste Necker. Vergennes donne au roi le conseil attendu, celui du refus. Le 19 mai, Necker se rend à Marly où séjourne la Cour. Maurepas, « résolu d'avance à refuser la condition quelconque que M. Necker mettrait à conserver le ministère, lui répondit que sa religion était un obstacle invincible à ce qu'il prît séance au Conseil[43] ». Maurepas sait que Necker ne cédera pas, et il veut maintenant que le ministre s'en aille. Hâtivement, Necker écrit au roi, le 19 mai, une lettre très sèche, donnant sa démission[44] :

« La conversation que j'ai eue hier avec M. de Maurepas ne me permet plus de différer de remettre entre les mains du roi ma démission. J'en ai l'âme navrée. J'ose espérer que Sa Majesté gardera quelques souvenirs des années de travaux heureux, mais pénibles, et surtout du zèle sans bornes avec lequel je m'étais voué à son service. »

Sa lettre à la main, Necker rend visite à la reine. En vain Marie-Antoinette tente-t-elle de le faire revenir sur sa décision, puis de lui faire rencontrer le roi. Mais Louis XVI refuse de recevoir son ministre démissionnaire, jugeant peu respectueux le ton de cette lettre de démission. C'en est fini de M. Necker.

Au matin du 20 mai, « la nouvelle du départ de Necker se répand dans la capitale [...] et en fait instantanément une ville morte[45] ». Désormais Necker est entré dans son rôle historique. Sa vertu, son courage, juge-t-il, sont victimes des intrigues, de la méchanceté et de la médiocrité. Il n'a plus d'autres soutiens que sa conscience et l'opinion publique, sur laquelle il sait qu'il peut compter. « La France et l'Europe, écrira Mme de Staël, furent consternées de la retraite de M. Necker : ses vertus et ses facultés méritaient cet hommage[46]. » Joseph II, Catherine II et d'autres souverains lui proposent la direction de leurs finances. Mais « il avait le cœur trop français pour accepter un tel dédommagement, quelqu'honorable qu'il pût être[47] ». « Enfin M. Necker n'est plus en place, écrira l'impératrice Catherine le 21 juillet 1781. Voilà un beau rêve que la France a fait et une grande victoire pour ses ennemis. »

Sa démission remise, Necker fait ses bagages. Dès le lendemain, sa femme et lui vont en leur château de Saint-Ouen, avec Louise qui retrouve enfin papa. Et voici qu'on se bouscule sur la route de Paris à Saint-Ouen, pour rendre visite au grand homme devenu un martyr de la vérité et de la liberté. Dès que Necker sort, dès qu'il paraît en public, les ovations le saluent. Mme Necker évoquera dans ses *Nouveaux Mélanges*, ce temps glorieux et douloureux : « M. Necker ressemblait dans son premier ministère à un homme qui porterait deux flambeaux dans des caves souterraines habitées de chauves-souris. Elles se sont jetées en foule sur le porteur de flambeaux [48]. »

Mais le porteur de flambeaux tombe bientôt malade d'une fièvre dont les méchants diront qu'elle n'était que de « l'ambition rentrée [49] ». Necker est souffrant. Sa femme l'est aussi, de cette langueur mélancolique qui ne cessera de l'envelopper. « M. Necker, écrit-elle le 29 juillet à son cher Gibbon, a été longtemps malade, non du regret d'avoir donné sa démission mais du chagrin d'avoir été obligé de la donner, car il est pour les honnêtes gens une nécessité morale plus invincible que la nécessité physique [50]. » Reste l'écriture, qui est le grand remède. Necker a commencé de travailler à son grand *Traité sur les finances de la France*, auquel il consacrera près de quatre années. Et il lui faut s'occuper de Suzanne. Et il lui faut penser à l'avenir de Minette : elle a quinze ans ! Maurepas meurt le 21 novembre, dans son appartement, à Versailles... Necker n'aurait-il pas eu tort de trop brusquer son destin ?

Qu'eût été l'histoire, si Necker était demeuré ? « On peut penser, avance Auguste de Staël [51], que Necker aurait hérité de l'empire de M. de Maurepas sur Louis XVI et que l'autorité royale aurait su accorder progressivement à la France tout ce qui fut bientôt conquis par la force. » La Révolution française, suppose le petit-fils de Necker, n'eût sans doute pas eu lieu [52].

D'Haussonville rapporte ce mot de Malouet dans ses *Mémoires* : « Quoi qu'on en puisse dire, c'est de la retraite de M. Necker en 1781 et de l'impéritie de ses successeurs que datent les désordres qui nous ont conduits aux États généraux [53]. » D'autres prétendront que Necker, par ses réformes et ses concessions, avait affaibli la monarchie, contribué à rendre inévitable la Révolution. Ce qui est sûr, c'est qu'en l'année 1781 le destin de la monarchie française a hésité...

VII

La retraite et la gloire

Les successeurs de Necker s'appliqueront à reprendre la politique traditionnelle des finances françaises, accumulant maladresses et iniquités. Le temps de Turgot, de Necker, des réformateurs semblait passé. Vint d'abord Joly de Fleury, choisi par Maurepas parce qu'il était « insignifiant et agréable aux parlements[1] ». Dès le 21 mai 1781, Joly de Fleury faisait prendre l'édit – qui aura des effets déplorables – obligeant tous les candidats à la fonction d'officier à produire leurs preuves de noblesse. Puis viendra en 1783 l'honnête et consciencieux Lefèvre d'Ormesson, qui ne restera en place que sept mois. Le candidat de la reine sera alors l'archevêque de Toulouse, Loménie de Brienne, qui avait autrefois été l'ami de Turgot et passait pour un réformateur très modéré. Mais les intrigues de la Cour pousseront en avant l'intendant de Lille, Charles Alexandre de Calonne. Ce personnage, peu estimé, semblera rassurant, car on présume qu'il ne touchera pas, un temps au moins, à tous les privilèges que Necker avait prétendu malmener. Calonne commencera par demander au roi de vouloir bien l'aider à payer ses propres dettes, ce à quoi Louis XVI consentira. Puis il s'appliquera à plaire. Il achètera au duc d'Orléans le château de Saint-Cloud pour la reine qui s'était entichée de cette résidence, et il multipliera les prodigalités en faveur de tous ceux qui pouvaient le soutenir. Fidèle à l'exemple de ses prédécesseurs, il usera des emprunts, pour faire face aux difficultés urgentes, songeant peut-être, à long terme, à de vastes réformes.

Ayant dû quitter l'hôtel du Contrôle général, la famille Necker s'est installée dans un hôtel situé rue Bergère. Désormais le temps de la famille est partagé entre la rue Bergère et le château de Saint-Ouen. Le salon de Mme Necker a gardé vie, mais, observe d'Haussonville, il est devenu « ce que nous appellerions de nos jours un salon d'opposition[2] ». Les discussions littéraires et académiques y tiennent moins de place qu'au temps des anciens vendredis. On commente les nouvelles, on critique les successeurs de Necker, on raconte les intrigues qui entourent Sa Majesté, et surtout on ne tarit pas d'éloges sur Necker, et aussi sur Minette, présente tous les vendredis.

Minette a passé quinze ans. Elle devient peu à peu « Louise », comme nous le rappelle Béatrice Jasinski[3] commentant la correspondance de Mlle Necker jeune fille. Il semble que Suzanne Necker, trop déçue, ait peu à peu abandonné son rôle de pédagogue. A-t-elle fait venir des maîtres pour la remplacer ? En réalité, Louise, maintenant adolescente, paraît bien se former seule, comme elle le veut, aidée de tous ceux qui l'entourent et qui l'aiment. Elle s'est prise à apprécier la musique. Entraînée par Catherine Huber, elle apprend à jouer du clavecin, et ses progrès seront rapides[4]. Puis elle se mettra au piano, et s'essaiera au chant. Enfant, elle avait déjà beaucoup aimé la comédie. Mlle Clairon, la célèbre actrice familière de la maison, vient lui enseigner l'art de la déclamation, et Louise ne cessera jamais de jouer la comédie, et plus encore la tragédie.

Dans la bibliothèque de la rue Bergère, elle cherche des pièces de théâtre, des romans, des essais, des livres d'histoire et de philosophie. La littérature et les idées du XVIIIe siècle la passionnent. Les familiers du salon qui l'entourent, elle les écoute parler, et elle les lit. Elle converse avec Buffon, avec d'Alembert, avec Diderot. Elle écoute Marmontel discuter avec Suard, l'abbé Morellet converser avec Grimm. Elle parle couramment l'anglais et discute avec Hume, avec Walpole, avec Beckford, avec tous ceux qu'aime recevoir sa mère, qui raffole des Anglais de passage. Lors du séjour à Londres, en 1776, Louise s'est prise de passion pour Shakespeare et ne le quittera plus.

Son autre passion, c'est Jean-Jacques Rousseau, dont la faveur remue alors toute l'Europe. Jamais Rousseau n'est venu chez les Necker, mais ceux-ci reçoivent souvent la comtesse d'Houdetot, la charmante Sophie qui a tant inspiré Jean-Jacques, et qui veut bien s'intéresser à leur fille. Mme de Boufflers et Moultou sont des amis du philosophe, ils en parlent beaucoup et très bien. Les sentiments de Rousseau, ses idées, son écriture enthousiasment Louise. Pourtant, remarque justement Béatrix d'Andlau[5], elle et Rousseau étaient plus éloignés qu'elle ne le croyait alors : « Il rejetait la société, elle ne pouvait vivre qu'entourée ; il aimait la nature ; elle n'en a guère ressenti l'attrait. » Il reste que l'influence de Rousseau pèsera lourd sur l'œuvre de Mme de Staël.

Louise ne ressemble décidément pas à sa mère. Elle n'est pas belle. Elle n'a ni grâce ni élégance. Le nez est lourd, la bouche trop grande, les lèvres charnues. « Si elle montre quelque coquetterie c'est pour tirer le meilleur parti de ce qu'elle a de mieux, ses bras et sa gorge, sans nourrir d'illusions pour le reste[6]. » « Ma fille est aimable sans être belle », dira Mme Necker. Trop d'ardeur, de chaleur, de pétulance lui font vite passer les limites qu'assigne l'éducation aux femmes. L'exaltation lui est familière, et Louise va, sans peine aucune, de l'enthousiasme le plus vibrant à la tristesse la plus aiguë. Mais l'excès même de ses sentiments et de leurs manifestations ajouteront sans doute à sa séduction. Ce qui frappe ceux qui la rencontrent c'est son regard étincelant, cette extraordinaire vivacité de l'esprit, et aussi ce prodigieux talent d'expression que tous admireront ou envieront[7].

Jacques Necker vit donc maintenant entre sa femme et sa fille. Il doit, de plus en plus souvent, apaiser leurs humeurs contraires. Dans le salon de Suzanne, il continue d'être aussi silencieux, n'intervenant que pour faire un mot ou glisser un jugement qui souvent clôt la discussion. Physiquement, le temps et les épreuves l'ont encore épaissi. Il est devenu gros, lourd. Sa tête aussi est pesante, son visage long : la longueur du menton surtout excède les proportions ordinaires[8]. Mais son œil est demeuré vif et spirituel, l'arc du sourcil est fort élevé et donne à sa physionomie une expression originale. Assis, Necker semble calme et majestueux, volontiers solennel. Chacun sait comme il aime être loué, se louer lui-même. Ses ennemis prétendent que la vanité l'habille, mais ce n'est pas la vanité de Jacques Necker que veut exprimer sa figure imposante, c'est l'orgueil de la vérité et de la raison qui se confondent en lui.

Privé de ses fonctions, il a repris sa plume. Il travaille à son grand *Traité de l'administration des finances de la France*. Cet ouvrage, qui sera publié en Suisse en mai 1784, est pour lui nécessaire. D'abord parce que l'écriture lui semble, dans sa retraite, sa seule et véritable occupation. Ensuite parce qu'il veut une nouvelle fois, après avoir été l'injuste victime de l'intrigue et de la médiocrité, en appeler à l'opinion publique, se justifier devant elle, dire à chacun ce qu'il a fait lui, Jacques Necker, pour les finances, pour le roi, pour la France, pour les Français. L'ouvrage ne devra pas être seulement une apologie de Necker, il devra aussi montrer à ceux qui viendront après lui les seuls chemins d'une bonne administration des Finances, ceux qu'il a ouverts.

L'introduction de ce livre épais, qui fut un immense travail, dit quel était le projet de Necker[9] :

« Rentré dans le repos, après un long cours de peines et

d'agitations, je n'ai pu me détacher encore des grands intérêts qui ont si longtemps occupé ma pensée ; et, en méditant sur le passé, en portant mes regards dans l'avenir, je me suis laissé aller à l'idée que je pourrais être encore de quelque service à la chose publique, ne fût-ce qu'en présentant avec ordre un grand nombre de connaissances absolument essentielles à l'administration des finances. J'ai éprouvé moi-même combien il était difficile de réunir toutes ces connaissances, presque toutes éparses, et dont la plupart n'ont jamais été recherchées : j'ai éprouvé combien un pareil travail prenait de temps sur la réflexion et retardait l'époque où l'on est en état d'agir avec sûreté. Je ne sais d'ailleurs si c'est une vaine illusion ; mais il est des moments où je me suis flatté que cette dernière communication d'un homme qui avait montré du zèle et de l'application dans une carrière importante serait accueillie avec bonté, et reçue avec indulgence. J'ai même osé présumer que si les mouvements d'une âme encore ardente pouvaient suppléer aux talents, je réussirais peut-être à affermir davantage la confiance due à ces principes d'administration, qui tendent au bonheur public et à la prospérité d'un empire...

« Ces souvenirs, cette méditation d'un homme public rendu à lui-même, ne pourront au moins déplaire ; et quand la nation française, de qui j'ai reçu tant de marques de bienveillance, n'y verrait que les traces de ma reconnaissance, mon cœur serait satisfait. Oui, nation généreuse, c'est à vous que je consacre cet ouvrage, non par une dédicace vaine et fastueuse, mais par un hommage habituel et de tous les jours ; mais par ce sentiment profond qui tout à la fois aujourd'hui m'agite et me console. »

À plusieurs reprises, tout au long du livre, Necker répétera qu'il veut parler à l'opinion publique, et que l'on ne peut plus désormais gouverner sans penser à elle. « Enfin puisque les vertus semblent avoir besoin d'un théâtre, il devient infiniment essentiel que l'opinion publique excite les acteurs : il faut la soutenir cette opinion, il faut l'éclairer, il faut l'appeler au secours des idées qui intéressent véritablement le bonheur des hommes [10]. » Necker achèvera ce grand ouvrage par un éloge vibrant de soi, et aussi par l'évocation de la mort qui est devenue un thème obsédant chez sa femme et aussi chez lui :

« J'ai peut-être une explication à donner sur le parti que j'ai pris de faire imprimer cet ouvrage sans l'avoir soumis auparavant à la révision d'un censeur ; mais j'ai cru que je pouvais remplir cette fonction envers moi-même ; j'ai cru que je devais assez de respect aux vérités qui intéressent le bonheur des hommes, pour oser les soumettre directement au jugement public ; j'ai cru surtout que ce n'était pas au tribunal de quelques petites passions que de si grands objets devaient être portés. Je ne saurais d'ailleurs présumer qu'on pût désapprouver un ouvrage où la morale la plus pure a conduit mon cœur et mes expressions, où j'ai développé si sensiblement la force et la puissance de la France, où j'ai respecté partout les particuliers, les corps de l'État, et les opinions qui sont fondées sur les lois et la nature du gouvernement. Que si cette confiance était mal fondée, que si de nouveaux triomphes devaient appartenir à ceux dont j'ai déjà ressenti l'inimitié, un sentiment intérieur dont j'ai déjà connu l'assistance sera de nouveau ma consolation. Que suis-je, en effet, avec un si petit nombre d'années au-devant de moi ! Que suis-je, près d'une seule vérité utile, près d'une seule connaissance instructive, qui, tombant dans une terre fertile, y ferait germer des fruits longtemps salutaires ! Tous les calculs personnels sont pleins d'erreurs, et le temps tôt ou tard détrompe des illusions les plus séduisantes ; l'homme trouve la peine où il ne se proposait que des satisfactions, la lassitude où il se promettait des jouissances habituelles, les dégoûts où il n'attendait que de la gloire ; il voit les fantômes de son imagination briller et disparaître en un moment ; l'espérance est déçue par la réalité, la vanité par ses triomphes, l'ambition par ses propres succès ;

et pour suffire à l'espace de la vie, on a besoin d'un renouvellement continuel de goûts, de souhaits et de volontés. Il faut donc, au milieu de cette scène mouvante, s'appuyer sur quelque principe ; et le seul qui s'applique à tous les événements, le seul qui puisse guider l'intérêt personnel en ses incertitudes, le seul qui puisse résister à ses agitations, c'est un sentiment profond de ses devoirs, c'est une noble idée de l'ordre et de la vertu ; il faut tenir à cette grande chaîne qui unit l'homme à la société ; son esprit à la connaissance du bien public, son âme à tous les hauts sentiments, et sa faible existence à la plus sublime des pensées : c'est alors qu'on devient sûr de soi-même ; c'est alors seulement qu'on croit avoir jeté l'ancre, et qu'au milieu des illusions du monde, on acquiert de la stabilité dans ses opinions. [...] Quand la fin des vanités s'avance, et quand l'âge arrive où l'on voit déjà paraître les premières ombres de l'inévitable nuit, on se trouve moins étranger à cet obscur avenir, on s'en approche avec plus de calme, et l'on ne joint pas du moins aux peines d'une âme sensible le regret du temps qu'on a perdu, des moments qu'on a dissipés, et des forces qu'on a négligées[11]. »

Chez M. Necker, constatera Sainte-Beuve, « l'expression est presque toujours forcée ou solennisée, et l'on est tenté de lui répéter à chaque instant : soyons simples ! Parlons naturellement et couramment ». « Son écriture est fatigante, dira encore Saint-Beuve, [...] toujours les esprits vifs et restés encore français seront irrités en le lisant, et saisiront un léger ridicule là où lui, si fin, n'en soupçonnait pas[12]. » L'écriture de Necker lui ressemble : elle est pesante, volontiers emphatique, très occupée de l'éloquence. Mais l'ouvrage est nourri de développements admirables où l'auteur montre tout à la fois sa lucidité sur les temps où il vit, la force de sa compétence, et la puissance de sa pensée. Ce livre, écrira Mme de Staël[13], « reconnu maintenant pour classique, produisit dès lors un effet prodigieux ; on en vendit quatre-vingt mille exemplaires. Jamais aucun écrit sur des sujets aussi sérieux n'avait eu un succès tellement populaire. Les Français s'occupaient déjà beaucoup dans ce temps de la chose publique, sans songer encore à la part qu'ils y pourraient prendre. »

Ce sont en fait des centaines de milliers d'exemplaires qui furent vendus en langue française, et l'ouvrage, traduit dans toutes les langues européennes, connut un immense retentissement. Il provoqua aussi une ardente campagne de libelles et de pamphlets contre ce prétentieux banquier, inlassable donneur de leçons que le roi de France avait si bien fait de congédier. Mais Necker n'est plus seulement un homme d'État qui a géré les finances de la France. Il est désormais, constate Henri Grange, un homme d'État européen [14] portant sur les finances de tous les pays la plus haute réflexion. Il peut évoquer, dans sa péroraison, « l'âge où l'on voit déjà paraître les premières ombres de l'inévitable nuit », il a cinquante-deux ans, et nul ne croit vraiment que la nuit a commencé pour lui. Mais il aimera conclure ainsi chacun de ses ouvrages par l'évocation de la mort.

Si Necker a publié son livre à Lausanne, c'est pour éviter les risques de la censure. Les principaux libraires de Paris recevront défense de réimprimer l'ouvrage, mais rien n'empêchera sa diffusion. Très vite répandu en France, le traité *De l'administration des finances...* est devenu l'objet de conversations passionnées et de beaucoup d'études. L'auteur a pris la précaution d'envoyer son ouvrage à Louis XVI avec une lettre très déférente :

« C'est avec une respectueuse timidité que je prends la liberté de faire hommage à Votre Majesté d'un travail auquel je me suis livré dans ma retraite. Je ne savais, en l'entreprenant, si je le rendrais public ; et quand il a été fini, de grands motifs ont fixé mon incertitude. Je supplie Votre Majesté de ne porter de jugement à cet égard, qu'après avoir lu l'ouvrage en entier. C'est dans sa manière calme et supérieure de considérer les hommes et les choses que je mets ma confiance ; car je n'ai point laissé d'amis autour d'Elle, quoiqu'il m'eût été bien facile d'en faire.

« Loin de tout, et n'aspirant plus à rien, c'est avec un sentiment pur et digne des rares qualités de Sa Majesté que je désire ardemment son approbation ; et c'est avec un cœur pénétré de sa grande bonté, que j'ose au moins solliciter son indulgence. »

Le roi, soumis alors à l'influence de M. de Calonne, trouva mauvais que son ancien ministre se fît tant valoir et se montrât indiscret. Fallait-il pour le punir l'exiler par une lettre de cachet ? Dans le moment Louis XVI se contente, sur le conseil de Calonne, d'une solution moyenne : Necker est prié, confidentiellement, de ne pas revenir à Paris. Mais la multitude des témoignages d'admiration que reçoit l'ancien ministre le console et le rassure. Quelques mois plus tard, Mme de Genlis dira, dans une lettre chaleureuse à Mme Necker, ce que fut l'enthousiasme général [15] :

« Je ne puis vous exprimer, Madame, avec quel intérêt et quel plaisir j'ai reçu la lettre que vous m'avez fait l'honneur de m'écrire, et avec quelle reconnaissance je l'ai lue. J'ai eu en ma possession pendant deux jours un des premiers exemplaires qui ait paru ici du dernier ouvrage de Monsieur Necker. Un de mes amis crut devoir à mon admiration pour l'auteur et à mon attachement pour lui et pour vous, Madame, de me prêter cet étonnant ouvrage avant de l'avoir lu. Mais, comme il fallait le rendre le surlendemain, je n'ai pu lire que l'introduction et il me serait absolument impossible d'exprimer ce que cette lecture a produit sur mon cœur et sur mon esprit. Quand on ne connaîtrait pas Monsieur Necker par ses actions et par sa vie, ce discours seul ferait connaître toute la grandeur de son âme, toute l'étendue de son génie. Il me semble qu'il y a tout dans ce morceau ; de l'éloquence, les détails les plus brillants, une profonde connaissance du monde et des hommes ; la peinture de la Cour et le portrait du ministre hors de place sont des chefs-d'œuvre qui ne laissent rien à désirer. Enfin le ton général de ce discours a je ne sais quoi de noble, de sublime et d'imposant qui attache fortement et qui donne un intérêt particulier à chaque mot. C'est qu'il n'y a rien d'imposant et de sublime comme la vertu réunie au génie. Je vous assure, Madame, que, depuis vingt ans que je suis dans le monde, je n'ai vu que le *Compte rendu* qui ait produit une sensation aussi vive et une admiration aussi universelle. Les gens les plus égoïstes, les âmes les plus étroites et les plus corrompues sont forcés de convenir que ces deux ouvrages sont les monuments les plus augustes et les plus intéressants que ce siècle-ci puisse laisser à la postérité. »

Ainsi Mme Necker peut-elle être fière. Son mari semble célébré dans l'Europe entière. Cette gloire la réconforte, elle apaise un peu les soucis que sa fille ne cesse de lui donner.

VIII

Les langueurs de maman

La rédaction du traité *De l'administration des finances*, puis son édition à Lausanne, l'éloignement forcé voulu par le roi, la santé sans cesse plus préoccupante de sa femme décidèrent Necker à regagner la Suisse, à retrouver, un peu, sa patrie. Dès le printemps de 1783, la famille y fait un long séjour, tantôt à l'auberge, tantôt chez des amis. Tous trois y passent l'été, se reposant au bord du lac. Le fameux docteur Tronchin est mort en 1781 et le praticien le plus réputé est désormais, en Suisse, le docteur Tissot. Celui-ci a autrefois connu Suzanne Curchod quand, adolescente, elle régnait sur la bonne société de Lausanne. Succédant à Tronchin, il a commencé à s'occuper d'elle, à soigner ses langueurs, tandis que Necker mettait la dernière main à son ouvrage.

Ils reviennent à Paris passer l'hiver. Puis, au printemps de 1784, quand Louise vient d'avoir dix-huit ans, Necker se met à la recherche d'un château qu'il pourrait acquérir pour s'y installer. Il avait pensé, quelques années plus tôt, à acheter Ferney, dont Voltaire cherchait à se défaire. Et voici qu'il est séduit par le château de Coppet, situé au bord du lac Léman, très près de Genève, à une lieue de Crassier où Suzanne a passé son enfance. Sans doute le château lui a-t-il plu d'abord parce qu'il était, pour lui, très bien situé.

L'histoire de la ville franche de Coppet – et de son château –

remonte au XIIIe siècle [1]. Elle fut fondée par l'importante famille des Thoire et Villars qui avait, un temps, voulu concurrencer la puissance montante des comtes de Savoie. Le château fort avait été, au cours des siècles, transformé en une résidence seigneuriale qui passa de main en main et fut acquise en mai 1780 par la veuve de Georges de Thellusson – celui-ci avait été l'associé de Necker – au nom de son fils mineur Pierre-Germain. C'est le 3 mai 1784 que ce dernier, encore mineur, vend la propriété à Jacques Necker. Le château, « une baronnie » qui donnait depuis le XVe siècle aux successifs propriétaires le droit de porter le titre de baron de Coppet – que prendra Necker dans le contrat de mariage de sa fille –, fut donc vendu à l'ancien ministre de Louis XVI [2]. La demeure avait été transformée, très abîmée, et Necker dut entreprendre de fort importants travaux qui se prolongèrent plusieurs années. En attendant que celle-ci fût restaurée, Jacques, Suzanne et Louise allèrent s'établir au château de Beaulieu, près de Lausanne, loué pour la saison, ce qui permit à Necker de surveiller la publication de son livre, et à sa femme d'être soignée par le docteur Tissot.

À Lausanne, où la vie mondaine était agréable, mêlant la société vaudoise à beaucoup d'étrangers de passage, les Necker furent aussitôt très entourés. Louise aimait danser « avec les fils de ceux qui firent danser sa mère [3] », se laisser courtiser, recevoir des hommages, en offrir. Pendant tout l'été, « bals, dîners, pique-niques se succéderont sans trêve [4] ». « Ma fille, écrit Mme Necker à Marmontel, est tellement agitée par le torrent des plaisirs qu'elle n'a jamais été si heureuse. » L'abbé Raynal est passé voir ses amis, et aussi le cher Gibbon, qui vieillit beaucoup. Les Necker font la connaissance de Rosalie de Constant, cousine de Benjamin Constant, et du charmant Jean Huber, ami de Voltaire, peintre, musicien, l'oncle de Catherine Huber [5]. Louise rencontre le prince Henri de Prusse, frère de Frédéric II, et à une fête donnée en son honneur elle récite un compliment écrit par Sébastien Mercier. « Elle brille par ses propres dons et par son prestige de Parisienne[6]. »

Le 1er septembre, M. et Mme Necker feront leur entrée officielle à Coppet, venus en carrosse, salués par des salves de canon et les applaudissements des « sujets » du baron, car à la baronnie sont attachés des droits féodaux que Necker semble disposé à exercer[7]. Quel paysage sublime ! On voit les Alpes au loin, on voit le lac et ses cygnes, et autour du château les vignes, les arbres, cette nature romanesque qu'aimeront Jacques et Suzanne, mais dont Louise parlera très peu. Louise a peur de la solitude, et de ce calme solennel que semble maintenant chercher son père. Du moins les proches parents des Necker sont-ils présents. Jacques, le fils de Louis de Germany, vient de se fiancer avec la charmante Albertine de Saussure. D'Albertine, Louise dira : « Elle a tout l'esprit qu'on me prête et les vertus que je n'ai pas. » Elles deviendront des amies très chères. De Beaulieu, durant l'été de 1784, Louise écrit à Jonathan de Corcelles, jeune Lausannois qui se pique d'aimer la poésie : « Je vous dirais monsieur "Je me suis crue à Paris" si je ne savais pas qu'un jour, quand j'aurais lu des vers charmants, quand j'aurais rencontré un homme aussi spirituel qu'aimable, je m'écrierai : "Je me suis crue à Lausanne[8]." »

Mais ni les soins du docteur Tissot, ni le calme de Coppet, ni la splendeur des paysages, ni les attentions de ses amis ne rendent la santé à Mme Necker. Voici qu'elle veut aller consulter à Montpellier un nouveau médecin très réputé, le docteur de Lamure. Necker, toujours dévoué à sa femme, se résout au voyage. Dans la seconde quinzaine d'octobre, Jacques, Suzanne et Louise partent donc pour faire étape en Avignon. Louise eût préféré revenir à Paris pour y passer l'hiver, mais elle doit suivre ses parents. Le 19 octobre 1784, elle écrit au comte d'Albaret, un charmant diplomate habitué du salon des Necker et qui s'intéresse à elle[9] :

« Je pars pour Avignon... pour les États du pape. Je trouverai là peut-être quelques *signori italiani* qu'il serait charmant de vous voir contrefaire mais dont on ne pourrait tirer aucun autre parti. Voilà le plaisant triste de ce voyage, mais le vrai malheur c'est la raison qui nous y force : la santé de maman n'est pas meilleure. Elle a besoin d'un climat plus doux. Si nous ne le trouvons pas à Avignon, nous poursuivrons le soleil à Montpellier, à Nice dans ses derniers asiles... Je compte que bientôt je parlerai toujours par images comme les Provençaux. Il serait assez piquant de ne jamais dater ses lettres et de faire connaître par son style le pays que l'on habite... Mais Paris, Paris, nous parlons de vous, et tout bas je me dis que je regrette et lui et les lieux qu'il habite, vous ne méritez pas que je vous dise rien de plus. Papa se porte bien, est assez gai quoique sans vous ; je suis lasse de n'avoir pas de réponse, il me semble que je soutiens une correspondance avec une ombre des champs Élysées. Adieu mon cher comte, vous voyez que je vous retranche du nombre des vivants. »

Le voyage se fit par petites étapes, pour ménager la santé de Mme Necker. Le 25 octobre ils étaient en Avignon, fastueusement reçus par le duc de Brancas, qui portait une haute estime à l'ancien ministre de Louis XVI et avait mis à sa disposition son vieil et bel hôtel. La famille Necker va de réception en réception. Louise assiste le 10 novembre à un bal au palais des Papes où elle a l'honneur de danser avec le duc de Cumberland, frère du roi d'Angleterre. Il n'empêche qu'elle s'ennuie toujours. Le 12 novembre, elle écrit de nouveau au comte d'Albaret [10] :

« Il faut bien dire un petit mot d'Avignon, on y chante mal d'abord, pour vous prévenir en faveur de la ville ; vous ne vous transporterez pas vivre en imagination dans les lieux que j'habite, si je vous avertis que les sons faux retentissent de toute part. On s'amuse assez, le représentant du pape, Mgr le prélat vice-légat, vient de donner un bal superbe, l'aumônier de Sa Sainteté est venu m'inviter, et ne pouvant résister à un tel député de la danse j'ai passé une grande partie de la nuit à sauter dans le palais épiscopal avec le duc de Cumberland pour qui se donnait la fête ; que pensez-vous de ces nouvelles mœurs de l'Église ; pour l'esprit, la vivacité provençale y ressemble quelquefois, mais en fait de goût, d'expressions délicates, une feuille de rose n'empêche pas de dormir. On vous dit aisément qu'il est agréable d'avoir sa dotte [*sic*] dans son tablier, et d'être, avec cela une belle fille bien bâtie. Mais cependant les jeunes gens sont comme partout, et si nous sommes convenus que tous les hommes sont égaux au bal, il faut ajouter que tous les jeunes gens sont les même dans tous les pays et que leur caractère moral est sans trait marqué comme leur visage. »

La santé de Mme Necker ne s'améliore pas du tout. Elle souffre du mistral et se sent très fatiguée. La famille part donc pour Montpellier où la malade pourra, enfin, recevoir les soins du fameux docteur de Lamure. À Montpellier, l'accueil est aussi chaleureux qu'à Avignon. Nombreux sont ceux qui voudraient héberger cette illustre famille. Les Necker acceptent finalement l'offre d'un riche négociant, M. d'Estorc, qui met à leur disposition sa maison de campagne, proche de la ville.

« Je suis à Montpellier, écrit Mme Necker à son ami Thomas[11], sur une place qui est le plus beau lieu du monde [...]. Dès que le vent du nord a cessé de souffler ici, nous avons un temps digne de l'admiration de tous les amateurs ; le ciel est d'une couleur si pure qu'il me semble toujours que mes yeux doivent percer cette enveloppe d'azur et chercher au-delà toutes les consolations dont j'ai besoin. » La résidence était en effet agréable : « Le bâtiment en forme de quadrilatère, nous dit Béatrix d'Andlau, possédait des salons décorés de stucs dans le goût chinois. Deux terrasses étaient ornées, l'une d'une fontaine où s'ébattait un triton, l'autre de dogues en pierre ; des vases ornaient les parterres, et un parc aux allées en patte d'oie s'étendait derrière la maison. »

Mais Suzanne Necker ne cesse d'être plus angoissée par son état : « Je passe successivement d'un excès de vie à l'affaiblissement qui précède la mort[12]. » Les soins du docteur de Lamure, qui multiplie les narcotiques, ne peuvent apparemment rien et ils l'effraient même. En revanche, Louise se distrait dans la bonne société : elle danse, elle joue la comédie, elle reçoit des hommages. Elle se fait courtiser. Sa mère, qui ne peut l'accompagner, la confie à Mme de Sainte-Aulaire, femme charmante et de très bonne réputation qui conduit la jeune fille de salon en salon. Plusieurs admirateurs de l'infatigable Louise fabriquent pour elle des vers immortels[13]. Quant à Jacques Necker, il travaille à surveiller les éditions de son livre et à en assurer le succès. Sa femme et lui reçoivent des lettres enthousiastes d'amis, d'admirateurs. L'ouvrage est prodigieux, divin ! De Toulon, l'abbé Raynal écrit à sa chère Louise : « On adore votre père ; son nom n'est prononcé qu'avec un saint respect ; lorsqu'on déifiait les hommes de génie, les hommes bons et généreux, il aurait eu des autels... » Non moins exalté, Thomas écrit en janvier 1785 : « C'est le plus beau monument que le génie ait élevé en l'honneur de l'humanité. [...] On retrouve dans cet ouvrage [...] plus d'idées utiles au bonheur des hommes que l'histoire de toutes les monarchies ensemble n'en présente dans le cours des siècles[14]. »

C'est l'hiver. Mme Necker, qui prend quand même le temps de s'occuper des hôpitaux de la ville, semble de plus en plus inquiète d'elle-même. À Paris, on parle de Necker, soutenu par le succès de son livre, comme d'un successeur possible de Calonne. Est-il sage, est-il prudent de retourner, à ce moment, en région parisienne ?

Le 29 avril, les Necker décident de prendre la route pour Lyon – qui pourrait être une étape vers Paris –, Lyon où ils vont retrouver le cher Thomas, lui-même malade et qui a beaucoup insisté pour qu'ils viennent le voir. Louise a fêté ses dix-neuf ans. De Lyon, elle écrit, le 18 mai, à Mme d'Houdetot pour lui dire ses sentiments et la tenir au courant de l'état de santé de sa mère [15] :

« Vous avez eu la bonté de m'écrire l'histoire de l'hiver de Paris et de me parler beaucoup de spectacle et de musique. Vos récits sont pour moi comme ces télescopes qui font voir à chacun dans la lune ce qui les intéresse. Quoi qu'il en soit, je m'occupe de ce qui vous amuse : ce n'est pas être sans aucun rapport avec vous. Mais vous réunissez les goûts de la ville aux goûts champêtres, et c'est à cela que je n'atteins pas. Cependant je commence à me former. J'ai donné cette année la préférence au printemps sur l'hiver. J'ai joui de la campagne comme si je la voyais pour la première fois. Il est vrai que je ne l'avais pas encore regardée [...].

« La santé de maman, à notre grande douleur, ne fait aucun progrès quelconque en mieux. Je voudrais qu'elle essayât du magnétisme... Quelle que soit l'efficacité de cette nouvelle manière de se rendre maître de l'âme, je ne crois pas qu'il soit encore temps que les grands écrivains se dégoûtent de l'éloquence, ni les femmes de l'art de plaire. Celle qui le possède si bien voudra-t-elle agréer l'hommage de mon tendre respect ? »

Le 22 mai, les Necker quittent Lyon, laissant Thomas très triste. Ils font escale à Moulins et rejoignent, pour y passer l'été, le château de Marolles, loué au marquis de Juigné, frère de l'archevêque de Paris. Marolles est situé près d'Arpajon, à huit lieues environ de Paris. Ainsi Necker obéissait-il au roi : il s'installait en un lieu autorisé, tout près de la ville qui lui restait interdite. À peine arrivée, Louise écrivait à l'ami Thomas pour le tenir au courant [16] :

« Maman est trop fatiguée, Monsieur, pour vous donner des nouvelles de sa santé et j'espère que mon zèle obtiendra votre indulgence. Vous vous souviendrez qu'il n'est pas permis d'examiner si les personnes d'un bon caractère ont de l'esprit.

« Maman a assez supporté le voyage sans accroissement du mal. [...]

« Nous sommes arrivés donc jeudi dans une fort belle terre, mais aucune espèce de vue sur les possessions, mais située dans une plaine si unie qu'on n'a de vue que sur soi-même ; vous voyez les hauteurs. C'est une solitude profonde et dans ma philosophie j'aime assez les habitations sur les hauteurs qui vous mettent à portée de mépriser les hommes en vous en offrant à vos yeux de toutes parts. »

Que faire à Marolles ? Mme Necker est malade. M. Necker, qui ne peut plus lâcher sa plume, ne cesse d'écrire. Il a pour se distraire, pour fustiger aussi ceux qui se sont débarrassés de lui, rédigé un curieux « essai », *Sur le bonheur des sots*, qu'il lira à quelques-uns mais qu'il ne publiera qu'en 1788 [17]. « Pour être heureux, il faut être un sot. Cette vérité morale est une des plus anciennes du monde [...]. Le sot et l'homme de génie sont l'ornement du monde ; toutes les classes intermédiaires sont sans expression et sans vie : ce sont des plaines arides entre des monts pittoresques. » Et il a commencé de travailler à son prochain ouvrage, *De l'importance des opinions religieuses*, qui devra édifier l'opinion.

Dans cet été tranquille, Louise s'ennuie. À François Coindet, ami et factotum de Rousseau, qui longtemps avait travaillé comme commis dans la banque Thellusson et Necker à Paris avant de devenir le secrétaire de Jacques Necker, elle écrit le 22 juin 1785 [18] :

« Je conçois aisément, Monsieur, comment vous n'avez pas trouvé le moment d'écrire. Vous êtes accueilli partout, et vous ne vous refusez pas à l'empressement. Cela prend du temps. Pour moi, je ne me fais pas valoir : c'est mon loisir que je vous consacre ; mais mon loisir même, je ne le donnerais pas à tous venants. Vous avez la bonté de me demander de nos nouvelles. Je vais satisfaire cette curiosité que l'intérêt vous inspire. Nous sommes établis dans un château fort commode et fort beau ;

le pays n'est pas agréable : il n'y a aucune espèce de vue. Cependant, à la longue, un bon air et des promenades faciles rendent une habitation agréable. Nous y avons vu quelques-uns de nos amis, mais peu à la fois, et nous passons doucement et solitairement notre vie. Mais il est décidé, à la pluralité des voix, que rien n'est plus agréable, et dans une société de trois personnes, la pluralité est toute-puissante. La santé de maman n'a fait aucun progrès. Elle croit cependant, et je le crois aussi, que cet air lui convient mieux que tous ceux que nous avons essayés. J'ai été une fois à Paris, et je veux pas vous dire avec quelle tendresse et quelle vénération j'ai salué ces murs, objet de mes regrets, but de mes désirs. Je leur ai dit un mot de votre part, et il m'a paru que dans les maisons comme dans les rues votre absence faisait un vide. »

Quelques amis viennent voir les Necker, interrompant ce séjour mélancolique : ainsi le maréchal de Castries, et M. de Lessart. En juillet 1785, le « baron » Eric Magnus de Staël-Holstein, bel homme, alors âgé de trente-six ans, sera invité à Marolles afin qu'il rencontre Mlle Necker. C'est qu'elle doit maintenant se marier...

IX

« Tourne le feuillet, papa »

Ce temps passé à Marolles semble à Louise lent et long. Elle vit entre papa et maman, papa qui écrit et s'applique parfois à la distraire, maman qui se préoccupe chaque jour davantage de sa mauvaise santé. Louise a dix-neuf ans. Elle doit se marier, et ce souci occupe le séjour à Marolles. Le 29 juin 1785, inquiète du temps qui vient, portée à la mélancolie, elle commence d'écrire *Mon Journal*, ce journal qu'elle poursuivra jusqu'au 13 août, et dont une partie a été retrouvée[1] :

« Tourne le feuillet, papa, si tu l'oses, après avoir lu cette épigraphe ; ah ! je t'ai placé si près de mon cœur que tu ne dois pas m'envier ce petit degré d'intimité de plus que je conserve avec moi-même.

« Je voulais faire entièrement le journal de mon cœur, j'en ai déchiré quelques feuillets ; il est des mouvements qui perdent de leur naturel dès qu'on s'en souvient, dès qu'on songe qu'on s'en souviendra ; il semble que l'on serait comme les rois, ils vivent pour l'histoire, et l'on sentirait pour l'histoire. D'ailleurs, malheur à celui qui peut tout exprimer, malheur à celui qui peut supporter la lecture de ses sentiments affaiblis ; pour lui, viendra plus grand malheur encore [qu']à celui qui, ayant assez d'éloquence pour enflammer son papier du même feu qui dévorait son cœur, déchirait encore ses feuillets et détournait les yeux de son image ! Pour moi cependant, je ne rougis pas de mon cœur, et seule dans le silence des passions je le sens sous ma main battre encore pour l'honneur et la vertu. »

L'évocation de son père, remarque Simone Balayé, est « un appel au seul amour qu'elle ait encore jamais éprouvé[2] ». Tout au long de ce bref journal – il dure à peu près deux mois –, Louise essaie d'analyser sa relation avec son père, le culte qu'elle lui porte et en même temps le tourment qu'elle en reçoit parfois. « Hier, nous avons été seuls après dîner. J'ai lu à mon père et à ma mère un chapitre de la *Recherche de la vérité* de Malebranche ; mon père n'en a pas été content, il trouvait toutes ses idées morales connues, et faisait peu de cas du système politique auquel il les liait.

« Nous avons été nous promener, mon père et moi, sur le soir. Le soleil était prêt à se coucher, la nature était belle. Ah ! qu'un grand homme est mieux placé au milieu des grandes merveilles de la création que parmi la foule de ses semblables, que cette analogie le dégrade, tandis que, seul de son espère, il semble par son génie ressaisir l'empire du monde et relever l'homme à la plus haute dignité dont il soit susceptible. Nous avons parlé du nouvel ouvrage auquel il travaillait ; je crois qu'il lui donnera pour titre *De l'existence de Dieu*. Mais ce sera *De l'importance des idées religieuses*[3] ; il trouve que ce titre se rapproche plus de ses premières occupations, et semble indiquer les vues d'un homme d'État ; il faut donc obtenir des hommes la permission de les entretenir de l'éternité en leur parlant du présent, et ils appelleraient vain et inutile tout ce qui n'aurait que l'âme et l'immortalité pour objet. Mais quelle belle idée que cet ouvrage pour mon père, quel noble début je m'imagine ! Quelle sublime excuse aux hommes de leur parler de Dieu ! Quelles armes foudroyantes contre ceux qui voudraient jeter si haut le ridicule ! Qu'il est beau de faire sentir par quelles pensées l'homme d'État peut se détacher des grands intérêts qui l'ont si vivement agité ! Quelles consolations sans bornes comme sa pensée il peut retrouver dans sa retraite ! Ah ! je vois l'ouvrage, il m'apparaît... mais il disparaît et j'attends de le lire pour retrouver ce que je sens et ce que je ne puis dire. »

Louise ne cesse, tout au long de son *Journal*, de dire l'admiration qu'elle porte à son père : « L'élévation de l'âme est de toutes les qualités, la plus rare ; mon père est presque le seul homme qui la possède dans toute son étendue... » Jacques Necker est noble, vertueux, sublime. Il incarne le modèle de l'homme idéal. « Philosophe, écrivain, administrateur, grand financier, esprit très éclairé, pratiquant une morale très haute[4]. » Mais il a suffi d'un mot de Mme Necker, que ne cesse de hanter le spectacle de la mort, pour que celle-ci envahisse *Mon Journal*[5]. Le 23 juillet, Louise aperçoit, de son lit, la mort[6] :

« Quel horrible spectacle s'offre à mes yeux ! En m'éveillant, je vois de mon lit une bière couverte d'un drap blanc au milieu de la cour devant la porte de la demeure de celle qu'on vient d'y renfermer. C'est elle, ce sont ses membres, ce sont ses traits ; qu'est-il donc arrivé ? Ceux qui l'aiment souffrent que la terre la couvre à jamais.

« Je vois encore cette bonne femme dans ses vêtements villageois, étincelante de vie, robuste, joyeuse, sans défiance de l'avenir à cinquante ans ; mariée depuis huit mois à un homme plus jeune qu'elle, qui l'aimait, qu'elle aimait, enivrée de ce retour de printemps à la fin de son automne, reconnaissante de ce bonheur inattendu, consacrée aux soins des malheureux, perfectionnée par la félicité, un ange dans la jouissance, spectacle aussi beau et plus doux qu'un ange dans l'infortune. Une maladie contagieuse, la petite vérole, la saisit et elle meurt et son cadavre occupe la place qu'elle remplissait pendant sa vie. Il suffit d'avoir vu vivante celle qu'on voit ensevelir pour frémir de tous ses sens à ce spectacle. »

La mort, si présente dans l'esprit et les conversations de sa mère, la mort viendra, un jour, les séparer tous les trois :

« Ah ! souverain don de la Providence ! Bonheur de pouvoir mourir ! Que vous calmez mes craintes ! Ah ! quand mon cœur égaré se représente les plus horribles malheurs, immortelle où fuirais-je ? Comment échapperais-je à la terreur ; mais la douce pensée de ma mort ôte à celle de ce qui m'est chère [*sic*] une partie de son horreur. Cependant, quand l'instant de la séparation sera venu, que j'expire la première. Cet instant où j'apprendrais la mort de ce que j'aime, cet instant que je lui survivrais rassemblerait trop de tourments. J'ai attaché ma vie à ceux qui, suivant les probabilités, ont moins d'années à parcourir. Oh ! mon Dieu, au fond de mon âme, entends l'accent le plus vrai qui en soit jamais sorti, épargne à mon cœur un malheur que je veux pas nommer et, s'il m'arrivait jamais, pardonne à mon cœur d'aller te rejoindre et d'attenter sur ton ouvrage[7]. »

« Je ne suis pas morte encore, écrit-elle le 29 juillet. L'âme remplie de ces sombres pensées, les ténèbres et le silence de la mort m'avaient presque inspiré de la terreur. Je ne suis pas étonnée qu'on ne veuille pas coucher dans la chambre où quelqu'un vient de mourir ; ce ne sont point des idées pusillanimes qui m'en empêcheraient, mais l'imagination fortement fixée sur une seule pensée enfante des visions, ou du moins suspend pour un moment ce beau don de la Providence, l'imprévoyance de la mort. »

« Heureux, écrira-t-elle plus tard dans *Corinne*, les enfants qui meurent dans les bras de leur père » : le cercueil et le berceau ne cesseront d'être associés dans l'univers staëlien[8], nous dit Simone Balayé. Et Mme Necker ne cesse, par ses angoisses, par les leçons de sa vertu, par ses mots, de rappeler à sa fille qu'il n'y a d'autre avenir que la mort et l'éternité, qu'il faut à tout moment s'y préparer :

« J'ai éprouvé hier, écrira Louise le 12 août[9], une peine

sensible ; maman passe de très mauvaises nuits depuis quelques jours. J'ai été lui demander des nouvelles de sa santé ; elle m'a parlé avec un sentiment si triste et si douloureux, elle m'a montré tant d'inquiétude de l'ennui que mon père devait éprouver du spectacle continuel de ses souffrances, qu'elle m'a déchiré le cœur ; je l'ai rassurée par toutes les raisons que ma tendresse pour elle et la vérité m'ont suggérées, mais, touchée jusqu'au fond de l'âme d'une horrible pensée, fausse, totalement fausse, Dieu merci ! je suis tombée à ses genoux : "L'Être suprême, lui ai-je dit, entendra nos prières si continuelles et si vives, j'en suis sûre." Étouffant de larmes je fus prête à m'évanouir. "Ah ! s'écriait ma mère, tu m'as rendue heureuse pour longtemps." Je me retirai précipitamment, je ne retournai plus chez elle de la matinée ; je ne lui parlai plus de ce moment. Il est des mouvements si naturels, si involontaires qu'il semble que ce qu'on dirait d'eux leur ôterait le charme ; d'ailleurs, je voulais éviter une scène cruelle ; le sentiment n'en est pas moins dans le cœur lorsqu'une réunion de circonstances ne forcent pas l'explosion ou qu'on sait la contenir. Elle dit à mon père : "J'ai retrouvé dans ta fille la sensibilité, la physionomie de son enfance. – Je crois, répondit mon père, qu'elle ne l'a jamais perdue." Ah ! sans doute. Quoique le caractère de maman soit bien moins analogue avec le mien que celui de mon père, je l'aime encore avec une tendresse qui pourrait passer pour un premier sentiment s'il n'en existait pas en moi-même de plus forts. »

« Qu'il m'en coûte pour me réveiller ! avait-elle écrit quelques jours plus tôt. Ah ! ce n'est pas le caractère du bonheur que de craindre tant de commencer la journée, de redouter le moment où tous les souvenirs vont rentrer dans le cœur, et de préférer à la vie une image de l'anéantissement. Le sommeil me fait souvent trembler ; l'âme et le corps ensemble immobiles paraissent avoir alors une destinée trop pareille. Mais non, non, le sentiment de soi subsiste encore et c'est lui qui caractérise l'existence morale [10]. »

Mais dès qu'elle est éveillée, Louise vit intensément, emportée par les sentiments, par les plaisirs, et par les mots. Elle veut être écoutée, elle voudrait être adorée, elle s'interroge sur sa beauté, elle veut plaire. Le 13 août, elle écrit : « On me reproche aussi – ce ne sont pas les jeunes gens mais les vieillards – d'être trop occupée de ma figure. Quant à ce défaut, j'aurais un peu plus de peine à m'en tirer. Il n'y a point d'armes contre le ridicule. Cependant j'ai été moins mal que je ne suis, et je n'ai que dix-neuf ans ; ce changement si prompt dans les mouvements trop vifs de mon âme m'a fait quelque temps de la peine et l'espérance d'un retour de cette fraîcheur qui me caractérisait dans mon enfance a fixé mon attention. [...] D'ailleurs, ces regards que je jette sur la glace, ce n'est pas par vanité, c'est pour essayer de me rassurer. Ah ! je le dirai encore, une femme qui s'occupe de ses agréments lorsqu'elle est sensible ne doit pas être appelée personnelle ; c'est ce qui peut la faire aimer dont elle s'occupe ; elle ne se voit que sous ce point de vue. Rendez-la belle aux yeux de son amant, assurez-la qu'il la trouvera toujours belle et vous la verrez braver avec indifférence les outrages du temps et de la vieillesse [11]. »

Et *Mon Journal* dit en quelques pages ce qu'elle ne cessera de dire tout au long de son œuvre : sa force de vie, sa passion d'aimer, d'être aimée, sa fragilité aussi, l'extraordinaire facilité avec laquelle elle sombre dans le désespoir [12] ou se jette dans l'enthousiasme. Elle voudrait tout à la fois être admirée, aimée de tous et ne plaire qu'à un seul, surtout être adorée de lui [13].

Elle veut son père, bien sûr, son père que le génie dévore, son père le plus sublime de tous les hommes. Et pourtant elle tente de dire, ce qu'elle redira souvent, qu'un injuste destin leur a interdit l'amour dont elle eût rêvé [14] : « Je n'ai point écrit hier, j'étais encore dans mon lit lorsque mon père est venu me voir ; je lui ai donné l'heure que je consacre à mon journal :

qu'elle fut malheureusement employée ! Nous ne traitâmes aucun sujet, nous ne parlâmes de rien, mais la gaieté et le sentiment remplirent tous les moments. Qu'il a, quand il le veut, de grâces et de charmes ! Qu'il est doux de faire oublier son génie par des qualités ! [...] Je veux essayer un jour de faire son portrait[15], mais il faudrait, pour réussir, avoir toutes les qualités qu'il faudrait peindre, c'est-à-dire une sorte d'universalité. Je voudrais le diviser par chapitres, je défierais de faire marcher ensemble tous les hommes différents en un homme. Je mettrais donc : chapitre que l'éloquence traitera, chapitre que la finesse, chapitre que la gaieté, chapitre que la sensibilité doit faire. Cependant d'où vient que nous sommes inégalement ensemble, que tantôt c'est de la passion, tantôt de la froideur ? D'où vient que quelquefois je lui trouve des défauts de caractère qui nuisent à la douceur intérieure de la vie ? C'est qu'il voudrait que je l'aimasse comme un amant et qu'il me parle pourtant comme un père, c'est que je voudrais qu'il m'aimât comme un amant et que j'agis pourtant comme une fille. C'est le combat de ma passion pour lui et des penchants de mon âge dont il voudrait le sacrifice entier qui me rend malheureuse. C'est ce même combat dont la durée le rend spectateur impatient ; nous ne nous aimons pas toujours à l'excès et cependant c'en est si près que je ne puis supporter tout ce qui me rappelle que nous n'en sommes pas là encore. De tous les hommes de la terre c'est lui que j'aurais souhaité pour amant : qu'il faut qu'il soit distingué pour que sans amour je le trouve digne de l'amour ! »

Elle rêve que l'homme dont elle sera la femme ressemble à son père, et son mariage à celui de ses parents. « Quelle heureuse créature j'aurais été si une quatrième personne telle que mon cœur se la représente était venue s'unir à nous, si c'eût été un grand homme admirateur de mon père, une âme sensible qui m'eût aimé, que j'aurais aimé la solitude ! Quel charme d'avoir son cœur si rempli, quel imposant spectacle pour les hommes que la réunion de deux hommes de génie, de deux femmes nobles et vertueuses ! Quel touchant spectacle qu'une intimité si tendre ! Quel bonheur intérieur qu'une telle société se retrouvant tous les jours ! Quel charme pour moi de porter le nom des deux plus grands hommes de mon siècle, de ne vivre que pour eux, de n'exister que pour eux, de n'avoir jamais une pensée qui ne leur fût relative ! Quel délice d'avoir pour époux celui dont le pas, dont la voix feraient tressaillir mon cœur ! Quelle suite d'émotions, quel charme dans ses devoirs ! Quelle pureté de n'avoir jamais un sentiment coupable ! Quel intérêt dans la vie ! Quels transports en voyant lever le soleil qui commencerait le jour que je passerais avec ce que j'aime [16] ! »

Hélas ! nul homme ne pourra ressembler à son père. « Ah ! je suis une autre destinée, je suis la fille de M. Necker, je m'attache à lui, c'est là mon vrai nom. » Mais ce père merveilleux et tant aimé, il la tourmente sans le vouloir. Et d'abord il ne peut pas « souffrir une femme auteur [17] ». L'inquiétude le prend dès qu'une femme veut écrire. « Maman avait fort le goût de composer, elle le lui a sacrifié. "Représente-toi, me dit-il souvent, quelle était mon inquiétude ; je n'osais entrer chez elle de peur de l'arracher à une occupation qui lui était plus agréable que ma présence. Je la voyais dans mes bras poursuivre encore une idée." Ah ! qu'il a raison ! Que les femmes sont peu faites pour courir la même carrière que les hommes, lutter contre eux, exciter en eux une jalousie si différente que [*sic*] celle que l'amour leur inspire. Une femme ne doit avoir rien à elle et trouver toutes ses jouissances dans ce qu'elle aime. » Mais Louise veut écrire, aime écrire, elle sait qu'elle écrira. « Depuis quatre jours seulement qu'il me voit écrire son portrait, l'inquiétude lui prend déjà et m'appellerait [*sic*] dans ses plaisanteries "Monsieur de Saint-Écritoire". Il veut me mettre en garde contre cette faiblesse d'amour-propre [18]. »

Mais son père donne à Louise un autre tourment. Il aime

son château de Coppet, ce lieu où l'on respire l'indépendance, où « toutes les idées ambitieuses paraissent si petites au pied de ses monts qui touchent aux cieux [19] ». Il aime sa patrie qu'il a quittée dès l'enfance et à laquelle il revient au commencement de sa vieillesse. Pourtant il vit en France l'essentiel de son temps, il sacrifie à Mme Necker, qui veut sans cesse retrouver Paris, son goût de la retraite, son goût de la solitude. « Un ministre hors de place est une femme qui n'est plus belle, mais elle doit souhaiter de vivre avec ceux qui ne l'ont pas vue [20]. » Cette retraite, cette solitude sont-elles vraiment l'avenir d'un si grand homme ? Et peuvent-elle être aimées de ceux qu'il aime et qui l'aiment ? Si par malheur il se retrouvait seul, Louise se sacrifierait à lui. Ainsi, de sacrifice en sacrifice, devra se perpétuer l'amour dans cette sublime famille, ce qu'elle dit avant d'interrompre son journal [21] :

« Belle retraite pour mon père qu'une solitude dans un pays libre après avoir servi un roi, belle retraite, lorsque le cœur a conservé toute sa fierté. Qu'il serait beau encore qu'on vînt là le trouver pour lui redemander de gouverner de nouveau la France ; tout ce qu'il ferait là serait noble ; il pourrait à son choix refuser ou accepter ; ce ne serait pas comme Cincinnatus à sa charrue qu'on l'irait chercher, mais plus près des cieux, et dans le pays où l'homme dans toute sa dignité est indépendant comme l'air qu'il respire. Ah ! je conçois comment mon père n'est heureux que là, comment il n'est content que là de lui-même ; ce mouvement des ambitieux l'agite, le spectacle des malheureux l'afflige ; âme noble, âme sublime, c'était dans la retraite entre ta femme et ta fille que tu retrouvais la paix de ton génie. Mon père a sacrifié au goût de ma mère son penchant infini pour la Suisse ; il eût été malheureux de son malheur, mais il n'est pas heureux de son bonheur ; pour moi, je le sais, je m'en afflige, je croyais mortellement qu'il voulût passer sa vie dans sa terre. Qu'il me pardonne ! Je n'ai pas encore assez fait de provisions de souvenirs pour vivre sur eux le reste de ma vie ; mais ce n'est point les illusions, les plaisirs qui me retiennent ; mais mon cœur qui l'adore tremblerait cependant si la porte à jamais se refermait sur nous trois. Un moment encore et peut-être je le suis dans la solitude [*sic*] si, par un malheur affreux, il se trouverait [*sic*] sans autre bien que moi ; je me dévouerais à lui, j'arracherais toute autre idée de mon cœur ; il m'en coûterait peut-être, mais si je le rendais plus heureux, un moment de sa joie vaut mieux que la peine de toute ma vie. Si de nouveaux devoirs me retenaient, je l'attirerais vers moi. Détournons ma pensée d'une image funeste. Souvent on se tourmente à se représenter des malheurs auxquels peut-être on ne survivrait pas. »

LEURS SUBLIMES IMAGES

Le temps est aux portraits, alors fort en vogue, et les Necker ne cesseront de dresser le portrait de l'un ou l'autre des dieux de cette trinité. « Je veux essayer un jour de faire son portrait [22] », écrivait Louise le 31 juillet 1785, alors que son père était venu la voir dans sa chambre. « J'ai fait le portrait de mon père », constatait-elle le 10 août [23]. Ce portrait, sans doute rédigé entre le 6 et le 10 août [24], fut donc écrit par elle alors qu'elle avait dix-neuf ans. Elle ajoutera plus tard, sur sa première page : « À l'âge de quinze ans », soit qu'elle aimât déjà se rajeunir, soit que ce portrait lui parût mieux convenir à ses quinze ans qu'à ses dix-neuf [25] :

« Je choisis un sujet qui passe mes forces, mais quand j'aurai écrit tout ce que je puis exprimer, je sentirai encore qu'il reste tout ce qu'il m'a été impossible de rendre, et je saurai mieux que personne combien je suis loin d'avoir tout dit. Je demande donc d'avance qu'on rende justice à mon cœur, et si la nature ne m'a pas accordé le style brûlant qui transmet les plus vives émotions de l'âme, qu'on ne croie pas ce que j'écris égal à ce que j'éprouve.

« J'aime mon père à l'excès, mais loin que ce sentiment doive donner du doute sur la véracité de ce portrait, peut-être fallait-il en être pénétré pour s'élancer par la passion à cette hauteur où le sang-froid de l'âme ne pouvait élever, et peut-être est-il un enthousiasme d'amour qui me fera sentir ce que je n'aurais pu juger. »

Tout le portrait est un tableau, admiratif et amoureux, des vertus et des mérites de Jacques Necker. « Il est impossible d'avoir plus de grâces que mon père. Certes, cet éloge n'était peut-être pas attendu dans son portrait, mais sa grâce tient encore à ses grandes qualités, car, pour avoir la sienne, il ne faut pas moins qu'être le plus grand et le meilleur des hommes.

« Mon père n'est point personnel ; il ne peut être heureux par le sacrifice des autres, et il ne jouit jamais de ce qui leur coûte ; les supposant ainsi de même à leur tour, il leur cache à jamais ce qu'il fait pour eux, et pour en être plus sûr, il l'oublie : il a la profondeur et la délicatesse du sentiment, comme le génie et l'esprit de la pensée.

« Dans ses écrits, comme dans ses discours, mon père n'exagère jamais ; il croit qu'il a assez de ce qui est pour faire effet, et qu'on ne l'augmente point en passant la mesure ; mon père n'est point inflexible, mais sûr de la fermeté de son caractère, il ne craint ni de dédaigner les prières et les raisons, et quand elles ne le font point changer, ce n'est point pour suivre orgueilleusement le parti qu'il avait pris, mais parce qu'il vient de juger de nouveau qu'il était le meilleur. Loin de lui ce qu'on nomme orgueil ! Souvent je l'ai vu honteux de tout ce qu'il ne pouvait pas faire, prendre les bornes de l'esprit humain pour les siennes propres, mais quand il reporte ses regards sur les autres, peut-il se défendre de sentir sa hauteur, et la fierté ne doit-elle pas tenir dans son âme la place que l'envie ne peut jamais y occuper ?

« L'âme de mon père est capable d'impressions violentes, et quels sont les grands talents qui naissent dans le calme habituel des sentiments ? Mais mon père a plutôt de l'énergie que de la passion, et l'élévation et l'indignation sont les grands mouvements dont il est susceptible ; dans ces moments, alors ses paroles, ses regards, ses accents m'ont fait éprouver une commotion qui m'était inconnue, je doublais d'existence et je le croyais un nouveau créateur qui me donnait une âme de plus pour sentir la sienne. Les traces de sa colère sont promptement effacées ; la haine n'entre point dans une âme si douce : la haine ne s'empare point d'une âme aussi élevée ; enfin je ne sais en lui quel abandon le joint à la mesure, quel moelleux, si j'ose le dire, à la force, quel charme quel génie, quelle bonté a l'impétuosité, inexplicable réunion, touchant mélange de toutes les belles qualités des hommes[26]. »

M. Necker a des défauts. Mais quels défauts ? Ses défauts ne peuvent évidemment être que l'envers inévitable des plus nobles qualités. S'il peut être paresseux, c'est que « la plupart des intérêts de la vie n'atteignent pas à l'exciter, parce que sa pensée voit la petitesse de tout ». Si les plaisanteries lui sont souvent plus agréables que les conversations sérieuses, « c'est parce qu'il y a dans les formes de ce genre une variété continuelle, c'est parce que les hommes y mettent l'empreinte de leur caractère et cessent enfin de se ressembler tous les uns les autres[27] ».

« Je crois mon père plus heureux par moments que constamment ; il en coûte à mon cœur pour le dire, son imagination et sa disproportion avec tout en sont souvent la cause, mais je suis certaine que c'est avec le monde, et non avec sa situation qu'il est en disproportion ; je suis certaine que l'ambition ne l'agite point, et que son génie ne sent pas le vide du repos : non, il n'éprouve point cette activité inquiète qui n'est pas le besoin de faire du bien aux hommes, mais l'impossibilité de trouver dans son âme l'aliment de sa pensée ; l'amour de l'humanité porte un autre caractère ; comme toutes les vertus, elle ne dévore point le cœur, et celui qui en est pénétré trouve dans ses sentiments intérieurs des jouissances de même genre qui le consolent.

« Mon père n'aime pas le monde, mais ce n'est point une sombre misanthropie qui l'en éloigne ; il n'aime pas la gêne qu'impose la société : comment pourrait se courber celui aux yeux de qui il n'y a point d'idole ; il n'aime point à vivre avec des hommes qui ne sont avides que de puissances[28]. »

Tel est le plus grand homme qui se puisse connaître, et dont, par un merveilleux miracle, Louise est la fille. Et Mme Necker doit être comblée, puisqu'elle est chargée du bonheur de cet homme extraordinaire.

« Qu'il doit être doux pour vous, oh ma mère ! de jouir du charme intérieur de ce même homme qui au-dehors a de si brillantes qualités publiques : qu'on est heureux de pouvoir surprendre une expression de tendresse, un sentiment qui vous est adressé dans des yeux que le génie seul semble avoir le droit de remplir ! Qu'il est beau d'être chargé du bonheur de sa vie, d'acquitter par là la dette d'une grande nation ! Qu'on doit aimer à pouvoir se dire : j'ai la part la plus intime et la plus grande à cette sensibilité qui par ses actions et par ses écrits a embrassé tous les hommes ! »

La péroraison de ce portrait enflammé, qu'embrase l'éloquence, est un grand cri d'amour. Non, jamais Louise ne pourra, dans la course de sa vie, rencontrer un homme pareil. Seule la mort, sa mort à elle, pourrait les séparer.

« Ô toi, premier sentiment de mon enfance, première passion de ma jeunesse, toi que j'aurais aimé sous tous les noms possibles, je me suis formée pour toi, j'ai tourné vers toi toutes les facultés de mon âme ; j'existe deux fois par toi, j'ai hâté mes pas pour te rejoindre dans la course de la vie, et bientôt j'abandonnerai les illusions de la jeunesse pour t'appartenir tout entière. Je regrette sans doute, est-il un bonheur sans mélange, je regrette ces années que la marche de la nature t'a fait passer sans moi, mais mon âge ne m'effraye plus, et mon cœur m'est garant que mes jours dépendent des tiens. J'ai regretté aussi de ne pas trouver un être semblable à toi qui fît de moi son premier objet, qui m'aimât de toutes les manières d'aimer, qui fût sensible enfin ; je l'aurais dispensé d'être un grand homme. Pardonne, j'ai souhaité de t'être infidèle, mais je l'ai voulu en vain ; deux hommes comme toi ne se rencontrent pas dans les possibilités d'une même destinée : ah, reçois-moi donc à jamais, reçois tout ce que j'ai d'existence ; heureuse si ton cœur s'épanche dans le mien ; si j'obtiens toujours la noble confidence des nobles sentiments de ta grande âme. S'il est seulement une peine dont tu te consoles près de moi, si j'embellis à tes yeux l'avenir de ta vie ; heureuse encore quand la mort m'enlèverait à toi d'oser espérer qu'on gravera sur ma tombe : *elle l'adorait, il l'a pleurée.* »

« NÉ POUR DE GRANDES VERTUS COMME POUR UNE GRANDE GLOIRE... »

M. Necker peut vouloir, discrètement, décourager sa femme et sa fille d'écrire, il ne peut les empêcher, ni l'une ni l'autre, de tracer de lui des portraits enthousiastes. Quand, dans son *Journal* du 10 août 1785, Louise écrit qu'elle a « fait le portrait de son père », elle ajoute : « Maman aussi l'avait écrit depuis quelques jours et nous avons choisi mon père pour juge de ce concours. Il n'a pas, comme il est facile de le croire, prononcé lequel des deux était le meilleur, mais, moi, voici ce que j'ai *subodoré* ! Il admire beaucoup plus celui de maman, le mien le flatte davantage ; maman, qui a pris un plan beaucoup plus étendu, qui n'a pas voulu comme moi ne peindre que des qualités intérieures, a fait quelquefois des remarques sur lui qui ne lui ont pas été agréables ; le portrait peut en être plus piquant, mais j'ai écrit le mien cependant dans ma conscience. Voici, moi, mon jugement sur les deux : celui de maman le peint dans toutes les situations de sa vie, développe son talent, son génie, cite des traits de la vie, présente en tout un tableau beaucoup plus étendu, plus en contraste que le mien. Il y a une abondance d'esprit et d'allusions dont maman seule, je crois, est capable ; mais le but que je m'étais proposé de faire aimer celui que ses ouvrages et ses actions se chargent sans moi de faire admirer est mieux rempli dans le mien[29]. »

Le portrait de Necker, ainsi rédigé par sa femme en 1785, sera publié par lui après la mort de son auteur, dans les *Mélanges extraits des manuscrits de Mme Necker*. Il sera alors daté de 1787[30]. L'éloge de l'homme public et de l'homme privé, de cet homme si grand, si vertueux, si noble et tant aimé, rivalise avec celui que traçait sa fille dans le même temps :

« J'ai donc osé me charger de peindre M. Necker : j'ai fixé, comme Dibutadis, l'ombre d'une figure chérie ; cette ombre, moins frappante dans le milieu du jour, s'est agrandie pour moi à mesure que nous avons approché du soir de la vie, et il me devient plus aisé d'en marquer les contours. Ô toi qui fus seul dans tous les temps l'objet de toutes mes affections ! toi qui ne peux me reprocher d'avoir donné à de vains plaisirs des jours que le devoir et la tendresse t'avaient consacrés, souffre, avant que le temps ou la maladie m'aient arrachée de ton sein, souffre que je sois auprès de toi l'interprète fidèle de la renommée ! Je veux te montrer à tes yeux tel qu'elle te fera paraître un jour ; je veux te montrer tel que tu es. Viens regarder ton image dans un cœur qui ne fut jamais rempli que par elle ; viens y lire le tableau ineffaçable de tes rares vertus, et te garantir de tes propres inquiétudes ; que ce cœur, qui ne t'a jamais trompé, t'apprenne à te rendre justice, et ne permets pas à la calomnie de troubler des destinées que tes éminentes vertus ont rendues si belles[31]. »

M. Necker « naquit original en tout ». « Jamais les rayons du génie ne pâlissaient autour de sa tête[32] » : Suzanne a pourtant commencé de le connaître « sans apercevoir d'abord l'étendue de son génie ». Il a toujours méprisé l'argent, il a quitté les affaires dans un moment où il pouvait décupler sa fortune, il a confié celle-ci à sa femme, au point « qu'il en a oublié jusqu'à la propriété ». « J'ai souvent remarqué, en pensant à la générosité et au désintéressement de M. Necker, que la perfection des qualités morales n'était pas faite pour intéresser les autres hommes, en ce qu'elle n'a aucun rapport avec eux[33]. » Cet homme merveilleux a occupé une des plus grandes places du royaume « sans autre récompense que l'estime des nations et sans autre appui que celui de sa vertu ». « Né pour de grandes vertus comme pour une grande gloire, il échappe aux petits devoirs et aux petits succès[34]. » Jamais il n'a fait aucun effort pour réussir dans les petites choses. « M. Necker peut dire "mon talent à moi c'est le génie". Je ne lui connais d'autre pouvoir que l'amour de tout ce qui est grand et beau [...]. Il n'a pas même la passion du travail auquel il ne se livre que par devoir. La nature a cru avoir assez fait en lui donnant le génie ; elle l'a privé du plaisir qu'un homme a à en jouir[35]. »

Faut-il que Suzanne, comme Louise, lui cherche, en vain, quelque défaut ? Il a l'esprit trop porté, pour Mme Necker, à la plaisanterie, « les ridicules le frappent et le charment » ; parfois il se permet en badinant de descendre trop bas : « Il monte à cheval sur un bâton sans en faire excuse à personne. D'abord il imite l'imbécile dont il se moque ; ensuite il voit d'un peu plus haut le ridicule du sot, et il le peint avec toutes les grâces de l'esprit[36]. » Il est certainement un homme de génie, ce que Suzanne Necker ne cesse de répéter, « mais il n'a aucun droit à l'orgueil, car il n'a rien fait par lui-même :

la nature l'a achevé tel qu'il est ; et l'usage même de ses facultés, il ne le doit qu'aux circonstances et aux sollicitations. Sa pensée est involontaire ; il réfléchit quand il faudrait agir, il s'occupe des détails comme des idées générales ; enfin il est dominé par les mouvements de son génie, ainsi que d'autres le sont par les accès de leurs passions. Il a sur tous les objets une pensée à lui ; cependant il ne peut se soustraire à l'empire de celles des autres : les idées étrangères sont pour lui autant d'entraves qui le gênent et qui l'arrêtent dans un petit espace ; si l'on veut qu'il marche, il faut l'en débarrasser : enfin son génie est tout ou rien ; il faut qu'il entre dans un sujet, qu'il s'en pénètre, qu'il le suive dans tous ses détours, qu'il y règne, sans cela il n'écoute point, il ne s'intéresse point[37]. » M. Necker entretient avec la gloire une trop ardente relation : « Il aime la gloire [...]. Hors du règne de l'opinion, il ne se compte pour rien ; et cette opinion même, il ne l'estime qu'avant de l'avoir obtenue. Il poursuit la gloire et les louanges comme les chasseurs poursuivent une proie qu'ils négligent et dédaignent dès qu'elle est tombée à leurs pieds[38]. »

La conclusion oblige Mme Necker, comme elle y avait obligé sa fille, à rassembler les extraordinaires vertus de l'homme privé et de l'homme public qu'elle a peints pour les exalter encore[39] : « Après avoir tâché de faire connaître le génie de M. Necker, après l'avoir loué par toutes les expressions que la langue peut me fournir, je crois n'avoir rien fait encore ; il me semble que le modèle que j'en conserve dans mon imagination est infiniment supérieur. Et en effet, on a vu des orateurs s'exprimer aussi noblement ; on a vu des penseurs trouver des idées profondes et ingénieuses et les enchaîner ; on a vu de bons esprits capables de saisir l'ordre nécessaire pour bien présenter les objets et pour exercer l'empire de la raison : mais personne, non, jamais personne n'eut peut-être autant que lui cette pénétrante sensibilité qui donne la vie à la vie même, et dont toutes les expressions s'insinuent dans les cœurs. M. Necker n'a rien écrit froidement, il a toujours obéi le premier aux mouvements involontaires de son âme. Qui pourra le suivre dans ses nobles épanchements, sans reconnaître l'ascendant invincible de la vertu et de la bonté, et sans se prosterner devant elles avec amour et reconnaissance ? »

Très différente de sa fille, Suzanne Necker parle peu des sentiments qu'elle éprouve. Elle dresse le superbe monument de l'homme qu'elle admire, mais elle ne peut pas, elle ne veut pas dire à quel point elle l'aime. La passion de Louise pour son père, cette passion qui fera souffrir Mme Necker, qui la rendra jalouse, ce devrait être le domaine de ce qui ne se dit pas.

« ELLE ÉLEVAIT SES MAINS VERS L'ÊTRE SUPRÊME »

Ainsi, de portrait en portrait, cette singulière famille contemple ses sublimes images. Necker trop occupé, plus discret peut-être, ne dressera pas des portraits aussi exaltés de Suzanne et Louise. Mais l'amour qu'il éprouve pour sa fille, il le lui montre tous les jours, et de toutes les manières. « Il n'a jamais passé, dira-t-elle après la mort de son père, quand nous étions séparés, un courrier, un seul courrier sans m'écrire[40] », et les lettres de Necker ne cesseront d'exprimer, en son style vite solennel, l'attention tant aimante qu'il portait à sa fille.

Ce n'est qu'en 1798, lorsqu'il décidera de publier les écrits laissés par sa femme morte depuis quatre ans, que Necker tracera, pour présenter les manuscrits qu'elle lui avait confiés, un portrait d'elle l'élevant à la place suprême dans cette sainte Trinité[41] :

« Toutes les pensées de Mme Necker se joignaient à cette grande chaîne qui unit les hommes entre eux par la bienveillance et la charité, et qui s'élève jusques au ciel par la foi et par l'espérance. Elle avait le goût de l'esprit au plus haut degré ; mais ce goût ne lui inspira jamais le désir de se faire imprimer ; il était en elle sans aucune ambition de paraître, et surtout sans aucun sentiment d'envie ni de jalousie : aussi jamais personne n'a loué les talents des autres avec plus d'abandon et de vivacité ; et quand elle cherchait, quand elle réussissait habituellement à soutenir, à animer la conversation, c'était en encourageant les gens d'esprit et en leur ouvrant le passage, jamais en épiant l'occasion de se faire applaudir. »

Sa femme, écrira-t-il, se plaisait éminemment dans la société des gens de lettres [42], mais « jamais ses opinions religieuses n'ont éprouvé la moindre altération ; et doucement, mais avec une vigilance continuelle, elle écartait les discours qui pouvaient la blesser dans son premier sentiment, dans le respect de l'Être suprême. [...] De fort bonne heure elle fut soumise à des angoisses nerveuses tellement pénibles, que, par degrés, elle perdit le sommeil ; et le jour, obligée de céder à un mouvement d'agitation, elle se tenait debout, même en société, et n'obtenait un peu de repos que dans le bain. Toutefois, et encore au milieu de ses derniers, de ses tendres regrets, au milieu des douleurs aiguës auxquelles elle fut soumise vers la fin de sa vie, elle faisait toujours le compte de ses prospérités passées, et elle élevait ses mains vers l'Être suprême pour le remercier de sa bonté. Dieu, quel exemple ! et qui peut se flatter de l'imiter ! Je ne sais s'il a jamais existé une piété plus simple et plus propre à donner une juste idée des rapports d'une âme vertueuse et sensible avec la divinité. Combien de fois ces sublimes rapports n'ont-ils pas donné à Mme Necker une éloquence pénétrante ! »

« Sa bienveillance active, poursuivra Necker, ne perdait jamais une occasion de soulager ou de consoler l'infortune ; et j'ai gravé dans mon cœur ce mot d'une femme de campagne qui disait en la pleurant : "Si celle-là n'est pas reçue en paradis, nous sommes tous perdus." Ah, sans doute elle y est dans ce séjour céleste ; elle y est ou elle y sera, et son crédit servira ses amis. Oui, je me plais à penser que c'est un titre de protection auprès de l'Être suprême que d'avoir été appelé à soigner, à garder sur la terre le bonheur de sa plus fidèle et de sa plus fervente adoratrice [43]. »

Ainsi, chacun célébrera la grandeur de l'autre, et le monument funèbre dira à sa manière cette puissance d'exaltation mutuelle qui les avait assemblés et inspirés.

X

Baronne de Staël

Tandis que la famille s'ennuyait à Marolles, Louise approchait de ses vingt ans. Il était bon qu'elle se mariât, ses parents
y pensaient depuis longtemps, elle aussi sans doute. Les louanges du mariage, du mariage heureux, reviendront souvent dans
ses écrits, même si, le temps passant, l'amour conjugal lui
semblera devenir un rêve impossible. Sans doute a-t-elle commencé d'écrire en 1785 le drame en vers qu'elle achèvera en
1786, *Sophie ou les Sentiments secrets*[1], qui exaltera le mariage,
seul chemin du bonheur.

> « *À votre âge, souvent l'on ignore, Sophie,*
> *D'un lien fortuné la douceur infinie ;*
> *Mais un jour vous saurez ce qu'éprouve le cœur,*
> *Quand un vrai sentiment n'en fait pas le bonheur ;*
> *Lorsque sur cette terre on se sent délaissée,*
> *Qu'on n'est d'aucun objet la première pensée ;*
> *Lorsqu'on peut souffrir, sûre que ses douleurs*
> *D'aucun mortel jamais ne font couler les pleurs.*
> *On se désintéresse à la fin de soi-même,*
> *On cesse de s'aimer, si quelqu'un ne nous aime ;*
> *Et d'insipides jours, l'un sur l'autre entassés,*
> *Se passent lentement et sont vite effacés.*
> *Ne pensez pas non plus qu'il suffise, Sophie,*

De songer au bonheur dans l'hiver de la vie ;
Celui qu'on goûte alors du passé doit venir ;
Ceux qui nous ont aimés peuvent seuls nous chérir.
C'est par le don heureux des jours de sa jeunesse
Qu'on mérite l'amour jusque dans la vieillesse.
Le cœur qui fut à nous vit de ses souvenirs,
Et les prend quelquefois pour de nouveaux plaisirs[2]. »

Aussi le mariage doit-il remplir une double vocation : apporter le plus beau bonheur et préparer l'hiver de la vie, de la vie des femmes, cet hiver qui vient tôt :

« L'espoir dans le printemps couronne l'avenir ;
Mais que nos jeunes ans commencent à nous fuir,
Cessant de désirer les jours qu'on doit attendre,
Vers l'éternelle nuit le temps semble descendre :
Plus de bonheur pour nous[3]... »

Le mariage de la fille de Jacques Necker n'était pas facile. Louise Necker passait pour l'une des plus riches héritières d'Europe, elle était la fille d'un homme illustre qu'entouraient les faveurs de l'opinion publique. Sa mère tenait un salon fort réputé, ouvert à la plupart des personnes influentes, mais elle était calviniste, et ses parents avaient une conception rigoureuse de leur religion. Mlle Necker ne pouvait regarder vers la grande noblesse française, généralement fermée aux protestants. C'était vers l'étranger que la famille devait donc se tourner. Mais les Necker ne souhaitaient pas se séparer de leur fille tant aimée, et elle aimait trop son père, et la France où elle avait vécu, pour les abandonner[4].

William Pitt, second fils de lord Chatham, membre de la Chambre des communes à l'âge de vingt et un ans, chancelier de l'Échiquier en 1782 à vingt-trois ans, paraissait promis à un grand avenir : il serait sans doute un excellent parti.

Mme Necker voudrait cette union, qui conduirait sa fille à un brillant destin, et, dans le moment, pourrait assurer à M. Necker de puissants appuis[5]. Mais Louise oppose un refus obstiné. Elle a rencontré Pitt à Fontainebleau, il ne lui a pas déplu, mais elle ne veut pas aller vivre en Angleterre, elle ne veut pas quitter son père[6]. « Pourquoi faut-il, écrira-t-elle en 1785 dans son *Journal*[7], que cette malheureuse Angleterre ait développé contre moi la raideur et la froideur de maman ? Ah, maudite source présente de mes craintes, source à venir de mes remords, pourquoi faut-il que toutes ces offres brillantes soient venues m'ôter le droit de me plaindre de mon sort et le rendre cependant plus malheureux ? Faut-il qu'elles soient venues m'obliger à choisir, à vouloir ce que j'aurais tant aimé qu'on me forçât de faire, et me plonger dans une incertitude si terrible qu'il n'y a pas un argument qui ne soit combattu par l'autre ? Je n'ai pas varié extérieurement parce qu'un mouvement du cœur m'eût remise, mais seule agitée, effrayée... Ah ! c'en est fait, je ne puis aller en Angleterre ; je serai vertueuse, le reste après tout ne s'étend pas par-delà la vie. »

Mme Necker fut très fâchée du refus de sa fille. Sa santé se dégrada plus encore, et elle se crut, par la faute de Louise, proche de la mort. En l'année 1785, d'autres partis furent écartés. La candidature de lord Malden fut présentée par Thomas Walpole, ami des Necker, mais elle était moins brillante que celle de William Pitt, et elle se heurtait au même obstacle. Au printemps de cette même année, le prince Georges-Auguste de Mecklembourg fit soumettre sa proposition à M. Necker par le truchement de M. Stadler[8] :

« Les raisons qui me font désirer l'alliance de M. Necker par la main de Mlle sa fille sont que, me trouvant cadet de famille et depuis vingt ans au service impérial lequel est très coûteux, mes affaires pécuniaires se sont extrêmement dérangées et je me suis vu forcé de contracter des dettes considérables surtout par la campagne de 1778. Or comme, selon ma façon de penser, le bien et l'argent seul ne peuvent point me rendre heureux si la personne à laquelle je dois donner ma main ne réunit point à ses biens un esprit cultivé et un caractère respectable, j'ai cru et je suis persuadé ne pouvoir mieux obtenir qu'en portant mes vues sur Mlle Necker, laquelle, suivant ce que des personnes dignes de foi et qui ont l'avantage de la connaître m'ont assuré, unit l'un et l'autre. Outre cela, la droiture et le caractère respectable que M. Necker a prouvés durant son administration des finances en France et qui avec droit lui ont attiré l'estime du monde entier, m'assurent de trouver le plus grand consentement et bonheur en m'alliant à une famille aussi estimable. »

Necker, surpris par une candidature aussi clairement intéressée, opposa, sans en parler à sa fille, un refus aussi ferme que courtois[9] :

« Monsieur le Prince,

« Je sens comme je le dois tout l'honneur de votre recherche et je vous prie d'agréer ma très humble reconnaissance. Je ne suis point lié dans ce moment irrévocablement pour le mariage de ma fille ; mais je me suis avancé de manière à ne pouvoir rompre avec délicatesse, si les conditions que j'ai demandées sont accordées. Je crois qu'indépendamment de cette circonstance la crainte de me séparer de ma fille, et d'autres considérations, auraient pu décourager vos vues, ou combattre même auprès de moi tout ce qu'une alliance telle que la vôtre, Monsieur le Prince, présente d'agréable et d'imposant ; permettez-moi donc de me renfermer dans ce moment dans les profonds sentiments de reconnaissance et de respect avec lesquels j'ai l'honneur d'être, Monsieur le Prince [...].

« Marolles, ce 4 août 1785. »

Béatrix d'Andlau a trouvé, dans les archives de Coppet, la trace d'autres propositions également écartées. Mais, au milieu de l'année 1785, comme le suggère la lettre de M. Necker, les négociations étaient déjà avancées avec Eric Magnus baron de Staël-Holstein. L'accord n'était pas loin.

Eric Magnus de Staël-Holstein était né le 25 octobre 1749 en Suède, d'une vieille famille de l'aristocratie[10]. Eric, le septième enfant, avait été tôt destiné à la carrière des armes : à l'âge de treize ans, il faisait déjà partie du régiment d'Ostrogothie. Ce fut sa chance, car il réussit à se faire remarquer, ce fameux jour, le 19 août 1772, où Gustave III, devenu roi par la mort de son père, réussit en vingt minutes sa révolution, se débarrassant, par un coup d'État militaire, mais sans que fût versée une seule goutte de sang, de la Constitution de son pays. Gustave III s'était fait monarque absolu. Mais l'admirateur de Rousseau et de Voltaire qu'il était prétendait régner en despote éclairé, ce qu'il tentera de faire. Il proclamera la liberté de la presse, il soutiendra les physiocrates et sera proche dans tous les pays d'Europe, en France surtout, de ceux qui lui sembleront porter les Lumières. Gustave III voulut bien s'intéresser à ce jeune officier qui deviendra son « cher Staël ». Il le fit chambellan de la reine. Mais l'ambition portait plus loin ce séduisant jeune homme. En mars 1776, promu capitaine, Eric Magnus sollicitait de Gustave III l'autorisation de se mettre au service du roi George III d'Angleterre, qui se préparait alors à envoyer un corps expéditionnaire dans les colonies d'Amérique[11]. N'ayant pu obtenir dans l'armée anglaise la situation qu'il souhaitait, il se résolut à aller à Paris. L'ambassadeur de Suède en France, le comte Creutz, ami des Necker, l'appréciait et se l'attacha en qualité de secrétaire d'ambassade.

Voilà Eric Magnus satisfait. Il lui reste à conquérir Paris. Il s'y emploie avec talent. Il est plutôt beau, élégant, joliment vêtu. Il se fait appeler « baron de Staël » et il s'ingénie à plaire aux dames. « M. de Staël, écrira quelques mois plus tard l'ambassadeur de Suède à son roi, est d'une grande activité ; il est très bien traité à la Cour et toutes les jeunes femmes de ce pays m'arracheraient les yeux si je ne m'intéressais pas pour lui [12]. » Ne pourrait-il devenir lui-même, un jour, ambassadeur ? Des femmes influentes veulent bien lui porter intérêt, notamment des femmes âgées, amies de Gustave III, et qui entretiennent avec celui-ci des correspondances assidues, le tenant au courant des événements et des potins de Versailles et de Paris. La vieille comtesse de La Mark vante souvent les mérites du charmant baron de Staël, et aussi Mme de Luxembourg. Un autre Suédois, le comte de Fersen, que l'on dit très proche de la reine de France, présente à celle-ci son ami le « petit Staël ». Marie-Antoinette veut bien le remarquer [13]. Mais c'est la comtesse de Boufflers, vieille habituée du salon de Mme Necker, amie de Hume et de Rousseau, et aussi de Gustave III, qui va s'occuper de cet important jeune homme avec un zèle fiévreux. « Mme de Boufflers, écrira Creutz à son roi, le chérit comme son fils. » Le mariage d'Eric Magnus est devenu d'autant plus urgent qu'il mène grand train et se couvre de dettes. Il lui faut un mariage riche. Comment ne pas penser à la fille de M. Necker ?

Il semble qu'il y ait pensé tôt, et qu'il en ait entretenu Gustave III, sollicitant en outre de la bienveillance de son roi la confirmation de ce titre de « baron » qu'on lui prêtait volontiers en France [14]. Dans une lettre au roi en date du 27 juin 1779 – il a alors vingt-neuf ans et Minette n'en a que treize –, il se permet d'entretenir le roi de Suède de son projet : il voudrait demander la main de Mlle Necker [15]. Mme de Boufflers, raconte-t-il, en a déjà entretenu son amie Mme Necker, qui a fait valoir que son mari et elle ne pouvaient envisager le mariage de leur fille qu'avec un homme dont la situation serait fortement assurée. De toute manière n'était-il pas trop tôt pour en parler ? Mais Gustave III veut bien se soucier du destin de son jeune protégé : « Je m'intéresse infiniment, écrit le roi à la comtesse de Boufflers le 6 août 1779, au bonheur et à la fortune du baron Sthal [*sic*] et le mariage en question réunit certainement l'un et l'autre, si la jeune personne qu'il recherche a autant de mérite que son père, dont les talents et la réputation imposent, dans une place où Sully même n'a pu éviter la haine et la persécution au moment où il rendait la France heureuse. Pour moi, je serais bien aise de voir mon petit Sthal heureux, et qu'il le dût à vos soins [16]. »

Eric Magnus n'a pas renoncé à son projet, mais il semble que cette ambition se soit endormie entre 1779 et 1782. Sans doute le comte de Fersen a-t-il joué un rôle auprès de Marie-Antoinette pour que le rêve d'Eric Magnus devînt un jour réalité. Il faudrait que Gustave III veuille bien promettre, pour assurer la carrière d'Eric de Staël, que celui-ci sera fait ambassadeur au départ du comte Creutz. Le roi de Suède n'aurait plus alors à entretenir l'ambassade, ce dont pourrait se charger le riche M. Necker... Voici qu'en juillet 1782 Creutz est rappelé à Stockholm, et promu ministre des Affaires étrangères. Gustave III hésite-t-il, voudrait-il nommer à Paris un autre de ses protégés ? Staël le supplie [17] : « L'état où je me trouve est affreux, et je ne puis être sauvé du précipice si Votre Majesté ne daigne révoquer l'arrêt qui fait mon malheur [...]. Toutes les espérances pour mon mariage doivent nécessairement s'évanouir, car M. Necker ne donnera certainement pas sa fille à un homme qui semble avoir perdu à la fois la bienveillance et la confiance de son maître [...]. Si Votre Majesté persistait dans sa résolution, alors je me retirerais dans quelque coin de la terre d'où elle n'entendrait plus ni mes prières ni mes plaintes importunes, et où je reprocherais au sort, en silence, de m'avoir fait naître le seul de vos sujets dont vous ayez voulu, Sire, faire le malheur ! »

Les démarches se multiplient, de Paris, auprès du roi de Suède. On persuade Marie-Antoinette qu'elle doit, elle aussi, faire savoir à Gustave III qu'elle souhaiterait vivement la désignation de M. de Staël comme ambassadeur à Paris. Mme de Boufflers, qui s'entretient avec Jacques et Suzanne Necker, fait connaître leurs exigences, car cette union ne serait pas, hélas, pour leur fille, un grand mariage. Gustave III paraît un temps s'impatienter. Puis il consent à désigner Staël comme ambassadeur, mais encore faut-il que celui-ci se marie vite, car ceci est la condition de cela. « Si vous épousez Mlle Necker, écrit-il au prétendant, vous serez le plus riche seigneur de notre pays, et vous pourrez alors dire, comme César, qu'il vaut mieux être le premier dans sa patrie que le second dans Rome [18]... » De passage à Paris, Gustave III, qui vient faire progresser cette pénible négociation, promet à Marie-Antoinette de verser à M. de Staël une pension annuelle de vingt mille francs si l'ambassade lui est retirée pour une raison quelconque. Mais M. Necker semble traîner. De Milan, Gustave III adresse à Mme de Boufflers, en mai 1784, une lettre presque fâchée : « Pour ce qui regarde le mariage du pauvre Staël, il me paraît qu'il faut le remettre aux calendes grecques. J'en suis bien fâché pour lui, car, sans Mlle Necker, sa grandeur présente lui sera à charge, et d'un grand embarras pour l'avenir [19]. »

Enfin, M. Necker, qui ne veut céder sur rien, consent à mettre par écrit, le 21 mai, ses dernières conditions [20] :

« 1° L'assurance de l'ambassade de Suède à Paris "pour toujours".

« 2° Une pension de 25 000 francs en cas que, par des circonstances imprévues, M. de Staël perde son ambassade.

« 3° Le titre de comte afin que Mlle Necker ne puisse être confondue avec une "certaine baronne de Staal", assez mauvais sujet.

« 4° L'ordre de l'Étoile polaire pour M. de Staël.

« 5° La certitude que jamais l'ambassadeur n'emmènera sa femme en Suède que passagèrement et de son consentement.

« 6° La reine Marie-Antoinette devra témoigner qu'elle désire ce mariage.. »

Une année encore se passa en négociations. D'autres prétendants s'étaient présentés, et le comte de Fersen lui-même, pourtant ami de Staël, avait imaginé un temps de pouvoir, peut-être, substituer sa candidature à celle, décidément difficile, d'Eric Magnus. Mais, au fil des mois, chaque parti se résignera à quelques concessions. L'ambassade fut consentie par Gustave III non pour toujours mais pour douze ans. Le titre de comte fut refusé, mais l'ordre de l'Étoile polaire accordé. Pour le reste, Necker obtint satisfaction. Mme de Boufflers, dira Gustave III, méritait « une couronne mêlée de lauriers et de myrte pour la victoire ». Le 7 octobre 1785, elle annonçait enfin au roi de Suède l'heureux résultat de tant d'efforts[21] : « J'ai été dîner hier à Saint-Ouen *en famille*, où tout s'est passé avec beaucoup de cordialité ; je vous avoue naturellement que cette négociation m'a souvent ennuyée et impatientée au dernier point. J'ai fait les premières propositions il y a plus de cinq ans et depuis trois mois je ne cesse de solliciter en paroles ou par écrit. »

Sans doute les Necker ne sont-ils qu'à moitié satisfaits. Ce n'est pas un beau mariage, ce n'est qu'un bon mariage, mais du moins Louise restera-t-elle à Paris. Mme Necker juge le « petit Staël » aimable, plaisant, sensible. Elle a « tout fait, écrira-t-elle à Moultou, sans succès, pour amener sa fille à chercher un plus beau mariage hors de France[22] », mais Louise ne voulait vivre qu'à Paris, et « M. le baron de Staël, écrira-t-elle encore à son amie Mme de Portes, était le seul parti protestant qui pût lui donner un état dans cette ville[23] ». M. Necker juge M. de Staël « doux et honnête, d'une figure agréable ». « Le goût de ma fille et de sa mère, écrit-il à Moultou, le désir et le besoin que j'ai de ne pas disperser ces objets de ma tendresse ont forcé notre détermination pour le mariage de ma fille et peut-être que, sans les tableaux de perfection qu'on se fait si facilement et qu'on réalise si rarement, nous aurions raison d'être contents[24]. » Louise aussi, à laquelle Eric Magnus a été présenté, à Marolles, lui trouve des qualités : « C'est un homme parfaitement honnête », écrit-elle le 11 août dans son *Journal*, « incapable de dire ni de faire une sottise, mais stérile et sans ressort ; il ne peut me rendre malheureuse que parce qu'il n'ajoutera pas au bonheur, et non parce qu'il le troublera[25]. » Tous trois sont résignés. « C'est Paris que la jeune fille épousait », constate Béatrice Jasinski[26].

Dès le 16 octobre le comte de Fersen pouvait écrire à son père pour l'aviser que « l'excellente affaire » était faite[27]. Il évoque Mlle Necker : « Je l'ai vue il y a quelques jours : elle n'est pas jolie, au contraire, mais elle a de l'esprit, de la gaieté, de l'amabilité ; elle est très bien élevée et remplie de talents. Les noces doivent se faire le 10 ou le 15 du mois prochain[28]. »

Le 10 septembre, la famille Necker a quitté Marolles ; elle a été autorisée par Louis XVI à revenir à Saint-Ouen. Si l'accord avec Staël est conclu sur le principe, tout n'est pas encore réglé. En décembre, un nouvel obstacle surgit : l'engagement pris par le roi, dans l'hypothèse où M. de Staël perdrait son ambassade, ne semblait pas à Necker suffisamment précis. Il fallait que la pension promise en cette circonstance fût versée alors même que M. de Staël déciderait de demeurer à Paris. On ne pouvait accepter, en effet, que Minette fût contrainte, par la nomination de son mari dans un poste quelconque, de quitter la France. Gustave III consentit à donner à la famille Necker les assurances qu'elle souhaitait. Par ailleurs, les dettes sans cesse croissantes d'Eric Magnus étaient préoccupantes. Necker consentit, semble-t-il, à ce que le tiers de la dot promise à sa fille – soit six cent cinquante mille livres – fût utilisé à les régler, en échange de quoi Eric Magnus prendrait en faveur de sa future femme l'engagement d'un douaire de douze mille livres de rente[29]. Mais les dettes du baron de Staël resteront un souci constant...

La cérémonie crée, elle aussi, des difficultés qu'il faut patiemment résoudre. Par surcroît, Louise est tombée malade en novembre 1785. Elle souffre d'une « fièvre bilieuse » qui retarde encore le mariage. Rien décidément ne semble l'attirer vers cet homme qui lui a été présenté pendant l'été, et dont elle sait qu'il fait, lui, un mariage très raisonnable où l'amour importe peu. Elle écrit au baron de Staël, à plusieurs reprises, durant les deux derniers mois de cette année 1785, et l'on voit bien qu'elle consent à un mariage de raison. « Je m'en suis remise à vous du bonheur de ma vie, lui dit-elle, tandis que se prolongent les négociations. Pouvais-je vous donner une plus grande marque de confiance ? Les difficultés que vous faites, au contraire, sont toutes contre moi[30]. » Elle renvoie M. de Staël à son père pour discuter les derniers détails des articles du contrat. « Adieu, lui écrit-elle, vous devez écarter toutes les pensées pénibles. Nous les reprendrons assez tôt, ou pas du tout. » À son tour M. de Staël tombe malade. « Adieu, monsieur, lui écrit Louise. Ayez soin de votre santé, et ne doutez pas, je vous prie, du sincère intérêt que j'y prends. » « Je désire beaucoup », lui écrit-elle quelques jours plus tard, apparemment contrariée, « n'avoir jamais rien à retrancher de l'opinion favorable et des sentiments très distingués que vous m'avez inspirés. Mon père ira chez vous ce matin ». Eric de Staël a-t-il fait une concession lors de cette visite ? Elle lui écrit encore : « J'ai ainsi, monsieur, un véritable plaisir de l'heureuse issue de nos affaires. Je suis bien aise de ne pas m'être trompée. » Tout à la fin de cette année 1785, quand le mariage est enfin décidé, elle lui écrira : « Croyez que ce qui me rendra heureuse, ce ne sera pas les plaisirs que vous me procurerez, mais le sentiment qui vous fera désirer de m'en faire jouir[31]. » « Je ne suis pas charmante et je suis sensible », lui écrira-t-elle encore au début de l'année 1786, quelques jours avant le mariage, « voilà l'opinion qu'il faut que vous ayez de moi. Tout le monde vous dira la première partie, et par la suite vous saurez la seconde[32]. »

Bien sûr Mlle Necker eût rêvé d'un mariage d'amour, et elle ne cessera d'exalter l'union conjugale portée par la passion. Mais ce mariage présente pour elle bien des avantages. Elle sera baronne, ambassadrice, elle restera à Paris dans cette ville qui la distrait et qu'elle aime, elle continuera de fréquenter les beaux esprits. Surtout elle ne quittera pas son père chéri, son premier ami, son modèle.

Sans doute voit-elle déjà les ombres de celui qui deviendra son mari. Il ne sera jamais ni un homme passionné ni un grand esprit. Il lui donnera des soucis matériels. Elle raconte, dans son *Journal*, cette scène émouvante où elle découvrit, un soir, à Marolles où Staël avait été convié, la distance qui séparait son probable fiancé de Necker[33] : « Il est un moment qui restera longtemps présent à ma pensée ! Mon père lui dit de danser un moment avec moi et se mit à chanter l'air avec une gaieté charmante. M. de Staël, avec sa jolie figure, ses connaissances dans l'art de la danse, formait bien ses bras, mais l'âme manquait à ses mouvements, mais ses regards fixés sur moi n'étaient animés ni par l'esprit ni par le cœur. Sa main, en prenant la mienne me semblait de marbre blanc qui me serrait en me glaçant. Mon père tout à coup lui dit : "Tenez, monsieur, je vais vous montrer comme on danse avec une demoiselle dont on est amoureux." Alors, malgré sa taille forte, malgré moins de jeunesse, ses yeux, ses yeux charmants, ses mouvements animés exprimaient la tendresse avec grâce, avec énergie. Dieu, peindrais-je quel serrement de cœur j'éprouvai dans ce moment, quelle comparaison déchirante ! Je ne pus continuer, je me sauvai dans un coin de la chambre, et je fondis en larmes. Mon père me vit, courut à moi, me serra contre son cœur. » « Je regrette, j'y reviens encore, écrit-elle ce même jour, je regrette de n'avoir pas lié, de ne pas lier mon sort à un grand homme. » Ce regret, il ne la quittera pas.

« CE JEUDI MATIN, CHEZ VOUS ENCORE »

Le 6 janvier 1786, Louis XVI, la reine et les princes du sang signent à Versailles le contrat de mariage des futurs époux. Le samedi 14 janvier, est célébré par le pasteur Gambs, en la chapelle luthérienne de l'ambassade de Suède à Paris, le mariage de « Son Excellence Eric Magnus Baron de Staël de Holstein, Chevalier de l'Ordre de l'Épée, Chambellan de Sa Majesté la Reine de Suède et ambassadeur extraordinaire de S.M. Suédoise à la Cour de France... avec Damoiselle Anne Louise Germaine, native de Paris, fille mineure et légitime de Messire Jacques Necker, ancien Directeur Général des Finances de France, et de noble dame Louise Curchodi Nass, sa légitime épouse[34] ».

En France, en Europe, les gazettes annoncent l'événement. Les uns s'en félicitent, les autres s'étonnent. Dès novembre, Catherine II avait écrit à Grimm : « Tout le monde dit que la fille de M. Necker fait un très mauvais parti et qu'on la marie mal[35]... » Il y avait très loin de Pitt à Staël. Même Mme de Boufflers, qui s'était donné tant de mal pour faire aboutir ce projet, pouvait dire au roi de Suède ce qu'elle pensait de la nouvelle ambassadrice[36] :

« Elle est si parfaitement gâtée sur l'opinion de son esprit qu'il sera difficile de lui faire apercevoir ce qui lui manque. Elle est impérieuse et décidée à l'excès, elle a une assurance que je n'ai jamais vue à son âge. Elle raisonne sur tout à tort et à travers et quoiqu'elle ait de l'esprit, on compterait vingt-cinq choses déplacées pour une bonne dans tout ce qu'elle dit. »

Selon la tradition, les nouveaux époux passent les premières nuits, les premiers jours chez les parents de la mariée, rue

Bergère. Ce n'est que le jeudi 19 janvier que Louise va prendre possession de la maison de son mari, l'ambassade de Suède. Mme Necker semble très faible, ce triste jour, et Jacques Necker cache son chagrin. Louise laissa à sa mère cette lettre, qui mettait fin à la vie commune de cette merveilleuse trinité[37] :

« Ma chère maman,

« Je ne reviendrai pas ce soir chez vous. Voilà le dernier jour que je passe comme j'ai passé toute ma vie. Qu'il m'en coûte pour subir un tel changement ! Je ne sais s'il y a une autre manière d'exister ; je n'en ai jamais éprouvé d'autres, et l'inconnu ajoute à ma peine. Ah ! je le sais, peut-être j'ai eu des torts envers vous, maman. Dans ce moment, comme à celui de la mort, toutes mes actions se présentent à moi, et je crains de ne pas laisser à votre âme le regret dont j'ai besoin. Mais daignez croire que les fantômes de l'imagination ont souvent fasciné mes yeux, que souvent aussi ils se sont placés entre vous et moi et m'ont rendue méconnaissable. Mais je sens en ce moment, à la profondeur de ma tendresse, qu'elle a toujours été la même. Elle fait partie de ma vie et je me sens tout entière ébranlée, bouleversée, au moment où je vous quitte. Je reviendrai demain matin, mais cette nuit je dormirai sous un toit nouveau. Je n'aurai pas dans ma maison l'ange qui la garantissait de la foudre ou de l'incendie. Je n'aurai pas celle qui me protégerait si j'étais au moment de mourir et me couvrirait devant Dieu des rayons de sa belle âme. Je ne saurai pas à chaque instant des nouvelles de votre santé. Je prévois des regrets de toutes les minutes. Je ne veux pas vous dire, maman, à quel point ma tendresse pour vous ajoute à la force de mon cœur. La vôtre est si pure qu'il faut faire passer par le ciel tous les sentiments qu'on lui adresse. Je les élève vers Dieu, je lui demande d'être digne de vous ; le bonheur viendra ensuite, viendra par intervalle, ne viendra jamais ; la fin de la vie termine tout, et vous êtes si sûre qu'il y en a une autre, si sûre que mon cœur n'en peut douter.

« Je ne finirais pas : j'ai un sentiment qui me ferait écrire toute ma vie. Agréez, maman, ma chère maman, mon profond respect et ma tendresse sans bornes.

« M. de Staël vous portera ma lettre. Il ne l'a pas vue : j'aurais trop gêné mes expressions, et malgré moi le plus vif sentiment de ma vie se serait montré de force.

« Ce jeudi matin, chez vous encore. »

Répondant, peut-être, à cette lettre écrite « chez vous encore », Mme Necker jugea bon, ne cessant de songer à sa mort, d'adresser à sa fille mariée ses derniers conseils, ses derniers ordres[38] :

« [Paris, janvier 1786]

« Écoute avec attention, mon enfant, les derniers conseils et les derniers ordres de ta mère. Pense qu'ils ont un caractère qui doit te les rendre presque sacrés. Tu as peut-être quelques reproches à te faire de la conduite que tu as tenue envers moi, si tu la compares avec la satisfaction que tu aurais pu me donner ; mais si je viens réveiller dans ton âme quelques remords de sensibilité, c'est pour te donner les moyens de l'apaiser pour jamais. Tu peux encore tout réparer et me rendre plus heureuse après ma mort qu'il n'eût été en ta puissance de le faire pendant ta vie. Je laisse à ton père tous les droits que j'avais à ta tendresse, joints à ceux qu'il a déjà sur toi. Tiens-lui lieu, s'il est possible, de ce cœur qui sur la terre ne vécut que pour lui ; tu auras d'autres devoirs, mais qui s'enchaînent tous à celui-là. Vis avec lui ; ne l'abandonne point à sa douleur. Ne te laisse jamais abattre s'il rejette d'abord tes consolations. Étudie tout ce qui peut calmer son imagination et arrache-le à la solitude, quelque résistance qu'il t'oppose. Qu'il remplisse le soin que je lui confie de conserver mes cendres pour qu'elles se mêlent un jour avec les siennes ; mais que ce soin ne l'occupe pas trop. Tâche d'être avec lui lorsqu'il viendra verser quelques larmes sur mon tombeau ; joins-y les tiennes et crois que tu m'auras rendue la plus heureuse des mères.

« [...] Oh, mon enfant ! Ton caractère n'est pas formé ; ta tête te trompe souvent ; prends la religion pour guide et pour caractère. Ta tâche est grande ; sur la terre je ne vivais que pour ton père, car tu étais pour moi une portion de lui-même. Eh bien, il faut que tu prennes ma place auprès de lui. Tu seras femme et mère ; pour réunir ces devoirs au premier, apprends à ton mari et à tes enfants que ton père doit être pour eux sur la terre le centre de tout. Toi-même alors deviendras leur trésor commun. Vos prières se réuniront vers le ciel, et je les entendrai. »

« ZULMÉ N'A QUE VINGT ANS »

Le 31 janvier 1786, « la baronne de Staël de Holstein, épouse du baron de ce nom, ambassadeur extraordinaire du roi de Suède », était présentée à Louis XVI, à Marie-Antoinette et à la famille royale. Quand l'ambassadrice fit, devant la reine, les trois révérences d'usage, s'inclinant davantage à la troisième pour saisir le bas de la robe de la souveraine et l'effleurer de ses lèvres, la garniture de sa traîne lâcha, une dentelle se défit, et l'ambassadrice se trouva fort gênée. Le roi tenta de l'arracher à son embarras. « Si vous ne vous trouvez pas à votre aise chez nous, lui dit-il en souriant, vous ne le serez nulle part [39]. » La reine voulut bien la conduire jusqu'à un boudoir où une femme de chambre répara cette mésaventure. Si le roi et la reine témoignèrent ainsi à la fille de M. Necker, décidément maladroite, une telle sympathie, la Cour, au contraire, s'agaça très vite de cette personne plutôt laide, bavarde et prétentieuse. « Elle avait peu de succès, écrira la baronne d'Oberkirch dans

ses *Mémoires*, chacun la trouvait laide, gauche, empruntée surtout. Elle ne savait que faire d'elle-même et se trouvait très
déplacée, on le voyait, au milieu de l'élégance de Versailles.
M. de Staël est au contraire parfaitement beau et de la meilleure compagnie ; il a de fort bonnes manières, et semblait peu
flatté de Madame sa femme[40]. » « Je souhaite que M. de Staël
soit heureux, écrit Mme de Boufflers au roi de Suède, mais je
ne l'espère pas[41]. »

L'un des premiers actes de la vie nouvelle de Mme de Staël
sera d'assister, le 13 février, à l'Académie française, dans une
tribune, parmi de nombreuses personnalités, à la réception
d'un grand ami de la famille Necker, le comte de Guibert,
brillant officier, homme du monde, littérateur apprécié et par
surcroît grand séducteur. Guibert, qui succédait à Thomas, le
cher ami de Mme Necker, était de vingt-trois ans l'aîné de la
jeune ambassadrice. « Génie en stratégie amoureuse autant
que militaire[42] », Guibert, qui inspira à Julie de Lespinasse
une passion dévorante, a laissé un portrait exalté, sans doute
écrit cette même année, de celle qui est devenue Germaine de
Staël et qu'il a revêtue du surnom grec de Zulmé[43] : « Zulmé
n'a que vingt ans, et elle est la prêtresse la plus célèbre d'Apol-
lon, elle est la favorite du dieu, elle est celle dont l'encens lui
est le plus agréable, et dont les hymnes lui sont les plus chers.
Ses accents le font quand elle le veut descendre des cieux pour
embellir son temple, et pour se mêler parmi les mortels. [...]
Je l'écoute, je la regarde avec transport, je découvre dans ses
traits des charmes supérieurs à la beauté, que sa physionomie
a de feu et de variété ! Que de nuances dans les accents de sa
voix ! Quel accord parfait entre la pensée et l'expression ! Elle
parle, et si ses paroles n'arrivaient pas jusques à moi, son
inflexion, son geste, son regard me suffisaient pour la comprendre. Elle se tait un moment, et ses derniers mots résonnent
dans mon cœur, j'interroge son silence, et je trouve dans ses
yeux ce qu'elle n'a pas dit encore. Elle se tait entièrement,

alors le temple retentit d'applaudissements, sa tête s'incline avec modestie, ses longues paupières noires descendent sur ses yeux de feu, et le soleil semble s'être voilé pour moi. »

Ce lyrisme exalté n'habille pas tous les portraits faits de Germaine de Staël. Elle avait, a dit d'elle Gibbon, l'ami très cher, « une plus grande provision d'esprit que de beauté ». Il est sûr qu'elle n'était pas belle, ce que répétèrent souvent les femmes qui ne l'aimaient pas. Elle était forte, ses lèvres étaient épaisses, son nez proéminent, ses robes généralement de mauvais goût [44]. Sainte-Beuve, regardant des portraits d'elle, tentera de la décrire [45] : « J'ai eu moi-même sous les yeux un portrait peint de Mlle Necker, toute jeune personne ; c'est bien ainsi : cheveux épars et légèrement bouffants, l'œil confiant et baigné de clarté, le front haut, la lèvre entrouverte et parlante, modérément épaisse en signe d'intelligence et de bonté ; le teint animé par le sentiment ; le cou, les bras nus, un costume léger, un ruban qui flotte à la ceinture, le sein respirant à pleine haleine... » « Elle avait l'air d'une femme de chambre », dira Gouverneur Morris, observant son allure. Mais ceux-là mêmes qui la détesteront s'accorderont généralement à reconnaître l'extraordinaire beauté de son regard et le charme irrésistible de sa voix. J. Christopher Herold remarque que son physique ne fit pas obstacle à sa séduction : « Elle séduisait non les sens mais les sensibilités des hommes : aucun de ceux qui entraient en relation avec elle n'échappait entièrement à cette fascination [46]. » C'est par l'esprit, par le regard, par la parole, par la puissance d'émotion, non par la beauté que Germaine de Staël régnera.

ENSEMBLE ET DÉJÀ SÉPARÉS

Les voici donc mariés, vivant ensemble à l'ambassade de Suède. Sans doute M. l'ambassadeur est-il, dans le moment, satisfait. Il a réglé ses dettes, sa situation matérielle est solidement acquise, il est le gendre de l'illustre Jacques Necker, dont la carrière politique n'est pas achevée. Par surcroît, sa femme est vive, gaie, brillante. Nul ne s'ennuie avec elle[47]. Il peut espérer, sinon l'amour, qui ne semble guère son attente, du moins cette « amitié conjugale », cette affection venue du partage des vies dont Mme Necker parlera joliment[48] en évoquant le doux travail du temps.

Mme de Staël, elle, n'a pas fait le mariage qu'espéraient ses parents, ni ce mariage passionné dont elle avait rêvé. Son mari est beau, élégant, il plaît, il s'applique à plaire, mais elle en voit les limites et les défauts. Espère-t-elle l'aimer un jour ? Car l'amour dans le mariage demeure pour elle le but suprême, le sentiment parfait qui peut allier la passion et la vertu. Ce sentiment lui viendra-t-il au fil des ans ? Sa mère et son père ont su, peu à peu, vivre un brûlant amour. Pourquoi n'en ferait-elle pas autant ? Elle le voudrait, sans trop y croire.

Déjà le malentendu s'est installé entre les deux époux[49]. Pour Eric Magnus le mariage n'est qu'un havre, il apaise la vie, il apporte la tranquillité. Germaine – car elle se fait maintenant appeler Germaine – voudrait au contraire s'embarquer pour une merveilleuse aventure où elle découvrirait l'amour, le bonheur et la gloire. Il n'y a pas que leur nature, leur tempérament, leur esprit qui les séparent : sans doute aussi ce qu'ils attendent l'un de l'autre.

XI

M. de Saint-Écritoire

« Toute la jeunesse de Mme de Staël », nous dit Simone Balayé dans sa présentation des *Œuvres de jeunesse*, « s'est passée à son écritoire[1] ». Enfant, elle n'a cessé d'être formée à l'écriture. « Aux devoirs enfantins, aux petites comédies ont succédé les romances, les portraits, les éloges, les tragédies. » La plupart des premiers textes écrits par Minette ont été détruits ou perdus. On sait qu'à douze ans elle rédigeait, et jouait, sa comédie *Les Inconvénients de la vie à Paris*[2], dont le texte n'a pas été retrouvé. Elle a raconté dans son *Journal* que son père, se moquant d'elle, l'appelait M. de Saint-Écritoire, et qu'il ne pouvait pas « souffrir qu'une femme aimée de lui devînt une femme de lettres[3] ». C'est que l'écriture risque de dévorer la vie, et surtout, si elle est imprimée, publiée, elle soumet une femme au jugement de l'opinion publique, à la critique, à la médisance, à tout ce que M. Necker ne veut pas pour sa fille. Mme Necker se cachait – un peu – de son mari pour écrire, et aucun texte d'elle ne fut publié avant sa mort. Minette, elle, saura désobéir, tendrement et fermement.

Louise vit la plume à la main comme ses parents, comme son temps. La lecture et l'écriture sont les deux piliers de l'éducation rhétorique qu'a reçue sa mère, et qu'elle a reçue d'elle. « Le tiers de la vie des gens riches est consacré à la lecture », assure Mme Necker[4] dans l'un des manuscrits que son mari publiera après sa mort, des gens riches du moins qui lui semblent avoir été convenablement éduqués. Elle s'applique à réfléchir sur les moyens de faire en sorte que la lecture conduise au bonheur. Les femmes aiment écrire, et doivent écrire, pense la maman de Germaine. Mais, toujours mélancolique, elle observe qu'« autrefois », au XVIIᵉ siècle surtout, les femmes écrivaient « avec plus d'originalité qu'elles ne le font aujourd'hui[5] ». « Leurs billets du matin même avaient quelque chose de piquant et de particulier ; elles ne commençaient pas une lettre d'une manière commune : à présent trente femmes débuteront par la même phrase. Elles trouvaient toujours les plus heureuses transitions ; à peine en cherchent-elles à présent, tant on est accoutumé à tout brusquer sans nuances. » Mme Necker avait d'ailleurs entrepris la rédaction d'un *Éloge de Mme de Sévigné* qui vantait la profondeur de son esprit et la perfection de son écriture[6]. « Ainsi donc je crois avoir prouvé suffisamment que Mme de Sévigné a l'avantage sur les anciens et les étrangers, par la finesse du tact et la profondeur de la sensibilité ; sur ses contemporains, par la pureté, l'élégance et même la précision ; sur nous, par la vérité, la simplicité et le naturel ; sur tous enfin, par la légèreté, la grâce et la gaieté de son esprit. »

Suzanne Necker savait par expérience que les hommes ne souhaitaient pas voir les femmes écrire. Cette réprobation était, pour elle, un signe parmi d'autres du mépris dans lequel les hommes tenaient les femmes : « Les égards qu'on a pour elles ne sont plus qu'une vaine superstition à laquelle on se soumet par habitude et qu'on dément par ses discours et ses actions [...]. Il faut en convenir, dans tous les temps les hommes ont calomnié les objets de leur culte ; leur vanité s'est vengée d'un hommage involontaire ; ils veulent avilir ce qu'ils adorent, et c'est ainsi qu'ils ont déshonoré les deux sexes à la fois. » « C'est une barbarie d'humilier les femmes[7] », écrira-t-elle encore dans cet *Éloge de Mme de Sévigné* qu'elle n'achèvera pas. Bien sûr, son mari tant aimé n'était pas un de ces barbares, et ce fut par amour qu'il voulut empêcher sa femme d'écrire. Mais sa fille, elle, devra écrire, pouvoir et savoir écrire...

La passion de l'écriture, Louise la tient plus encore de son père. Rares sont les saisons de la vie de Necker où il n'a pas eu un livre en chantier, et ses œuvres complètes pèsent lourd. Les amis de la famille Necker ne cessent d'écrire et ne rêvent que d'écrire. La conversation, les lettres et les poèmes échangés, les romances que l'on se dédie, les pièces de théâtre que l'on rédige pour les jouer ensemble, les portraits que l'on s'adresse et bien sûr les romans et les livres auxquels on travaille disent, en cette seconde moitié du XVIIIe siècle, le règne de l'écriture, ce que Paul Bénichou a justement appelé « le sacre de l'écrivain [8] ».

Depuis son enfance, Minette écrivait. « À douze ans, à treize ans, à quinze ans, elle composait de petites scènes de théâtre et comme tous ceux qui l'entouraient elle versifiait [9]. » Béatrix d'Andlau, qui a pris connaissance des pièces de vers conservées à Coppet, observe qu'elles se ressentaient « d'une époque où la sentimentalité se faisait galante ou larmoyante », où se mêlaient les vers sentimentaux et badins. Minette n'échappera pas alors au genre commun.

Dès 1784, si tant est que l'on puisse lui faire tout à fait confiance quand elle évoque les dates qui parlent de son âge, Louise composait une romance, *Sapho et Phaon*, qui se terminait par un appel à l'indulgence [10] :

> « *Jugez avec indulgence*
> *cet essai de mes talents*
> *Je n'ai fait qu'une romance*
> *et je n'ai pas dix-neuf ans.*
> *Mais j'ai pu toucher vos âmes*
> *Peut-être en peignant l'amour,*
> *Dès que le cœur parle aux femmes*
> *il leur dit tout en un jour !* »

La *Romance d'une religieuse à son amant*[11] disait la douleur d'une nonne amoureuse, mais tenue par ses vœux. Une autre peignait l'infidélité de Colin[12] :

« Approchez, Épouse, approchez
de ces lieux de ténèbres
lisez ces mots qui sont tracés
sur ces voiles funèbres.

Ah ! Colin que j'ai tant aimé
contemple ton ouvrage
dans ce cœur d'ennuis consumé
vois encore ton image.

Colin embrasse le cercueil
qu'il couvre de ses larmes
il ose entrouvrir le cercueil
qui cachait tant de charmes.

Dieux, quel aspect pour un amant
il regarde, il soupire
il tremble, il chancelle un moment
il pâlit, il expire. »

D'autres poèmes mettaient en vers des amours tristes ou impossibles. « Dans les cartons de Coppet, nous dit Béatrix d'Andlau, dorment de nombreux manuscrits dont il est difficile de déterminer la date. » M. de Saint-Écritoire a-t-il osé alors les montrer à papa et à maman ? Ces vers écrits dans l'enfance puis dans l'adolescence ne disaient sans doute qu'un talent ordinaire, mais ils attestaient déjà la passion de l'écriture.

En 1785, le portrait, déjà rencontré, que Minette fit de son père et son journal intime[13] révélaient, comme l'observe

Simone Balayé, « une maîtrise certaine de l'écriture et de la pensée : l'écriture en prose est très supérieure à l'écriture en vers [14] ». Mais c'est l'année suivante, l'année de son mariage, qui semble avoir été, pour Louise devenue Germaine, l'année « décisive ». Elle compose *Sophie ou les Sentiments secrets*, pièce en trois actes et en vers qu'elle avait commencé de rédiger dès 1785 [15] et qu'elle ne publiera qu'en 1790, en six ou sept exemplaires et sans nom d'auteur. « La pièce, nous dit David Glass Larg, sent encore sa jeune fille. C'est un morceau fort naïf et comme facture et comme sentiment [16]. » Sophie est une jeune orpheline qui a conçu pour son tuteur, le comte de Sainval, lui-même amoureux d'elle, une vive passion dont elle ne se doute guère. Mlle Necker, qui pensait à son père, a voulu peindre ici une passion sans espoir. « *Les Sentiments secrets* sont une pièce toute d'amours et d'amours malheureuses ; il y règne une douce et mélancolique sensibilité [17]. » Déjà se voient les thèmes que Mme de Staël ne cessera de retrouver : l'amour impossible, l'amour malheureux, le désespoir, la mélancolie.

En 1787, Germaine composera une autre tragédie en cinq actes, *Jane Grey*, qui sera publiée, avec *Sophie*, en 1790. L'œuvre sera mieux construite, mieux écrite. Elle exaltera les douceurs de l'amour conjugal, cet amour sublime dont déjà la jeune Mme de Staël pourrait craindre d'être privée :

> « *Ah mon unique ami, l'âme passionnée*
> *Qui sut unit l'amour aux nœuds de l'hyménée*
> *De la félicité goûta trop la douceur*
> *Pour savoir supporter l'atteinte du malheur* [18]. »

La tragédie, très à la mode, occupera encore Germaine de Staël quelques années. Elle écrira *Thamar* en 1789, *La Mort de Montmorency* en 1790, peut-être inspirée par son amitié pour Mathieu de Montmorency [19] et qu'elle ne fera pas imprimer, et *Rosamonde*, qui subira le même sort. Écrire des tragédies est, dans le monde où vit Mme de Staël et à l'âge qu'elle a, un exercice normal tenu pour très formateur. Mais Germaine ne se fait sans doute guère d'illusions. Ce n'est pas sur ce chemin-là qu'elle rencontrera son œuvre.

Dans ces mêmes années, celles de son enfance et de son adolescence, Minette s'essaya aussi à la prose. Elle rédigea quelques observations sur *Le Bonheur des sots* que son père avait composé[20]. Elle félicita en 1781, par une lettre anonyme « qui fut jugée remarquable », M. Necker qui venait de publier son fameux *Compte rendu au roi*[21]. Elle écrivit sans doute de nombreux morceaux aujourd'hui perdus[22]. On sait qu'en 1785 elle composa son *Journal* et, en compétition avec sa mère, un *Portrait* de son père[23], et encore, selon un goût fort à la mode, quelques *Synonymes,* textes opposant par exemple « vérité à franchise » et « trait à saillie[24] ». Elle écrira de même, cédant au goût du jour, *La Folle de la forêt de Sénart,* connue par sa publication dans la correspondance de Grimm et de Meister, amis des Necker. Ce texte fut, paraît-il, fort apprécié[25].

Mais plus importantes furent sans doute pour elle les trois nouvelles qu'elle rédigea durant les mois qui précédèrent et suivirent son mariage, et qu'elle ne publiera qu'en 1795, à Lausanne et à Paris, dans un *Recueil de morceaux détachés.* « Aucune ne mérite le nom de roman, écrira-t-elle alors dans sa préface aux trois nouvelles, c'est dans la peinture de quelques sentiments du cœur qu'est leur seul mérite [...]. Je n'avais pas vingt ans quand je les ai écrites et la Révolution de France n'existait point encore[26]. » Elle avait un peu plus de vingt ans sans doute... mais Mme de Staël, on le sait, « n'est jamais très exacte quand elle parle de son âge[27] ».

Adélaïde et Théodore est l'histoire d'une passion très malheureuse qu'achève la mort de l'un et l'autre des amants. « Faites lire à mon enfant ce que j'ai écrit pour lui », dit Adélaïde avant de mourir de l'opium qu'elle a pris pour mettre fin à ses jours, « parlez-lui beaucoup de son père ; qu'il m'écoute et qu'il l'imite ; et si mes torts l'indignaient contre moi, que mon malheur et ma mort en effacent l'horreur[28]. » Et le tombeau réunira ceux que la souffrance a séparés. Les deux autres nouvelles, l'*Histoire de Pauline* et *Mirza*, font place à un exotisme très à la mode. Elles se situent dans « ces climats brûlants » où les hommes s'enrichissent de la traite des nègres. C'est peut-être le chevalier de Boufflers, gouverneur du Sénégal, ami de Necker, qui, revenu à Paris pour quelques mois en 1786, avait décrit à Mme de Staël le malheur des populations noires, ce malheur contre lequel il avait tenté de lutter[29]. Pauline, malheureuse orpheline, mariée de force à un vil marchand qui vit de la traite des nègres, cède aux hommes qui lui disent l'aimer. Elle épousera finalement Édouard, qui ignore son passé malheureux. Ce passé, elle le lui cachera. Un hasard apprendra à son rigoureux mari qu'elle lui a dissimulé sa vie, qu'elle lui a menti, et Pauline mourra, pour racheter sa faute : « En mourant, je me crois digne de toi ; l'excès de ma passion t'est prouvé ; c'est le dernier souvenir que je te laisse. [...] Nous nous réunirons dans le ciel[30]. » Édouard, désespéré, enfermé dans la solitude, élèvera l'enfant « que son amour pour Pauline lui rendait si précieux ». Ainsi Mme de Staël enseignait-elle que le bonheur dans le mariage est une félicité parfaite dont il faut rêver et qui ne peut supporter le mensonge...

Mirza[31], à la différence de Pauline, n'est pas belle. Elle ressemble au portrait que Gibbon faisait de Germaine : ses yeux sont « enchanteurs », « sa physionomie animée ». Mirza est aussi poète : elle chante l'amour de la liberté, l'horreur de l'esclavage. Mais elle est d'abord femme, elle veut aimer, elle veut être aimée. Quand peu à peu se refroidira le cœur de son amant Ximeo, cet homme semblable aux autres hommes, qui ira chercher ailleurs une très belle jeune fille de sa tribu, Mirza se donnera la mort. Il restera à Ximeo à porter toute sa vie le poids de son remords. Ximeo, qui raconte leur tragique histoire, a enfermé dans un tombeau « les tristes restes de celle que j'aime quand elle n'est plus ; de celle que j'ai méconnue pendant sa vie. [...] J'éprouve, prosterné sur ce tombeau, la jouissance du malheur [32] ».

Mme de Staël n'attacha, semble-t-il, « aucune importance à ces légères productions [33] » dont le seul mérite était de peindre les sentiments du cœur. En revanche, ces nouvelles nous parlent de la jeune épouse d'Eric de Staël, de ce qu'elle veut, de ce qui lui fait peur. « Pour Mme de Staël, observe Simone Balayé [34], la peur de l'abandon est depuis son enfance une hantise comme aussi le sentiment de culpabilité et son corollaire, le remords ; hantises qui se retrouvent dans ses grands romans. » La femme aime passionnément, sincèrement, et veut être aimée, tandis que l'homme « prompt à la traîtrise et à l'oubli », trahit la confiance de la femme. Il l'abandonne. La femme est la victime désignée des sociétés injustes où l'homme règne, séduit, attache, et s'en va. Mais l'homme coupable, comme la femme coupable, connaît le remords, le tourment, la volonté de se racheter. Le châtiment est toujours menaçant, qu'il soit suicide ou mort lente. Et le tombeau est toujours présent.

L'amour, bien sûr, l'amour qui porte les femmes à tous les sacrifices, est le thème commun de ces trois nouvelles. Le cœur d'Adélaïde battait si fort « que les battements de son cœur soulevaient sa robe », et de même battaient le cœur de Mirza et celui de Pauline. Le mariage aussi, l'amour parfait attendu de lui, les déceptions cruelles imposées par les maris sont un thème obsédant : « Au point de vue littéraire, conclut David Glass Larg, ces naïves histoires ont un mérite commun, celui de la rapidité. [...] Au point de vue des faits, elles sont toutes trois des histoires de mariages manqués [35]. » Mme de Staël dit-elle son inquiétude, ou déjà sa souffrance ?

« MÊLER LES AFFECTIONS DE L'ÂME AUX IDÉES GÉNÉRALES »

Mais Germaine de Staël ne veut pas qu'être heureuse. Elle veut être un écrivain. Et la grande écriture dont elle rêve, elle va s'y complaire dans la fréquentation de Jean-Jacques Rousseau, qu'elle a lu, qu'elle admire, dont elle a tant entendu parler par ses parents, par des amis communs, par Moultou, par Thomas, par Mme d'Houdetot surtout, et par bien d'autres. À peine mariée, en 1786, elle commence d'écrire les *Lettres sur les écrits et le caractère de J.-J. Rousseau*, dont la composition paraît s'être échelonnée entre 1786 et 1788 [36], ces « lettres » qu'on publiera « sans son aveu », dira-t-elle, à la fin de 1788, à très peu d'exemplaires.

« Je ne connais point d'éloge de Rousseau », écrit-elle dans son premier avertissement, celui qui accompagnera la première édition [37]. « J'ai senti le besoin de voir mon admiration exprimée. J'aurais souhaité sans doute qu'un autre eût peint ce que j'éprouve ; mais j'ai goûté quelque plaisir encore en me retraçant à moi-même le souvenir et l'impression de mon enthousiasme. J'ai pensé que si les hommes de génie ne pouvaient être jugés que par un petit nombre d'esprits supérieurs, ils devraient accepter tous les tributs de reconnaissance. Les ouvrages dont le bonheur du genre humain est le but placent leurs auteurs au rang de ceux que leurs actions immortalisent ; et quand on n'a pas vécu de leur temps, on peut être impatient de s'acquitter envers leur ombre, et de déposer sur leur tombe l'hommage que le sentiment de sa faiblesse même ne doit pas empêcher d'offrir. »

Pourquoi écrit-elle sur Rousseau ? Ce n'est pas seulement parce que sa famille le connaît bien, ce n'est pas seulement parce que « la commune origine helvétique [38] » créerait une sorte de parenté, ce n'est pas seulement parce qu'elle aime le genre littéraire de l'éloge et qu'il lui plaît de faire celui d'un écrivain qu'elle admire ; c'est aussi parce qu'elle pressent, entre Rousseau et elle, une forte parenté, parenté d'âmes et d'esprits, plus qu'une parenté même, une sorte d'identité secrète. « Rousseau accompagnera toute son œuvre, constate Simone Balayé. Il lui inspirera *Delphine*, roman par lettres sur les malheurs des âmes pures provoqués par la laideur et les contraintes de la vie sociale... Elle découvre avec lui que la raison ne peut être dissociée du sentiment, la réflexion de la souffrance, mère de la mélancolie : idées pour elle fondamentales qui conduisent à la création en littérature[39]. » Peut-être, au soir de sa vie, Germaine de Staël retrouvera-t-elle, avec Chateaubriand, cette mystérieuse union de deux écrivains. Dans le moment, seul Rousseau lui offre le chemin d'un miraculeuse identification. « Elle cède, écrit Mme Necker de Saussure, au besoin de répandre son âme. Elle parcourt un champ immense d'idées ; elle effleure, en passant, une foule de sujets. [...] Quoique sa marche soit dirigée par celle de Rousseau, elle accompagnera cet auteur d'un pas si léger et si rapide, elle le croise et le devance tant de fois qu'on voit qu'il l'a excitée bien plus qu'il ne l'a soutenue[40]. »

Parlant de Rousseau, Germaine de Staël parle d'elle. Elle est comme emportée par une précipitation irrésistible. « Peut-être », écrit-elle dans son premier avertissement, « ceux dont l'indulgence daignera présager quelque talent en moi me reprocheront-ils de m'être hâtée de traiter un sujet au-dessus même des forces que je pouvais espérer un jour. Mais qui sait si le temps ne nous ôte pas plus qu'il ne nous donne[41] ? » Les préfaces qui suivront seront plus pessimistes encore. « En relisant cet écrit, remarquera-t-elle en 1798, dont plusieurs années, dont un siècle révolutionnaires me séparaient, je me suis sentie pénétrée d'une profonde mélancolie ; j'éprouvais avec toute l'énergie de la jeunesse ce qu'un long âge amène de regrets et de souvenirs [42]. » Dans son ultime préface, en 1814, elle parlera d'elle et du destin des femmes : « Tout marche vers le déclin dans la destinée des femmes, excepté la pensée dont la nature immortelle est de s'élever toujours. [...] Il arrive souvent que les femmes d'un esprit supérieur sont en même temps des personnes d'un caractère très passionné ; toutefois la culture des lettres diminue les dangers de ce caractère, au lieu de les augmenter ; les jouissances de l'esprit sont faites pour calmer les orages du cœur [43]. »

En 1786 et 1787, quand elle écrit ses lettres sur Jean-Jacques Rousseau, Louise devenue Germaine connaît déjà les jouissances de l'esprit. Viendront bientôt les orages du cœur. Comme Rousseau, elle aime que les pensées et les sentiments se mêlent ou se portent mutuellement. Comme Rousseau, elle cherche la mystérieuse alliance du cœur et du cerveau qui, dit-elle, fait le génie. La dernière de ses six lettres, celle qu'elle consacrera au « caractère de Rousseau », elle l'achèvera par une éloquente conclusion, fervent appel à la gloire de l'écrivain [44] :

« Vous qui êtes heureux, ne venez pas insulter à son ombre ! Laissez au malheur un asile, où le spectacle de la félicité ne le poursuive pas. On s'empresse de montrer aux étrangers qui se promènent dans ces bois les sites que Rousseau préférait, les lieux où il se reposait longtemps, les inscriptions de ses ouvrages, d'*Héloïse* surtout, qu'il avait gravées sur les arbres ou sur les rochers. Les paysans de ce village se joignent à l'enthousiasme des voyageurs par des louanges sur la douceur, sur la bienfaisance de ce pauvre Rousseau. *Il était bien triste*, disent-ils, *mais il était bien bon*. Dans ce séjour qu'il a habité, dans ce séjour qui lui est consacré, on dérobe à la mort tout ce que le souvenir peut lui arracher ; mais l'impression de sa perte n'en est que plus terrible : on le voit presque, on l'appelle, et les abîmes répondent. Ah ! Rousseau ! Défenseur des faibles, ami des malheureux, amant passionné de la vertu, toi qui peignis tous les mouvements de l'âme, et t'attendris sur tous les genres d'infortune ; digne à ton tour de ce sentiment de compassion, que ton cœur sut si bien exprimer et ressentir, puisse une voix digne de toi s'élever pour te défendre ! Et puisque tes ouvrages ne te garantissent pas des traits de la calomnie, puisqu'ils ne suffisent pas à ta justification, puisqu'on trouve des âmes qui résistent encore aux sentiments qu'ils inspirent pour leur auteur, que l'ardeur de te louer enflamme du moins ceux qui t'admirent !

« Les larmes des malheureux effacent chaque jour les simples inscriptions que l'amitié fit graver sur la tombe de Rousseau. Je demande que la reconnaissance des hommes qu'il éclaira, des hommes dont le bonheur l'occupa toute sa vie, trouve enfin un interprète ; que l'éloquence s'arme pour lui, qu'à son tour elle le serve. Quel est le grand homme qui pourrait dédaigner d'assurer la gloire d'un grand homme ? Qu'il serait beau de voir dans tous les siècles cette ligue du génie contre l'envie ! Que les hommes supérieurs, qui prendraient la défense des hommes supérieurs qui les auraient précédés, donneraient un sublime exemple à leurs successeurs ! Le monument qu'ils auraient élevé servirait un jour de piédestal à leur statue ! Si la calomnie osait aussi les attaquer, ils auraient d'avance mis en défiance contre elle, émoussé ses traits odieux ; et la justice que leur rendrait la postérité acquitterait la reconnaissance de l'ombre abandonnée, dont ils auraient protégé la gloire. » Cette ligue du génie contre l'envie, de la supériorité de l'esprit contre la calomnie, Mme de Staël rêvera de la conduire...

L'admiration qu'elle porte à Rousseau ne lui retire pourtant pas la liberté de son jugement. Elle n'adhère pas au système pédagogique de l'*Émile*, celui dont heureusement sa mère l'a préservée. Elle ne croit pas que l'âge d'or soit dans le passé, ni que le progrès ne soit que destruction. Elle ne partage pas le pessimisme résolu de Rousseau, ce pessimisme qui n'est pour elle qu'une « extension illégitime... de l'ordinaire tristesse du génie[45] ». Surtout elle n'accepte pas que Rousseau veuille ramener les femmes à leurs foyers, et qu'il leur refuse, obstinément, tout talent littéraire. Mme de Staël, qui vivra, intérieurement, « le conflit social de la femme écrivain », ne consent pas l'infériorité naturelle, et irrémédiable, que Rousseau semble prêter aux femmes[46]. Cependant, quand elle critique son ami Jean-Jacques, elle ne cesse pas d'en plaider éloquemment la cause :

« Quoique Rousseau, écrit-elle dans la première de ses six lettres[47], ait tâché d'empêcher les femmes de se mêler des affaires publiques, de jouer un rôle éclatant, qu'il a su leur plaire en parlant d'elles ! Ah ! s'il a voulu les priver de quelques droits étrangers à leur sexe, comme il leur a rendu tous ceux qui lui appartiennent à jamais ! S'il a voulu diminuer leur influence sur les délibérations des hommes, comme il a consacré l'empire qu'elles ont sur leur bonheur ! S'il les a fait descendre d'un trône usurpé, comme il les a replacées sur celui que la nature leur a destiné ! S'il s'indigne contre elles lorsqu'elles veulent ressembler aux hommes, combien il les adore quand elles se présentent à lui avec les charmes, les faiblesses, les vertus et les torts de leur sexe ! Enfin il croit à l'amour ; sa grâce est obtenue : qu'importe aux femmes que sa raison leur dispute l'empire, quand son cœur leur est soumis ; qu'importe même à celles que la nature a douées d'une âme tendre, qu'on leur ravisse le faux honneur de gouverner celui qu'elles aiment ? Non, elles préfèrent de sentir sa supériorité, de l'admirer, de le croire mille fois au-dessus d'elles, de dépendre de lui, parce qu'elles l'adorent ; de se soumettre volontairement, d'abaisser tout à ses pieds, d'en donner elles-mêmes l'exemple, et de ne demander d'autre retour que celui du cœur, dont, en aimant, elles se sont rendues dignes. Cependant le seul tort qu'au nom des femmes je reprocherais à Rousseau, c'est d'avoir avancé, dans une note de sa lettre sur les spectacles, qu'elles ne sont jamais capables des ouvrages qu'il faut écrire avec de l'âme ou de la passion. Qu'il leur refuse, s'il le veut, ces vains talents littéraires, qui, loin de les faire aimer des hommes, les mettent en lutte avec eux ; qu'il leur refuse cette puissante force de tête, cette profonde faculté d'attention dont les grands génies sont doués : leurs faibles organes s'y opposent, et leur cœur, trop souvent occupé par leurs sentiments et par leur malheur, s'empare sans cesse de leur pensée, et ne la laisse pas se fixer sur des méditations étrangères à leurs idée dominantes ; mais qu'il ne les accuse pas de ne pouvoir écrire que froidement, de ne savoir pas même peindre l'amour. »

Il semble que Mme de Staël ait beaucoup aimé ses lettres sur Rousseau écrites quand elle avait vingt ans, trois fois préfacées et publiées. Et nombreux seront, au XIXᵉ et au XXᵉ siècle, les écrivains et les critiques qui en vanteront les mérites. « Les *Lettres sur Jean-Jacques Rousseau*, écrira Sainte-Beuve, sont un hymne, mais un hymne nourri de pensées graves, en même temps que varié d'observations fines, un hymne au ton déjà mâle et soutenu, où Corinne se pourra reconnaître encore après être redescendue du Capitole. Tous les écrits futurs de Mme de Staël en divers genres, romans, morale, politique, se trouvent d'avance présagés dans cette rapide et harmonieuse louange de ceux de Rousseau, comme une grande œuvre musicale se pose, entière déjà de pensée, dans son ouverture[48]. » Près d'un siècle et demi plus tard, Georges Poulet verra dans ce « j'admire, donc je suis », dans ce « je me découvre dans le sentiment d'admiration que j'éprouve » la première expérience de la critique staëlienne, et un acte fondateur de la critique littéraire européenne[49]. « L'union des âmes par la littérature, écrira-t-il, est comparable à un mariage heureux : combien de souvenirs de Germaine transparaissent à travers ceux de Jean-Jacques ! Deux existences se rejoignent, mettent bout à bout leurs expériences, comme pour allonger la dimension du temps vécu [...]. Mme de Staël est peut-être le premier critique qui ait eu cette idée grande et neuve de la littérature qu'elle a pour fin de révéler l'homme intérieur[50]. » Ce que Rousseau et elle avaient en commun, et qui a marqué toute leur œuvre, observe encore Georges Poulet, c'est qu'ils ont inextricablement mêlé l'émotion à la réflexion et, comme le dira Mme de Staël, « les affections de l'âme aux idées générales » sans jamais séparer les idées et les sentiments[51].

Ce qui a sans doute encore attaché Mme de Staël à Rousseau, c'est qu'elle a mêlé l'image du grand écrivain à l'image de son père[52]. Elle écrit, dans sa première lettre : « Je ne connais qu'un homme qui ait su joindre la chaleur à la modération, soutenir avec éloquence des opinions généralement éloignées de tous les extrêmes, et faire éprouver pour la raison ce qu'on n'avait jusqu'alors inspiré que pour les systèmes[53]. » Quand, achevant sa lettre, elle appelle à « la défense des hommes supérieurs », à la « ligue du génie contre l'envie », elle pense à son père en même temps qu'à Rousseau. Certes, Necker ne connaît pas l'irrémédiable pessimisme de Jean-Jacques, et il ne croit pas à la chimère de la vie des forêts. Mais il veut créer une société plus juste et plus heureuse. Necker est l'homme qui peut « transformer sa pensée en actes ». « Rousseau et son père, constate Simone Balayé, l'écrivain et l'homme d'État, ces deux faces du génie, resteront deux pôles de sa pensée de femme subtilement torturée par le désir de concourir au bonheur de l'humanité et cantonnée dans le rôle d'écrivain[54]. »

Écrivain, la jeune baronne de Staël ne cessera plus de l'être. Mais elle rêve que son père, l'homme qui a su si bien confondre la passion et la raison, retrouve la puissance dont il a été si injustement privé, et que reviennent les jours de sa gloire.

XII

Les premiers nuages

Voici la baronne de Staël installée à l'ambassade de Suède, presque à l'angle de la rue du Bac et de la rue de Varenne, dans l'hôtel qu'avait loué M. de Staël et qu'il avait luxueusement aménagé[1]. Celui-ci, qui s'est enfin débarrassé de ses dettes, entend mener grand train, si grand train que vite M. Necker devra s'inquiéter. La reine elle-même interviendra, discrètement, auprès de M. Necker pour qu'il veuille bien surveiller les dépenses de l'ambassadeur[2]. À l'ambassade, dès les premiers mois, se sont en effet succédé les fêtes, les bals, les dîners, les soupers, tout ce que peut offrir la vie mondaine. Mme de Staël semble prise de vertige. Elle est désormais « une grande dame fêtée par l'élite de la capitale la plus grande d'Europe[3] ». Elle se fait inviter partout où il se peut. Elle est présente à tous les grands soupers, on la voit aux bals de la reine. Bien sûr elle ne manque aucun spectacle important. Jeune et brillante ambassadrice, elle est obligée de se montrer et de recevoir. Elle reçoit à l'ambassade, infatigablement. « Elle jouit, estime David Glass Larg, d'être maîtresse d'elle-même, et elle profite de sa liberté pour se laisser aller un peu à la dérive. C'est une affaire de mode.[4] » Et comme la mode le veut, elle assiste aussi à des dîners de bienfaisance où se rencontre le malheur des pauvres.

Ce qu'est alors sa vie peut se lire dans les bulletins qu'à

l'instigation de Mme de Boufflers elle adresse périodiquement au roi de Suède Gustave III pour le tenir au courant de ce qui se passe à la Cour, de ce qui se passe à Paris, de tous les événements de cette société qui l'entoure, et aussi des potins qui circulent. Dès le 15 mars 1786, Germaine de Staël a répondu avec enthousiasme à une lettre de Sa Majesté, qui suggérait à l'ambassadrice qu'elle lui envoyât périodiquement un « journal » : « Tant que Votre Majesté ne me le défendra pas, je continuerai à lui envoyer par des occasions ou par la poste, si elle me l'ordonne, ce journal. Il est vraisemblable que dans plusieurs pages Votre Majesté ne s'intéressera qu'à quelques lignes, mais je ne sais pas quels sont les efforts qui seraient disproportionnés à l'espoir d'amuser un moment Votre Majesté[5]. » Mme de Staël remplira sa mission avec conscience, et semble-t-il avec plaisir, car elle aime regarder et peindre le monde qui l'entoure. Le 9 août, elle adresse à Gustave III une fort longue lettre l'entretenant des livres publiés et des livres que l'on attend, des spectacles qu'elle a aimés ou détestés, des petits scandales, tels les agiotages de l'abbé d'Espagnac, des intrigues menées à l'Académie française, du prix de vertu délivré par celle-ci à la femme d'un épicier qui avait remué le ciel et la terre pour obtenir la délivrance d'un prisonnier, et encore de la triste vie du cardinal de Rohan enfermé dans son abbaye d'Auvergne, du buste de Washington rapporté d'Amérique par le fameux sculpteur Houdon, ou bien de la 92e représentation de *Figaro*[6]. Tout cela distrait l'ambassadrice, et cependant elle s'ennuie vite. « La société de Paris, écrit-elle, devient de jour en jour plus insipide. On n'a pas même le désir de briller et si le goût de gagner au jeu ne subsistait pas, en vérité l'on passerait sa vie sans éprouver aucun genre de mouvement. » Ce goût du jeu tient dangereusement M. de Staël et le passionne autant et plus que son ambassade.

L'ambassadrice enverra à Gustave III une nouvelle lettre le 11 novembre 1786, lui racontant, avec mille détails, le voyage traditionnel de la famille royale à Fontainebleau, auquel elle a eu l'honneur d'être conviée[7] :

« Le voyage de Fontainebleau n'est pas fort animé. Le maréchal de Ségur ne fait point de promotions, les ministres restent tous en place, les soupers et les dîners sont les seuls événements de la journée. On soupe trois fois par semaine chez Mme de Polignac, trois fois chez Mme de Lamballe, et une fois dans les cabinets. La reine vient chez Mme de Polignac et chez Mme de Lamballe à onze heures et joue une partie de billard. Cet amusement est devenu fort à la mode, et les femmes y réussissent assez bien. Les maisons des ministres, du capitaine des gardes, des grandes charges de la couronne, sont assez remplies jusques à onze heures et demie, mais à ce moment tout le monde part pour aller dans la maison où l'on trouve la reine. À minuit l'on sort pour aller passer la soirée ailleurs. Les jeux de hasard y ont été absolument interdits, mais l'on tâche de rendre chers les jeux de commerce. Le jeu est encore le seul secret qu'on ait trouvé pour amuser les hommes rassemblés, ou plutôt pour les occuper. Le plus grand plaisir d'une maîtresse de maison est de se débarrasser de tous ceux qui sont chez elle en les enchaînant à des tables de quinze[8] ou de trictrac :

« Il y avait une telle foule, à Fontainebleau, qu'on ne pouvait parler qu'à deux ou trois personnes qui jouaient avec vous, et l'on ne retirait du plaisir d'être dans le monde que l'agrément d'être étouffé ; mais c'était surtout autour de la reine que les flots de la foule se précipitaient. Il est, je crois, difficile de mettre plus de grâce et de bonté dans sa politesse. Elle a même un genre d'affabilité qui ne permet pas d'oublier qu'elle est reine, et persuade toujours cependant qu'elle l'oublie. Mais l'expression du visage de tous ceux qui attendaient un mot d'elle pouvait être assez piquante pour les observateurs. Les uns voulaient attirer l'attention par des ris extraordinaires sur ce que leur voisin leur disait, tandis que dans toute autre circonstance les mêmes propos ne les auraient pas fait sourire. D'autres prenaient un air dégagé, distrait, pour n'avoir pas l'air de penser à ce qui les occupait tout entiers ; ils tournaient la tête du côté opposé à la reine, mais malgré eux leurs yeux prenaient une marche contraire et s'attachaient à tous les pas de la reine. D'autres, quand la reine leur demandait quel temps il faisait, ne croyaient pas devoir laisser échapper une semblable occasion de se faire connaître et répondaient bien au long à cette question. Mais d'autres aussi lui montraient du respect sans crainte et de l'empressement sans avidité. Sans doute ce tableau n'est pas nouveau pour un roi. Toutes les cours se ressemblent ; mais quand les hommages dus au trône sont mérités par le génie, quand on se courbe par devoir devant celui qu'on aurait honoré par choix, les plus grandes marques du plus profond respect, du plus vif désir de plaire, rappellent plutôt le mérite de celui qui les reçoit que le rang qu'il occupe.

« Le roi de France ne paraît point dans la société. L'on y rencontre toute la famille royale, mais l'on ne voit le roi qu'à son coucher, à son lever, et le dimanche lorsqu'on lui fait sa cour. Il ne va jamais au jeu de la reine même. Il chasse et lit ; mais c'est assez plaisant d'entendre dire quand il ne chasse pas ou qu'il ne va pas au spectacle : "Le roi ne fait rien aujourd'hui", c'est-à-dire qu'il travaille toute la soirée avec ses ministres. »

Mme de Staël continuera jusqu'à la fin de l'année 1787[9] à tenir Gustave III au courant des faits et gestes du monde où elle vit. La société de Paris l'ennuie, celle de Versailles lui paraît corrompue, légère, et souvent sotte, mais l'ambassadrice doit être partout présente. De ses jugements sévères elle exceptera toujours la reine, dont elle vantera volontiers le charme et les vertus, et le roi très consciencieux, rigoureux, malheureusement entouré de pitoyables courtisans...

Ainsi la baronne de Staël est-elle fort occupée. Elle veut servir les intérêts de son mari, de la Suède, son pays d'adoption, et ceux aussi de son père, que le roi, s'il était moins mal entouré, rappellerait au pouvoir. Elle a commencé d'apprendre le suédois et elle s'appliquera bientôt à tenter d'écrire à son mari des lettres rédigées dans sa langue. Elle travaille – tout au long de ces années 1786 et 1787 – à ses *Lettres sur le caractère et les écrits de J.-J. Rousseau* [10]. Mais rien ne peut l'empêcher d'être présente dans le salon de sa mère, celui de la rue Bergère, comme celui de Saint-Ouen, où maintenant elle règne d'autant plus aisément que Mme Necker est très fatiguée. Elle reçoit aussi en son hôtel de Suède, que fréquentent les familiers : Marmontel, Grimm, Suard, l'abbé Morellet, Guibert, Mme d'Houdetot, Mme de Boufflers et bien d'autres. Quelques-uns ne sont plus là : Diderot, d'Alembert, Galiani, Creutz, Thomas sont morts ou ont quitté Paris. Buffon disparaîtra en 1788. Ainsi Suzanne a-t-elle sans cesse plus de raisons d'être triste. Elle s'applique à faire le portrait de ses amis disparus, le portrait de Buffon, le plus grand des génies, celui de Moultou, celui de Thomas, celui de Guibert [11]. À cinquante ans, elle se juge vieille : « L'âge qui vient si lentement en apparence m'a surprise précisément par cette marche sans bruit ; je crois être dans un monde nouveau, et je ne sais si l'instant de ma jeunesse fut un songe ou si c'est à présent que le rêve commence [12]. » La mélancolie ne la quitte plus. Elle pense sans cesse davantage à la mort, elle conçoit dans chaque détail le tombeau où Jacques et elle seront ensevelis ensemble, pour l'éternité [13].

Germaine peut avoir rêvé de l'amour conjugal, de ce parfait bonheur peut-être impossible, voici que, dans ces années 1786 et 1787 où sa vie est tant occupée, elle découvre peu à peu que son mariage de raison ne deviendra pas un mariage d'amour. « Si tu m'aimes en amant, avait-elle écrit à Eric de Staël dès le printemps de 1786, fuis donc ces airs de mari qui étouffent l'amour et font bien mal à l'amitié [14]. » Dès juillet 1786, elle s'est cru enceinte. « Mon cher ami, a-t-elle écrit à son mari, lui révélant une possible grossesse, je suis bien fâchée de t'apprendre que nous ne sommes pas trois, mais je te prie de m'aimer comme si j'étais deux... Réunis tout sur moi en attendant que tu sois forcé de diviser ton cœur[15]. » Puis elle a constaté que sa grossesse était manquée. Comme ses parents résident dans leur château de Saint-Ouen, elle les rejoint de plus en plus souvent pendant ces mois d'été où la vie mondaine se ralentit à Paris.

L'ambassadeur de Suède est, lui, tenu par les obligations de ses fonctions. Tous les mardis, il doit se rendre à Versailles, parmi les autres ambassadeurs, pour être reçu et pour faire sa cour[16]. Deux fois par semaine, il rédige ses rapports à Gustave III. Souvent il vient passer le samedi et le dimanche à Saint-Ouen. Parfois Germaine va le retrouver, le mardi soir, rue du Bac où elle passe un temps court. Mais elle ne cesse d'écrire à son mari pour le tenir au courant de la vie à Saint-Ouen, des dîners auxquels elle assiste, des spectacles que l'on monte ou que l'on improvise. Tantôt elle tutoie M. de Staël, tantôt elle le vouvoie. « Je te prie de venir demain avec les chevaux[17]. » « Vous savez que nous soupons à Auteuil, samedi. Adieu, mon cher ami, à demain[18]... » « Mon cher ami, je te demande pardon d'avoir invité Marmontel, MM. de Thiard et de Vaines vendredi à dîner sans ton aveu, mais tu n'étais pas là et j'ai cédé [...]. Adieu, mon cher ami. Cela me contrarie beaucoup de te pas t'avoir vu aujourd'hui[19]. »

Quand, en septembre, ses parents décident d'aller faire une cure à Plombières, Germaine se résout à les suivre. Son absence durera du 6 au 20 septembre et ce sera l'occasion pour les deux époux d'échanger des lettres tendres. Elle écrit à son mari le mercredi 6 septembre à minuit : « Je compte que nous serons à Plombières dimanche. Maman a soutenu la route d'aujourd'hui sans souffrir. Mon père est assez gai : il a besoin de mouvement, et celui de la poste passe pour en être un. Nous avons lu tout le jour. Mon voyage, si je l'écrivais, serait des commentaires sur des livres, et il ne vaut pas la peine de sortir de chez soi pour cela. En tout, c'est mal fait de te quitter. Je suis bien heureuse avec mon père, mais je suis comme on est souvent dans la carrière qu'on parcourt : je marche en avant et je regarde en arrière[20]. » Elle semble affligée d'être partie, d'être séparée d'Eric. Elle lui parle des « inquiétudes » de sa mère qui ne font qu'augmenter de jour en jour, de la gentillesse de son père, de sa gaieté même : « Mon père m'a dit qu'il était bien aise de m'avoir avec lui et cet aimable aveu a doublé le plaisir que je trouvais à l'accompagner[21]. »

Elle et son mari devraient-ils suivre l'exemple de ses parents, de « ce couple de tourterelles, a-t-elle écrit, qui ne se quittent jamais[22] ? » Elle s'applique à composer pour Eric de Staël des lettres affectueuses, rédigées, quand elle a le temps, en langue suédoise[23]. Mais déjà lui viennent les premiers reproches du mari : « Je viens de recevoir, lui écrit-elle le 17 septembre, une lettre de vous du jeudi 14, mon cher ami, et vous vous plaignez de mon silence. Je ne le conçois pas : dimanche dernier, premier jour de courrier que j'ai passé à Plombières, je vous ai écrit, et vous deviez recevoir ma lettre le mercredi suivant. Depuis ce moment, je vous ai écrit trois fois en comptant celle-ci. Enfin, depuis mon départ voici la cinquième lettre que je vous écris. Je vous en avais promis trois par semaine, et si je n'avais pas de l'honneur, j'aurais au moins de la sensibilité, je tiendrais par goût ma promesse[24]. » Jamais Mme de Staël ne supportera aucun reproche. Elle prévient le cher Eric : « Promets-moi seulement de n'avoir pas à Saint-Ouen l'air que tu avais à Marolles. Cela ne vaudrait pas la peine de se marier [...]. Adieu mon bon ami[25]. » Quelques jours plus tard, elle lui adresse en suédois une vigoureuse leçon[26] : « J'ai reçu ce matin, mon cher ami, une lettre de vous, très aimable, ou, pour mieux dire, très tendre. Je cherche dans vos lettres la sensibilité plutôt que l'esprit. Je trouve cependant un peu irréfléchi de m'avouer que vous avez un plus fort désir de me voir maintenant que vous n'aviez d'être mon époux. Si vous m'aimiez alors, ce que vous dites maintenant est trop. Si ce que vous dites maintenant n'est pas trop, vous ne m'aimiez pas alors. Mais ce n'est rien. L'amitié que vous avez maintenant pour moi est la seule chose qui m'intéresse, et il n'est pas sûr que je m'intéresse beaucoup à ce moi des années passées. »

Le 25 septembre, la famille Necker regagne Saint-Ouen. Les trois jours de voyage, de Plombières à Saint-Ouen, ont épuisé Mme Necker. « Tous les trois nous arrivons à moitié morts », écrit Germaine à son mari le vendredi 29 septembre à trois heures du matin, « si cependant tu veux me ressusciter demain, tu me feras un grand plaisir : viens de bonne heure dîner avec mes parents, et tu m'emmèneras le soir[27]. » Quelques jours plus tard, la voici repartie pour participer au voyage de la Cour à Fontainebleau[28], ce voyage dont les énormes dépenses avaient été si sévèrement désapprouvées par son père[29]...

Telle est Germaine de Staël en cette fin de l'année 1786. Elle mène une vie mondaine très agitée, y cherchant le plaisir des distractions, mais aussi les chemins de l'influence. Elle achève ses *Lettres sur [...] Rousseau*, ses tragédies et ses nouvelles[30]. Elle veille sur ses parents, passant auprès d'eux le plus de temps possible. Son mari, elle l'aime bien, mais déjà il l'inquiète par une certaine froideur, par sa passion du jeu, par les dettes aussi qu'il accumule de nouveau. Enfin la voici enceinte, enceinte et très fatiguée. Souvent elle se trouve mal. Elle est contrainte de rendre sa loge à l'Opéra[31]. Cet enfant qu'elle souhaite et qu'elle attend, devra-t-elle le nourrir, ce que lui eût conseillé Rousseau[32] ? Mais Germaine ne veut renoncer ni à vivre, ni à écrire, ni à voyager. De tout elle est avide.

La jalousie ne tardera pas à faire son entrée dans la vie de ce couple déjà distant. En octobre ou novembre 1786, M. de Staël paraît avoir fait reproche à sa femme, parce qu'elle a reçu la visite du très séduisant comte de Jaucourt, qui sera plus tard membre de l'Assemblée législative et qu'elle sauvera de la mort en avril 1792. « Veux-tu donc, écrit-elle à Staël en réponse à ses soupçons, empoisonner par la plus injuste des jalousies le bonheur dont nous devrions jouir ensemble ? Ne peux-tu pas pardonner à mon âge ce vain désir de plaire qui passera, et ne devrait-il pas te suffire d'occuper tellement ma pensée que je tremblais en parlant au comte de Jaucourt, lorsque j'ai entendu le bruit de ton carrosse ? Injuste que vous êtes ! C'est tyranniser que d'être malheureux. Je tremblerais moins si tu tournais ta fureur contre moi. Entends donc, mon ami, le langage de la raison. Je suis pure et je t'aime. Que t'importe après cela les défauts de mon caractère ? Pourquoi t'atteignent-ils quand ils ne partent pas de mon cœur et qu'ils passeront avec ma jeunesse ? L'estime et la liberté, voilà ce que tu devrais à mon cœur. Cependant ton malheur m'est insupportable, et, si tu l'exiges, tu obtiendras tous les sacrifices. Mais songe que tu n'es pas moins aimé quand tu me laisses à moi-même. Adieu, je te demande en grâce de venir ce soir. Je pars dans un état de malheur que je n'ai jamais éprouvé : il serait barbare à toi de ne pas m'en tirer [33]. »

Ainsi Eric de Staël, que sa femme tient volontiers éloigné, la soupçonne-t-il de trop s'intéresser à Jaucourt, comme, quelques mois plus tard, il la soupçonnera d'être amoureuse de Guibert. Déjà les nuages couvrent le grand soleil qu'elle avait espéré.

L'ORDRE D'EXIL

Comme autrefois Necker, son successeur Calonne, après avoir eu recours aux emprunts consentis à des conditions très onéreuses pour le Trésor, et avoir ainsi ajouté aux difficultés, avait cherché d'autres remèdes. Il avait, en août 1786, remis au roi un *Précis d'un plan d'amélioration des finances* qui proposait de refondre le système fiscal, suggérant l'unification administrative du royaume et l'égalité proportionnelle devant l'impôt. « C'est du Necker tout pur », se serait écrié Louis XVI. Mais que faire ? « Convaincu de la nécessité d'une réforme, Louis XVI l'était moins de son urgence[34]. » On consulta les ministres. Finalement, le roi, persuadé par Calonne, décida de recueillir l'avis d'une « assemblée de notables », composée de représentants des trois ordres, qui pût mesurer l'étendue du désastre financier et proposer des réformes. Une telle assemblée n'avait pas été réunie depuis Louis XIII. Les États généraux n'étaient pas loin...

Necker est satisfait des embarras de Calonne. Il pressent un retour possible à ses propres idées, sinon même à sa personne. Germaine de Staël s'impatiente. Le temps ne serait-il pas enfin venu de faire appel à son père ? Mais le bruit se répand que Calonne, pour se justifier, a l'intention d'imputer à Necker le désastre des finances de la France, de critiquer fermement la gestion de son prédécesseur, de démontrer la fausseté des informations qu'avait autrefois données le fameux *Compte rendu au roi*[35]. Necker, fort inquiet, prie le maréchal de Castries de sonder Calonne, et comme le maréchal n'obtient aucune réponse, prend la précaution d'écrire lui-même au ministre. Calonne lui répond, courtoisement, mais élude toute question. « Personne ne peut prévoir ce que je dirai dans l'Assemblée des notables[36]. » Necker comprend ce que Calonne veut dire.

Le 22 février 1787, Louis XVI ouvre à Versailles la première séance de l'Assemblée des notables des trois ordres, à laquelle devront être communiqués les projets de réformes préparés par le contrôleur général Calonne, afin qu'elle fasse connaître ses avis. Les débats, forts décevants, de cette assemblée se prolongeront jusqu'au 25 mai[37]. Dès le premier jour, Calonne met en cause Necker. Il affirme que l'ancien directeur des Finances est responsable, pour une large partie, du déficit accumulé, et qu'il s'est « trompé » dans les chiffres de son *Compte rendu*. Là où Necker a vu un excédent de dix millions, il y avait en réalité, un déficit de près de soixante millions ! Accusé non seulement d'incompétence, mais aussi de dissimulation, Necker, qui a reçu de Calonne un exemplaire de son discours aux notables, s'estime déshonoré.

Le 6 mars 1787, Necker adresse à Louis XVI une longue lettre dans laquelle il dénonce les calomnies dont il a été la victime, et il sollicite d'être autorisé à venir se justifier devant les notables : « L'administrateur des Finances le plus ignorant et le plus léger, qui se tromperait non de cinquante à soixante millions, comme ose le dire M. de Calonne, mais d'une somme infiniment moindre, serait à coup sûr un malhonnête homme. » Mais le roi ne veut pas de ce débat public qui ne peut que le desservir. Il refuse à Necker l'autorisation de répondre, oralement ou par écrit.

Louis XVI ne s'est pas, pour autant, résolu à soutenir Calonne. Au fil des jours, les critiques des notables se font de plus en plus violentes contre le ministre en place, et les demandes de comptes plus exigeantes. Calonne se défend de son mieux, mais autour du roi les pressions deviennent très fortes – celles notamment du comte de Provence et du prince de Conti – pour obtenir le renvoi de ce ministre incompétent. Louis XVI se laisse convaincre et, le 9 avril, se résout à congédier Calonne. Il désigne à sa place le très obscur M. de Fourqueux, qui, dans le moment, ne semble pas avoir d'ennemi.

Et voici que, le 10 avril, Necker, désobéissant au roi, fait publier son *Mémoire en réponse au discours prononcé par M. de Calonne devant l'Assemblée des notables*[38]. Necker, dont le *Mémoire* est ainsi publié le lendemain même du renvoi du ministre, s'efforce, dans son prologue, de justifier son initiative : « J'ai servi le roi pendant cinq années avec un zèle auquel je n'ai jamais connu de bornes ; les devoirs que je m'étais imposés étaient l'unique objet de mes inquiétudes ; et les intérêts de l'État, devenus ma passion, occupaient toutes les facultés de mon esprit et de ma pensée. Contraint à me retirer par une réunion de circonstances singulières, j'ai consacré mes forces à composer un ouvrage pénible, et dont il me semble qu'on a reconnu l'utilité. J'entendais dire, avec plaisir, qu'une partie des idées d'administration qui m'avaient été si chères, formaient la base des projets qui devaient être soumis à l'Assemblée des notables, et je rendais hommage aux vues bienfaisantes de Sa Majesté. Enfin, satisfait de la carrière que j'avais parcourue, et quelquefois content des tributs que j'avais offerts à la chose publique, je vivais heureux et paisible, et occupé, comme on le verra peut-être, de méditations qui m'éloignaient de plus en plus des troubles de la vie. Telle était ma situation, lorsque tout à coup je me suis vu attaqué, ou pour mieux dire, assailli de la manière la plus injuste et la plus étrange. M. de Calonne jugeant à propos de placer, à une distance éloignée, les causes de l'état présent des finances, n'a pas craint, pour remplir ce but, de recourir à des moyens dont peut-être il se fera tôt ou tard quelque reproche. Il a déclaré, dans un discours répandu maintenant par toute l'Europe, que le *Compte rendu* à Sa Majesté, en 1781, était si extraordinairement erroné qu'au lieu de l'excédent présenté par ce compte il y avait à la même époque un *déficit* immense. Je doute que jamais, non jamais, il y ait eu une assertion publique aussi légèrement hasardée ; et ce qui doit paraître également surprenant, c'est le refus constant qu'a fait M. de Calonne de s'éclairer, quand il en était encore temps ; c'est la crainte qu'il a montrée d'apercevoir la vérité trop distinctement, et de n'avoir plus aucune couleur à donner à son injuste conduite. Cette réflexion m'oblige nécessairement à commencer par rendre publique la correspondance que j'ai eue avec M. de Calonne, peu de temps avant l'Assemblée des notables. »

Necker a pris la précaution d'envoyer au roi, la veille, un

exemplaire de son *Mémoire*[39]. « Je tombe aux pieds de Votre Majesté pour la supplier de ne pas désapprouver le parti que j'ai pris de défendre mon honneur et ma réputation : ce sont des biens plus chers que ma vie. » Le *Mémoire* est un éloquent plaidoyer. Frémissant de colère, l'auteur y défend passionnément ses mérites. Comme il le fera dans la plupart de ses écrits, il évoque en conclusion le soir de la vie et donne à Calonne, et à tous les ambitieux qui pourraient lui ressembler, une ultime leçon :

« Ah ! laissez-moi dans l'obscurité dont vous m'avez enfin appris à connaître l'avantage ; il ne me reste plus trop de temps pour jouir du soir de la vie ; l'amour du bien public, le dévouement dont ce sentiment rend susceptible demeurent au fond de mon cœur ; mais aucune de mes pensées ne me conduit vers ces objets d'ambition et de puissance qui vous paraissent si beaux ; et mes regards ne se portent plus vers ce théâtre éclatant dont vous gardez, avec tant d'émotion, toutes les avenues. Ne perdez donc point en vaines passions les moments que vous devez tout entiers à l'étude et à la défense des précieux intérêts qui vous sont confiés : on les trouve bien courts, ces moments, quand on les rapporte à une si grande tâche. Servez bien le meilleur des princes, soyez jaloux de l'estime de la plus généreuse des nations, et soyez sûrs que c'est par de grandes vertus, et non par de petites censures, qu'on peut effacer ses rivaux[40]. »

Le roi ne pouvait tolérer une désobéissance aussi flagrante qui constituait par surcroît un appel véhément à l'opinion publique. Dans un premier temps, il songea à chasser Necker du royaume. Puis, sur l'intervention de la reine, semble-t-il[41], il se contenta de lui faire enjoindre, le 13 avril, par une lettre de cachet signée du baron de Breteuil, de se retirer à plus de vingt lieues de Paris, où il lui plairait.

L'OPINION CHANGEA LES PERSÉCUTIONS EN TRIOMPHE

C'est ce 13 avril, racontera Germaine de Staël dans ses *Considérations*[42], qu'on fit demander son père « dans le salon où nous étions tous assemblés avec quelques amis ; il sortit et fit appeler d'abord ma mère, et puis moi quelques minutes après, et me dit que M. Le Noir, lieutenant de police, venait de lui apporter une lettre de cachet qui l'exilait à quarante lieues de Paris[43]. Je ne saurais peindre l'état où je fus à cette nouvelle ; cet exil me parut un acte de despotisme sans exemple ; il s'agissait de mon père dont tous les sentiments nobles et purs m'étaient intimement connus. Je n'avais pas encore l'idée de ce que c'est qu'un gouvernement, et la conduite de celui de France me paraissait la plus révoltante de toutes les injustices. »

Quand elle évoquera, après la mort de son père, ce jour terrible où la lettre de cachet était venue, Mme de Staël écrira : « J'étais bien jeune alors, une lettre de cachet, un exil, me paraissaient l'acte le plus cruel qui pût être commis ; je jetai des cris de désespoir en l'apprenant, je n'avais pas l'idée d'un plus grand malheur[44]. » Quant à Mme Necker, dont la santé était toujours déplorable, elle prit la décision d'écrire au roi, « de se faire l'avocat de son époux adoré ». Elle rédigea une longue supplique à Louis XVI dont Othenin d'Haussonville a retrouvé et publié le texte, une requête émouvante et emphatique, où se confondaient l'éloge de Necker et celui du roi[45] :

« Consumée par une maladie de langueur, j'approche peut-être du terme où toutes les grandeurs de ce monde vont disparaître dans l'égalité d'une même poussière ; que Votre Majesté ne soit donc point surprise de ma hardiesse ; c'est sans crainte comme sans présomption que je me hasarde à présenter la vérité jusques aux pieds du Trône, dont il faut bien qu'on l'ait violemment écartée puisque Votre Majesté a prononcé l'exil du plus fidèle et du plus vertueux de ses serviteurs. [...]

« Nous ne demandons aucune faveur à Votre Majesté, et nous n'en avons aucune à lui demander ; mais il faut que votre cœur fasse enfin justice à un serviteur incomparable en zèle et en bonté, et dès que vous lui aurez rendu ses droits à Votre Estime, nous n'aurons plus qu'à jouir en paix des douceurs d'une retraite qui ne pourrait jamais être troublée que par le chagrin d'avoir été si cruellement méconnus d'un maître, objet de tant d'Amour et de Sacrifices. »

Necker ne jugea point opportun de faire parvenir cette lettre au roi. Il écrivit, en tête du texte de Mme Necker : « Projet d'une lettre qui n'a point été écrite ». Sa colère, dans le moment, devait rester silencieuse.

Germaine de Staël racontera dans ses *Considérations* comment l'opinion publique changea vite « les persécutions en triomphe ». Tout Paris alla visiter M. Necker pendant les vingt-quatre heures qu'il lui fallut pour faire les préparatifs de son départ. « L'archevêque de Toulouse, M. Loménie de Brienne, qui se préparait à remplacer M. de Calonne, se crut même obligé par un calcul d'ambition de venir le voir. » On se pressait pour avoir l'honneur de lui serrer la main. De nombreux châteaux furent mis à la disposition de l'illustre exilé, qui devait quitter Paris chassé par l'injustice. « Le malheur d'un exil, qu'on savait momentané, ne pouvait être très grand, et la compensation était superbe [46]. »

Necker et sa femme allèrent donc s'installer à Château-Renard, près de Montargis, après que l'exilé eut été autorisé, en raison de l'état de santé de sa femme, à séjourner quelques jours à Marolles, distant seulement de dix lieues de Paris. Germaine ne pouvait pas ne pas accompagner son père dans une telle épreuve. Elle rejoindra ses parents le 30 avril. « J'ai trouvé mon père en bonne santé, écrira-t-elle le 1er mai à M. de

Staël. Cependant je persiste toujours à penser que Sa Majesté aurait pu m'épargner de courir la poste à sept mois de grossesse[47]. » Elle veut demeurer auprès de papa jusqu'aux jours probables de la naissance de son enfant, en juillet, car elle souhaite rentrer à Paris pour accoucher. Quant à Necker, il décide de ne pas se retirer à Coppet, comme il eût sans doute préféré le faire. Il entend rester auprès de sa fille, qui ne peut pas s'éloigner de France. Le 7 mai, la famille, quittant le « vilain château[48] » où elle est de passage, ira s'installer dans la très belle demeure de la Rivière, située au bord de la Seine, à deux lieues de Fontainebleau, propriété de M. Narp de Saint-Hélin, un ami de M. Necker. Par lettres, Germaine tient son mari au courant de sa grossesse : « Mon enfant est plein de vie. Tu peux être tranquille, tu jouiras du bonheur d'être père et tu en seras plus digne que personne[49]. »

M. de Staël est-il triste, ou froissé, d'être de nouveau séparé de Germaine ? Leur relation va se gâcher dans les semaines qui viendront, et la jalousie y fournira prétexte. L'ambassadeur commet l'indiscrétion de décacheter et de lire une lettre que lui a confiée sa femme pour qu'il la fasse porter au comte de Guibert. M. de Staël paraît avoir été fort surpris du ton et des mots de cette lettre destinée à ce séduisant ami de la famille[50]. Il le dit à Germaine, qui se fâche aussitôt. « Je crois aisément que vous savez très bien si ma lettre à M. de Guibert est charmante ou non, et votre lettre m'a fait naître un soupçon que j'aurais repoussé s'il m'avait fait hésiter à mettre sous votre adresse, avec la plus entière confiance, tout ce que j'écrivais à mes amis[51]. » La voici gravement offensée ! Le 11 mai, elle écrira à son mari qu'elle demande à M. de Guibert de lui retourner la lettre reçue d'elle : « C'est à mon père que je la remettrai, je le prends pour juge entre vous et moi[52]. » Necker dira si les termes qu'elle a employés étaient passionnés ou ne l'étaient pas. Non, M. de Guibert n'est pas amoureux d'elle, et elle n'a pour lui que « la plus tendre amitié ». « Que je meure en mettant au monde notre enfant, s'il y a dans mon cœur un autre sentiment pour lui[53]. » Mais Germaine ne supporte pas cet injuste soupçon : « Ah ! persuadez-moi que vous méritez encore d'être aimé et que ce vil trait de défiance est étranger à votre âme. » Elle continuera de s'étonner, de s'indigner dans les lettres qui suivront : « Ce n'est pas ainsi qu'on l'obtient ce cœur que vous paraissez désirer, et si mille qualités aimables n'effaçaient pas en vous ce défaut, vous l'auriez aliéné à jamais par ce dernier trait[54]. » « Je n'ai jamais vu un amour d'une plus bizarre espèce que la tienne : tous les inconvénients de cette passion, tu les as tant qu'on veut, la colère, la violence, la jalousie ; mais pour les avantages, tu me les retranches tous. Tu m'aimes quand tu peux t'en servir pour m'affliger, mais quand l'occasion de me rendre heureuse se présente, il n'y a plus personne à la maison[55]. »

« JE SUIS GROSSIE À L'EXCÈS »

Tandis que Jacques Necker travaille à son ouvrage *De l'importance des opinions religieuses*, qu'il publiera en 1788, que Suzanne Necker assemble ses pensées, ses maximes, ses souvenirs et prépare sa mort, le temps passe et la naissance approche. Germaine demande à son mari de faire venir, pour le bien préparer, le célèbre accoucheur Baudelocque. « Je suis grossie à l'excès, mais je cours cependant tout le jour avec mon père et souvent ma mère. C'est un lieu charmant que notre petite retraite[56]. » Son mari veut venir la voir, mais elle lui demande de retarder de quelques jours son voyage car M. de Guibert doit justement rendre visite à ses parents, « et nous vous aimons mieux l'un sans l'autre[57] ». Mise au courant, Mme Necker croit devoir adresser une lettre à Staël pour le rassurer : « Je puis vous assurer que dans ses relations avec vous elle n'a pas une pensée qu'on puisse condamner avec raison, du moins dans les choses essentielles. » Elle prend la peine, pour apaiser son gendre, de vanter très aimablement ses mérites : « Et en effet, sans l'avouer autant que je le voudrais, il est certain que l'excellence de votre conduite, la bonté de votre cœur, les douces lumières de votre raison et l'attachement que vous lui marquez lui font une grande impression. Mais elle se croit sûre de vous, et cette sécurité même, qui la rend un peu légère dans les procédés, est une preuve cependant qu'elle ne croit pas pouvoir jamais rien faire qui diminue votre affection, et qu'elle use de vous comme de son bien, c'est-à-dire comme étant une partie d'elle-même. Adieu, mon cher ambassadeur, calmez-vous, aimez-nous, et soyez persuadé du plaisir que nous aurons à vous voir[58]. » Réconforté, M. de Staël viendra, mais l'incident né de ses soupçons se prolongera tout au long du mois de juin. « Écoute-moi, écrira Germaine à son mari le 1er juin à une heure du matin, si au retour de Fontainebleau tu es encore jaloux de M. de Guibert, alors nous verrons[59]. »

Contrariée par son mari, Mme de Staël trouvera ailleurs de bonnes raisons de se réjouir. Le 1er mai, Louis XVI a désigné comme « chef du Conseil royal des finances » l'archevêque de Toulouse Loménie de Brienne, qui a joué un rôle important dans les travaux de l'Assemblée des notables. Or chacun sait à la Cour que Loménie de Brienne et Necker se portent mutuellement estime. Loménie de Brienne a-t-il aussitôt proposé au roi d'installer l'exilé au contrôle des Finances[60] ? « Avec vous, lui aurait répondu le roi, je puis me passer de lui. » Mais l'influence du prélat se fait vite sentir. Le 4 juin, une lettre de Louis XVI lève l'ordre d'exil de Necker : « Je vous fais la présente lettre pour vous dire que vous pouvez revenir à Paris lorsque vous le jugerez à propos[61]. »

Vite, les ennemis de Necker se déchaîneront. Mirabeau notamment, qui le hait, publiera une véhémente *Lettre à M.*

Allégorie du *Compte rendu au roi*.
Gravure. Coll. du château de Coppet

Le rappel de M. Necker (1788). Gravure de Gaucher. Coll. du château de Coppet

Madame Necker. Pastel de J.-E. Liotard. Coll. du château de Coppet

La famille Necker en 1780. Dessin de Germaine Necker. Coll. du château de Coppet

Germaine Necker à quatorze ans. Sanguine de Carmontelle. Coll. du château de Coppet

Germaine Necker. Médaillon. Coll. part.

Madame de Staël. Eau-forte au physionotrace, anonyme non datée.

Coll. comte d'Haussonville

Madame de Staël. Crayon de Jean-Baptiste Isabey. Paris, musée du Louvre. © Lauros-Giraudon.

Eric Magnus, baron de Staël-Holstein, ambassadeur de Gustave III à Versailles et chambellan de la reine Sophie-Madeleine de Suède. Huile sur toile d'Adolphe-Ulrich Wertmüller. Coll. du château de Coppet

Madame de Staël en «Corinne». Huile sur toile de Massot (d'après Mme Vigée-Lebrun). Coll. du château de Coppet

Madame de Staël à côté du buste de son père. Huile sur toile de Firmin Massot. Coll. du château de Coppet

Madame de Staël et sa fille Albertine. Huile sur toile par Mme Vigée-Lebrun. Coll. du château de Coppet

Le château de Coppet (au début du XIXᵉ siècle) : façade tournée vers Genève. Gravure coloriée. Coll. du château de Coppet

Necker. Deux Genevois – Clavière et Panchaud, qui l'un et l'autre ont contre leur compatriote un violent ressentiment – aideront Mirabeau à démontrer que Necker a répandu en France « la fatale semence des agioteurs [62] ». Les libelles se multiplient qui dénoncent l'incompétence ou la malhonnêteté du banquier protestant. Necker, lui, semble calme. Il intrigue prudemment. Il travaille à de *Nouveaux Éclaircissements sur le Compte rendu au roi* [63] qu'il publiera en 1788 pour répondre à Calonne, auquel il ne pardonne pas ses infâmes calomnies. Il met aussi la dernière main à son ouvrage *De l'importance des opinions religieuses*, et il en prépare l'édition [64] :

« Ô Dieu inconnu ! écrira-t-il dans son introduction, mais dont l'idée bienfaisante a toujours rempli mon âme, si tu jettes un regard sur les efforts que l'homme fait pour s'approcher de toi, soutiens mon courage, éclaire ma raison, élève ma pensée, et ne rejette point le désir que j'aurais d'unir encore davantage, s'il était possible, l'ordre et le bonheur des sociétés à la conception intime de ta divinité, et à l'idée pénétrante de ta sublime existence. »

Ainsi Necker achève-t-il de construire la statue de ce qu'il est, ou de ce qu'il veut être. Il écrit, il parle, il prêche, il est l'intraitable défenseur de la vertu, il veut le bonheur des hommes, leur justice, leur sagesse, il croit à l'autorité suprême du monarque, à une monarchie tempérée, dans laquelle l'opinion publique serait « la véritable balance des pouvoirs suprêmes en France ». Il croit à l'information, à l'explication, à la raison, au désintéressement, à l'abnégation, au dévouement. Toutes ces vertus, toutes ces facultés, il prétend les incarner. Et il attend tranquillement son heure, qui viendra, si Dieu veut bien la lui donner.

« PARLEZ À MON CŒUR »

Vient enfin l'accouchement de Mme de Staël. Fersen doit représenter Gustave III qui a consenti à être parrain : il est arrivé à Paris dès le 12 juillet. L'enfant est une fille, que l'on prénommera Gustavine. La date et le lieu de sa naissance ne sont pas certainement assurés[65]. Sans doute est-elle née le 22 juillet, à Saint-Ouen ou plus vraisemblablement à l'ambassade, rue du Bac. L'accouchement s'est bien passé et plusieurs gazettes ont annoncé la nouvelle. S'écartant des conseils de Rousseau, la jeune maman ne nourrira pas son enfant[66]. Germaine veut que rien ne l'empêche de reprendre sa vie. Quant à M. de Staël, il tombe malade au mois d'août et sa femme regrette de ne pouvoir aller le soigner[67].

Ainsi, les deux époux semblent déçus l'un par l'autre, quoique bien différemment. « Parlez à mon cœur, écrit Germaine à Eric, et vous verrez s'il vous répondra[68]. » « Pourquoi donc n'es-tu pas venu me voir aujourd'hui, mon cher ami ? Adieu. Quoique tu en dises, il faut que je t'aime bien puisque malgré toutes les injures que tu me dis il y a encore de l'excédent[69]. »

Mme de Staël s'occupe de Gustavine. M. de Staël multiplie les soucis de sa femme par ses soupçons et ses dépenses. Le cœur de Germaine ne cesse de battre pour son père. Elle croit possible, et même probable, son retour au pouvoir.

XIII

Le retour de l'idole

Nommé le 24 août 1787 « principal ministre », soutenu par les notables, l'archevêque de Toulouse, Loménie de Brienne entreprit une politique qui, à certains égards, retrouvait celle de Necker. Il imposa des économies massives, notamment dans les dépenses de la Maison du Roi. Un édit de juin 1787 généralisait les « assemblées provinciales » conçues par Necker en 1778 et fut publié, en avril 1788, un compte des recettes et des dépenses qui rappelait un peu le *Compte rendu* de Necker mais qui comportait en outre un compte de prévisions pour l'année 1788. Ainsi les Français pouvaient-ils mesurer l'importance de leur déficit et l'effort qu'ils devaient accomplir[1]. Par ailleurs, un édit de novembre 1787 donnait enfin un état civil aux protestants, ce que Necker n'avait pu faire, mais ne pouvait évidemment qu'approuver.

Necker, dans son ouvrage *De la Révolution française*[2], qu'il achèvera en 1795 et publiera en 1796, reprochera pourtant à l'archevêque de Toulouse, qui deviendra plus tard archevêque de Sens puis cardinal, deux fautes politiques majeures commises pour tâcher de plaire à la Cour. D'une part, Loménie de Brienne congédia, dès le 25 mai 1787, l'Assemblée des notables, alors qu'il eût pu tenter de l'associer à ses réformes. D'autre part, il refusa de communiquer au parlement de Paris les tableaux de recettes et de dépenses que celui-ci demandait, selon l'usage, avant d'enregistrer les nouveaux impôts. Il valait mieux, dira Necker, « céder aux instances du Parlement que d'engager une querelle avec les Cours souveraines dans un moment où le gouvernement avait perdu l'appui de l'opinion publique[3] ». Le parlement de Paris refusa l'enregistrement, le roi dut tenir un lit de justice pour faire enregistrer ses édits, le Parlement protesta, persista dans son opposition, et fut exilé. Les émeutes se multiplièrent... et le roi crut devoir céder, rappeler le Parlement, retirer ses édits.

Ainsi la politique de Loménie de Brienne semblait-elle brisée. En mai 1788, l'archevêque persuade le roi de tenter un véritable « coup d'État », une réforme rappelant celle de Maupeou sous Louis XV[4] pour vaincre la résistance des parlements. Le rôle « politique » de ceux-ci serait transféré à une « Cour plénière », et leur fonction judiciaire réduite au profit de quarante-sept grands bailliages qui leur seraient adjoints. Des émeutes se produisirent, selon la tradition, dans plusieurs provinces de France, notamment en Bretagne et en Dauphiné. Elles durent être réprimées, et cela provoqua, « dans l'ensemble du pays, un trouble profond[5] ». Pour tenter de reconquérir l'opinion publique, Loménie de Brienne s'engagea à réunir les États généraux ; le 5 juillet, il les promit pour une date indéterminée, puis, le 8 août, pour le 1er mai 1789. Afin de tenter de pallier la ruine totale du crédit public, il imagina de faire ordonner, par arrêt du Conseil du 16 août, un emprunt « forcé » qui, constate Jean Égret, provoqua « une véritable commotion dans Paris[6] ». Ainsi le « principal ministre » avait-il compromis l'autorité royale que ces épreuves avaient visiblement affaiblie. « Les avertissements, écrira Necker, qu'avait reçus M. de Brienne sur la puissance de l'opinion publique et la déférence que lui-même avait eue pour elle en renonçant à ses plans d'imposition ne le détournèrent pas de sa marche hasardeuse[7]. » Est-ce la reine qui suggéra à Loménie de Brienne d'appeler Necker afin de rétablir la confiance[8] ?

Sans doute, en ces journées décisives, M. et Mme de Staël jouèrent-ils leur rôle, et sans doute l'influent Fersen leur vint-il en aide. Trois entrevues réunirent, les 20, 23, 24 août, Necker et un messager de Loménie de Brienne[9]. Il semble que Necker se soit fait prier. Il ne souhaitait guère partager ses responsabilités avec l'archevêque de Toulouse qui s'était, hélas, discrédité. Le 24 août, Necker était reçu par le roi. « J'allai à Versailles. Le roi voulut me voir dans le cabinet de la reine et en sa présence. Il éprouvait, dans sa grande bonté, une sorte d'embarras parce qu'il m'avait exilé l'année précédente. Je ne lui parlai que de mon dévouement et de mon respect ; et dès ce moment je me replaçai près du prince, ainsi que j'avais été dans un autre temps[10]. »

Necker n'aura pas à servir le roi avec Loménie de Brienne. Le 25 août, celui-ci a donné sa démission. Ce même jour, celui de la Saint-Louis, Mme de Staël est allée à Versailles, selon la tradition, rendre visite à la reine. Necker retrouve le pouvoir, et sa fille vit un bonheur intense. Son enthousiasme, son agitation étaient tels, dit-elle dans ses *Considérations*, que, traversant le bois de Boulogne, elle craignit que des voleurs ne l'attaquent : le destin ne devait-il pas la punir d'être tant heureuse[11] ? Marie-Antoinette a décidé de recevoir la fille de M. Necker en même temps que la nièce de Loménie de Brienne, disgracié le matin. « La reine, racontera Mme de Staël, manifesta clairement, par sa manière de nous accueillir toutes les deux, qu'elle préférait de beaucoup le ministre renvoyé à son successeur[12]. » Mme de Staël expliquera que Marie-Antoinette, qui avait protégé Necker lors de son premier ministère, lui était devenue hostile. « Elle le considéra toujours comme nommé par l'opinion publique, et les princes, dans les gouvernements arbitraires, s'accoutument malheureusement à regarder l'opinion comme leur ennemie[13]. »

Pour Mme de Staël, écrit Béatrice Jasinski, ce jour-là, « une ère se clôt : celle de sa première jeunesse, protégée, relativement épargnée... Sans trop songer au passé, elle fait confiance à la vie. Elle connaîtra certes des heures exaltantes : le temps des épreuves n'en est pas moins venu [14]. »

« LA FILLE D'UN MINISTRE N'A QUE DU PLAISIR »

Le 25 août, Necker est nommé directeur général des Finances. Le 27 août, il est ministre d'État, membre du Conseil du roi. Ce fut, en France, une extraordinaire explosion de joie. Les manifestations populaires, les feux d'artifice, les bals se multiplient ; on se bouscule chez les Necker pour les féliciter. « Le lendemain, écrira Mme de Staël, les capitalistes lui apportèrent des secours considérables. Les fonds publics remontèrent de trente pour cent dans une matinée. Un tel effet produit sur le crédit public par la confiance en un homme n'a point d'exemple dans l'histoire. M. Necker obtint le rappel de tous les exilés, la délivrance de tous les prisonniers pour des opinions politiques [15]. »
Sans doute la fille de Necker mêle-t-elle son rêve à la réalité. Jacques Necker, lui, mesure les difficultés qu'il va devoir affronter : l'état désastreux des finances publiques, mais aussi l'affaiblissement de la monarchie, l'inévitable réunion des États généraux plusieurs fois promise. Il sait les intrigues qui entourent la famille royale, et tous les ennemis qu'il n'a cessé de se faire. « Ah, dit-il à sa fille, que ne m'a-t-on donné ces quinze mois de l'archevêque de Sens ! À présent c'est trop tard [16]. » M. Necker venait de publier son ouvrage *De l'importance des opinions religieuses*. « En toute occasion, écrira Mme de Staël, il a toujours attaqué les partis dans leur force ; la fierté de son âme l'inspirait ainsi. C'était la première fois qu'un écrivain, assez éclairé pour être nommé philosophe, signalait les dangers

de l'esprit irréligieux du XVIIIᵉ siècle : et cet ouvrage avait rempli l'âme de son auteur de pensées plus hautes que toutes celles qui naissent des intérêts de la terre, même les plus relevés. Aussi se rendit-il aux ordres du roi avec un sentiment de tristesse que je ne partageais certes pas ; il me dit en voyant ma joie : "La fille d'un ministre n'a que du plaisir, elle jouit du reflet du pouvoir de son père ; mais le pouvoir lui-même, à présent surtout, est une responsabilité terrible." Il n'avait que trop raison [17]. »

En deux jours la vie de Germaine de Staël est changée. Bien sûr elle veillera, avec tendresse, sur sa fille Gustavine, elle mettra la dernière main à ses *Lettres sur [...] Rousseau*, mais elle veut être d'abord l'auxiliaire très dévouée de son père, son « agent de liaison [18] », et les affaires politiques ne cesseront de la passionner davantage.

Necker est contraint de passer beaucoup de temps à Versailles. Il s'y installera en novembre, quand commenceront les travaux de cette seconde Assemblée des notables qu'il croira prudent de convoquer pour apaiser l'opinion publique. Minette, comme il appelle encore souvent sa fille, ira vivre près de lui, ne séjournant plus à Paris que les vendredis et samedis [19], laissant M. de Staël veiller, les autres jours, sur leur adorable enfant. À la Cour, Mme de Staël est entourée, flattée, adulée même par tous ceux qui admirent ou encensent le sauveur, l'idole, « l'ange tutélaire de la France ». Elle observe les divisions et les intrigues qui séparent déjà, autour du roi, ce qu'elle appellera « le parti des aristocrates », obstinément fidèles aux règles de l'Ancien Régime, et les amis des réformes, prudents ou convaincus. Bientôt elle connaîtra, quand afflueront à Versailles les députés aux États généraux venus de toute la France, « l'élite entière » de la nation. Elle prend davantage encore conscience de ses dons, du charme de son regard, des séductions de sa conversation et de ses lettres. « Flattée de toute part, elle ne cédera que trop librement à sa coquetterie [20]. » Mais elle est épiée, jugée, et elle sera bientôt caricaturée, calomniée [21].

Quant à Mme Necker, elle a toutes les raisons de s'inquiéter. Sa fille, qui lui a échappé, ressemble de moins en moins à ce qu'elle eût voulu qu'elle fût. Mais Suzanne ne se met plus en colère. Elle semble tristement résignée. Elle est malade, elle se croit vieille et proche de la mort. « L'on est soi à la fin de sa vie, écrit-elle, l'on ne cherche plus à plaire et l'on en perd le désir avec le droit [22]. »

« LE MALHEUR SERA UN LIEN ENTRE NOUS »

Avec M. de Staël, la relation de Germaine s'applique à rester affectueuse, en tout cas amicale. Mais les reproches se multiplient, de part et d'autre, et s'aggravent. « Tu me fais de la peine par ton affectation à t'éloigner de moi », lui écrit-elle, à l'automne de l'année 1788. « Tu me fais de la peine en prenant une si mauvaise manière avec moi. Enfin tu me fais de la peine en me forçant à cesser de t'aimer [...]. De deux personnes si différentes en toi, l'une douce et sensible, l'autre aigre et pleine d'orgueil, l'une raisonnable et spirituelle, l'autre bornée et entêtée, sois la meilleure, la seule qu'on puisse aimer. Je ne promets pas de l'amour ; je me crois incapable de ce sentiment. Mais je promets la tendresse la plus vraie à la première, et je crains bien que l'aversion la plus insurmontable ne naquît dans mon cœur pour l'autre. Prononce et décide-toi [23]. » Son mari lui fait-il des reproches sur les incertitudes de son emploi du temps ? Elle les impute à son père : « Tu sais, mon cher ami, que mon père ne dit ce qu'il fera qu'après l'avoir fait. J'ignore donc si je reviendrai ce soir ou demain matin [24]. » À son tour, elle reproche à son mari ses absences : « Ah ! Si tu pouvais ne pas perdre du temps de cette manière, si tu pouvais le consacrer tout entier à mon bonheur et au tien[25]. » Toujours elle est pressée : « Adieu. Il est trois heures et demie ; trente personne que je n'ai jamais vues meurent d'impatience de me connaître[26]. » Elle assiste à tous les spectacles, à Paris et à Versailles ; elle emmène son mari voir la reine à l'Opéra, elle va de souper en souper, avec ou sans lui, chez des aristocrates influents, elle s'y plaît.

Mais voici qu'en mars 1789 un tourment commence à rapprocher l'ambassadeur et sa femme. La petite Gustavine est malade de troubles digestifs qui iront s'aggravant de jour en jour. L'enfant est encore à Paris. « Je te remercie, écrit Mme de Staël à son mari de m'avoir donné des nouvelles de la petite. La nourrice m'a dit qu'il serait bien de lui donner de l'eau de gratin. On fait de la bouillie, on la jette excepté le gratin et l'on met de l'eau dessus que la petite boit.

« Viens ce soir à la Comédie-Française dans la loge de M. le duc d'Orléans. Tu n'y trouveras que mes parents et moi. La loge est immense et le spectacle est agréable. D'ailleurs je te verrais peu, soupant sans toi, si tu ne fais pas ce que je te demande. Tu me ramènerais : tu sais que je suis sans moyens de revenir de la Comédie-Française. Adieu, mon bon ami, je t'aime tendrement[27]. »

Germaine croit cependant prudent de retirer l'enfant à sa nourrice, de la faire venir à Versailles où s'occupera d'elle, mieux sans doute, la première nourrice qui l'a gouvernée[28]. Édouard Brunyer, médecin des enfants de la famille royale, soigne Gustavine. Germaine tient son mari au courant : « La petite a bien dormi, mais elle a cependant encore toussé. Dans ce moment, elle dort depuis une demi-heure que j'y suis, je l'ai entendue tousser trois fois, mais d'une toux de rhume, à ce que dit Brunyer et à ce que je trouve moi-même. Son teint est bien et je ne puis pas dire, malgré le besoin que je te connais d'être au désespoir et de m'y mettre, qu'elle ne me paraisse un peu mieux. J'ai pris Brunyer à part pour lui parler du lait d'ânesse ; je lui ai dit qu'il m'avait semblé que c'était d'abord son avis, enfin j'ai tâché d'avoir son amour-propre de mon parti. Mais il m'a été impossible de l'obtenir pour ce moment-ci. Il dit que son estomac ne le supporterait pas ; il dit qu'elle a de la bile, que cette nourriture augmenterait[29]. »

« Te dirai-je qu'elle est mieux ? écrira-t-elle à son mari dans les premiers jours d'avril 1789[30]. Je te traite comme moi : je n'ose pas le prononcer. Elle est moins altérée, elle digère un peu, mais qu'est-ce que tout cela ? Une prolongation de douleurs qu'on ne changerait pas contre une certitude, mais voilà tout.

« Si c'est une consolation pour toi d'être sûr que ta peine double la mienne, d'être sûr que ta sensibilité m'attache à toi plus que jamais et que le malheur sera un lien entre nous, si le bonheur ne l'est plus, crois-le bien, crois-le du fond de mon cœur. Adieu. À demain. Quand viendras-tu ? »

Gustavine mourut le 7 ou le 8 avril 1789. Elle n'avait pas vingt et un mois. Et sans doute, comme Mme de Staël l'avait pensé, le malheur fut comme un lien entre elle et son mari. Le chagrin, un temps, les rapprocha.

LES ÉTATS GÉNÉRAUX

Quant à M. Necker, il se tient désormais pour « associé », écrira-t-il dans son ouvrage *De la Révolution française*, au gouvernement de la nation. « Je me sers du mot d'"association" comme le plus exact et le plus conforme à la vérité, mais ce n'est point, je le déclare, pour chercher un partage et pour affaiblir ainsi la responsabilité qu'on m'impose[31]. » Il est heureux parce qu'il aime la gloire, mais il est inquiet aussi, car il est assez lucide pour observer toutes les forces qui agissent contre le roi, pour mesurer la faiblesse de la monarchie. L'opinion publique, qu'il a tant aimée, n'est plus maintenant celle des esprits éclairés et réformateurs, ceux qu'il fréquentait. Elle est devenue un « esprit public » – on dira bientôt une conscience publique – désormais maîtrisé et utilisé pour servir les desseins de ceux qui prétendent l'incarner.

Necker voit l'étendue du désastre que lui ont légué ses prédécesseurs. Le Trésor royal est à bout de ressources. Le ministre doit multiplier les recettes, et même, dira-t-on vite, les expédients, pour faire face, dans l'immédiat, à une situation financière à peu près désespérée. Comme il l'a fait lors de son premier gouvernement, Necker a recours aux emprunts. Il oblige la Caisse d'escompte, banque d'escompte et d'émission créée par Turgot, à des avances renouvelées qui, dans le moment, permettent de sauver l'État[32] si même, à long terme, elles risquent d'aggraver sa situation. L'hiver qui vient, en cette fin de l'année 1788, se révèle d'une rigueur et d'une durée exceptionnelles, rendant la circulation très difficile, paralysant le fonctionnement des moulins à eau, menaçant Paris de famine. Alors Necker fait acheter des grains à l'étranger pour le compte du roi, et il multiplie les mesures de réglementation, fidèle aux idées qu'il a autrefois exprimées dans son livre *Le Commerce des grains*. Le problème du ravitaillement de la capitale l'obsède dans ces mois redoutables où l'on doit en outre préparer la réunion des États généraux.

« Dans le cours de la nuit, écrira-t-il, on était forcé de me réveiller, pour signer, pour dicter une instruction pressante, pour donner les ordres qu'exigeait un secours indispensable, pour faire cesser, par quelque voie d'autorité, l'interception d'un convoi, pour suppléer par une disposition extraordinaire à des fonds qui avaient manqué dans un lieu où des achats avaient été commandés, enfin pour écarter de diverses manières ou un malheur vraisemblable ou un péril imminent.

C'est surtout l'idée d'une grande ville, telle que Paris, venant à manquer de pain 24 heures qui agitait mon âme et troublait mon imagination ; je dominais cette terreur pendant le jour, mais elle reprenait sa force au milieu de mes songes et, le matin, pendant plusieurs mois, je fus réveillé par des palpitations de cœur, l'une des causes de la maladie que tant d'inquiétudes et de sentiments pénibles m'ont donnée et dont je ne guérirai jamais[33]. »

Multipliant les emprunts, réglementant le commerce des grains, le ministre ravive la haine de ses ennemis. Il a beau renoncer, une nouvelle fois, à tout traitement, s'appliquer à démontrer son parfait désintéressement, on l'accuse de faire acheter du blé par les accapareurs, et de trouver dans ces opérations le moyen de multiplier sa fortune. Calonne, qui bien sûr n'a pas perdu sa rancune, se déchaîne, et pour d'autres raisons Mirabeau, et tous ceux qui veulent se débarrasser de l'idole, devenue si dérangeante.

Mais ce sont davantage encore les affaires politiques qui préoccupent Necker, et la préparation de ces États généraux plusieurs fois annoncés. Inquiet de la révolte des parlements et des soulèvements de certaines provinces, tel le Dauphiné, le ministre persuade Louis XVI, pour ramener le calme, de rappeler immédiatement les parlements – alors en vacances forcées – à leurs fonctions et de tenter d'avancer la réunion des États généraux qu'avait promise Loménie de Brienne pour le mois de mai. Mais que faire de la grande réforme judiciaire hâtivement décidée en 1788[34] ? Le garde des Sceaux, Lamoignon, avait beaucoup travaillé sur cette réforme qui prétendait créer une Cour plénière, substituée aux parlements pour l'enregistrement des lois, qui modifiait la procédure criminelle pour en restreindre l'arbitraire, l'humaniser et notamment supprimer la question préalable[35], enfin qui simplifiait la hiérarchie des juridictions. Necker avait une grande estime pour Lamoignon et pour son travail, mais il redoutait beaucoup la colère des parlements et la révolte des provinces. Il souhaite, partout, l'apaisement. Le lit de justice qui doit se tenir à Versailles le 15 septembre l'inquiète vivement. Lamoignon, qui se sait très affaibli, démissionne fort heureusement le 14 septembre. Le lit de justice n'aura pas lieu, et les réformes seront ajournées. Dans le moment, Necker ne pense plus qu'à éviter le pire.

Son plus grave problème, ce sont ces États généraux qui ont été imprudemment promis de la manière la plus solennelle. Necker eût voulu éviter cette aventure. « Si les États généraux n'avaient pas été promis, écrira-t-il [36], j'aurais borné mes soins à tirer un grand parti des assemblées provinciales et je me serais servi de leur assistance pour améliorer les diverses branches de l'administration, et pour lier plus étroitement ensemble le prince et ses sujets. Enfin, j'aurais cherché, pour la seconde fois, à faire le bien de la France sans rumeur et sans convulsion, et en employant néanmoins avec activité tous les moyens qui sont dans la dépendance d'une administration éclairée. Mais lorsque l'engagement du prince était donné, lorsqu'il avait été reçu, lorsqu'il avait été enregistré dans la forme la plus solennelle, et lorsque la nation attachait à son accomplissement tous les genres d'espérance, quel homme eût osé présenter, en échange de ces trésors d'imagination, les fruits encore incertains d'une apparition ministérielle, et dont une autorité passagère aurait été l'unique sauvegarde ? Aucune illusion, aucun prestige, n'auraient ébloui l'opinion publique, et promptement elle eût fait justice de celui qui, par une imprudente ambition, aurait voulu substituer sa science et ses seules forces aux lumières d'un peuple entier et à sa toute-puissance. »

Pour tenter d'apaiser le tumulte qu'il prévoyait, et de préparer les États généraux, Necker décida de réunir de nouveau l'Assemblée des notables. Le problème essentiel que posaient les États généraux était, pour l'opinion publique, celui du « doublement du Tiers ». Fallait-il maintenir le mode d'élection employé pour la dernière réunion des États généraux en 1614 – donnant à chacun des trois ordres la même représentation –, ou tenir compte de l'importance acquise par le tiers état dans la société nouvelle et aussi des idées réformatrices, en concédant à celui-ci une représentation égale à celle des deux ordres privilégiés assemblés, la noblesse et le clergé ? Et fallait-il que le vote se fît par ordre, ou par tête, ce qui donnerait au tiers état une force équivalente à celle des deux autres ordres réunis ? Sur ces problèmes, qui vont dominer le débat politique dans les premiers mois de l'année 1789, Necker semble avoir été hésitant. Les monarchistes lui reprocheront plus tard d'avoir été l'initiateur du « doublement » du Tiers, et d'avoir ainsi préparé la Révolution[37]. La vérité fut sans doute plus compliquée... Les notables, réunis à Versailles le 6 novembre 1788, consultés par Necker, se prononcèrent contre le « doublement », et plusieurs partisans du doublement du Tiers, dont Malouet[38], diront avoir constaté la résistance de Necker[39]. Ce fut par une délibération du Conseil du roi du 27 décembre 1788, à laquelle participa Necker, que Louis XVI décida que « le nombre des députés du tiers état, serait égal à celui des deux autres ordres réunis ». Ce Conseil fut tenu en présence de la reine. « C'était la première fois, écrira Mme de Staël dans les *Considérations*[40], que Marie-Antoinette paraissait au Conseil, et l'approbation qu'elle donna spontanément à la mesure proposée par M. Necker, pourrait être considérée comme une sanction de plus ; mais M. Necker, en remplissant son devoir, dut en prendre la responsabilité sur lui-même. La nation entière, à l'exception peut-être de quelques milliers d'individus, partageait alors son opinion. » Ainsi Mme de Staël voudra-t-elle, pour l'histoire, que Necker ait proposé le doublement du Tiers. Lui-même se montrera, dans son ouvrage sur la Révolution, moins assuré que sa fille : « Ce résultat eut dans le temps une grande célébrité et quoiqu'on y ait constamment uni mon nom, quoiqu'il m'ait valu successivement et beaucoup de louanges et beaucoup d'inimitiés, il ne m'appartient pas exclusivement[41]. » Si le résultat du Conseil fut précédé « d'un rapport fait en mon nom comme ministre d'État », expliquera-t-il, personne ne put ignorer que le ministre n'avait ni préparé ni entraîné la décision du roi et de son Conseil, car, selon l'usage, le rapport ne fut rédigé qu'après la réunion. Necker revendiquera sa part dans la juste décision du Conseil, rien que sa part « justement honorable ». Mais quand il écrira sur la Révolution, il regardera, avec le recul du temps, ce qu'il était advenu d'elle...

L'ASSEMBLÉE NATIONALE PROCLAMÉE

Germaine de Staël assista, le 5 mai 1789, à l'ouverture des États généraux, à Versailles, dans la grande salle des Menus-Plaisirs, comme elle avait assisté, la veille, d'une fenêtre, à « la procession des États », dans les rues tendues de tapisseries et au milieu d'un peuple immense. Après que tous les députés des trois ordres se furent installés, comme il avait été fait en 1614, Louis XVI fit son entrée vers midi, suivi de la reine, des princes et d'un brillant cortège. Le trône avait été placé, sous un dais, entre deux colonnes. La reine était assise à gauche du roi, un peu plus bas. Quand le roi se couvrit, le clergé et la noblesse l'imitèrent, selon l'usage, mais, défiant l'ancienne coutume, les députés du Tiers se couvrirent à leur tour. Louis XVI prit la parole. Il fit un discours traditionnel, recommandant l'amour et la concorde, qui fut salué d'applaudissements enthousiastes. Puis vint le garde des Sceaux, Barentin, qui, à voix trop basse, rappela l'œuvre immense du roi et traça le programme des États généraux. Après quoi l'illustre Necker prit la parole.

Il avait préparé un très long discours, qui dura trois heures, un si long discours que, fatigué, il dut demander à son suppléant d'en poursuivre la lecture. Emphatique dans sa diction comme dans son geste [42], le ministre parut solennel, ennuyeux. Il commença par un compte rendu détaillé de l'état des Finances et un exposé des mesures qui pourraient être prises pour rétablir l'équilibre. Puis il vanta, longuement, la bonté du roi, résolu à faire le bonheur de son peuple. Sur le problème brûlant dans tous les esprits – les trois ordres devraient-ils délibérer ensemble ou voter par tête ? –, Necker invita les députés à réfléchir. Il précisa cependant que l'abandon des privilèges fiscaux ne pourrait être consenti par les ordres privilégiés qu'en délibération séparée. Il conseilla aux députés d'éviter toute précipitation : « Ne soyez pas envieux du temps. » Le discours de M. Necker parut décevoir tous les députés, non seulement par l'ennui pesant qu'il installa, mais aussi parce que les partisans de l'ordre ancien le jugèrent trop audacieux tandis que les autres le trouvèrent beaucoup trop prudent. « Dans cette circonstance, comme dans presque toutes, constatera lucidement Mme de Staël [43], Necker marchait entre les deux extrêmes. » Comme Louis XVI, son ministre flottait, irrésolu.

La suite est connue. Le 6 mai, le clergé et la noblesse se rendent dans les petites salles de l'hôtel des Menus-Plaisirs pour procéder à la vérification des pouvoirs de leurs élus. En revanche, les députés du tiers état se maintiennent dans la grande salle, attendant que les ordres privilégiés se joignent à eux : ainsi pensent-ils obtenir, aussitôt, le vote par tête. Les esprits s'échauffent de jour en jour dans cette grande salle où sont installés les députés du Tiers, et où s'entasse une grande affluence de visiteurs. Jour après jour le comte de Mirabeau s'acharne à maintenir la fermeté des représentants du Tiers. Et voici que, le 27 mai, l'abbé Sieyès entre en scène [44]. Il fait adopter à l'unanimité des représentants du Tiers une motion invitant « Messieurs du clergé, au nom du Dieu de paix et de l'intérêt national » à se réunir au tiers état. Les négociations se prolongent les jours qui suivent, et le roi fait proposer les bons offices du garde des Sceaux. Le 9 juin, il faut constater l'échec de cette médiation. Alors Necker s'entremet prudemment. Il suggère l'arbitrage royal, mais nul ne paraît l'écouter. Ce jour-là, le comte de Mirabeau, dont le talent et l'ascendant n'ont cessé de s'imposer pendant ces jours d'attente, monte au bureau. Il annonce que l'abbé Sieyès a une motion très importante à défendre. Cette motion prétend « sommer » les représentants du clergé et de la noblesse de se joindre au Tiers. Elle enflamme les députés de celui-ci, si même elle en effraie certains par sa violence.

La proposition de l'abbé est adoptée le 11 juin, après que le mot brutal de « sommation » a été retiré. Le 15 juin, Sieyès demande de nouveau la parole. Les députés du Tiers doivent aujourd'hui, assure-t-il, constituer « l'assemblée des représentants connus et vérifiés de la Nation française ». Le débat s'ouvre, évidemment passionné. Se saisissant de la proposition d'un député du Berry, Sieyès propose le terme, mieux choisi, d'« Assemblée nationale ». Il dénie maintenant aux autres ordres, au roi lui-même, le pouvoir de s'opposer d'aucune manière à la volonté de l'« Assemblée nationale ».

Pendant deux jours, les députés vont s'affronter pour décider du nom que prendra leur assemblée. Et le 17 juin, par 491 voix contre 89, la motion de Sieyès est adoptée, l'Assemblée nationale proclamée. À l'invitation de Bailly qui préside, les 600 députés, debout, prêtent le serment, la main levée, de remplir avec fidélité la fonction dont ils sont désormais chargés. La nouvelle Assemblée nationale fait aussitôt acte de souveraineté : elle s'attribue le vote de l'impôt et autorise provisoirement la levée des impôts déjà existants, quoique « illégalement établis et perçus ». Pour interdire au roi de recourir à la banqueroute, elle place « dès à présent tous les créanciers de l'État sous la garde de l'honneur et de la loyauté de la Nation française ». Ainsi, l'Assemblée nationale décide, décrète. Elle parle en maître. Les décisions prises dans cette journée du 17 juin ont fait la première Révolution.

LE FAUTEUIL VIDE DE M. NECKER

Necker a suivi « avec une sympathie inquiète [45] » ces journées décisives. Il a déploré la raideur des députés de la noblesse et du clergé, et leur incapacité à comprendre les événements. Prudemment mais vainement, il a tenté de s'entremettre, mais personne n'écoutait plus la voix de la raison [46] : « Il appartenait, écrira-t-il, à de sages représentants de la noblesse et du clergé de voir toutes ces choses, et d'apprécier toutes ces considérations : c'était à eux d'aider le gouvernement dans sa lutte contre les circonstances ; c'était à eux de juger avec esprit que des sacrifices modérés étaient devenus absolument nécessaires, et qu'une prudente flexibilité pouvait mieux servir eux et le roi qu'une vaillante obstination.

« On ne doit point le dissimuler, pour l'instruction de l'histoire, le tiers état, en se déclarant à lui seul Assemblée nationale, en affectant de se passer du concours des deux premiers ordres, en méconnaissant l'utilité des contrepoids dans une Constitution monarchique, eut, dès les commencements des États généraux, le genre de tort que l'on peut reprocher à une puissance usurpatrice ; mais les deux premiers ordres, et surtout les députés de la noblesse, ont commis à cette même époque toutes les erreurs qui appartiennent au défaut de politique, de circonspection et de prévoyance.

« La nature de l'homme, qui le porte insensiblement à vouloir ce qu'il est en état d'exécuter s'il y est appelé par son intérêt, explique la conduite du tiers état ; mais la conduite de ceux qui ne mettaient aucun accord entre leurs volontés et leur pouvoir est plus difficile à comprendre[47]. »

Restait au roi à dire sa volonté. « Il le devait et pour sa propre dignité et pour arrêter les suites funestes de la discorde établie entre les trois ordres, et pour mettre obstacle à la résolution prise par le tiers état prétendant former à lui seul une assemblée législative[48]. » Que pouvait faire Louis XVI ? Il ne pouvait, dira Necker, qu'ordonner la réunion des trois ordres : toute autre décision, vouée à l'échec, eût été déraisonnable. Le roi, jugera Necker, devait assortir sa décision de restrictions raisonnables : « Il suffisait à l'avancement des projets d'ordre et de réforme dont la France était impatiente, il suffisait au vœu national que les affaires générales pussent être traitées dans une assemblée commune, et décidées à la majorité des suffrages ; et le roi, favorisant cette disposition, le roi, se prononçant encore ouvertement contre le maintien des privilèges pécuniaires, pouvait, devait garantir de toute atteinte les propriétés, les rangs et les distinctions des deux premiers ordres, et soustraire avec fermeté les questions de ce genre à la discussion et à l'autorité d'une seule assemblée. Il pouvait, il devait de même rappeler les droits et les prérogatives de sa couronne, et marquer d'une manière imposante qu'il les connaissait, et qu'il voulait, qu'il saurait les défendre. Le moment semblait indiqué pour tenir haut, sans imprudence, le langage du monarque, et pour relever ainsi dans l'opinion la majesté du trône[49]. »

Necker crut devoir préparer, dans ses moindres détails, cette décision du roi. Il rédigea le texte des deux *Déclarations royales* que Louis XVI devrait lire lors d'une séance royale tenue le 23 juin en présence des trois ordres assemblés. Ces textes n'ont pas été retrouvés car, expliquera Necker, le manuscrit qu'il confia à un ami fut détruit pendant la Terreur. Mais le ministre détaillera les « restrictions » raisonnables qu'il avait alors rédigées pour le roi. Celui-ci, « sans s'arrêter à la délibération du 17 juin » et l'ignorant, devait ordonner aux trois ordres de délibérer ensemble ; puis le roi annoncerait diverses décisions, et notamment qu'« il ne donnerait jamais son approbation à l'établissement constitutionnel d'un corps législatif composé d'une seule chambre [50] ». En outre, il annoncerait d'importantes réformes, il déciderait l'abrogation de tous les privilèges en matière d'impôt. Il affirmerait le libre accès de tous les citoyens à tous les emplois civils et militaires.

Ces textes furent communiqués à Louis XVI qui y parut d'abord favorable. Mais, le vendredi 19 juin, alors qu'il devait assister à un Conseil du roi qui se tenait à Marly, Necker fut soudain convoqué par la reine qui, entourée des deux frères du roi, lui dit sa ferme opposition à ses projets [51]. Le Conseil se réunit ensuite. Il parut en majorité favorable aux propositions de Necker, mais il fut brusquement interrompu, Sa Majesté s'étant levée soudain, sans doute appelée par la reine. Un deuxième Conseil dut se tenir le lendemain à Marly, mais Necker, peut-être retenu à Paris par l'état de santé de sa belle-sœur mourante, n'y parut pas. Un troisième Conseil se tint à Versailles le dimanche 21 juin en présence des deux frères du roi. Necker y défendit fermement son plan mais il se vit en minorité. Un quatrième Conseil, tenu le 22 juin, devait adopter, malgré l'opinion de Necker, le texte des déclarations que ferait le roi [52] : il ne restait rien ou presque des textes du ministre. Le roi y déclarait « nulles les délibérations prises par les députés de l'ordre du tiers état, le 17 de ce mois, ainsi que celles qui auraient pu s'ensuivre, comme illégales et inconstitutionnelles ». Il n'ordonnait pas la réunion des ordres, qui étaient seulement exhortés à s'assembler. Tout le discours semblait marquer la complaisance du roi à l'égard des deux premiers ordres. Necker, vaincu, désavoué, décida en conséquence de ne pas assister à la séance royale du 23 juin.

Celle-ci se tint vers onze heures dans la salle des Menus-

Plaisirs. Le roi s'avança, suivi de la reine, des princes, des ministres. Tous les députés se levèrent, mais le fauteuil de M. Necker resta vide. Son absence fit sensation. Assis sur le trône, portant le manteau royal, la tête coiffée d'un chapeau à panache blanc, Louis XVI lut, dans un morne silence et sur un ton d'autorité, sa longue déclaration qui, dira Michelet[53], fut comme « le testament du despotisme ». Le roi pourtant a décidé quelques concessions. Reprenant partie des conseils que lui a prodigués Necker, il accepte que les États généraux consentent les impôts et les emprunts, il se dit attaché à la liberté individuelle, à la liberté de la presse, à la décentralisation administrative. Il forme le vœu que les privilégiés acceptent l'égalité fiscale, disant par là qu'il n'entend pas la leur imposer. Mais, sur ce qui est devenu l'essentiel – la réunion des trois ordres –, Louis XVI dit sèchement son refus.

Puis lecture est donnée par le garde des Sceaux des intentions de Sa Majesté. Les délibérations prises le 17 juin par les députés du tiers état sont déclarées illégales et nulles. La volonté expresse du roi est que l'ancienne distinction des trois ordres soit conservée en son entier. Il ordonne donc que les députés se retirent et se rendent, dès le lendemain, chacun dans la chambre affectée à son ordre. Enfin Louis XVI reprend la parole et clôt la séance par un discours sévère : « Si, par une fatalité loin de ma pensée, vous m'abandonniez dans une si belle entreprise, seul je ferais le bien de mes peuples ; seul je me considérerais comme leur véritable représentant ; et, connaissant vos Cahiers, connaissant l'accord parfait qui existe entre le vœu le plus général de la Nation et mes intentions bienfaisantes, j'aurais toute la confiance que doit inspirer une si rare harmonie [...]. Réfléchissez, messieurs, qu'aucun de vos projets, aucune de vos dispositions ne peut avoir force de loi sans mon approbation spéciale[54]. »

Dans les jours qui viendront, le tiers état sera vainqueur. Après que les députés du tiers ont refusé, à l'appel de

Mirabeau, d'évacuer la salle après le départ du roi, ils décident, toujours exhortés par Mirabeau, de délibérer, sans égard aux ordres du roi. De nombreux représentants du clergé, puis de la noblesse se résigneront peu à peu à les rejoindre et, le 27 juin, Louis XVI capitulera, invitant « son fidèle clergé et sa fidèle noblesse » à se joindre au tiers état ! La joie dans Versailles et Paris sera immense et folle. Il faudra que Marie-Antoinette vienne au balcon du palais et, cédant à la foule, qu'elle montre le dauphin...

L'absence de Necker à la séance royale du 23 juin a été un acte très grave, pour lui comme pour le roi. Il n'a pas même prévenu Louis XVI. Il s'efforcera de s'en expliquer dans son ouvrage *De la Révolution française* : « Déterminé à quitter le ministère, je ne voulais pas cependant remettre au roi ma démission formelle avant la séance, qui devait se tenir le lendemain : le délai n'était pas long ; et, sans attacher à moi et à mes actions une importance indiscrète, je crus ce ménagement convenable. Je n'assistai pas néanmoins à cette assemblée solennelle. Je ne le devais pas ; car si je l'eusse fait, le public aurait considéré ma démission comme une résolution décidée par le non-succès d'une mesure que j'avais conseillée. C'était trop aussi, je l'avoue, de la part de ceux qui l'avaient emporté sur moi, de m'obliger à quitter le ministère, et de me forcer encore à me perdre moi-même dans l'opinion, en adhérant ostensiblement à une démarche absolument contraire à mes vues et à mes conseils[55]. » Quand Louis XVI revient au château, fort mécontent de l'absence de Necker qui a été tant remarquée, il trouve la lettre de démission de son ministre.

« Le bruit de la démission de M. Necker, rapportera Mme de Staël dans ses *Considérations*, se répandit, et toutes les rues de Versailles furent remplies à l'instant par les habitants de la ville qui proclamaient son nom[56]. » Préoccupés peut-être des agitations de l'opinion publique, le roi et la reine font appeler Necker le soir même. « Il me demanda, dira Necker, de renoncer à la résolution que j'avais prise de quitter le ministère, et il le fit de manière si pressante que je me rendis à ses volontés. L'agitation violente qui régnait à Versailles ne me permettait même pas d'hésiter. On avait entouré ma maison. La foule commençait à se porter au château et le tumulte prenait un caractère qui m'imposait le devoir d'apaiser à l'instant ce mouvement populaire, en annonçant publiquement que je resterais à mon poste [57]. » Le bruit se répandit aussitôt que Necker consentait à demeurer ministre. En retournant de chez le roi à sa maison, racontera Mme de Staël, « M. Necker fut porté en triomphe [58] ». « La majorité du clergé, la minorité de la noblesse, tous les députés du Tiers se rendent auprès de M. Necker. [...] Sa maison pouvait à peine contenir ceux qui s'y étaient réunis. » On se presse, on se bouscule, on se félicite. La gloire entoure M. Necker. L'émotion prendra Mme de Staël quand elle évoquera, dans ses *Considérations*, cette fameuse soirée, cette émotion la saisira chaque fois que son père sera ainsi célébré par l'opinion publique. « De si vifs transports sont encore présents à mon souvenir, et raniment en moi l'émotion qu'ils m'ont causée dans ces beaux temps de jeunesse et d'espérance. » Ces beaux temps qui ne vont pas durer...

Necker, lui, se fera reproche. Il ne s'est pas servi de ces circonstances pour affirmer son autorité [59]. « Mes ennemis à Versailles ne manquèrent pas de dire que j'avais excité sourdement les marques éclatantes d'intérêt en ma faveur dont la Cour était offensée ; et j'ai vu cette calomnie perpétuée, avec tant d'autres, dans les infâmes libelles que les méchants et leurs vils copistes n'ont cessé de répandre et publient encore tous les jours. Que puis-je contre des insinuations qu'on n'essaie pas seulement de rendre plausibles par aucun indice ? Je me borne à protester sur mon honneur, à protester par serment que jamais, ni dans cette occasion ni dans aucune autre, je n'ai cherché à mettre le public en action ; et je défierais de citer un mot de moi, même le plus intime et le plus confidentiel, auquel une telle intention pût être rapportée. Les hommes dont je suis connu seront volontiers mes garants ; ils savent l'aversion que j'ai toujours eue pour toute espèce d'intrigue, pour toute espèce de manœuvre secrète ou dissimulée ; et souvent on m'a fait un reproche de ce genre de caractère, que l'on disait nuisible au succès des affaires.

« Le mouvement de Versailles, loin de me servir, m'empêcha d'obtenir le renvoi des ministres qui m'avaient déjoué si cruellement pendant le cours des discussions relatives à la séance royale. Ce fut dans un moment où je pouvais tout exiger du roi que je me trouvai sans force pour rien demander. Un mouvement de générosité, que l'on blâmera peut-être, mais que l'on entendra cependant, me dicta cette conduite. Je ne tardai pas à m'en repentir, et j'appris alors de nouveau qu'il est tel sentiment de vertu dans un particulier dont l'application à l'homme d'État, à l'homme public, devient une faute, et une grande faute. »

Souvent Necker, édifiant sa statue, se fera ainsi le reproche d'avoir été trop généreux, trop vertueux.

XIV

L'apothéose du père

Si la mort de Gustavine n'avait pas, un temps, apporté le malheur à Germaine de Staël, cette année 1789 l'aurait peut-être comblée. Ses *Lettres sur [...] J.-J. Rousseau* ont décidé, pour elle, de son destin littéraire. « Je ne dirai point que j'y ai du regret, car la culture des lettres m'a valu plus de jouissances que de chagrin[1]. » Le livre, qui développait des idées à la mode, avait connu un vif succès de curiosité. Si Rivarol, qui détestait la famille Necker, crut bon d'inspirer un pamphlet, *De l'amour des femmes pour les têtes folles*, s'appliquant à ridiculiser Mme de Staël, beaucoup vantèrent le livre, et Grimm voulut bien le qualifier de « charmant ouvrage[2] ». On aimait, à Paris, en Suisse aussi, lire ce qu'avait écrit la fille de l'illustre Necker. Mme de Staël, constate Simone Balayé, était « la fille de l'homme le plus populaire de France ; pour la première fois en dehors des cercles d'amis, on lisait des lignes d'elle[3] ».

D'autre part, son père tant aimé, tant admiré était revenu au pouvoir. Certes, Germaine ne vit pas ce bonheur sans beaucoup d'inquiétude. M. Necker a été rappelé trop tard, et dans la tempête. Il se montre hésitant. Mais il est entouré des faveurs de l'opinion publique, il fréquente la gloire. Et durant ces premiers mois de l'année 1789, la liberté peut sembler en marche, la liberté telle que Germaine de Staël l'entend et l'aime, celle qui est venue des Lumières, celle dont son père est le symbole. Surtout Germaine connaît, enfin, la passion...

À LA RENCONTRE DU FOL AMOUR

Louis de Narbonne-Lara est né en 1755. Descendant d'une illustre famille originaire de Castille, fils légitimé du futur duc de Narbonne, il est probablement le fils naturel du dauphin d'alors, père du futur Louis XVI, qui fut son parrain. On prétendra souvent que Louis de Narbonne était en réalité le fils de Louis XV et de la duchesse de Narbonne, ou encore le fruit d'un inceste entre Louis XV et sa fille Madame Adélaïde[4]. Lamartine dira, dans son *Histoire des Girondins*, que la belle et noble figure de Narbonne rappelait celle de Louis XV dans sa jeunesse[5]. À vingt-cinq ans, ce jeune homme beau, séduisant, très élégant, est colonel au régiment d'Angoumois, puis il le sera au régiment de Piémont. En 1782, il a épousé une jeune fille de quatorze ans, Marie-Adélaïde de Montholon, enfant très bien dotée du premier président du parlement de Rouen, dont il a eu deux filles puis dont il s'est séparé. En 1785, il a été nommé chevalier d'honneur de Madame Adélaïde, fille aînée de Louis XV, auprès de laquelle sa mère remplissait les fonctions de dame d'honneur[6]. En 1786, il s'est épris de la belle actrice Louise Contat, dont il a eu une fille. Ses origines, vraies ou imaginaires, ses aventures, sa beauté, sa puissance de séduction, son élégance aristocratique, sa fortune aussi, tout semble faire de ce grand seigneur un personnage né pour plaire.

Quand Germaine de Staël a-t-elle rencontré Narbonne pour la première fois ? Georges Solovieff croit qu'il est possible qu'elle l'ait connu dès 1782, dans le salon de Mme Necker où il aurait été introduit par Talleyrand[7]. Mais c'est sans doute en 1787 ou 1788 que Germaine est devenue amoureuse de lui. « Ma véritable vie, tout entière consacrée à vous depuis l'âge de vingt et un ans, écrira-t-elle à Narbonne en 1793, la trace ineffaçable que mon propre dévouement a laissée dans mon cœur, mes enfants, le charme de vos manières, tout m'ôte la possibilité d'exister sans tenir à vous, ou par votre cœur, ou par le plus faible lien que vous m'accorderez[8]. » Il semble qu'elle l'ait aussitôt aimé, passionnément, et sans doute s'est-il vite épris d'elle. « Dès qu'il m'a vue, écrira-t-elle à son ami Stanislas de Clermont-Tonnerre, il a changé pour moi sa destinée, ses liens ont été rompus, sa vie m'a été consacrée[9]. » Bientôt leur liaison deviendra publique.

Germaine avait-elle connu d'autres aventures ? La vie tumultueuse de Mme de Staël incite volontiers à lui en prêter beaucoup. Il est possible qu'elle ait été, très jeune, amoureuse du comte de Guibert, homme du monde, littérateur, brillant militaire, grand séducteur, l'idole de Julie de Lespinasse, et l'on sait que Guibert éveilla les premiers soupçons sérieux de M. de Staël[10]. Mais, observe Béatrice Jasinski, « autant on s'abstenait de parler d'amour aux jeunes filles d'un certain monde, autant on se sentait libre de leur faire la cour lorsqu'elles étaient pourvues d'un mari et lancées dans la société[11] ». Minette avait été vertueuse jusqu'à son mariage. Passé celui-ci, Guibert aurait-il voulu pousser plus loin une amitié qui ressemblait à l'amour ? Cela paraît peu probable[12]. Le comte de Guibert, qui voulait entrer à l'Académie française, était fort occupé en 1788 et 1789, il était par surcroît l'ami cher et l'admirateur de Mme Necker qui s'appliquait à veiller sur l'honneur de sa fille. Germaine était sa cadette de vingt-deux ans. « Rien ne permet d'affirmer que Guibert fut l'amant de Mme de Staël ; les vraisemblances font croire à une tendre amitié de part et d'autre, sans que la jeune femme ait manqué pour lui à "ses devoirs"[13]. » De même Germaine fut-elle l'amie enflammée de Jaucourt[14], puis de Mathieu de Montmorency, et aussi de Talleyrand qu'elle rencontra pour la première fois alors qu'il avait trente-quatre ans et qu'il s'appliquait, par son charme et sa conversation, à séduire les femmes qu'il risquait d'éloigner par les disgrâces de son physique. J. Christopher Herold pense que c'est à l'abbé de Talleyrand que revient « l'honneur de la première place[15] » : ce n'est qu'une hypothèse que rien ne vient soutenir.

Louis de Narbonne représentait pour Mme de Staël, en 1788, l'alliance de la dignité, du charme et de la liberté. Héritier d'une civilisation aristocratique, grand seigneur cosmopolite, éclairé par les Lumières, il peut devenir pour Mme de Staël en mal de héros le centre d'une vie sentimentale et intellectuelle[16]. Narbonne avait de l'esprit, de la conversation, de l'ambition aussi, il passait pour un bon amant, il pouvait même, sous l'influence de la personne aimée, devenir libéral. Il avait tout pour plaire à cette jeune femme avide de plaire.

Sans doute l'amour dans le mariage restait-il pour Germaine le bonheur suprême qu'elle ne cessera de célébrer, mais elle voit qu'avec Staël elle n'y atteindra pas. Les lettres qu'ils échangeront durant l'année 1789 diront une froideur croissante. « Quant à la brièveté de mes lettres, écrira-t-elle à son mari, elle tient à la brièveté de tes visites. Je ne sais parler que quand j'ai parlé et plus je te verrai, plus j'aurai quelque chose à te dire. Adieu, à demain. Je serai fort aimable pour toi quoique je trouve que tu ne le mérites pas[17]. » M. de Staël multipliera bientôt les reproches et les soupçons, car l'aventure de sa femme sera vite connue de lui. « La vie que je mène, lui écrira-t-elle, est très conforme à mes goûts, et quant au bonheur parfait, il ne peut exister que dans un sentiment auquel j'ai dû renoncer quand je ne pouvais pas l'éprouver pour toi. Laisse donc ces sermons[18]. » Bientôt elle reprochera à son mari des « expressions aussi grossières qu'insultantes ». « Toute réflexion faite, je ne sais pas, moi, si je préfère les obligations aux privations [19]. » Elle prononcera bientôt le nom de Narbonne [20] : « Je rentre à trois heures et demie de mon souper. M. de Narbonne, qui part pour Bellevue, m'a demandé de venir me voir à midi. Mme Rilliet est malade ; mon père a quelque chose à me montrer. Je te demande si, dans tout cela, il existe un moment. Si, malgré ta bouderie, tu veux de moi dimanche, je serai parfaitement à tes ordres ; mais demain il est vrai que je serai à moitié morte, ce qui m'empêchera d'être entièrement à toi. Bonsoir. »

Narbonne peu à peu se lassera de Germaine [21], comme plus tard Ribbing, comme plus tard encore Benjamin Constant, et tous ils lui démontreront la lâcheté ou l'infirmité des hommes, cet irrésistible penchant vers l'abandon qu'elle aura si souvent dénoncé. Mais, dans le moment, ce fol amour qui lui est venu multiplie en elle les forces de vie. « Ce que l'on appelle raison, écrira-t-elle, c'est le désenchantement de la vie. » Elle veut vivre, tenter de vivre, portée par le plus violent des amours. Georges Solovieff observe justement que « dans cet amour se dessinent deux thèmes, deux situations qui se répéteront dans sa vie : le conflit entre l'amour et le génie ou la gloire ; celui de la femme supérieure et forte en face de l'homme doué, mais sans volonté. Tout le problème de la vie de cette femme se trouve ici en germe [22]. » Puisque Germaine de Staël n'a pu reproduire le modèle idéal, cet amour parfait qui unit ses parents, elle devra vivre, dans l'adultère, la passion tumultueuse, tantôt merveilleuse, tantôt cruelle, qu'elle a tant célébrée dans ses œuvres, le regard fixé sur le bout du chemin, sur le désespoir et la mort.

En cette année 1789, Mme de Staël est amoureuse, et son père est glorieux. Que peut-elle rêver de meilleur ?

« JE COMPTE QUE VOTRE RETRAITE SOIT PROMPTE ET SECRÈTE... »

Tandis que l'« Assemblée nationale » entre en activité, le peuple de Paris, qui a vu la faiblesse du roi, commence à s'agiter. Durant les derniers jours de juin, les gardes-françaises ont fraternisé à Paris avec la foule. Onze d'entre eux, incarcérés à la prison de l'Abbaye sur l'ordre de leur colonel, ont été délivrés le 30 juin par une troupe populaire de plusieurs milliers d'hommes[23]. Louis XVI va-t-il ordonner de redoutables mesures ? Le président de l'Assemblée nationale, Bailly – qui sera guillotiné en 1793 – vient trouver Necker, qui lui semble l'arbitre suprême dans ces jours très difficiles. Le ministre, qui désapprouve toute violence populaire mais qui mesure les difficultés de la situation, décommande la répression. Il conseille, pour apaiser l'agitation, la constitution d'une « garde bourgeoise[24] ». À l'invitation de Bailly, l'Assemblée décide de recommander les coupables à la clémence du roi. Sur l'insistance de Necker, Louis XVI se décide à accorder sa grâce aux mutins, qui seront préalablement réintégrés, pour la forme, en la prison de l'Abbaye[25].

Par ailleurs, dans les premiers jours de juillet, l'approvisionnement de Paris se fait chaque jour plus difficile car les marchés étrangers sont entrés en méfiance et refusent toute sortie de blé. Necker, fort inquiet, charge la maison hollandaise Hope d'approvisionner la ville, offrant toute sa fortune en caution[26]. Il se débat le jour au milieu de mille difficultés ; la nuit, et cela pendant plusieurs mois, il souffre de palpitations du cœur causées par la véritable terreur qu'il éprouve en songeant que Paris pourrait être privé de pain[27].

Mais, à l'insu de Necker, le maréchal de Broglie a reçu du roi mission de concentrer des troupes autour de Paris. La reine, le comte d'Artois, plusieurs prince du sang et des aristocrates influents conseillent à Louis XVI une extrême fermeté face au peuple qui s'agite. Necker est devenu pour eux le symbole du compromis ou de l'hésitation. Le samedi 11 juillet, le jour où l'Assemblée nationale demande au roi le retrait de ses troupes, Necker reçoit, au moment où il va se mettre à table, la visite imprévue du comte de La Luzerne, ministre de la Marine. Celui-ci vient lui remettre une lettre de Louis XVI qui le congédie et l'invite à quitter la France immédiatement et discrètement : « Depuis que je vous ai engagé, Monsieur, à rester dans votre place vous m'avez demandé de prendre un plan de conduite vis-à-vis des États généraux et vous m'avez montré plusieurs fois que celui de condescendance extrême était celui que vous préfériez et que, ne vous croyant pas utile pour d'autres, vous me demandiez la permission de vous retirer si je prenais un parti différent. J'accepte la proposition que vous m'avez faite de vous retirer hors du royaume pour ce moment de crise et je compte que, comme vous me l'avez dit, votre retraite soit prompte et secrète. Il importe à votre droiture et à votre réputation de ne donner lieu à aucune commotion. J'espère qu'un temps plus calme me mettra à portée de vous donner des preuves de mes sentiments pour vous[28]. » Selon Mme de Staël, le baron de Breteuil aurait conseillé à Louis XVI de faire arrêter son ministre, parce que son renvoi risquait de causer une émeute, mais le roi s'y serait opposé. « Je réponds, aurait-il dit, qu'il obéira strictement au secret que je lui demanderai[29]. »

Lisant cette lettre, Necker, stupéfait, fut d'abord tenté de demander à Sa Majesté une ultime audience. Puis il y renonça, pour que ne fût donnée aucune publicité à l'ordre d'exil. « Je craignis, écrira-t-il, en différant d'obéir, de donner un commencement d'éclat à l'ordre que j'avais reçu, et dont l'exécution prompte et silencieuse m'était recommandée. Je me soumis donc avec résignation à ce coup de la destinée. La douleur que je ressentais ne m'était pas personnelle, elle appartenait tout entière à l'homme public ; car si j'eusse été capable, en ce moment-là, de distinguer mon lot et de marquer ma part, j'aurais vu qu'on m'affranchissait de l'épouvantable angoisse où je vivais, et le jour et la nuit, au milieu de la détresse du Trésor royal, et au milieu d'une disette de grains encore plus périlleuse et plus menaçante. » Necker se contenta donc d'adresser au roi un court billet, l'assurant de son obéissance et de son dévouement[30] : « Votre Majesté perd l'homme du monde qui lui était le plus tendrement dévoué et, je vous le jure, Sire, le plus honnête homme. Daignez conserver un souvenir favorable de moi et, si l'on me fait le moindre reproche, que Votre Majesté me mette à portée de me justifier. Ah ! je ne craindrai jamais que la calomnie. Je tombe à vos pieds, Sire, avec tous les sentiments qui ne s'effaceront jamais de mon cœur. Je partirai seul, sans passer par Paris, sans en ouvrir la bouche à personne. Je demande instamment à Votre Majesté le même secret. »

Mme Necker fut alors la seule confidente. Elle ne prit, racontera Mme de Staël, aucune femme avec elle, aucun habit de voyage, de peur de faire soupçonner son départ[31]. Necker et sa femme vont partir « sans aucun préparatif de voyage avec les précautions que prendrait un criminel pour échapper à sa sentence[32] ». Il est quatre heures, et Necker se met à table pour dîner, comme à l'ordinaire, sans dire un mot ni à son frère, ni à sa fille, ni à l'archevêque de Bordeaux, ni à M. Huber qui dînaient avec lui. Vers six heures, il quitte Versailles, avec sa femme. De là ils se rendent à Saint-Ouen, d'où il écrit à sa fille pour lui annoncer son départ et lui conseiller d'aller à la campagne. Par le chemin le plus court, M. et Mme Necker partent pour Bruxelles, où ils parviennent le 13 juillet, non sans avoir rencontré des difficultés à Valenciennes dont le commandant de la ville ne voulut pas les laisser sortir sans passeport. Il fallut alors que Necker montrât la lettre du roi[33].

Dès qu'elle apprend la nouvelle, Mme de Staël décide, ce 13 juillet, de partir, accompagnée de son mari, pour rejoindre à Bruxelles ses parents exilés. « Revoyant son père, elle tomba tout en pleurs à ses pieds. Il portait ainsi que sa femme le vêtement avec lequel ils avaient quitté Versailles[34]. » Tous quatre ils passent vingt-quatre heures à Bruxelles. Puis M. Necker décide de poursuivre, accompagné de son gendre, le voyage vers Bâle, à travers la Rhénanie. Mme Necker et sa fille ne partiront pour Bâle que vingt-quatre heures plus tard, par petites étapes. Durant son voyage, de Bruxelles à Bâle, Necker, pour n'être pas reconnu, a pris le nom de « baron de Copet » et M. de Staël est devenu le baron de Fiffe. Ils seront à Bâle le 20 juillet.

« JE VOUS INVITE À REVENIR LE PLUS TÔT POSSIBLE »

C'est là que parvinrent à Necker les deux lettres, datées du 16 juillet, qui le rappelaient au pouvoir[35]. Louis XVI écrivait au ministre exilé :

« Je vous avais écrit, Monsieur, que, dans un temps plus calme, je vous donnerais des preuves des mes sentiments ; mais cependant le désir que les États généraux et la ville de Paris témoignent m'engage à hâter le moment de votre retour. Je vous invite donc à revenir le plus tôt possible reprendre auprès de moi votre place. Vous m'avez parlé, en me quittant, de votre attachement ; la preuve que je demande est la plus grande que vous puissiez me donner dans cette circonstance[36]. »

L'Assemblée nationale aussi demandait à Necker son retour :

« L'Assemblée nationale, Monsieur, avait déjà consigné dans

un acte solennel que vous emportiez son estime et ses regrets. Cet honorable témoignage vous a été adressé de sa part, et vous devez l'avoir reçu. Ce matin, elle avait arrêté que le roi serait supplié de vous rappeler au ministère ; c'était, tout à la fois, son vœu qu'elle exprimait et celui de la capitale qui vous réclame à grands cris. Le roi a daigné prévenir notre demande. Votre rappel nous a été annoncé de sa part. La reconnaissance nous a aussitôt conduits vers Sa Majesté, et elle nous a donné une nouvelle marque de confiance en nous remettant la lettre qu'elle vous avait écrite, et en nous chargeant de vous l'adresser. L'Assemblée nationale, Monsieur, vous presse de vous rendre au désir de Sa Majesté. Vos talents et vos vertus ne pouvaient recevoir ni une récompense plus glorieuse ni un plus puissant encouragement. Vous justifierez notre confiance ; vous ne préférerez pas votre propre tranquillité à la tranquillité publique ; vous ne vous refuserez pas aux intentions bienfaisantes de Sa Majesté pour ses peuples. Tous les moments sont précieux. La nation, son roi et ses représentants vous attendent[37]. »

« Nous nous réunîmes à Bâle, racontera Mme de Staël[38], et c'est là que mon père se décida. Ma mère, loin d'être éblouie par tous ces succès, n'avait point envie que mon père acceptât son rappel. » Necker avait appris les événements du 14 juillet, « il sentait parfaitement que son rôle allait changer, et que c'était l'autorité royale et ses partisans qu'il aurait à défendre ». Il était conscient des épreuves qui l'attendaient. Mais il ne pouvait, dira Mme de Staël, « refuser d'essayer encore d'arrêter le mal[39] ». Le courage et le devoir l'obligeaient à rentrer.

Le 23 juillet, M. de Staël partait précipitamment pour Paris, porteur des deux lettres par lesquelles Necker annonçait son retour. Celui-ci répondait au roi : « Sire, je touchais au port que tant d'agitations me faisaient désirer, lorsque j'ai reçu la lettre dont Votre Majesté m'a honoré. Je vais retourner auprès d'elle pour recevoir ses ordres, et juger de plus près si en effet mon zèle infatigable et mon dévouement sans réserve peuvent encore servir à Votre Majesté. Je crois qu'elle me désire, puisqu'elle daigne m'en assurer, et que sa bonne foi m'est connue. Mais je la supplie aussi de croire, sur ma parole, que tout ce qui séduit la plupart des hommes élevés aux grandes places n'a plus de charmes pour moi, et que, sans un sentiment de vertu digne de l'estime du roi, c'est dans la retraite seule que j'aurais nourri l'amour et l'intérêt dont je ne cesserai d'être pénétré pour la gloire et le bonheur de Sa Majesté. »

À l'Assemblée nationale était destinée cette autre lettre :

« Sensiblement ému par de longues agitations, et considérant déjà de près le moment où il est temps de songer à la retraite du monde et des affaires, je me préparais à ne suivre plus que de mes vœux ardents le destin de la France et le bonheur d'une nation à laquelle je suis attaché par tant de liens, lorsque j'ai reçu la lettre dont vous m'avez honoré. Il est hors de mon pouvoir, il est au-dessus de mes faibles moyens de répondre dignement à cette marque si précieuse de votre estime et de votre bienveillance. Mais je dois au moins, messieurs, vous aller porter l'hommage de ma respectueuse reconnaissance. Mon dévouement ne vous est pas nécessaire ; mais il importe à mon bonheur de prouver au roi et à la nation française que rien ne peut ralentir un zèle qui fait depuis si longtemps l'intérêt de ma vie[40]. »

Le 24, à la fameuse auberge de Bâle *Les Trois Rois*, M. Necker, sa femme et sa fille dînent ensemble, entourés de nombreux visiteurs venus les féliciter et les acclamer. Le 25 au matin, commencera le triomphal voyage de retour du ministre exilé...

« LES FEMMES SE METTAIENT À GENOUX »

Les journées qui avaient suivi le renvoi de Necker sont entrées dans l'histoire, et il serait vain de les relater ici. Mme de Staël a décrit ce qu'avait été l'émotion provoquée à Paris par l'exil de son père et les événements qui, pour elle, en avaient été l'effet[41] : « Dès que la nouvelle du départ de M. Necker fut répandue à Paris, on barricada les rues, chacun se fit garde national, prit un costume militaire quelconque et se saisit au hasard de la première arme, fusil, sabre, faux, n'importe. Une foule innombrable d'hommes de la même opinion s'embrassaient dans les rues comme des frères, et l'armée du peuple de Paris, composée de plus de cent mille hommes, se forma dans un instant comme par miracle. La Bastille, cette citadelle du gouvernement arbitraire, fut prise le 14 juillet 1789. » Le 12 juillet, l'Assemblée nationale, apprenant le renvoi de Necker, avait manifesté son émotion. « La consternation était générale, dira Bailly dans ses *Mémoires*[42], c'était une famille qui avait perdu son père. Telle était l'opinion alors sur M. Necker : la destinée de la patrie semblait liée à la sienne. »

Le 13, l'Assemblée, sans oser exiger du roi le retour de Necker, avait déclaré que celui-ci, ainsi que les deux autres ministres disgraciés avec lui, Montmorin et Saint-Priest, avaient emporté avec eux l'estime et le regret des députés. Les 15 et 16 juillet – après les fameux événements du 14 juillet –, Louis XVI avait capitulé. Il avait ordonné le retrait des troupes, renoncé à se rendre à Metz pour se placer sous la protection de l'armée, ce qu'il regrettera plus tard de n'avoir pas fait. Il avait décidé, pour apaiser la colère des foules, de rappeler Necker, devenu « l'idole » du peuple de Paris. Et Necker, rappelé, acceptait de revenir par vertu, par noblesse d'âme, promettant au roi son « zèle infatigable », son « dévouement sans réserve ».

Sans doute Necker, qui ne résistait ni aux lois du devoir ni aux appels de l'opinion publique, était-il conscient de ce qu'il allait vers l'impossible, si même il croyait ne pouvoir faire autrement. « Je touchais au port, écrivit-il à son frère au moment de reprendre la route vers Paris, et je m'en faisais plaisir, mais ce port n'eût plus été tranquille et serein si j'avais pu me reprocher d'avoir manqué de courage, et si l'on avait pu dire et penser que tel ou tel malheur je l'aurais prévenu : je retourne donc en France, mais en victime de l'estime dont on m'honore. Mme Necker partage ce sentiment avec plus de force encore, et notre changement de plans est un acte de résignation pour tous deux : Ah Coppet, Coppet, j'aurai peut-être bientôt de justes motifs de le regretter ! Mais il faut se soumettre aux lois de la nécessité et aux enchaînements d'une destinée incompréhensible. Tout est en mouvement en France, il vient d'y avoir encore une scène de désordre et de sédition ouverte à Strasbourg. Il me semble que je vais rentrer dans le gouffre[43]. »

Mme de Staël racontera avec passion l'enthousiasme qui entoura le voyage de retour. « Quel moment de bonheur », écrira-t-elle, publiant les manuscrits de son père[44], « que cette route de Bâle à Paris telle que nous l'avons faite, lorsque mon père se fut décidé à revenir ! Je ne crois pas que rien de pareil soit jamais arrivé à un homme qui n'était pas le souverain du pays. La Nation française, si animée dans l'expression de ses sentiments, se livrait pour la première fois à un espoir tout nouveau pour elle, et dont rien encore ne lui avait appris les bornes. La liberté n'était connue de la classe éclairée que par les sentiments nobles qu'elle rappelle, et du peuple, que par des idées analogues à ses besoins et à ses peines. M. Necker paraissait alors le précurseur de ce bien tant attendu. Les acclamations les plus vives l'accompagnaient à chaque pas, les femmes se mettaient à genoux de loin dans les champs quand sa voiture passait ; les premiers citoyens des lieux que nous traversions prenaient la place des postillons pour conduire nos chevaux sur la route, et dans les villes les habitants les dételaient pour traîner eux-mêmes la voiture. »

Ce triomphe, Necker l'accepte évidemment par vertu, et aussi parce qu'il veut conduire le peuple vers le bien. « Dans presque tous les endroits où mon père s'arrêtait pendant son voyage, il parlait au peuple qui l'environnait sur la nécessité de respecter les propriétés et les personnes ; il demandait à ceux qui lui montraient tant d'amour de lui en donner pour preuve l'accomplissement de leurs devoirs. Il acceptait son triomphe avec un sentiment religieux pour la vertu, religieux pour l'humanité, religieux pour le bien public ; qu'est-ce donc que les hommes, si ce n'est pas ainsi qu'on mérite leur estime et leur respect ? Qu'est-ce donc que la vie, si ce n'est pas sur une telle conduite que repose la bénédiction divine[45] ? »

L'arrivée à Versailles, le soir du 28 juillet, la séance de l'Assemblée nationale où vint Necker le lendemain suscitèrent un fol enthousiasme, une véritable ivresse. Des applaudissements prolongés accueillirent Necker lorsqu'il apparut. Très ému, il prononça quelques mots, longuement applaudis. Le président d'alors, le duc de La Rochefoucauld-Liancourt, invita le ministre revenu à s'asseoir et prononça, au nom de l'Assemblée, le plus élogieux des discours[46].

Au matin du 30 juillet, M. et Mme Necker, M. et Mme de Staël partent ensemble pour Paris, où Necker doit être solennellement reçu à l'Hôtel de Ville. Était-il imprudent qu'il se rendît à l'invitation de la municipalité, dans cette ville tant secouée par les événements des derniers jours ? Mais Necker aime, il le dira souvent, et recherche tous les signes de l'estime publique. Il a, en outre, une raison généreuse de rendre visite à la Commune de Paris. Lorsqu'il a traversé Nogent-sur-Seine le 28 juillet dans son voyage triomphal, il a appris que le baron de Besenval, chargé du commandement des troupes de Paris lors des événements du 14 juillet, avait été arrêté alors qu'il s'enfuyait vers la Suisse, sa patrie, muni d'un passeport du roi. Necker avait demandé aux officiers municipaux de mettre Besenval en liberté et de le laisser poursuivre son voyage. La municipalité de Villenauxe-en-Brie, sans accueillir sa requête, avait prudemment sollicité des ordres de la municipalité de Paris, dont elle attendait la réponse. Ce juste combat commencé pour sauver un homme, Necker entend le poursuivre à l'Hôtel de Ville.

Ce que fut le délirant accueil réservé à Necker par Paris, tous les témoins se sont accordés pour le décrire. « La population entière de Paris, écrira Mme de Staël dans ses *Considérations*[47], se pressait en foule dans les rues, on voyait des hommes et des femmes aux fenêtres et sur les toits, criant : "Vive M. Necker !" Quand il arriva près de l'Hôtel de Ville, les acclamations redoublèrent, la place était remplie d'une multitude animée du même sentiment, et qui se précipitait sur les pas d'un seul homme, et cet homme était mon père. Il monta dans la salle de l'Hôtel de Ville, rendit compte aux magistrats nouvellement élus de l'ordre qu'il avait donné pour sauver M. de Besenval ; et, leur faisant sentir avec sa délicatesse accoutumée tout ce qui plaidait en faveur de ceux qui avaient obéi à leur souverain, et qui défendaient un ordre de choses existant depuis plusieurs siècles, il demanda l'amnistie pour le passé, quel qu'il fût, et la réconciliation pour l'avenir. Les confédérés du Rutli, au commencement du quatorzième siècle, en jurant la délivrance de la Suisse, jurèrent aussi d'être justes envers leurs adversaires, et c'est sans doute à cette noble résolution qu'ils durent leur triomphe. Au moment où M. Necker prononça ce mot d'amnistie, il retentit dans tous les cœurs ; aussitôt le peuple, rassemblé sur la place publique, voulut s'y associer. M. Necker alors s'avança sur le balcon, et, proclamant à haute voix les saintes paroles de la paix entre les Français de tous les partis, la multitude entière y répondit avec transport. Je ne vis rien de plus dans cet instant, car je perdis connaissance à force de joie. »

C'est devant l'assemblée des cent vingt représentants des districts, puis devant l'assemblée des électeurs qui siégeaient à l'Hôtel de Ville que se présenta Necker et qu'il lut son discours, demandant la mise en liberté de Besenval, et appelant à une amnistie générale qui rendrait le calme à la France. « Un sentiment, écrira Mme de Staël qui n'était excité par aucun intérêt ni par aucune opinion politique s'empara de près de deux cent mille Français qui se trouvaient rassemblés soit dans l'Hôtel de Ville, soit sur la place qui l'environne. Ah ! qui n'aurait pas, en ce moment, aimé la Nation française avec passion ? Jamais elle ne se montra plus grande que ce jour où elle ne songea qu'à être généreuse, jamais elle ne se montra plus aimable que ce jour où son impétuosité naturelle prenait un libre essor vers le bien [48]. »

Entraîné par Necker, et par Clermont-Tonnerre, l'assemblée des représentants décida de faire libérer Besenval et, « au nom des habitants de cette capitale », de pardonner à tous ses ennemis. Victoire fragile ! Bailly, le nouveau maire de Paris, refusera de signer l'arrêté voté par les électeurs. Ce n'était pas, pensait-il, le moment d'accorder un pardon général [49]. Le 31 juillet, l'Assemblée nationale, saisie à son tour de l'affaire, maintiendra la détention de Besenval et refusera toute amnistie pour les ennemis de la liberté. « Ce fut M. de Mirabeau, écrira Necker [50], l'un des personnages du moment le plus en vue par ses rares talents et par son audace, ce fut M. de Mirabeau, tribun par calcul, patricien par goût, et toujours immoral, toujours homme d'esprit, ce fut lui, qui, ayant destiné le trouble et la division à l'avancement de sa fortune, se crut appelé en défensive à contenir de tous ses moyens le premier retour aux idées d'ordre et aux sentiments pacifiques. On le vit, le soir même de cette heureuse journée, parcourir avec agitation tous les clubs où les hommes les plus violents commençaient à se réunir ; il leur peignit la délibération de l'Hôtel de Ville et le discours qui l'avait provoquée comme une composition avec l'aristocratie ; il décria la clémence, il insulta la bonté ; et, jetant de la défiance sur tous les partisans des voies de conciliation, il rattacha les esprits aux idées de sévérité et de vengeance ; et, liant artificieusement ces idées à l'amour et au triomphe de la liberté, il posa, sans le prévoir peut-être, les fondements du système terrible dont on ne s'est jamais écarté pendant le cours de la révolution française. » Besenval sera jugé par le Châtelet de Paris. Défendu par l'avocat de Sèze, il sera acquitté le 1er mars 1790. Il restera convaincu que Necker lui avait sauvé la vie [51].

Mais Necker, revenu, pouvait mesurer tout à la fois la médiocrité de son influence apparemment retrouvée, et la distance qui le séparait du nouvel esprit public. Qu'il n'eût pas démissionné, au lendemain du refus opposé par l'Assemblée nationale à ce qui était sa volonté, sera sévèrement jugé par beaucoup, par Clermont-Tonnerre [52] notamment, qui y verra le signe de sa faiblesse : « Il abdiqua les droits que lui donnait la confiance publique et qu'on aurait respectés s'il eût voulu les défendre. » Devant l'histoire, Necker invoquera les « raisons supérieures » qui jamais ne cessèrent de justifier ses choix [53] :

« Ah ! qu'on s'en fie à moi, il ne fallait pas moins que des raisons supérieures, il ne fallait pas moins que la loi du devoir pour m'engager à négliger une occasion d'agir noblement et fièrement. Je n'ai eu toute ma vie que trop d'entraînement vers ce genre d'esprit et de caractère ; et à travers les justes motifs qui décidèrent ma retraite, à l'époque de mon premier ministère, je n'ai pas été sans crainte d'avoir donné trop de part, dans cette détermination, à un premier mouvement d'élévation que j'aurais dû réprimer. »

« ADIEU, FRANCE QUI VOULIEZ LA LIBERTÉ ! »

Quelques jours plus tard, le 16 août 1789, Mme de Staël adressera au roi de Suède une longue lettre, lui faisant savoir ce qu'elle pense de tous ces événements, de la situation de la France et aussi de ce qu'elle espère de son merveilleux père qui, « revenu se dévouer à la France en victime du bien public, non en ambitieux de la puissance, a trouvé tous les pouvoirs anéantis ou confondus, le gouvernement de la force, l'origine des sociétés, une vieille nation retombée dans l'enfance plutôt que revenue à la jeunesse, un peuple corrompu qui veut adopter les institutions de l'Amérique, la liberté obtenue avant que l'esprit public ne soit formé, enfin une incohérence dans les idées, un contraste entre les caractères et les circonstances qui fait frémir.

« Il faut attendre d'un long temps les remèdes aux malheurs d'un seul jour, il faut que tous les soins de mon père tendent à relever l'autorité du roi. Si le pouvoir exécutif ne lui appartient pas en entier, si les troupes ne lui obéissent pas, ce pays est perdu. Quand un gouvernement subsiste depuis si long-temps il y a apparence qu'il est nécessaire, c'est comme les règles de l'arithmétique dont on trouve la preuve en les renversant. Jamais mon père n'a formé le projet d'en détruire les bases, il désirait sans doute de grandes améliorations, des améliorations devenues aussi indispensables qu'utiles en elles-mêmes, mais, en s'y refusant lorsqu'il n'était plus temps, le roi et la noblesse ont bouleversé le royaume. Mon père a constamment supplié le roi d'accorder ce qu'il serait obligé de céder. C'est au système contraire qu'il faut attribuer l'arrogance du peuple et l'inconsidération du monarque, et des grands, qu'on a vus de même tout refuser à la raison, tout abandonner à la violence. Si cet état durait, la France serait détruite, et sa dissolution serait terrible. Mais j'espère encore, j'espère que mon père la sauvera, il fera tous les jours quelque chose de bien, il empêchera tous les jours quelque chose de mal, et le temps qui calme ne trouvera pas d'obstacles sur sa route. Si cette attente est trompée il faut fuir à jamais la France. Constantinople serait un asile plus sûr qu'un pays abandonné à la liberté sans frein, c'est-à-dire au despotisme de tous[54]. »

Ainsi Mme de Staël défend-elle la cause de son merveilleux père, avec autant de ferveur que d'habileté, auprès d'un roi fort inquiet des événements qui ont secoué la France. Comme elle veille sur son père, elle veille sur son mari. « Je supplie Votre Majesté, dit-elle à Gustave III, de continuer à le traiter avec bonté, notre sort à tous les deux dépend d'elle[55]. » Elle assure éloquemment le roi des mérites de M. de Staël.

Simone Balayé remarque que Mme de Staël a fort peu parlé de sa conduite personnelle et de ses opinions d'alors[56]. Elle vit avec intensité l'apothéose de son père, elle est un témoin enthousiaste et bouleversé qui s'applique à protéger et accompagner ceux qu'elle aime. Que pense-t-elle de ces événements de juillet ? Sans doute partage-t-elle les idées répandues au siècle des Lumières. Elle fait confiance à la raison et à l'intelligence. La liberté, « culte de tous les esprits supérieurs », lui paraît le but suprême. Et tous ceux qui sont malheureux devront participer à la conduite des affaires, parce qu'ils devront recevoir l'instruction et la culture qui leur en donneront les moyens. « Mme de Staël remplace en somme l'aristocratie de la naissance par celle des talents[57]. » Mais il est probable que, comme son père, elle rêve d'une monarchie constitutionnelle de type anglais, « seul exemple alors existant d'un contrat entre le souverain et les citoyens ». « Dans cet élan, écrit encore Simone Balayé, elle se trouve aux côtés de la jeune aristocratie libérale qui elle-même a puisé son enthousiasme chez les philosophes et dans la guerre de l'Indépendance américaine. » Mais, comme son père, elle commence à craindre qu'un mouvement irrésistible ne soit en marche, un mouvement que la raison et la liberté ne contrôleront pas. « Aimable et généreuse France, adieu ! Adieu France qui vouliez la liberté et qui pouviez alors si facilement l'obtenir ! » Ainsi Mme de Staël[58] achèvera-t-elle, dans ses *Considérations*, le récit de cette fabuleuse journée où Necker et l'esprit public célébrèrent leurs dernières noces.

XV

Ainsi s'en est allé Necker

Pour la troisième fois Necker est venu au pouvoir. De nouveau principal ministre, sans en avoir le titre, il commence par composer avec le roi le nouveau ministère. On y place trois des anciens ministres qui avaient partagé sa disgrâce, Montmorin, Saint-Priest et La Luzerne, et on fait appel à des personnalités appartenant au clergé et à la noblesse de Cour[1], tels l'archevêque de Bordeaux Champion de Cicé, l'archevêque de Vienne Le Franc de Pompignan, le maréchal de Beauvau, le lieutenant général de La Tour du Pin, qui avaient en commun d'avoir manifesté quelque compréhension aux aspirations du tiers état. Malesherbes refusant de devenir garde des Sceaux, Champion de Cicé fut nommé à ce poste. Le 4 août, le roi communiquait à l'Assemblée nationale la composition du nouveau ministère. « Les choix que je fais dans votre Assemblée même vous annoncent le désir que j'ai d'entretenir avec elle la plus constante et la plus amicale des harmonies[2]. » « Ce ministère n'a pas de tête, confiera à Gouverneur Morris le ministre Montmorin, cependant très attaché à Necker. M. Necker est trop vertueux pour en être le chef et il a trop de vanité[3]. » Necker mesure l'effacement de la royauté, acquis en quelques jours. « L'équilibre des forces, écrira-t-il, avait été totalement rompu du 11 au 14 juillet [...], et si le monarque paraissait encore assis sur le trône, la puissance royale n'existait plus[4]. » Par surcroît, son action ne peut qu'être paralysée par les formes auxquelles sont désormais soumises ses relations avec l'Assemblée nationale. Il ne peut que lui adresser des mémoires ou faire des discours sans jamais participer à une discussion. Cette séparation obligée risque de conduire, lentement, à l'affrontement.

« J'IRAI CACHER AU LOIN MA DOULEUR ET MES REGRETS »

La crise de juillet avait encore aggravé la situation financière. Necker adjure l'Assemblée nationale, dès le 7 août, de voter un nouvel emprunt de trente millions, ce qu'il obtient difficilement contre la véhémente opposition de Mirabeau. « Je demanderai la proscription de ce vil esclave », s'était écrié Mirabeau[5] après le départ du ministre. Dans son rapport lu à l'Assemblée le 27 août[6], Necker constatera « qu'on peut considérer le succès de cet emprunt comme entièrement manqué ». Il reprochera sévèrement aux députés les modifications, même minimes, qu'ils ont cru devoir apporter à son texte et défendra le projet d'un nouvel emprunt de quatre-vingts millions. « Enfin, messieurs, il faut bien le dire, quoique j'y sois pour quelque chose ; mais je me regarde comme tellement confondu dans la chose publique et par mes sentiments et par mes sacrifices que je puis parler de moi comme d'un étranger. Je vous dirai donc, messieurs, en répétant les discours du public, que la confiance s'est altérée lorsqu'on a vu, dans une affaire de finance, dans une affaire du genre de celles que j'ai longtemps administrées avec un peu de réussite, que vous vous êtes séparés de mon opinion et que vous l'avez fait sans avoir cru seulement utile de débattre un moment, avec moi, les motifs de votre résolution. » Necker réussira à faire voter son nouvel emprunt, à faire réduire le prix du sel pour en accroître la consommation, il obtiendra des mesures d'ordre pour mieux assurer le recouvrement des impôts. Mais il viendra, le 24 septembre[7], lire à l'Assemblée nationale son rapport sur l'état des finances, où, proposant de nouvelles mesures – dont la création d'une « contribution passagère capable, par son importance, de subvenir à l'étendue des besoins extraordinaires de l'État » –, il dira son pessimisme, et aussi l'inquiétude qu'il éprouve, mesurant l'indifférence de l'Assemblée aux vrais problèmes de la Nation[8] :

« Pardonnez, messieurs, si je vous parle ainsi : il n'est rien sans doute de si imposant que le respect dû à une assemblée telle que la vôtre ; mais il y a peut-être quelque chose de plus grand encore, c'est l'indépendance et la dignité d'un seul homme, animé par la seule idée de ses devoirs, et fièrement soutenu par la pureté de ses intentions et l'approbation de sa conscience : vous ne vous blesserez point d'un pareil sentiment, puisque chacun de vous, messieurs, peut également y prétendre.

« Je vous demande, messieurs, au nom du roi, je vous sollicite au nom du vœu général de la nation, je vous conjure au nom de la tranquillité publique, au nom du salut de cet empire, de suspendre toute espèce de discussion, pour vous livrer sans interruption aux délibérations nécessaires, instantes, indispensables qu'exige la circonstance présente. »

Necker réussira, non sans peine, en octobre, à faire adopter ses propositions, dont la création de cette « contribution patriotique » s'élevant au quart du revenu librement déclaré, et payable en trois termes jusqu'en avril 1792. Comme il aimait faire valoir son désintéressement, il demandera « une grâce » à l'Assemblée : « C'est de vouloir bien me faire l'honneur de recevoir en signe de zèle et de bon exemple ma soumission particulière à la contribution patriotique ; je l'ai fixée à 100 000 francs, et je déclare avec vérité qu'elle est faite au-dessus de la proportion que vous avez adoptée[9]. » Mounier, le président de l'Assemblée, lui répondra : « Votre offrande consacre votre patriotisme. Vous en avez donné tant d'autres preuves que celle-ci n'a pas surpris l'Assemblée[10]. » Mais Necker ne se fait pas d'illusions. L'Assemblée retarde ou modifie tous ses projets, car les finances de la France ne sont pas sa préoccupation. « Je voyais de près le terme de mon influence sur l'administration des finances », écrira-t-il dans le livre qu'il publiera en 1791, *Sur l'administration de M. Necker par lui-même*[11]. Ses mémoires sur les finances ne cesseront de se succéder dans les mois qui suivront, et ils seront de moins en moins écoutés[12].

Mais ce sont les institutions nouvelles qui lui donnent les pires inquiétudes. Partisan convaincu de la Constitution anglaise, il souhaite l'établissement de deux chambres législatives, particulièrement nécessaires, pense-t-il, en France où « la mobilité du caractère national rend la circonspection des législateurs si nécessaire[13] ». La Fayette, Clermont-Tonnerre, Lally-Tollendal, Noailles, La Rochefoucauld, plusieurs députés tels Thouret et Mounier[14], le souhaiteraient comme lui, mais la majorité de la noblesse, du clergé, la majorité aussi du tiers état y sont hostiles, et Necker voit bien que cette réforme n'a guère de chance d'aboutir. Il constatera vite la vanité de ses efforts. « M. Necker, dira Mme de Staël qui, comme lui, tenait alors la Constitution anglaise pour le modèle, fit de vains efforts [...] pour prouver aux Communes que changer la noblesse conquérante en magistrature patricienne, c'était le seul moyen de détruire radicalement la féodalité ; car il n'y a de vraiment détruit que ce qui est remplacé. Il essaya de démontrer aussi aux démocrates qu'il valait beaucoup mieux procéder à l'égalité en élevant le mérite au premier rang qu'en cherchant inutilement à rabaisser les souvenirs historiques, dont l'effet est indestructible [...]. Cette haute sagesse, développée par un homme tel que M. Necker, parfaitement simple et vrai dans sa manière de s'exprimer, ne put cependant rien contre les passions dont l'amour-propre irrité était la cause [15]. » Suivre l'exemple anglais ? L'Assemblée nationale ne saurait y songer : « Une manie de vanité presque littéraire, écrira encore Mme de Staël, inspirait aux Français le besoin d'innover à cet égard. Ils craignaient, comme un auteur, d'emprunter les caractères où les situations d'un ouvrage déjà existant [16]. » De toute manière, dira Necker, regardant cette année terrible, l'Assemblée nationale ne pouvait plus travailler à l'établissement d'une Constitution raisonnable. Elle était désormais dominée par la rivalité des ambitions et la démagogie du discours.

« Après la révolution du mois de juillet, écrira-t-il, il fut aisé de juger que la faveur publique deviendrait le meilleur et le plus sûr appui dans la carrière de l'ambition, et l'on vit de même que, pour cultiver cette faveur, il fallait encenser les idées de liberté et d'égalité. Ainsi, par une singularité remarquable, l'esprit de flatterie, cet esprit le plus bas et le plus vil de tous, aborda le premier les plus hautes questions de la métaphysique. Bientôt cependant on n'observa plus de mesure, ni dans ses discours ni dans ses démarches ; car la rivalité dans la recherche des applaudissements, le désir de passer les autres en popularité n'en permettent aucune ; et l'égalité, la liberté sont des idées tellement susceptibles de toutes sortes d'extension, tellement souples et flexibles, s'il est permis de s'exprimer ainsi, qu'elles offrirent une ressource inépuisable aux législateurs courtisans, comme aux discoureurs politiques [17]. »

Quand commença, à la fin du mois d'août, le grand débat constitutionnel sur le « veto » que le roi pourrait, ou non, opposer aux décisions de l'Assemblée, et sur la nature de ce veto, absolu ou simplement suspensif pendant un temps que l'on devrait déterminer, Necker apparut, comme Lameth, comme Duport, comme Barnave, un partisan résolu du veto suspensif, tandis que Mounier, Lally-Tollendal, Malouet, Mirabeau lui-même défendaient le veto absolu du monarque... Pour Necker, le veto absolu risquait d'entretenir dangereusement l'idée que le roi pourrait mettre un obstacle perpétuel à une loi de bien public. Il serait en outre d'un usage difficile et redoutable, préparerait des conflits graves. Le 11 septembre, Necker, autorisé par le roi, communiquait à l'Assemblée le long rapport qu'il avait adressé à Sa Majesté pour s'opposer à la perspective d'un « veto indéfini entre les mains du roi[18] ». Ce rapport se terminait par l'expression de son inquiétude, et par l'annonce voilée de sa possible retraite[19] :

« L'Europe entière, messieurs, a les yeux attachés sur vous, vos mouvements généreux, votre patriotisme, vos lumières offrent un spectacle intéressant pour toutes les nations, et la France attend de vous sa gloire et son bonheur. Ne mettez pas au hasard ces précieuses espérances par un esprit de désunion, effet naturel de toute espèce d'exagération dans les opinions. Le bien que vous pouvez faire me paraît sans mesure ; mais c'est par de la modération que vous le rendrez stable, c'est là seul qu'est la force, c'est là seul que se trouvent l'accord et la réunion de tous les moyens qui peuvent concourir à la prospérité d'un État. Pardonnez, messieurs, à mon amour inquiet, si j'ose vous rappeler à ces idées ; j'attache mon bonheur à vos succès, et je ne sais pourquoi j'y place encore ma gloire ; mais il est vrai cependant que toutes sortes de sentiments m'unissent à vos travaux, et qu'au moment où la France en deuil renoncerait à ses hautes perspectives, accablé de la même tristesse, j'irais cacher au loin ma douleur et mes regrets. »

Cette lettre paraît avoir été fort mal accueillie par l'Assemblée. On trouva, écrira Bailly[20] dans ses *Mémoires*, que Necker écrivait trop pour un ministre, et qu'il donnait l'impression de vouloir toujours diriger l'Assemblée. Il fut décidé, le 11 septembre, à une très large majorité, que le rapport de Necker ne serait pas lu. Mme de Staël assista à cette odieuse séance, et la commenta dans une lettre à son mari[21] : « Ces infâmes aristocrates, conduits par M. Mounier, n'ont pas voulu entendre la lecture du rapport de mon père parce qu'on leur a dit qu'il était contre le veto absolu. Je sors de l'Assemblée plus indignée, plus triste que je ne puis te l'exprimer. Je te jure qu'il me sera bien doux de commencer une nouvelle vie de bonheur pour l'un et pour l'autre, mais aujourd'hui n'est pas un joli début. D'abord j'ai souffert des dents si horriblement que je n'ai pas fermé l'œil de la nuit, et ce matin, j'ai été dix fois prête à perdre connaissance. Écris-moi. Je t'aime. Adieu. »

Et si, le 21 septembre, le veto « suspensif » du roi – jusqu'« après la seconde législature » – fut finalement voté à une large majorité, Necker comprit que cet apparent succès ne devait à peu près rien à son influence. Il en fut sans doute très mortifié.

« LES HOMMES ONT PRIS LA BASTILLE, LES FEMMES ONT PRIS LE ROI »

Durant ces semaines où Necker va de déception en déception, la Constitution a pris forme. La Déclaration des droits de l'homme a été terminée le 26 août et la plupart des articles constitutionnels seront élaborés dès le 2 octobre. Ce jour-là, l'Assemblée décida de présenter la Déclaration des droits et les actes constitutionnels à l'acceptation du roi. Ce fut Necker, sans doute aidé par Champion de Cicé, qui soumit à Louis XVI le projet d'une réponse, réponse fort réservée et qui ne donnait qu'un consentement incertain[22]. Necker estimait dangereux d'ouvrir la Constitution par une Déclaration des droits : « J'ai toujours redouté, écrira-t-il, qu'elle n'égarât l'esprit du peuple[23]. »

La discussion sur la réponse du roi, et sur les réserves émises par lui, commence à l'Assemblée dans la matinée du 5 octobre.

Il faut obtenir du roi qu'il lève ses réserves, et donne son acceptation. Déjà la foule parisienne a commencé de marcher sur Versailles. Le soir, Louis XVI cède et donne l'acceptation pure et simple tant espérée. Mais il était déjà trop tard. « Il fallut céder, écrira Necker, mais la postérité n'oubliera jamais le moment qui fut choisi pour consacrer la théorie des droits de l'homme et pour asseoir la pierre angulaire de l'édifice de la liberté[24]. »

C'est à onze heures, le matin de ce fameux jour, que le comte de Saint-Priest, secrétaire d'État à la Maison du roi, prévient Louis XVI qu'une foule nombreuse, composée surtout de femmes du peuple, marche sur Versailles[25]. Le roi hésite à faire refouler le peuple de Paris et à se retirer à Rambouillet. Mais Necker insiste auprès de lui pour qu'il demeure à Versailles, ce qu'exige sa dignité. Tandis que Louis XVI s'interroge, les manifestants parviennent à Versailles, et Mounier, président de l'Assemblée, obtient qu'une délégation de femmes soit conduite chez le roi. Celui-ci les reçoit, s'applique à les apaiser. Mais bientôt la nouvelle se répand que la Garde nationale marcherait à son tour sur Versailles, et qu'elle approcherait. Cette fois, le roi, sur les conseils de Saint-Priest, décide de partir. Il est six heures du soir quand les voitures royales sortent des Grandes Écuries pour aller chercher le roi et la reine, mais elles sont interceptées par la foule. Pour éviter de faire couler le sang, Louis XVI renonce alors à s'en aller. La Fayette, qui, entraîné par ses troupes, suit la Garde nationale pour tenter de la maîtriser, arrive à Versailles vers minuit. Il essaie de rassurer le roi. Necker est auprès de celui-ci. Il dira plus tard les efforts qu'il a faits pour empêcher, ce jour, la fuite du roi[26]. Necker, estimera Ghislain de Diesbach, avait commis ce jour-là « la plus lourde erreur de sa carrière[27] ».

Ces funestes journées du 5 et du 6 octobre, qui firent tant de victimes, Mme de Staël les racontera dans ses *Considérations*[28]. Dès qu'elle apprit que le peuple marchait sur Versailles, elle s'inquiéta pour ses parents, et elle décida de les retrouver aussitôt. « Je partis à l'instant pour aller les rejoindre et je passai par une route peu fréquentée, sur laquelle je ne rencontrai personne. » Ainsi était Germaine : si ses parents devaient affronter des événements redoutables, elle devait, elle, tout faire pour les protéger. Les retrouvant à Versailles, elle resta près de sa mère, tandis que son père et les principaux ministres s'entretenaient avec le roi pour décider des mesures à prendre. Quand la nuit approcha et que la frayeur s'accrut avec l'obscurité, « nous vîmes entrer dans le palais M. de Chinon qui depuis, sous le nom de duc de Richelieu, a si justement acquis une grande considération. Il était pâle, défait, vêtu presque comme un homme du peuple [...]. Il avait marché quelque temps de Paris à Versailles, confondu dans la foule [...]. Quel récit que le sien ! Des femmes et des enfants armés de piques et de faux se pressaient de toutes parts. Les dernières classes du peuple étaient encore plus abruties par l'ivresse que par la fureur. Au milieu de cette bande infernale, des hommes se vantaient d'avoir reçu le nom de "coupe-têtes" et promettaient de le mériter [29]... »

Quand La Fayette entra dans le château, il traversa la salle où se tenaient Mme Necker et Mme de Staël. Il se rendait chez le roi. Il avait l'air très calme. Mme de Staël dira les précautions aussitôt prises par lui pour assurer la sûreté du château, la nuit d'angoisse, et elle racontera les dramatiques événements du lendemain [30] :

« Le 6 octobre, de grand matin, une femme très âgée, la mère du comte de Choiseul-Gouffier, auteur du charmant *Voyage en Grèce*, entra dans ma chambre ; elle venait, dans son effroi, se réfugier chez nous, quoique nous n'eussions jamais eu l'honneur de la voir. Elle m'apprit que des assassins avaient pénétré jusqu'à l'antichambre de la reine, qu'ils avaient massacré quelques-uns de ses gardes à sa porte, et que, réveillée par leurs cris, elle n'avait pu sauver sa propre vie qu'en fuyant dans l'appartement du roi par une issue dérobée. Je sus en même temps que mon père était déjà parti pour le château, et que ma mère se disposait à le suivre ; je me hâtai de l'accompagner.

« Un long corridor conduisait du Contrôle général, où nous demeurions, jusqu'au château : en approchant nous entendîmes des coups de fusil dans les cours ; et comme nous traversions la galerie, nous vîmes sur le plancher des traces récentes de sang. Dans la salle suivante, les gardes du corps embrassaient les gardes nationaux avec cette effusion qu'inspire toujours le trouble des grandes circonstances ; ils échangeaient leurs marques distinctives ; les gardes nationaux portaient la bandoulière des gardes du corps, et les gardes du corps la cocarde tricolore ; tous criaient alors avec transport : Vive La Fayette ! parce qu'il avait sauvé la vie des gardes du corps, menacés par la populace. Nous passâmes au milieu de ces braves gens, qui venaient de voir périr leurs camarades, et s'attendaient au même sort. Leur émotion contenue, mais visible, arrachait des larmes aux assistants. Mais, plus loin, quelle scène !

« Le peuple exigeait, avec de grandes clameurs, que le roi et sa famille se transportassent à Paris ; on annonça de leur part qu'ils y consentaient, et les cris, et les coups de fusil que nous entendions, étaient les signes de réjouissance de la troupe parisienne. La reine parut alors dans le salon ; ses cheveux étaient en désordre, sa figure était pâle, mais digne, et tout, dans sa personne, frappait l'imagination : le peuple demanda qu'elle parût sur le balcon ; et, comme toute la cour, appelée la cour de marbre, était remplie d'hommes qui tenaient en main des armes à feu, on put apercevoir dans la physionomie de la reine ce qu'elle redoutait. Néanmoins, elle s'avança, sans hésiter, avec ses deux enfants qui lui servaient de sauvegarde.

« La multitude parut attendrie, en voyant la reine comme mère, et les fureurs politiques s'apaisèrent à cet aspect ; ceux qui, la nuit même, avaient peut-être voulu l'assassiner portaient son nom jusqu'aux nues[31]. »

La reine, racontera encore Mme de Staël, sortant du balcon, s'approcha de Mme Necker et lui dit avec des sanglots étouffés : « Ils vont nous forcer, le roi et moi, à nous rendre à Paris, avec les têtes de nos gardes du corps portées devant nous, au bout de leurs piques. » Tandis que La Fayette multipliait les efforts pour rétablir le calme, pour éviter que le sang ne coulât de nouveau, le roi et la reine, contraints de céder, acceptaient d'être emmenés à Paris.

Qu'avait fait Necker pendant ces heures terribles ? Les amis du roi lui reprocheront de n'avoir rien voulu faire, rien osé faire. « Si M. Necker, écrira Bertrand de Molleville, avait eu la moindre énergie, il aurait dû se montrer à ces forcenés dont il était l'idole, employer tout l'ascendant que sa popularité lui donnait à les faire rentrer dans le devoir. [...] S'il n'y eût pas réussi, il aurait eu du moins la gloire de l'avoir tenté, mais M. Necker ne sut que gémir des attentats qui se commettaient sous les fenêtres du château contre les malheureux gardes du corps[32]. » L'« idole » des Parisiens n'avait rien fait que s'appliquer à rassurer le roi.

Ainsi Louis XVI et Marie-Antoinette furent-ils contraints de quitter Versailles, devenus les prisonniers du peuple de Paris. « Le roi se mit en route, écrira Necker dans *De la Révolution française*[33], environné de la Garde nationale, et suivi, précédé d'un peuple immense. Son âme était déchirée en pensant au sort de plusieurs de ses gardes fidèles qui venaient de périr sous un fer assassin ; et ses regards purent distinguer au milieu de la foule des monstres à figure humaine qui portaient en trophée les épouvantables signes de leur férocité sanguinaire. Quelle route ! Quelle inauguration de l'avenir ! »

« Nous revînmes à Paris, racontera Mme de Staël, par une autre route qui nous éloignait de cet affreux spectacle[34]. » Le chemin qu'elle fait l'émeut. Vite l'émotion et la réflexion se rejoignent chez elle. « C'était à travers le bois de Boulogne que nous passâmes, et le temps était d'une rare beauté ; l'air agitait à peine les arbres, et le soleil avait assez d'éclat pour ne laisser rien de sombre dans la campagne : aucun objet extérieur ne répondait à notre tristesse. Combien de fois ce contraste, entre la beauté de la nature et les souffrances imposées par les hommes, ne se renouvelle-t-il pas dans le cours de la vie ! »

À la nuit tombée, le roi, après avoir été solennellement reçu à l'Hôtel de Ville, se couchait en son palais des Tuileries déserté depuis que Louis XV, tout jeune souverain, l'avait abandonné, en 1722, pour s'installer à Versailles. Louis XVI était maintenant prisonnier dans sa capitale. « Les hommes ont pris la Bastille, commentera Michelet, et les femmes ont pris le roi [35]. » Fatigué, le peuple de Paris s'endormait, fier de posséder son roi.

Cette journée du 6 octobre sera lourde de conséquences. Près d'une centaine de députés, dans les jours qui suivront, tels Mounier, Lally-Tollendal, prendront leur passeport et émigreront. La Fayette, mortifié du rôle qu'il a joué, épouvanté des violences qu'il a vues, se rapprochera du roi. Mirabeau est renforcé dans sa conviction que, hors la monarchie, il n'y a que le désordre. « De Versailles il revint royaliste à Paris », assure Michelet. L'Assemblée impuissante s'est humiliée, affaiblie, tandis que ce roi malmené, prisonnier, pourrait bien avoir retrouvé, dans l'épreuve, des appuis sinon des forces. Le 13 octobre, Gouverneur Morris dîne chez les Necker, avec Mme de Staël. Le comte de Narbonne est là. On parle avec anxiété des affaires publiques. On dit que M. de Mirabeau a vu le roi le jour même, et qu'il désire faire partie du ministère. M. de Talleyrand intrigue pour être ministre des Finances. Quant au maître de maison, il semble inquiet, fatigué. La France est décidément impossible à gouverner...

« AI-JE RAISON DE VOUS DIRE QUE JE SUIS À PLAINDRE ? »

Revenu à Paris, Necker s'est réinstallé à l'hôtel du Contrôle général, rue Neuve-des-Petits-Champs. Mme de Staël peut désormais passer beaucoup de son temps rue du Bac, à l'ambassade de Suède. Ses correspondances avec son mari deviendront donc rares, mais elles ne cesseront plus de dire des reproches[36]. M. de Staël, qui s'est montré en juillet, dans ces journées dramatiques, un gendre très dévoué et actif, subit le contrecoup de ces événements. Le roi de Suède semble faire une moindre confiance au gendre de ce ministre qui a si mal défendu Louis XVI et qui paraît de plus en plus impuissant. M. de Staël craint de perdre son poste, il craint que le très influent Fersen ne veuille lui succéder. Pour tenter de conserver la confiance de Gustave III, l'ambassadeur doit dans le moment multiplier les signes de son zèle, et d'abord ne plus se permettre la moindre absence.

Mme de Staël, elle, a vécu dans l'angoisse et la joie ces événements terribles. La passion que lui inspire Narbonne ne cesse de la tourmenter. Stanislas de Clermont-Tonnerre, qui a beaucoup soutenu Necker dans ces jours de tempête, aurait-il avoué à Germaine un sentiment tendre ? Lui écrivant à minuit, en cet automne de 1789, elle l'entretient de son amour pour Louis de Narbonne, mais elle le fait en termes étranges[37] :

« Je me trouve bien folle de vous donner par excès de vertu mauvaise opinion de moi, et de chercher à me défendre de votre amour par votre mésestime. Il faut que je vous écrive cependant, avec la franchise qui, j'ose le dire, est digne de l'un et de l'autre, l'obstacle inconnu qui vient fortifier encore et mes principes et mes craintes. J'ai aimé beaucoup, j'aime encore tendrement le comte Louis. Dès qu'il m'a vue, il a changé pour moi sa destinée : ses liens ont été rompus, sa vie m'a été consacrée. Enfin, il m'a convaincue qu'il pouvait m'aimer assez pour respecter mes devoirs, et s'estimer encore heureux par la possession de mon cœur, mais que, s'il le perdait sans retour, il n'y survivrait pas. Je crois cela de lui par exemple, comme quelquefois j'en ai douté de vous. Je suis sûre que mander au comte Louis qu'il doit renoncer à moi, c'est lui donner la mort. J'ai juré de ne pas le rentre trop malheureux, de lui savoir à jamais gré de la réserve qu'il s'était imposée. Je me suis engagée témérairement ; mais à présent le devoir au moins ne doit-il pas l'emporter sur vous deux ? Quand je me sens combattue par mes sentiments pour vous et par ses sentiments pour moi, serais-je excusable à mes propres yeux en commettant une faute que tout l'abandon, toute l'ivresse d'un instant et de la vie peut à peine faire pardonner ? Ai-je raison de vous dire que je suis à plaindre ? Ces sentiments que vous avez su si bien, si dangereusement exprimer ce soir, ces sentiments dont, vous l'avouerai-je ? je doute encore, que j'aurais besoin d'éprouver de toutes les manières possibles, ces sentiments ne vous captiveront pas, vous vous éloignerez de moi, vous m'oublierez, vous me jugerez mal peut-être, et rien ne pourra me faire aimer la vie, et personne ne trouvera l'art de m'y attacher. Je vous devais cependant de vous faire lire au fond de mon cœur. J'attends en tremblant votre réponse. »

« Laisse-moi vivre en paix, et libre, l'un comme l'autre, écrit-elle dans le même temps à son mari[38] [...]. Se retrouver dans les bras de l'homme qui met tour à tour le poignard sur votre cou ou sur le sien, qui vous accable de menaces ou de plaintes, c'est un dévouement, ce n'est pas un plaisir. »

En décembre, Germaine est sûre d'être enceinte. L'enfant, qui naîtra le 31 août 1790, sera un garçon qu'elle prénommera Auguste. Elle répétera à Narbonne qu'il est son fils. Mais elle en parlera souvent à son mari en lui disant aussi : « Ton fils[39]. » Staël est humilié par ce « cocuage[40] » que tout Paris connaît

maintenant. Peut-être conduit par la souffrance, il se rapprochera des mystiques, ces « prophètes nouveaux » qui prétendent porter la lumière[41], et dont le goût s'est répandu à la
Cour du roi de Suède. Il est contraint par les usages de rencontrer Narbonne, et même de le recevoir à dîner rue du Bac.
Il imagine à sa femme d'autres amants, il multiplie les scènes
violentes. « Je viens de rester sans connaissance sur votre par-
quet, lui écrira Germaine au début de l'année 1790. Dans l'état
où je suis, je voudrais que cela m'eût tuée. Vous êtes bien
injuste. Vous vous en repentirez. Adieu[42]. »

Pour Germaine, ces temps passionnés et tumultueux vont
être interrompus par de cruelles épreuves. Le comte de Guibert, auquel elle est si liée depuis dix ans, meurt au début de
mai 1790. Bouleversée, elle commence d'écrire l'*Éloge de M. de
Guibert*. Est morte aussi, le 23 avril, son amie chère, la
duchesse de Piennes, âgée de vingt-quatre ans. Germaine écrit,
pour lui rendre hommage, un beau *Portrait de Mélanie*[43], Mélanie, modèle de la femme victime, douée de toutes les vertus,
morte de n'avoir pas été aimée, morte de la mélancolie venue
de l'abandon. « À l'instant de mourir, il doit sembler bien doux
d'adresser un reproche tendre à celui qu'on a vraiment aimé,
de consacrer par ses dernières paroles la vérité de toutes celles
qui les ont vainement précédées, et d'émouvoir au moins une
fois le cœur qu'on a trouvé insensible[44]. » Ces ouvrages, qui
parlent de sa douleur, elle ne les publiera pas. Le chagrin,
l'écriture, l'amour, la gloire, tout se mêle en cette extraordinaire année...

Pour Necker, les premiers mois de l'année 1790 ne sont plus
faits que de déceptions. « Une année de disette comme il n'en
avait pas existé depuis près d'un siècle vint se mêler en 1789
et 1790 aux troubles politiques[45]. » La disette oblige Necker
à des soins continuels, obscurs, et qui, constatera Mme de
Staël, ne lui rapportent aucune gloire. Le ministre s'acharne à
préserver Paris et plusieurs villes de France de la famine qui

les menace. Cela ne l'empêche pas de déplaire à tout le monde. Il déplaît à la Cour parce qu'il semble soutenir les revendications nouvelles, il déplaît au tiers état parce qu'il demeure attaché à l'autorité du roi. Et comme sa popularité semble, peu à peu, se réduire, son crédit se réduit aussi.

Les pamphlets se multiplient contre lui, portant les calomnies les plus diverses. Le chevalier Rutlidge, « homme de lettres fécond et médiocre [46] » qui s'est mêlé du ravitaillement de Paris, fait l'objet de poursuites : il se défend en soutenant qu'il a agi pour le compte de Necker, Necker qu'il accuse d'avoir participé à des opérations malhonnêtes. Marat, dans *L'Ami du Peuple*, rend public en janvier 1790 « cinq chefs d'inculpation [47] » contre Necker : « Votre coup de maître [...] c'est d'avoir rendu nuls, pour nous, les dons de la nature ; c'est de nous avoir escamoté nos moissons ; c'est de nous faire périr d'inanition au sein de l'abondance ; c'est d'avoir enchaîné, par crainte de la famine, un peuple entier qui vous adorait. » Necker a voulu affamer Paris, arrêter la marche de l'Assemblée nationale, faire échouer la Constitution. Il a même compromis ce qu'il restait de l'honneur du roi. Une information ayant été ouverte contre lui par le Châtelet de Paris, Marat s'enfuit en Angleterre où il publie en mars 1790 un *Appel à la Nation*, reprenant, renforçant ses accusations contre Necker. De retour à Paris en mai, il fera paraître une *Nouvelle Dénonciation* [48] où il préviendra Necker qu'il le poursuivra sans relâche : « Si cet écrit ne suffisait pas pour dessiller les yeux de nos aveugles concitoyens, ma plume est libre encore et, tant que vous serez au timon des affaires, elle vous poursuivra sans relâche : sans cesse elle dévoilera vos malversations ; sans cesse elle éventera vos projets funestes ; sans cesse elle publiera vos attentats ; pour vous ôter le temps de machiner contre la Patrie, elle vous arrachera au repos, elle rassemblera autour de votre chevet les noirs soucis, les chagrins, les craintes, les transes, les alarmes, jusqu'à ce que, laissant tomber de vos mains les chaînes que vous nous préparez, vous cherchiez vous-même votre salut dans la fuite. »

Qui défend encore Necker ? En ces mois tourmentés, son destin, estime Marcel Gauchet, donne « l'échelle de la tragédie révolutionnaire, sans l'éclat de la mort, dans la seule grisaille paisible du cabinet : le heurt inutile de l'homme raisonnable avec la raison dans l'histoire, c'est-à-dire la déraison des événements[49] ».

« MOINS DE BRUIT QU'UNE CHAISE QUI TOMBE »

Déjà compromise par les épreuves du pouvoir, la santé du ministre souffrit sans doute de l'impitoyable campagne de calomnies conduite contre lui. Dès décembre 1789, il était malade, atteint d'une violente colique hépatique qui se renouvela dans les mois suivants. « Je supplie le roi, écrivait-il en août 1790, de me pardonner si j'envoie un brouillon, mais, depuis quelques jours et encore pour ce matin, je manque de force, et j'ai besoin de l'indulgence de Sa Majesté[50]. » Pourtant Necker tâche de poursuivre courageusement sa mission, s'efforçant de faire comprendre à l'Assemblée nationale la place qu'elle doit laisser au pouvoir exécutif et le danger d'une totale souveraineté de l'autorité législative. Sans doute ne désespérait-il pas encore de faire entendre raison aux députés. Henri Grange[51] observe l'importance, dans cette perspective, de la séance royale du 4 février 1790, imaginée par lui – et dont peut-être La Fayette eut la première idée – afin que le roi vînt à l'Assemblée dire sa confiance en celle-ci mais aussi sa volonté de remplir son rôle...

« Je ne dois point le mettre en doute, dit Louis XVI aux députés, vous vous occuperez sûrement avec sagesse et avec

candeur de l'affermissement du pouvoir exécutif, cette condition sans laquelle il ne saurait exister aucun ordre durable
au-dedans ni aucune considération au-dehors. Nulle défiance
ne peut raisonnablement vous rester, ainsi il est de votre devoir
comme citoyens et comme fidèles représentants de la Nation
d'assurer au bien de l'État et à la liberté publique cette stabilité
qui ne peut dériver que d'une autorité active et tutélaire. »

Ce discours, rédigé par Necker, fut mal accueilli, décevant
notamment tous les « vrais royalistes » qui se sentirent trahis,
car le roi « s'y humiliait sans résultat en se déclarant prêt à
pactiser avec l'ennemi ». C'est postérieurement à ce discours
du 4 février, écrira Necker[52], que l'Assemblée a véritablement
détruit le pouvoir exécutif.

Avait-il encore quelque espoir de faire triompher la sagesse
de ses idées et de conduire tout à la fois l'Assemblée et le roi
vers une Constitution à l'anglaise ? Dans deux circonstances
importantes, Necker partira courageusement à la recherche de
l'impopularité. Le 7 avril 1790, était publié, sur l'initiative de
Camus devenu président du Comité des pensions, un *Livre
rouge* qui détaillait les dépenses secrètes – soustraites à l'examen de la Chambre des comptes – qui avaient été engagées
par Louis XV puis par Louis XVI. Le livre énumérait notamment les considérables libéralités dont avaient bénéficié les
frères du roi. Necker, expliquera Mme de Staël[53], crut devoir
prendre la défense des libéralités royales ainsi révélées, alors
qu'il n'y avait pas un seul article qui se rapportât au temps de
son administration, et que presque tous concernaient celle de
Calonne. Pourtant Necker, qui de nouveau, en cette circonstance, affrontera la calomnie, croit de son devoir d'apaiser
l'opinion publique, en justifiant, ou tout au moins en excusant,
les dépenses considérables faites par Louis XVI en faveur des
princes alors exilés hors de France, ces princes qui pourtant
ne cessent, à l'étranger, de clamer l'hostilité qu'ils lui
portent[54] :

« Puisque, dès mon premier ministère, j'ai constamment résisté à favoriser de pareilles demandes, puisque ma conduite à cet égard, généralement connue, a écarté de moi une bienveillance qui m'eût été précieuse, il doit m'être permis plus qu'à d'autres de faire observer que [...] des princes [...], élevés dès l'enfance au milieu du luxe d'une grande monarchie, ont pu trop facilement dépenser, chaque année, plus que leur revenu, et que ces dettes, accumulées les unes sur les autres pendant un long espace de temps et grossies de tous les sacrifices auxquels entraîne la nécessité de couvrir un déficit progressif par des ressources onéreuses, que ces dettes, dis-je, ont pu graduellement s'élever extrêmement haut et qu'une fois contractées, le roi a dû être sensible à la crainte d'exposer ses frères à un déshonneur et leur créanciers à une ruine malheureuse. »

Necker crut devoir encore braver l'impopularité, quand fut voté par l'Assemblée nationale, le 20 juin 1790, sur la proposition de Lameth, le décret qui proclamait « que la Noblesse héréditaire est pour toujours abolie en France, qu'en conséquence, les titres de Marquis, Chevalier, Écuyer, Comte, Vicomte, Messire, Prince, Baron, Vidame, Noble, Duc et tous autres titres semblables ne pourront être pris par qui que ce soit ni donnés à personne ; qu'aucun citoyen ne pourra faire porter une livrée à ses domestiques ni avoir des armoiries ; que l'encens ne sera brûlé dans les temples que pour honorer la divinité ni offert à qui que ce soit ; que les titres de Monseigneur et Messeigneurs ne seront donnés à aucun corps ni à aucun individu ainsi que les titres d'Excellence, d'Altesse, d'Éminence, de Grandeur[55] ». Necker, qui vit dans ce décret une décision très inquiétante, porteuse de guerre civile, proposa à Louis XVI de suspendre la sanction royale et d'adresser à l'Assemblée des « observations » dont le ministre rédigea le projet et donna lecture au roi. Mais, contre l'avis de Necker et de la plupart des ministres, Louis XVI, croyant consolider son pouvoir, décida de donner sa sanction au décret qui détruisait la noblesse. Necker dira plus tard comme il avait désapprouvé un texte qui constituait, selon lui, non seulement une imprudence mais aussi une dangereuse étape sur le chemin d'une « égalité absolue » qu'il tenait pour redoutable, et qui, de toute manière, enterrerait la monarchie. « La plus inconcevable des pensées, écrira-t-il[56], fut de supposer qu'un trône peut subsister, battu par tous les flots de l'égalité ; c'est d'avoir imaginé qu'il pût rester debout, au milieu des débris de tous les rangs et après le renversement, après une destruction absolue des idées et des habitudes de respect. »

Dans un mémoire qui fut lu à l'Assemblée nationale le 6 mars 1790 – mémoire sur *Les Moyens de combler le déficit*[57] –, Necker avait adressé, dans sa péroraison, comme un ultime appel aux députés[58] : « Ah ! qu'on ne désespère jamais de la chose publique, au milieu d'une nation riche et généreuse, d'une nation qui s'instruit chaque jour davantage sur ses véritables convenances ; mais il ne faut pas laisser languir ses mouvements, il ne faut pas surtout la laisser longtemps dans ces incertitudes de fortune qui aigrissent l'intérêt personnel, et tendent à le détacher de l'intérêt commun. Accélérez donc, messieurs, tout ce que vous pouvez, tout ce que vous devez faire pour rétablir l'ordre dans les finances ; répandez de toutes les manières et la paix et le calme dans les esprits. La liberté n'est pas l'unique objet de nos vœux, car ce n'est pas d'un seul lot que le bonheur des hommes est composé. Songez encore, messieurs, qu'après avoir rétabli l'ordre dans les finances, après avoir remplacé les revenus qui se sont évanouis, après avoir établi un parfait équilibre entre les revenus et les dépenses fixes, enfin, après vous être affranchis des embarras prochains, dont nous sommes justement alarmés, il faudra quelque temps encore avant de voir le crédit dans toute sa vigueur. Que les jours donc sont précieux, surtout après tant d'attente ! »

Le mémoire *Sur le budget des huit derniers mois de 1790*, que Necker lut à l'Assemblée le 29 mai, laissait présager sa retraite[59] : « Pardonnez-moi, messieurs, si, me laissant aller à mes sentiments, je me suis écarté, sans y penser, du principal sujet de ce mémoire, mais vous l'auriez permis à l'un des membres de votre assemblée ; et, lié bien autant que personne aux affaires publiques, j'ose attendre de vous la même indulgence. Je pourrais douter de votre faveur, que, venant à vous, je m'expliquerais encore avec confiance, parce qu'il n'y a dans mon cœur que sentiments de paix, de justice et d'amour véritable du bien public. Je vois d'ailleurs approcher de moi le moment où, séparé de l'administration, je n'aurai plus de rapport que par mes vœux avec le bonheur de la France ; et, me transportant déjà par la pensée dans cette période de la vie où l'âge et la retraite vous unissent en quelque manière à l'impartiale équité des temps à venir, je vous parle sans crainte comme sans espérance, et cette situation particulière peut seule me rassurer contre les sentiments de timidité qui accompagnent nécessairement le respect dû à une si auguste assemblée, et le désir infini que j'aurai toujours de vous plaire. »

Encore Necker adressera-t-il à l'Assemblée plusieurs mémoires, le 25 juillet 1790 sur le déficit de l'année, le 1er août pour répondre à deux accusations portées contre lui[60], le 17 août pour tenir l'Assemblée au courant des « gratifications » et faveurs dont de très nombreux particuliers jouissaient sur le trésor de l'État, le 27 août pour dire son opposition à l'émission de dix-neuf cents millions d'assignats voulue par l'Assemblée pour liquider la dette exigible. Mais qui l'écoute encore ?

C'est sans doute la grande manifestation du 2 septembre 1790 qui joua un rôle décisif dans la retraite de Necker. Vers huit heures du soir, un aide de camp de La Fayette lui rendit visite à l'hôtel du Contrôle général, où il résidait, pour le prévenir que des manifestants s'approchaient de l'hôtel que l'on devait faire garder par les troupes, et que le ministre ferait bien « de se rendre chez quelque ami ». Jacques Necker, dont le crédit semble ruiné, dont la santé est ébranlée, Suzanne Necker, de plus en plus malade, sont, tous deux, à bout de résistance[61], « incapables, observe Égret, d'affronter une foule menaçante ». Ils quittent aussitôt Paris pour se rendre à Saint-Ouen, puis, redoutant la curiosité qu'a suscitée dans le village leur arrivée nocturne, ils errent jusqu'au matin dans la vallée de Montmorency. Dans la matinée, ils reviennent à Paris.

Le 3 septembre dans l'après-midi, Necker fait porter aux députés la lettre qui annonce son départ[62] :

« Messieurs, ma santé est depuis longtemps affaiblie par une suite continuelle de travaux, de peines et d'inquiétudes. Je différais cependant d'un jour à l'autre d'exécuter le plan que j'avais formé de profiter des restes de la belle saison pour aller prendre les eaux, dont on m'a donné le conseil absolu ; et, n'écoutant que mon zèle et mon dévouement, je commençais à me livrer à un travail extraordinaire, pour déférer à une demande de l'assemblée, qui m'a été communiquée par le comité des finances : mais un nouveau retour que je viens d'éprouver des maux qui m'ont mis en grand danger cet hiver, et les inquiétudes mortelles d'une femme aussi vertueuse que chère à mon cœur me décident, messieurs, à ne point tarder de suivre ma détermination. Je ne dois point dissimuler que j'ai l'intention, en remplissant mon projet de retraite, d'aller retrouver l'asile que j'ai quitté pour me rendre à vos ordres. Vous approcherez alors de la fin de votre session, et je suis hors d'état d'entreprendre une nouvelle carrière.

« L'Assemblée nationale m'a demandé un compte de la recette et de la dépense du Trésor public, depuis le 1er mai 1789 jusqu'au 1er mai 1790 ; je l'ai remis le 21 du mois de juillet dernier. L'Assemblée a chargé son comité des finances de l'examiner, et plusieurs membres de ce comité se sont partagé entre eux le travail. Je crois qu'il aurait déjà pu connaître s'il existe quelque dépense ou quelque autre disposition susceptible de reproche ; et cette recherche, il me semble, est la seule qui concerne essentiellement le ministre ; car les calculs de détail, l'inspection des titres, la révision des quittances, ces opérations nécessairement longues, sont particulièrement applicables à la gestion des payeurs, des receveurs et des différents comptables.

« Cependant, messieurs, j'offre et je laisse, en garantie de mon administration, ma maison de Paris, ma maison de campagne et mes fonds au Trésor royal ; ils consistent depuis longtemps en deux millions quatre cent mille livres, et je demande seulement à retirer quatre cent mille livres dont l'état de mes affaires, en quittant Paris, me rend la disposition nécessaire ; le surplus, je le remets sans crainte sous la sauvegarde de la nation. J'attache même quelque intérêt à conserver la trace d'un dépôt que je crois honorable pour moi, puisque je l'ai fait au commencement de la dernière guerre, et que, par égard pour les besoins continuels du Trésor royal, je n'ai pas voulu le retirer au milieu des circonstances les plus inquiétantes, et dans le long intervalle où d'autres avaient l'administration des affaires.

« Les inimitiés, les injustices dont j'ai fait l'épreuve m'ont donné l'idée de la garantie que je viens d'offrir ; mais quand je rapproche cette pensée de ma conduite dans l'administration des finances, il m'est permis de la réunir aux singularités qui ont accompagné ma vie.

« J'ai l'honneur d'être avec un très profond respect, messieurs, votre très humble et très obéissant serviteur.

« *Signé* : NECKER »

« *P.-S.* L'état de souffrance que j'éprouve en ce moment m'empêche de mêler à cette lettre, faite à la hâte, les sentiments divers qu'en cette circonstance j'aurais eu le désir et le besoin d'y répandre. »

La lettre, lue le 4 septembre, fut froidement accueillie. L'Assemblée n'accusa pas réception, ni ne manifesta aucun sentiment.

Le 3 septembre, Necker avait envoyé au roi la copie de cette lettre[63] : « Votre Majesté sait depuis longtemps, que je suis dans la nécessité de m'éloigner. Je souffre trop en ce moment pour témoigner au roi tous mes sentiments. Je le ferai moi-même ou par une nouvelle lettre. Je suis bien malheureux et cependant je n'ai cessé un moment de faire tout ce qui était en mon pouvoir pour m'acquitter de mes devoirs envers Votre Majesté et envers l'État. »

On ne sait si Louis XVI eut un mot ou un geste pour tenter de retenir son ministre[64]. Munis d'un passeport du roi, et d'un autre accordé par la municipalité de Paris, Necker et sa femme quittent Paris le 8 septembre. Ils partent pour la Suisse. Le 9 septembre, à Arcis-sur-Aube, la Garde nationale impose à la municipalité l'arrestation de l'ancien ministre. « Le peuple, déclare le procès-verbal d'arrestation, pénétré des principes de responsabilité, s'est déterminé à retenir M. Necker et ses compagnons de voyage jusqu'à ce que nous ayons reçu des ordres de l'Assemblée nationale pour le remettre en liberté. » Ce texte est adressé à l'Assemblée en même temps qu'une lettre de Necker[65] :

« L'Assemblée jugera, sans que je l'exprime, les sentiments que j'éprouve, j'ai servi l'État pendant sept années, sans aucune récompense et avec le dévouement le plus entier et, j'ose le protester, je n'ai pas eu un moment de mon ministère qui n'ait été employé à faire le bien selon mes forces et selon mes lumières. Je supplie l'Assemblée nationale de ne pas permettre que, pour résultat de tous mes efforts, je ne puisse jouir de la liberté que les lois assurent à tous les citoyens. »

Le 11 septembre, le débat s'engageait, un bref débat au terme duquel l'Assemblée décidait d'ordonner à la municipalité d'Arcis-sur-Aube de relâcher son prisonnier. Une lettre sera adressée à Necker pour assurer la liberté de son voyage. Ainsi M. et Mme Necker pourront-ils reprendre la route.

À Vesoul, ils rencontrent de nouvelles difficultés et sont dangereusement menacés. La voiture des domestiques, qui suivait à distance, est minutieusement fouillée [66]. Renonçant à aller à Plombières, comme ils l'ont projeté, l'ancien ministre et sa femme prennent le chemin de Bâle, où ils arriveront le 17 septembre. « C'est ainsi, écrira Mme de Staël, qu'il refit cette même route que quinze mois auparavant il avait traversée en triomphe ; cruelle vicissitude, qui aurait aigri l'âme la plus courageuse, mais qu'une conscience pure pouvait seule supporter avec douceur [67]. » Quelques jours plus tard, M. et Mme Necker rejoindront Coppet.

Prévenue par ses parents de leur départ, Mme de Staël eût certainement fait la route avec eux, si elle l'avait pu. Mais elle avait, le 31 août, accouché de Louis-Auguste, l'enfant de sa passion, et elle était dans son lit, hors d'état de prendre la route. La retraite de son père, le départ de ses parents ressemblant à une fuite, leur arrestation à Arcis-sur-Aube, tout la jetait dans la douleur. Le 11 septembre, elle avait écrit personnellement au président de l'Assemblée pour le prier de faire délibérer celle-ci « le matin même », afin que son père fût aussitôt libéré. Germaine a pris sa décision : elle partira dès que sa santé le lui permettra. Elle veut à tout prix rejoindre son père, partager sa solitude et sa souffrance.

Ainsi s'en est allé Necker. Cet homme, rappelé par l'enthousiasme populaire, revenu comme un sauveur, porté en triomphe, a quitté la France dans l'indifférence générale. « Jamais ministre n'est parti plus incognito... Ni satires ni éloges, rien, pas un mot ; une chaise qui tombe dans les Tuileries fait plus de bruit que le départ d'un homme adoré il y a quinze mois [68]. »

XVI

Le ciel gris de l'ennui

Germaine sera en état de quitter Paris le 5 octobre, très pressée de rejoindre ses parents, tandis que Staël restera pour surveiller le petit Auguste et pour tâcher de défendre son ambassade contre ceux qui rêvent de le remplacer. La voici privée de cette société parisienne et de cette agitation politique qui mettaient de la passion dans sa vie. Vite elle trouvera triste le séjour à Coppet.

Par surcroît, l'état de ses parents l'inquiète et la fait souffrir. Elle voit sa mère, que les derniers événements et le voyage jusqu'à Coppet ont épuisée, sans cesse plus malade. Suzanne Necker peut être satisfaite, au fond d'elle, d'une retraite qui va lui permettre de vivre avec son mari adoré les derniers moments de sa vie, mais elle redoute que la mort bientôt ne les sépare. Elle ne cesse de régler avec un soin minutieux tous les préparatifs de sa fin [1]. Elle veut multiplier les précautions pour être sûre de ne pas être enterrée vivante, car, dans l'hôpital qu'elle a longtemps gouverné et qui portera son nom, elle croit avoir observé que souvent des malheureux ont été ensevelis parce que tous les signes de la vie semblaient avoir disparu chez eux, parce qu'ils étaient en état de « mort apparente », alors que la « mort intérieure » n'était pas « absolument consommée ». Cela l'angoisse tant qu'elle rédige alors une brochure, *Des inhumations précipitées*, qui s'achève par un projet de loi multipliant les délais, les formalités, les précautions, afin qu'il ne soit plus possible, dans aucun hôpital, d'ensevelir un mort vivant[2]. Elle ne veut pas que la mort détruise son corps, elle a décidé d'être embaumée afin que sa dépouille garde éternellement sa forme, que le cadavre de M. Necker rejoigne un jour le sien, et qu'ils soient tous deux, l'un près de l'autre, dans le même monument. Ce monument ne pourra être édifié à Saint-Ouen, où les Necker ne reviendront sans doute plus. C'est donc à Coppet que devra être construit le sépulcre dont elle doit prévoir tous les détails car la mort se rapproche tous les jours[3].

Ses dernières forces, elle les use à écrire, sur ses amis disparus, sur les livres qu'elle a lus, sur la vertu, sur la vieillesse, sur la paix de l'amitié conjugale et la tristesse du divorce :

« Pauvre nature humaine, chancelante par le poids des ans ! Une main tremblante pourrait encore se joindre à ta main tremblante ; le divorce vient te ravir cette dernière consolation : faudra-t-il que la tombe se referme sur des cœurs sensibles, sans qu'elle soit arrosée de quelques larmes ? Jeunes gens sans prévoyance ! Tout vous paraît infini sur la terre, vous puisez le temps sans mesure, et bientôt il n'existera plus pour vous ; ou, si quelque inquiétude secrète vous avertit enfin de la brièveté de la vie, vous cherchez à vous déguiser cette pensée, et vous demandez au monde et à ses distractions un abri contre vos alarmes ; mais ne vaudrait-il pas mieux préparer à l'avance votre asile dans une âme tendre et vertueuse, dans un cœur véritablement à vous : et n'est-il pas raisonnable de sacrifier à ce dessein quelques volontés capricieuses, quelques rapports passagers de figure, d'esprit ou d'opinion ? Ah ! si nous pouvions lire dans l'avenir, nous nous féliciterions d'être appelés par les circonstances à soumettre nos goûts et à exercer notre indulgence ; bientôt le temps nous laissera au milieu de nos anciennes relations, pauvres de nos jouissances passées, et riches seulement de nos sacrifices ; bientôt nous arriverons sur les confins de la vie, où nous sommes jetés, en mourant comme en naissant, dans un monde absolument inconnu : alors, rebutés de toutes les parties du théâtre, nous trouverons encore, dans l'indulgence et les douceurs de l'amitié conjugale, l'image et la réalité du banc hospitalier des Lacédémoniens[4]. »

L'un de ses derniers textes, elle le consacre à l'hospice de charité qu'elle a administré durant dix ans, et dont le destin de son mari l'a maintenant séparée[5] :

« Nous espérons que notre démission ne changera rien à l'administration de l'hospice, où l'on continuera de concilier, selon l'institution, les règles d'une économie raisonnable avec les lois de la plus tendre humanité ; et nous seconderons encore, selon nos forces, le vertueux administrateur à qui nous avons confié ce précieux dépôt. Nous visiterons même les salles des malades, dès que nous pourrons surmonter l'effet trop pénible de nos douloureux souvenirs ; et nous regarderons comme un devoir tous les soins et tous les sentiments qui pourront contribuer à la continuation des succès de cet établissement. Nous mettrons aussi au nombre de ces devoirs le tribut de nos pleurs, que nous irons porter sur la tombe de celle dont l'âme incomparable semblait ajouter un attrait de plus à la bienfaisance, et qui en rendait l'exercice facile pour nous, par les secours de son zèle et de sa rare capacité : mais bientôt, faisant succéder à nos regrets des pensées plus dignes encore de leur objet, nous lèverons nos regards vers le ciel, et nous lui demanderons les mêmes vertus et la même récompense. »

Jacques Necker lui aussi paraît sombre, abattu. Il sait que, cette fois-ci, il est entré dans la retraite pour y demeurer jusqu'à la mort, ce que sa fille aura tant de peine à admettre. « Il lui reste, écrit David Glass Larg, à régler ses comptes avec la postérité[6]. » Que faire, sinon écrire ? Il va commencer de rédiger son livre *Sur l'administration de M. Necker par lui-même*, qu'il publiera en 1791. Il ne s'adresse plus seulement aux esprits éclairés, ni même à cette nation française qui l'a tant déçu, il parle désormais aux nations européennes, et surtout il parle maintenant à l'Histoire, qui devra le juger quand il aura fini son chemin. Et bien sûr il veut que ce livre soit l'éloquent constat des services qu'il a rendus et des vertus dont il a toujours donné l'exemple[7] :

« Victime malheureuse d'une suite d'injustices dont les annales de l'histoire ne présentent que peu d'exemples, j'éprouvais tout le poids des plus amers souvenirs, et cependant je ne voulais point répandre par écrit mes douloureux sentiments. Il me semblait qu'après une longue suite d'actions publiques l'assistance des paroles n'était plus nécessaire ; et quelquefois, rapprochant ma conduite de l'ingrate indifférence de l'Assemblée nationale, je trouvais dans un parfait silence un repos qui plaisait à mon cœur orgueilleux. Enfin je ne sais trop pourquoi l'opinion publique n'est plus à mes yeux ce qu'elle était. Le respect que je lui ai religieusement rendu, ce respect s'est affaibli, quand je l'ai vue soumise aux artifices des méchants, quand je l'ai vue trembler devant les mêmes hommes qu'autrefois elle eût fait paraître à son tribunal pour les vouer à la honte, et les marquer du sceau de sa réprobation.

« Cependant on me presse de suivre une autre route, et je doute encore de la sagesse de ce conseil. On veut que je ramène les regards vers mon administration ; on veut que j'en rappelle le souvenir, et l'on ne voit pas que dans ces jours de trouble et d'inquiétude les intérêts publics rejettent tous les intérêts particuliers.

« On croit que, par un résumé de ma conduite, je dois prêter des moyens à mes défenseurs, et l'on ne considère pas qu'ils ont encore plus besoin de courage que de lumières.

« On me parle enfin de la postérité, et l'on oublie que l'empire des passions finit où le sien commence ; on oublie que, dans cet espace sans bornes où elle devient l'éternelle dominatrice, il n'y a plus de prestiges, il n'y a plus d'illusions.

La vérité seule ose y marquer les rangs, ose y fixer les places, et c'est uniquement parmi nous, c'est sur notre théâtre d'un jour que des imposteurs usurpent ses droits, et parviennent pour un moment à envahir ses hautes fonctions. »

Son travail occupe M. Necker, comme l'occupe sa femme malade, comme l'occupe sa fille chérie venue le consoler. Avec Germaine il parle, il marche, il se distrait si volontiers que Mme Necker s'en afflige : sa fille lui serait-elle décidément plus nécessaire qu'elle[8] ?

Durant ces mois passés à Coppet, Mme de Staël ne cessera d'adresser à son mari des lettres qui le tiendront au courant de sa vie, triste et monotone. Le 15 octobre 1790, elle lui écrit pour lui parler de ses parents qui la préoccupent et parfois même l'agacent[9] :

« Mon père est bien loin de supporter cette retraite. Même, comme je le craignais, on lui a fait faire une démarche qui empoisonnera sa vie[10]. Moi, tu crois bien que je lui suis entièrement dévouée – le matin la promenade, le soir le piquet ; ne point sortir, ne recevoir personne –, enfin plus consacrée que je ne l'étais étant fille, par cela seul qu'on ne peut plus l'exiger de moi. Mais, par une bizarrerie qui n'est pas sensible, ma mère craint que je ne *lui* sois nécessaire ; elle craint que je n'anime la société de mon mouvement et non du sien ; enfin elle craint qu'entre mon absence et ma présence il n'y ait de la différence. Ce sentiment, qui se témoigne à chaque instant, me rend ce séjour quelquefois pénible, et j'avoue que tu me ferais plaisir de te tenir prêt à venir me chercher dans les premiers jours de janvier. Une fois à Genève, je leur serai moins nécessaire, et c'est à Genève que la manière de ma mère avec moi, ses refus de chevaux, de domestiques, que sais-je, moi ? de tout, hors le boire et le manger, seraient plus pénibles.

« Ajoute à cela des jérémiades perpétuelles sur ta dépense, sur la mienne, et sur ce qu'il en coûte pour faire transporter ses revenus en Suisse. Cela devient de la folie. »

Germaine se fatigue jour après jour à tâcher de distraire ses parents[11] :

« Maintenant, je te dirai que mon père est mieux depuis que je suis ici. Tu n'as pas l'idée du mouvement que je me donne pour être à moi seule une assemblée nationale entière. Je m'étourdis pour ne pas être hors d'état de montrer de la gaieté, ce qui m'arriverait si je réfléchissais à tout ce qu'il y a de pénible dans la situation de mon père et dans la mienne : l'horrible ingratitude qu'il éprouve ; la difficulté de vivre à Paris ; l'ennui de rester ici ; le caractère de ma mère impossible à supporter, même pour lui, dans cette solitude. Il n'y a ici ni gens de lettres ni grands seigneurs : à qui donc parlerait-elle ? Les honnêtes femmes y abondent, mais cela ne suffit pas pour l'amuser, pas même le sermon du dimanche. Elle voudrait, il serait même d'accord avec ses principes, d'être heureuse ici, et cependant elle éprouve pour la première fois que le bonheur résiste à la volonté. Il faut donc revenir, mais quand le pourra-t-on ? »

Elle répète à son mari que les lettres qu'il lui adresse ne sont pas du tout aimables : « Il y a quelque chose de bizarre dans ta manière d'être pour celle que tu crois préférer. » Elle se plaint de sa solitude, elle entretient l'ambassadeur des problèmes d'argent qui ne cessent de la préoccuper : « Je n'aime pas trop à m'occuper d'argent mais, pour ton fils et pour toi, dont la place est malheureusement instable, c'est un devoir. Adieu. J'espère qu'à l'avenir tes lettres mériteront une réponse[12]. » Elle voudrait rentrer à Paris dès janvier : « Pour les intérêts mêmes de mon père, il faut que je sois de retour à Paris dans le mois de janvier. » À Coppet, l'ennui la tient.

Sans doute échange-t-elle quelques correspondances avec des amis, avec des hommes aimables, tel le séduisant Mathieu de Montmorency[13], qu'elle a rencontré à Paris dans les semaines qui ont précédé son départ. Mais elle souffre, car Narbonne la laisse plusieurs semaines sans nouvelles, et elle commence à redouter de le perdre[14]. Les quelques personnes que ses parents essaient d'attirer à Coppet ne la distraient guère et ne suppléent certes pas la société de Paris. Gibbon[15], qui est devenu, à cinquante-trois ans, « un petit homme d'une grosseur énorme[16] », qui semble sans nez et sans bouche, Gibbon vient, en ami très fidèle, passer quelques jours à Coppet. « Nous possédons dans ce château, écrit Germaine à son mari le 22 octobre, l'aimable Fornier et M. Gibbon, l'auteur de l'histoire du bas-empire, l'ancien amoureux de ma mère, celui qui voulait l'épouser. Quand je le vois, je me demande si je serais née de son union avec ma mère ; je me réponds que non, et qu'il suffisait de mon père seul pour que je vinsse au monde. Mon Dieu ! que j'ai besoin qu'il revienne à Paris, mon père ! L'air de ce pays-ci ne lui convient pas. Il est, en effet, très contraire aux dents, et depuis quatre jours une énorme fluxion le retient dans sa chambre. Il est mélancolique, mais bon et sensible, comme je l'ai toujours trouvé quand on m'en a laissée approcher. Je me surprends souvent les yeux baignés de larmes en contemplant ce majestueux exemple des vicissitudes humaines, de l'amour et de l'ingratitude d'une grande nation ; mais je tâche de lui cacher un sentiment qui pourrait l'affaiblir. Il m'appelait ce matin "Roger Bontemps", et je le laissais dire. Je suis bien loin cependant d'être gaie de la gaieté du bonheur, et jamais peut-être je ne me suis sentie aussi profondément mélancolique[17]. »

Tout ennuie Germaine et tout la tourmente. Elle s'inquiète de ce que son mari semble content d'être séparé d'elle. Elle est obsédée par les problèmes d'argent. « Nous respirerons à l'aise, lui écrit-elle le 24 octobre, quand la fortune de mon père sera par degrés retirée de l'abîme du Trésor royal, et, quand tu devrais alors perdre ta place (ce qui peut s'éviter par tes soins), je m'estimerais heureuse de pouvoir satisfaire tes goûts et bien élever ton fils. Adieu, adieu. Mille tendresses à tous les deux[18]. »

Pour tenter de se distraire, elle a entrepris d'écrire une tragédie historique en vers, *Montmorency*, dont le héros est Henri II, duc de Montmorency, qui lutta contre Richelieu et mourut décapité en 1632, à trente-sept ans[19]. Pense-t-elle à Mathieu de Montmorency, qui lui a fait très forte impression ? Leur amitié ne prendra, peut-être, un caractère amoureux que quelques mois plus tard, en 1791, après la mort de la marquise de Laval, dont Montmorency avait été tant épris qu'on le crut, qu'il se crut lui-même, inconsolable[20]. Le 19 novembre[21], Germaine de Staël, entretenant son mari de la tragédie qu'elle écrit, lui adressera quatre vers de cette nouvelle pièce dont elle lui dira avoir déjà rédigé quatre actes. Le héros, lui écrira-t-elle, « ressemble un peu à mon père ».

Le séjour à Coppet devient peu à peu insupportable à Germaine. « Ma mère est extrêmement souffrante. Son air de délabrement ne me permet pas de me plaindre de son humeur. » Du moins Mme de Staël a-t-elle le sentiment d'être utile à son père : « Mon pauvre père a bien besoin de moi dans ce moment, et cette pensée répand du charme sur tout ce qui serait de la peine[22]. » Elle semble heureuse d'apprendre qu'Auguste ressemble à la malheureuse Gustavine : « C'est, j'espère, écrit-elle à son mari, la plus douce consolation pour toi. » Mais M. de Staël, dont la jalousie ne paraît pas s'apaiser, a fait une nouvelle crise au motif que M. de Narbonne aurait séjourné à Coppet. Germaine lui écrit, le 28 novembre, son indignation et son chagrin[23] :

« Tu me dis que M. de Narbonne a passé cinq jours à Coppet : c'est un des mille et un mensonges dont on t'environne. Il n'y serait sûrement pas reçu, mais il n'est pas plus près d'y venir. Sa négligence pour moi est excessive. Je sais qu'il est à Paris et qu'il retourne à Toul dans huit jours, mais c'est indirectement que je le sais, et depuis qu'il y est, il n'a pas daigné m'écrire. Ainsi finira cette fameuse jalousie, mais il m'eût été doux de conserver un ami plus tendre dans un homme qui m'a valu tant d'injustes peines.

« Mlle Bernault me mande que ton fils est charmant. Ce teint citron cependant ne me conviendrait guère, mais au reste je ne le verrai peut-être pas longtemps. J'ai assez mal à la poitrine et mon idée est que je mourrai jeune. Je te dis cela pour te faire supporter mon retour sans trop de peine quand il arrivera. Je suis horriblement triste. Il vaut mieux que je finisse. M. de Montmorin m'a écrit une lettre fort aimable, et fort aimable pour tes intérêts. Gouvernet me mande qu'il te voit beaucoup et que tu soutiens mon absence à merveille. Je le crois, à l'envie que tu as de la prolonger. Adieu. »

« Revenir sans être désirée est plus triste que rester », lui écrit-elle encore le lendemain... Mais elle reviendra quand même, pour revoir son fils. « Je te remercie de soigner ton fils. [...] C'est un grand bonheur que les enfants. [...] J'ai sur l'éducation d'un fils des idées sublimes, mais si Auguste s'avisait de n'être que le second homme de génie de son siècle, je serais bien désappointée. Adieu encore, écris-moi souvent, et regrette-moi davantage[24]. »

N'ayant pour se distraire que la monotonie des parties de piquet, les longues promenades dans le parc, les visites de quelques familiers, Germaine a l'impression de sombrer dans la mélancolie. Au mois de décembre, la famille Necker, qui ne peut chauffer convenablement le château, décide d'aller passer l'hiver à Genève[25]. La vie mondaine y passe pour agréable, mais Mme de Staël ne la supporte guère. On semble ignorer ici son rang d'ambassadrice, et souvent on omet son titre de baronne. « Elle se découvre, observe Ghislain de Diesbach, des susceptibilités d'aristocrate en face de ces bourgeois dont aucun ne semble connaître les usages du grand monde[26]. » Sans doute quelques parents, quelques proches, les Necker de Saussure, les Rilliet, s'efforcent-ils de la distraire, mais la plupart des Français installés à Genève, qui sont souvent des émigrés, ne lui dissimulent pas leur antipathie. « On me traite avec beaucoup de bonté, écrit-elle à son mari, de Genève, le 9 décembre. On s'apprête à me faire danser le 18 chez Mme Necker de Saussure, et le 31 chez Mme Rilliet-Necker. Mais si tu me promets le secret le plus absolu, je t'avouerai que la société des Genevois m'est insupportable : leur amour de l'égalité n'est que le désir d'abaisser tout le monde, leur liberté est de l'insolence, et leurs bonnes mœurs de l'ennui. D'ailleurs les petites villes ne conviennent pas à des personnes un peu hors de la ligne ordinaire : chaque mot qu'elles disent est l'événement de toutes les sociétés. Je suis sûre qu'entre mon père, ma mère et moi nous occupons Genève comme l'Assemblée nationale Paris. Cela m'est insupportable : le bruit sans gloire n'est qu'importun [27]. »

Par surcroît, Germaine souffre de la poitrine. Des douleurs de dents l'empêchent souvent de dormir. Le 18 décembre, elle redit à son mari qu'elle est décidément bien triste. Elle veut rentrer à Paris pour quelques mois : « Tâche de me recevoir de manière à me consoler. Quatre mois ne sont pas bien longs à passer, et je reviendrai certainement ici dans le printemps : mon père a besoin de moi [28]. »

Germaine va passer les premiers jours de janvier 1791 à Lausanne chez son ami Antoine Cazenove d'Arlens, dont Constance, la femme, est une cousine de Benjamin Constant de qui Mme de Staël fera plus tard la connaissance. À Lausanne, elle voit aussi une autre cousine de Constant, Rosalie, passionnée de littérature. Elle veut bien, un soir, lui donner lecture de *Sophie ou les Sentiments secrets*, qu'elle vient de publier à un petit nombre d'exemplaires [29]. Rosalie se dira étonnée « de la force de son génie [30] ». Germaine donnera aussi lecture de sa tragédie *Montmorency*, encore en chantier. Mais elle a décidé de prendre la route de Paris sans passer par Genève, car elle redoute « la scène déchirante des adieux à son père [31] ».

Elle quittera Lausanne le 4 janvier, accompagnée de François Coindet, le secrétaire de Necker[32]. Elle sera à Nogent-
sur-Seine, près de Paris, le 8 janvier, d'où elle enverra un billet
à M. de Staël : « Je prie Son Excellence de n'être pas trop
affligée de me voir plus tôt qu'il ne le craignait. Je le prie de
ne prévenir personne de mon arrivée, m'étant arrangée pour
ne voir que lui aujourd'hui. Je le prie encore de faire préparer
un petit souper pour M. Coindet et moi, et des chevaux, non
pour moi qui ne compte pas cette fois coucher en ville, mais
pour mon compagnon qui amènera ce soir ta femme saine et
sauve, malgré l'espoir raisonnable que tu pouvais former
qu'elle se casserait le cou. Bonjour, bonjour[33]. » La voici à
Paris.

« QUATRE MOIS QUI EUSSENT REMPLI
DIX ANNÉES DE LA VIE D'UNE AUTRE »

Elle retrouve Paris avec joie, Paris où l'occuperont ses passions, ses amitiés et les combats politiques devenus furieux en
ce début de l'année 1791. Elle y passera quatre mois, quatre
mois, dira-t-elle, qui eussent rempli dix années de la vie d'une
autre femme. Elle veut aussitôt rendre au salon de la rue du
Bac sa primauté. La société mondaine, politique, diplomatique, littéraire devra s'y retrouver.

À Paris, les clubs pullulent, s'affrontant et se calomniant ;
on y discute âprement de toutes les affaires du jour. Tandis
que beaucoup émigrent, ou cherchent à émigrer, le conflit
ne cesse d'être plus violent entre les royalistes nostalgiques
de l'Ancien Régime, les Jacobins dont la force est toujours
plus menaçante, et les « modérés » qui cherchent de vagues
compromis. La plupart s'accordent au moins pour dénoncer

les « Constitutionnels » ceux qui, comme Mme de Staël et ses amis, croient encore que le salut de la France viendrait d'une monarchie représentative où le pouvoir exécutif serait contrôlé par deux Chambres [34]. Pourtant Mme de Staël rêve d'imposer son influence. Elle reçoit, elle parle, intrigue, elle donne en son salon plusieurs lectures de sa tragédie *Montmorency*, maintenant achevée. Comme le voulait sa mère autrefois, elle s'acharne à réunir les brillants causeurs, les esprits les plus éclairés, « tous ceux qui partagent ses opinions ou qu'elle voudrait y convertir » : Malouet, Clermont-Tonnerre, Barnave, Champion de Cicé, Lally-Tollendal, Duport, Alexandre de Lameth, Bergasse et bien d'autres [35].

Tandis qu'elle travaille ainsi à multiplier ses relations, la presse, la presse royaliste surtout, se déchaîne contre elle. *Les Actes des apôtres, Le Journal de la Cour et de la Ville,* multiplient les attaques contre la fille du néfaste Necker, heureusement parti, les calomnies aussi contre la redoutable maîtresse du comte de Narbonne. Les filles de Louis XV, Mesdames Adélaïde et Victoire, cherchent, dit-on, à émigrer : on attribuera à Mme de Staël de nombreuses démarches pour empêcher le départ de ces « saintes femmes », car le comte de Narbonne, chevalier d'honneur de Madame Adélaïde, serait contraint de l'accompagner, et l'ambassadrice serait ainsi privée de son amant. Les princesses partiront pourtant. Elles seront arrêtées à Arnay-le-Duc, et le très dévoué Narbonne reviendra précipitamment à Paris pour tenter d'obtenir un décret qui leur permettrait de poursuivre leur voyage. Il y parviendra, il les rejoindra pour les accompagner à Rome, d'où il repartira pour retrouver son régiment. Cette étrange aventure inspirera de nombreux écrits contre l'influente maîtresse de Narbonne. Une pièce, *Les Intrigues de Mme de Staël à l'occasion du départ des Mesdames de France*, sera répandue dans Paris, sous forme de brochure. L'héroïne en sera une

« nouvelle Circé », seulement occupée de garder son amant. M. de Staël, lui, sera un mari trompé, grotesque[36]...

Ainsi Narbonne dut-il quitter Paris en février 1791 ; et Mme de Staël en fut désespérée. « J'étais fort triste, écrit-elle à M. de Staël, en quittant un homme que je crois mon ami dans un moment où je puis voir en noir sur ma destinée, et, craignant l'inquisition de vos observations, j'ai passé un quart d'heure à me mettre en état de m'y soumettre[37]. » Quand Narbonne est revenu, en hâte, dans la nuit du 10 au 11 mars, puis reparti aussitôt, Germaine est restée désolée. Sa vie avec son mari est devenue infernale : il semble même qu'au cours d'une scène il l'ait chassée de chez elle[38].

En raison sans doute de ce désaccord croissant, en raison de l'absence de Narbonne, en raison aussi de la proche publication du livre de son père *Sur l'administration de M. Necker par lui-même*, Mme de Staël décide d'avancer son départ pour rejoindre ses parents. Le 5 mai, elle écrit à son mari, de Besançon où elle fait étape : « Il a failli t'arriver un grand bonheur. J'ai manqué me tuer... mais je me porte bien, et alors tout est mal car ma voiture est à moitié brisée. Cependant je chemine, et je te prie de ne pas trop t'affliger de ce que je vis encore, et de ce que je te reverrai dans quatre mois. Adieu, mon cher ami, le meilleur si tu voulais[39]. »

« NOUS VIVONS ICI ABSOLUMENT SEULS »

Voici Germaine de Staël le 8 mai à Genève, où ses parents sont encore en séjour. Aussitôt elle s'agite pour aider au succès du livre de son père, ce livre auquel elle vouera une ardente admiration, ce livre qui dit tout à la fois ce que la France doit à M. Necker et les extraordinaires mérites de celui-ci. Ce qu'elle voudrait aussi, c'est que son père puisse récupérer les deux millions qu'il a laissés au Trésor, par munificence, lorsqu'il s'en est allé[40], et qu'il puisse retourner à Paris[41]. À Genève, puis à Coppet, elle ne cessera évidemment de s'inquiéter de la situation de M. de Staël, qui semble de plus en plus menacée. Les calomnies dirigées contre elle, contre son mari, contre son père sont parvenues jusqu'au roi de Suède. Elle demande à Nils von Rosenstein, familier de Gustave III, d'intervenir pour défendre auprès du souverain la carrière de l'ambassadeur :

« M. de Staël, j'en suis témoin, est si dévoué aux intérêts du roi que ses actions et ses discours sont tous dirigés vers ce but. Il a de vrais droits par les preuves de zèle qu'il a eu le bonheur de donner au roi, et pas un seul tort aux yeux de la plus sévère critique. J'ai pu, comme fille de M. Necker, comme personne d'une imagination plus ardente, prendre aux affaires de la France un intérêt plus vif, mais pour lui, profondément révolté des crimes et des excès de la révolution, il s'est imposé la plus grande réserve et n'a jamais manqué à cette loi. Je lui rendrais cette justice avec plaisir à quelque prix que ce fût ; et quoique la calomnie ait tort pour tous les deux, il y a de plus que, pour lui, elle a manqué de prétexte[42]. »

Elle s'inquiète aussi de son fils Auguste : « Je ne sais pourquoi je suis inquiète d'Auguste. Je ne crois pas aux pressentiments, je crois plutôt qu'il est impossible de penser sans terreur à ce qui ferait le désespoir de la vie[43]. » Elle réclame à son mari « une amitié douce et constante. [...] Il y a, souffre le mot, il y a de la folie à ne voir le bonheur que dans une situation toujours rare et jamais durable[44] ». Ainsi veut-elle le bonheur de tous ceux qui l'entourent. Mais l'homme qu'elle aime lui garde-t-il sa passion ?

Le 1er juin, la famille Necker regagne Coppet. La solitude est devenue plus pesante encore, et Mme Necker est plus désespérée et difficile que jamais : « Nous vivons ici absolument seuls, écrit Mme de Staël à son mari [45], et c'est peut-être une preuve assez grande de mon sentiment pour mon père, de supporter du matin au soir le caractère de ma mère, qui s'adresse à moi d'une manière qui te ferait me plaindre si tu m'aimais encore. On n'est pas cependant une si mauvaise personne quand on quitte tout pour ce genre de vie, et tu pourrais, crois-moi, tirer parti d'un aussi bon enfant que cela. Adieu, adieu. »

Que reste-t-il ? À réfléchir, à méditer : « Il n'y a de vrai, de sûr que le bonheur de la pensée, écrit-elle à M. de Staël le 17 juin, la vie méditative est la seule qui donne un sort indépendant [46]. » Le 23, elle tâchera d'expliquer à son mari, toujours jaloux et grincheux, ce qu'elle éprouve : « Tu dis que *mon amitié pour toi ne s'exprime que par des paroles* ; ce serait d'abord quelque chose, car, en fait de sentiment, je trouve que les paroles tiennent le rang des actions. Mais n'est-ce pas une action que le désir constant, témoigné de toutes les manières, d'affermir notre union, de la rendre durable, d'y attacher le charme de l'intimité si celui de la passion ne peut s'y trouver, de se transporter d'abord au but où l'on arrive toujours quelques années plus tard ? Tu appelles des actions le sacrifice des amis qui me sont chers et deviennent tour à tour l'objet de ta jalousie. Rien, je t'assure, n'empoisonne la douceur que je trouve dans leurs sentiments comme l'idée qu'ils troublent ton bonheur, mais il n'y a que l'amour qui puisse remplir tout le cœur, et l'amour même cependant serait imprudent en demandant d'y régner seul. Tous ces liens néanmoins sont souvent brisés par l'absence, le temps, le hasard ; et l'amitié qui vous unit à votre mari, au père de vos enfants, n'est point soumise à de semblables chances et repose sur des bases plus solides. Voilà la vérité. Voilà le sentiment que je te montrerais avec plus d'abandon si tu m'avais dit une seule fois qu'il te paraissait de quelque prix [47]. » Quelques jours plus tard une lettre très froide parlera à M. de Staël des problèmes matériels qui ne cessent d'inquiéter sa femme : « D'ailleurs, sans oublier l'amitié qui doit rendre nécessaire de s'arranger pour se revoir, il faut parler de nos dettes, et terminer ensemble ce qui me regarde autant que toi, voir ce que le roi de Suède te destine et régler d'après cela nos arrangements futurs. Je suis bien triste de ne pouvoir pas t'être utile. Le bouleversement probable de la fortune de mon père ne me permet pas d'ajouter à la tienne, mais si cela te convient nous les réunirons à Paris, car la maison de ma mère et le camp des rois me sont également odieux[48]. »

« DANS LA RETRAITE DU SAGE »

À Paris, durant ce mois de juin 1791, les événements ont précipité leur cours. Le 20 juin vers minuit, Louis XVI, déguisé en valet de chambre, et la famille royale, entassés dans une lourde berline, ont quitté secrètement les Tuileries par une porte peu gardée... Le complot a été mal monté, le voyage trop lent. Fatigué, le roi a dû se dégourdir plusieurs fois les jambes. Sans doute reconnu à Châlons, puis à Sainte-Menehould par le maître de poste Drouet, il a été arrêté à Varennes dans la nuit du 21 au 22. Et, le 25 juin, Paris a assisté au retour de son roi prisonnier, entre deux haies de soldats, les fusils renversés.

Apprenant la nouvelle, Mme de Staël se montre très inquiète, non sans raisons. Le nom de Staël a souvent été associé à celui de Fersen, organisateur de ce départ manqué, et son mari pourrait être soupçonné d'avoir aidé à la fuite de la famille royale, peut-être en fournissant les passeports. Eric de Staël, qui s'attend à recevoir l'ordre de quitter Paris, adresse à sa femme une lettre d'« adieu mélancolique[49] ». Il redoute le pire pour lui-même, pour son fils, pour ses proches.

Déçu par l'échec de la fuite organisée par Fersen, Gustave III multiplie les initiatives pour défendre Louis XVI. Il veut susciter et diriger une coalition des rois. Ainsi est-il devenu un symbole de la contre-Révolution. L'ambassadeur écrit à son roi qu'il redoute d'être un jour massacré, lui et tous les Suédois qui sont en France[50]. Mme de Staël, dont les informations ne sont évidemment qu'incomplètes, s'alarme vivement pour son mari, pour son fils, pour elle aussi quand elle les rejoindra[51]. Si Staël est contraint de s'enfuir, il doit, lui écrit-elle, la prévenir aussitôt, et confier Auguste à Mme Rilliet. Et le roi de Suède devra évidemment verser à l'ambassadeur congédié la pension promise lors du mariage[52]...

Le 3 juillet, Germaine écrit à son mari pour repousser ses incessants reproches sur sa « prétendue passion pour M. de Narbonne ». Elle lui interdit de vendre, en son absence, l'argenterie pour payer des dettes[53]. Elle est tourmentée, malheureuse. Elle est désespérée de tant s'ennuyer à Coppet. Elle veut rentrer.

M. Necker, lui, a été réconforté par le succès qu'a remporté en Suisse, en France, en Europe son livre *Sur l'administration de M. Necker*. Jamais il ne pourra plus rester sans écrire. Il entreprend aussitôt la rédaction d'un vaste ouvrage, *Du pouvoir exécutif dans les grands États* – qui sera publié au début de l'année 1792 –, où il dira à ceux qui font la Révolution les erreurs qu'ils ont commises, celles surtout, plus funestes encore, qu'ils se préparent à commettre[54] :

« Il me semble que la race humaine se relèverait du déshonneur auquel toutes nos atrocités l'ont livrée, si une nation véritablement philosophe venait nous ramener à des idées justes et à des sentiments raisonnables. Hélas ! je m'égare en mes vœux. Notre régénération devrait être notre propre ouvrage ; et la France renferme, je le sais, un assez grand nombre d'esprits sages ; pour attendre d'eux notre salut, s'ils n'étaient pas abattus, incertains, et s'ils ne nous avaient laissé voir qu'embarrassés de leur situation ils se mêlaient souvent aux exagérés, afin de se dissimuler à eux-mêmes leur propre faiblesse. Ah ! reprenez enfin quelque courage, et demandez où l'on veut nous conduire ; souvenez-vous que le premier caractère de l'homme libre c'est l'indépendance de sa pensée, et que, de tous les avilissements le plus difficile à supporter, c'est le règne absolu des hommes qu'on méprise. Ne vous engagez pas surtout à servir les opinions que vous condamnez, et demeurez au moins sincères dans vos actions, lorsque la prudence vous empêche d'être francs et ouverts dans votre langage. Quel temps ! et quel spectacle se présente partout à nos regards ! Jamais on ne vit un mélange de tant d'idées factices et de tant de folies. Elles semblent s'attirer mutuellement et former une ligue pour notre ruine. Ô raison ! céleste raison ! image de l'esprit qui forma le monde, je ne déserterai point tes autels et je dédaignerai, pour te rester fidèle, et la haine des uns et l'ingratitude des autres, et les injustices de tous. Ô raison, dont le doux empire convient aux âmes sensibles et à tous les cœurs élevés ; raison, céleste raison, notre appui, notre guide dans le labyrinthe de la vie ! Hélas ! où te relégueras-tu dans ces temps de discorde et de frénésie ? Les oppresseurs ne veulent pas de toi, et les opprimés te rejettent. Viens, puisqu'on t'abandonne, viens dans la retraite du sage ; restes-y sous sa garde, et contente-toi de son culte silencieux, pour reparaître glorieuse lorsque ces temps de prestiges et de forfanterie seront passés. Et comme alors peut-être je ne serai plus, permets à mon ombre de suivre de loin ton triomphe ; et souffre encore jusque-là que mon nom déchiré soit inscrit humblement au pied de ta statue ! »

Ainsi Necker, maintenant enfermé « dans la retraite du sage », veut-il être, dans un monde devenu insensé, l'ultime symbole de la vertu et de la raison.

Quant à Mme Necker, elle achève, elle corrige ses souvenirs, ses « fragments ». Elle vit pour Dieu, pour son mari, elle pense à sa mort, elle écrit sur le temps qui passe, le temps qui reste et qui devient si bref[55]. « Ayant eu des goûts extrêmement différents, dans ma jeunesse, de ceux qui m'occupent à présent, j'ai peu senti les inconvénients du passage ; il s'est fait par nuances, et j'ai toujours trouvé des remplacements. Ainsi, lorsque je considère dans la glace mon teint flétri et mes yeux abattus, et qu'en rentrant en moi-même j'y trouve une raison plus active et plus ferme ; si le temps ne m'avait pas ravi les objets d'une tendresse qui ne finira qu'avec ma vie, je ne saurais pas si je dois me plaindre de lui. »

En juillet, pour tenter de se distraire un peu, Germaine se sépare quelques jours de ses parents. Elle marche dans la vallée de Chamonix, elle contemple « cette immense mer de glace qui touche à la prairie la plus riante. [...] Il faudrait y passer un mois, au lieu de deux jours, si l'on voulait tout voir comme savant ; mais comme poète, l'impression de l'imagination suffit[56] ». Elle est à Cologny le 19 juillet, chez son oncle Necker de Germany. On lui fait lire sa tragédie *Montmorency*. « Dans cette maison de mon oncle, on me traite avec beaucoup de soin. » Mais ce n'est qu'un instant de soleil dans le ciel gris de l'ennui. Elle est au désespoir de n'être pas à Paris, mêlée aux événements, elle n'en peut plus d'être tenue à l'écart, par amour de ses parents. Elle veut partir. Au lendemain de la fuite manquée du roi, l'Assemblée nationale n'a pas cédé à la pression des extrémistes, elle n'a pas proclamé sa déchéance. « Je suis, écrit Germaine à son mari, en pleine admiration de l'Assemblée, et je me passionne de colère contre la secte républicaine[57]. » Mais elle veut, à tout prix, être présente à l'Assemblée quand, le 13 septembre, sera lue la lettre du roi qui acceptera solennellement la Constitution. Elle veut vivre ce moment d'Histoire. « Le 15 août je partirai, écrit-elle à Staël, je conserve encore l'espérance de voir mon père revenir à Paris cet hiver [58]. » Elle a encore le temps d'adresser à son mari – qui avait cru devoir pendant l'été louer une propriété près du bois de Boulogne – des lettres très désagréables sur ses difficultés financières qui ne cessent de s'accroître, sur le sort d'Auguste que maintenant M. de Staël voudrait envoyer en Suisse, et surtout sur leur vie future, ou ce qu'il en restera : « J'ai des défauts qui ont dû te tourmenter, et cette idée est la seule qui me fasse connaître le remords. Je crois que le fondement de toute morale, c'est le respect ou le soin du bonheur des autres, et il y a un vers dans la tragédie, que je fais à présent qui est ma devise :

Et qui cause un malheur a commis un forfait.

« Sous ce rapport donc, je me blâmerai et supporterai tes reproches avec peine, mais sans ressentiment. À présent, veux-tu que j'examine, non ce que j'aurais le désir de promettre, mais ce que je puis espérer de tenir, tout ce que l'amitié la plus tendre peut inspirer pour l'homme qui n'exige que ce sentiment et est heureux de l'obtenir ? Tous les reproches que tu me fais viennent de ce que tu n'as pas rempli ces conditions. Ta jalousie m'a poursuivie sous toutes les formes, et tout en convenant aujourd'hui qu'il était injuste d'exiger de l'amour, tu te permettais des persécutions qui ne le font sûrement pas naître, puisqu'elles pourraient détruire celui qui existerait déjà. Enfin, tu n'étais jamais satisfait des marques de sentiment que je commençais à te donner, et cette injustice finissait par se créer de véritables motifs, à force de s'être attachée aux prétextes. J'avais tort parce qu'on m'avait trouvé des torts, et la continuité des plaintes en faisait naître les sujets.

« Enfin, dans mes absences tu ne cesses de m'inviter à ne pas revenir. Tu sais que ma position vis-à-vis de ma mère est pénible, qu'en m'engageant dans les événements de l'automne je puis n'avoir plus un prétexte pour revenir. Tous les caractères du monde s'ennuieraient ici, mais il n'est peut-être personne qui n'entendît parfaitement que, mes qualités et mes défauts donnés, je dois être malheureuse d'être loin de Paris dans ce moment. Cependant tu recommences la même scène que l'année dernière, avec pas plus de fondement et sans chercher si, en vivant avec toi à la campagne, je ne pourrais pas concilier tous les avantages, si d'ailleurs vers la fin d'août les projets du roi de Suède, d'une manière ou d'une autre, ne seront pas fixés ; sans me faire la grâce enfin de trouver que mon esprit pourrait t'offrir la compensation de quelques-uns des chimériques dangers que te ferait courir ma présence. Ce sont peut-être ces manières qui, en nuisant essentiellement à mon bonheur, ont éloigné mon cœur du tien. Mais, encore une fois, il faut faire l'un et l'autre un contrat avec le passé, tout à l'avantage de l'avenir[59]. »

Pour répondre au vœu de son mari, Germaine a bien voulu différer son départ. Elle consent à lui avouer, lui écrivant, le 9 août, de Coppet, qu'elle a rencontré Narbonne, en Suisse, à son retour d'Italie, voilà environ quinze jours : « Il est parti de là pour passer trois mois à son régiment. Ainsi, mon retour à Paris n'aura aucun rapport avec sa marche[60]. » M. de Staël veut-il, pour retarder encore l'arrivée de sa femme, l'inquiéter sur les dangers qu'elle pourrait courir à Paris ? Il écrit à M. Necker pour le mettre en garde, et aussi lui faire part de sa propre infidélité à l'égard de Germaine. Cette lettre, Necker la fait lire à sa fille. Celle-ci prévient son mari, le 11 août, que ni son père ni elle ne croient à la vraisemblance de cette nouvelle, qu'elle a décidé de rentrer et que son père y consent[61]. Son valet de chambre et fidèle intendant Alexandre devra se préparer à l'attendre[62]... Le mercredi 17 août, « extrêmement triste de quitter son père », elle part pour Paris, où elle arrivera le 21. « Adieu, écrit-elle à Staël avant son départ, j'espère que nous ne sommes plus brouillés. Quant à moi je t'ai pardonné toutes tes épîtres à toute ma famille. Adieu, à dimanche. »

Elle assistera donc, le 14 septembre 1791, à la fameuse séance de l'Assemblée, tant attendue d'elle, où le roi viendra prêter solennellement serment à la Constitution. Elle sera heureuse et fière, ayant enfin retrouvé la société qu'elle aimait, d'assister au ballet qui sera donné le soir à l'Opéra en présence du roi et de la reine. Elle décrira dans ses *Considérations* cette grande fête de l'illusion :

« On pria le roi et la reine d'aller à l'Opéra ; leur entrée y fut célébrée par des applaudissements sincères et universels. On donnait le ballet de *Psyché* ; au moment où les furies dansaient en secouant leurs flambeaux, et où cet éclat d'incendie se répandait dans toute la salle, je vis le visage du roi et de la reine à la pâle lueur de cette imitation des enfers, et des pressentiments funestes sur l'avenir me saisirent. La reine s'efforçait d'être aimable, mais on apercevait une profonde tristesse à travers son obligeant sourire. Le roi, comme à son ordinaire, semblait plus occupé de ce qu'il voyait que de ce qu'il éprouvait ; il regardait de tous les côtés avec calme, et l'on eût dit même avec insouciance ; il s'était habitué, comme la plupart des souverains, à contenir l'expression de ses sentiments, et peut-être en avait-il ainsi diminué la force. L'on alla se promener après l'opéra dans les Champs-Élysées qui étaient superbement illuminés. Le palais et le jardin des Tuileries n'en étant séparés que par la fatale place de la Révolution, l'illumination de ce palais et du jardin se joignait admirablement à celle des longues allées des Champs-Élysées, réunies entre elles par des guirlandes de lumière.

« Le roi et la reine se promenaient lentement dans leur voiture au milieu de la foule, et chaque fois qu'on apercevait la voiture, on criait : *Vive le roi !* Mais c'étaient les mêmes gens qui avaient insulté le même roi à son retour de Varennes, et ils ne se rendaient pas mieux compte de leurs applaudissements que de leurs outrages.

« Je rencontrai en me promenant quelques membres de l'Assemblée constituante. Ils ressemblaient à des souverains détrônés, très inquiets de leurs successeurs. Certes, chacun aurait souhaité comme eux qu'ils fussent chargés de maintenir la Constitution telle qu'elle était, car on en savait assez déjà sur l'esprit des élections pour ne pas se flatter d'une amélioration dans les affaires. Mais on s'étourdissait par le bruit qu'on entendait de toutes parts. Le peuple chantait, et les colporteurs de journaux faisaient retentir les airs en proclamant à haute voix *la grande acceptation du roi, la Constitution monarchique* etc., etc.

« Il semblait que la révolution fût achevée, et la liberté fondée. Toutefois l'on se regardait les uns les autres, comme pour obtenir de son voisin la sécurité dont on manquait soi-même [63]. »

Pour Mme de Staël, une vie nouvelle va sans doute commencer. Mais son père n'est plus là, et Narbonne la tourmente.

XVII

Dans la tempête

À Paris, Mme de Staël a retrouvé son amant, son fils, son mari, ses amis. Mais elle est aussitôt jetée dans ces tourments qu'elle redoute et qu'elle aime et qu'elle est revenue chercher.

La situation de son mari ne cesse d'être plus critique. Mme de Staël a eu beau, de Suisse, multiplier les démarches pour qu'il retrouve un peu de la faveur perdue de Gustave III, elle n'a rien pu. Le 27 juin, le roi de Suède a signifié à son ambassadeur qu'il devrait désormais s'abstenir de toute conférence avec « le soi-disant ministre des Affaires étrangères ». En vain Staël tente de se défendre auprès de son roi[1]. Sa situation est devenue très difficile, car Gustave III craint et condamne cette monarchie constitutionnelle où s'est installée la France. M. de Staël est le mari de Mme de Staël, et il est malheureusement mêlé, par elle, à cette détestable aventure.

La France que retrouve Germaine ne lui semble plus la même. La nouvelle assemblée a commencé ses travaux. Sur la proposition du vertueux Robespierre, la Constituante avait décidé que ses membres ne seraient pas éligibles à l'Assemblée législative. Les pères fondateurs de la première Révolution ne sont donc plus là. Une bonne partie des nouveaux députés n'a pas trente ans. « Plus de cheveux blancs, écrira Michelet, une

France nouvelle siège ici en cheveux noirs[2]. » 136 députés se sont inscrits au club des Jacobins, 264 aux Feuillants. Mais la majorité refuse de choisir. Ceux-là, que l'on appelle alors « les Impartiaux », ne seront le plus souvent conduits que par la prudence et par la peur.

Dès la première séance, un grand débat avait agité les députés. Ils devaient décider si, lorsque l'Assemblée recevrait solennellement Louis XVI, le 7 octobre, le fauteuil du roi serait placé, selon l'usage créé par la Constituante, plus haut que celui du président, ou à même hauteur. L'Assemblée avait d'abord décidé, sur la proposition de Couthon, que les deux fauteuils seraient placés à la même hauteur, au même niveau, puis elle avait rapporté son décret le surlendemain, comme si elle avait honte de paraître dégrader le roi. Louis XVI fut reçu le 7 octobre aux cris de « Vive le roi ! », « Vive la nation ! » « Sire, lui dit le président de l'Assemblée, nous avons besoin d'être aimés de vous. »

Le 9 novembre, la Législative décide que tous les émigrés « suspects de conjuration » disposeront d'un délai expirant le 1er janvier 1792 pour rentrer en France : passé cette date, ils seront passibles de la peine de mort et de la confiscation de leurs biens. Le 29 novembre, elle décrétera que les ecclésiastiques qui ont refusé d'accepter la Constitution civile du clergé seront obligés de prêter dans la huitaine « serment de fidélité » à la nation, à la loi et au roi, sous peine d'être tenus pour « suspects » et passibles d'une peine de prison. Aux deux textes Louis XVI opposera le veto royal. Ainsi, les conflits semblent vite irréductibles qui séparent le roi du nouveau régime.

Mais les passions se portent davantage encore vers la politique extérieure. Nombreux en effet sont ceux, dans l'entourage de Louis XVI, qui souhaitent la guerre, car elle pourrait affaiblir la Révolution. Le 14 décembre, le roi se rend solennellement à l'Assemblée, et il prononce un fier discours menaçant tous ceux qui, à l'étranger, osent défier la France. Il n'y a pas que le roi pour espérer la guerre. La gauche de l'Assemblée se persuade aussi qu'elle est nécessaire pour assurer le triomphe de la Révolution, pour vaincre la résistance de la monarchie. Brissot, qui, en cette fin de l'année 1791, apparaît comme « l'homme de la guerre », entraîne les plus brillants orateurs, dont plusieurs sont députés de la Gironde, tels Vergniaud et Guadet, admirateurs de Démosthène et de Cicéron, qui rêvent d'abattre tous les despotes et de terrasser l'Europe des rois. Aux Jacobins, Brissot réussit à mettre en échec Robespierre, qui, presque seul, tente de résister à l'entraînement général. « Commencez, oppose Robespierre, par ramener vos regards sur notre position intérieure ; remettez l'ordre chez vous avant de porter la liberté ailleurs. » Mais on ne l'entend pas. Il faut, proclame Brissot, « une croisade de liberté ». « Un peuple qui reconquiert sa liberté après dix siècles d'esclavage, s'écrie-t-il aux Jacobins le 16 décembre 1791, a besoin de la guerre ; il faut la guerre pour la consolider. » Le 14 janvier 1792, Guadet s'écriera à la tribune de l'Assemblée : « Marquons d'avance une place aux traîtres, [...] et que cette place soit l'échafaud. » Ainsi, pour des raisons contraires chacun va vers la guerre, vers sa guerre[3]...

« LE COMTE DE NARBONNE EST ENFIN MINISTRE »

Dès son retour à Paris, Mme de Staël a repris sa vie mondaine. Elle reçoit rue du Bac tous ceux qu'elle connaît ou peut connaître, excluant cependant de son salon les aristocrates entêtés et les jacobins enragés[4]. Elle voit des ministres comme Lessart, comme Montmorin qui, en tant que ministre des Affaires étrangères, peut aider son mari, elle voit les hommes politiques qui sont en même temps ses amis, tels Talleyrand, Montmorency, Alexandre de Lameth, le duc de Broglie, Malouet, Le Chapelier[5]. Elle fréquente aussi Condorcet et Sieyès, auquel elle ne cache pas son estime, et même Brissot, car elle aimerait pouvoir étendre son influence. Elle veut en effet que son amant Narbonne devienne ministre, et elle entend tout faire pour y parvenir. Après avoir accompagné et protégé Mesdames de France[6] et être allé à Coppet rendre visite à sa maîtresse, le comte de Narbonne a été promu, en septembre 1791, maréchal de camp, appelé à commander la « garde nationale soldée ». Il est devenu en fait, par sa fonction, le « défenseur du roi à Paris[7] ». Sous l'influence de Germaine, ses opinions ont beaucoup évolué. Il est désormais considéré comme un libéral, un libéral modéré mais résolu, rêvant, comme la femme qu'il aime, d'une monarchie constitutionnelle respectueuse de la liberté. Mme de Staël veut que son amant soit ministre non seulement pour satisfaire son ambition, mais aussi parce que Narbonne peut, croit-elle, poursuivre l'action de Necker et qu'elle espère, pourquoi pas, grâce à cet homme beau, intelligent et diplomate, agir sur les événements. « Narbonne, écrit Georges Solovieff[8], représente pour elle l'alliance de la force, de la liberté et de l'élégance. [...] Avec Narbonne elle va réformer le monde, éliminer les abus de l'Ancien Régime, mener à bien la Révolution. »

On ne peut savoir exactement ce que fit Mme de Staël pour obtenir cette nomination qui, à la fin de l'année 1791, lui importait plus que tout, ce que fut son rôle, non seulement par les dîners qu'elle ne cessait de donner rue du Bac, par ses démarches auprès de Talleyrand, de Sieyès, de Condorcet, mais aussi par les « conseils secrets » qu'elle a peut-être tenus[9] avec Brissot, avec Barnave, rencontrant des membres de tous les partis[10]. Elle eût voulu que, lors de l'un des fréquents remaniements ministériels qui disaient l'évolution des forces et l'indécision du roi, son ami fût nommé ministre des Affaires étrangères, car elle eût, du même coup, fortifié la situation de M. de Staël. Mais ce fut M. de Lessart qui fut appelé à cette fonction et la Cour ne semblait guère favorable à la promotion de M. de Narbonne, trop ostensiblement soutenu par La Fayette et par Mme de Staël. Est-ce Barnave – qui avait depuis Varennes pris une grande influence sur la reine – qui se serait chargé de convaincre celle-ci ? D'obscures manœuvres persuadèrent le ministre de la Guerre, Duportail, qui préconisait une politique de paix, de donner sa démission[11], ce qu'il fit le 1er décembre. Mais Germaine est inquiète, car Narbonne pose des conditions : « On a sondé M. de Narbonne, écrit-elle le 2 décembre au comte de Gouvernet[12], sur le ministère de la Guerre, dont M. Duportail a donné sa démission. Il a répondu, avec raison je crois, qu'il ne pourrait se décider qu'après une conférence avec la reine et le roi. Ce ton déplaît un peu aux ministres, et il pourrait bien faire manquer cette affaire. M. de Narbonne en serait bien aise. Sa place à Paris peut d'ailleurs devenir extrêmement brillante et l'opinion tourne beaucoup vers lui. »

Dans les jours qui suivent, Barnave presse Marie-Antoinette, qui sans doute persuade le roi encore hésitant. Le 7 décembre, la nomination de Narbonne au ministère de la Guerre est solennellement annoncée à l'Assemblée législative. Le même jour, Marie-Antoinette écrit à Fersen pour l'entretenir des résultats de cette cabale :

« Le comte Louis de Narbonne est enfin ministre de la Guerre d'hier. Quelle gloire pour Mme de Staël et quel plaisir d'avoir toute l'armée [...] à elle ! Il pourra être utile, s'il le veut, ayant assez d'esprit pour rallier les Constitutionnels et bien le ton qu'il faut pour parler à l'armée actuelle. [...] Quel bonheur si je puis un jour redevenir assez puissante [sic] pour prouver à tous ces gueux que je n'étais pas leur dupe[13] ! »

À l'Assemblée, le 7 décembre, le nouveau ministre de la Guerre prend la parole. Mme de Staël est assise dans la tribune diplomatique. Elle exulte, elle trouve le discours de Narbonne magnifique, ce discours plusieurs fois applaudi. « Le début de M. de Narbonne, écrira-t-elle le 12 décembre au comte de Gouvernet [14], a été brillant, mais que deviendra l'avenir ? Le roi et la reine ont été bien pour lui ; il les croit entièrement sincères. Le veto sur la loi des prêtres sera apposé, comme vous croyez bien. Mais le veto est un moyen convulsif, et il faut porter en dehors tout le mouvement de cette nation pour qu'elle redevienne accessible à la raison.

« Adieu. N'oubliez pas, non pour moi mais pour vous, qu'il y a un comité de surveillance à la poste. Adieu. Que n'êtes-vous ici ! Mais il faut rester où vous êtes, il le faut. M. de Staël sera rappelé dans trois ou quatre jours : tout est en destruction autour de moi. J'espère dans les talents, dans le courage de M. de Narbonne. S'il sauve ce pays-ci, c'est un miracle et non un trait de génie. »

« Mme de Staël, écrira Lamartine dans son *Histoire des Girondins* [15], née dans une république, élevée dans une Cour, fille de ministre, femme d'ambassadeur, tenant au peuple par l'origine, aux hommes de lettres par le talent, à l'aristocratie par le rang, les trois éléments de la Révolution se mêlaient ou se combattaient en elle. Son génie était comme le chœur antique, où toutes les grandes voix du drame se confondaient dans un orageux accord ! [...] Comme les femmes de Rome, qui agitaient la République du mouvement de leur cœur, ou qui donnaient et retiraient l'Empire avec leur amour, elle voulait que sa passion se confondît avec sa politique, et que l'élévation de son génie servît à élever celui qu'elle aimait. [...] Être la destinée voilée d'un grand homme, c'était la seule ambition qui lui fût permise. [...] Son illusion lui fit croire qu'elle l'avait trouvé. Ce n'était qu'un homme séduisant, actif et brave. Elle en fit un politique et un héros. »

Voilà donc Mme de Staël de nouveau engagée dans une activité politique intense et passionnée, dans le soutien de son amant comme elle l'avait été dans le soutien de son père. Elle n'a que vingt-cinq ans, mais elle se sent moins jeune déjà. Qu'attend-elle de Narbonne ? Le bonheur, ou la gloire, ou sans doute l'un et l'autre ?

CETTE GUERRE QUE LA FRANCE NE PEUT PAS PERDRE

Le nouveau ministre de la Guerre entend doter la France d'une puissante armée qui servira la monarchie constitutionnelle. Il visite les frontières, il inspecte et harangue les troupes. « En quelques mois, il fait des merveilles, remonte le matériel des places fortes, rétablit les garnisons, met sur pied trois armées, cent cinquante mille hommes au total dont il donne le commandement aux généraux de Rochambeau, Luckner et La Fayette [16]. » Mathieu de Montmorency fait partie de son état-major, ce qui plaît évidemment à Mme de Staël. Quant à M. de Staël, « il a pour mission de chanter les louanges de Narbonne auprès de Gustave III [17] ».

Mais Narbonne déplaît vite. Il ne cesse d'adresser à l'Assemblée des demandes de fonds nécessaires, assure-t-il, pour subvenir aux dépenses militaires, ce qui oblige à la fabrication continuelle de nouveaux assignats. Sa parole est éloquente, généreuse, mais il sort volontiers de son rôle pour tenter de concilier les tendances adverses de la Législative. Bientôt, il est violemment critiqué et, comme autrefois Necker, il menace de démissionner : « Eh bien, messieurs, s'écriera-t-il à l'Assemblée, me refusant à attendre la honte comme ministre, j'irai chercher la mort comme soldat de la Constitution, et c'est dans ce dernier poste qu'il me sera permis de ne plus calculer le nombre et la force de nos ennemis [18]. » Ambitieux, courageux, inspiré par Mme de Staël, il voudrait susciter une majorité d'union nationale d'où ne seraient exclus que les extrémistes des deux camps. Il soutient le projet d'une brève et spectaculaire opération militaire, dirigée contre l'Électeur de Trèves, qui abritait dans ses États de nombreux émigrés, une opération qui redonnerait confiance à l'armée et à la nation. Pourtant il ne croit pas à la supériorité militaire de la France. Il ne veut pas, dans le moment, la guerre, et Mme de Staël la redoute comme lui [19]. Il juge prudent de négocier avec la Prusse, avec l'Angleterre [20]. Talleyrand est envoyé à Londres et Ségur à Berlin.

Mais l'échec de sa politique semble avéré quand l'Autriche et la Prusse signent à Berlin, en février 1792, une alliance défensive. Voici que les Girondins stigmatisent la faiblesse de ce ministre timoré et réclament la guerre, cette guerre que la France ne peut pas perdre et qui libérera les peuples opprimés. Quant à Louis XVI, il se méfie de Narbonne, de sa politique équivoque que ne cessent de dénoncer ses frères et beaucoup de ses proches. Le 24 février 1792, Narbonne se permet d'adresser, durant le Conseil du roi, un suprême avertissement à Louis XVI, le suppliant de rompre avec les émigrés et de se prononcer entre les aristocrates et les Constitutionnels [21]. Il a perdu la confiance de la Cour. « Ce diable d'homme », écrit Louis XVI à Bertrand de Moleville, ministre de la Marine, qui hait son collègue Narbonne, « a tellement tout brouillé que l'on n'y reconnaît plus rien [22] ». Dès le 17 février, le baron de Goltz, ambassadeur de Prusse à Paris, a dit dans une dépêche à Frédéric-Guillaume II combien il redoutait « la baronne de Staël [...], intrigante jusqu'à la folie, maîtresse du comte de Narbonne [23] ». La plupart des ministres sont maintenant ligués lui. Il incarne une politique prudente et modérée qui déplaît autant aux aristocrates qu'aux républicains. Dans les premiers jours de mars 1792, Narbonne semble découragé. Le 3 mars, il confie à trois généraux, dont La Fayette, son intention de démissionner. Le 8 mars, les ministres se réunissent pour prier Louis XVI de se défaire de lui et de le remplacer par le chevalier de Grave. Le 10, Narbonne reçoit ce billet lapidaire du roi : « Je vous préviens, Monsieur, que je viens de nommer M. de Grave au département de la Guerre. Vous lui remettrez votre portefeuille. » C'est par une formule semblable, observe Georges Solovieff, que, le 11 juillet 1789, Louis XVI avait congédié Necker[24].

Le 20 avril 1792, Louis XVI se rend à la Législative. Il propose solennellement de déclarer la guerre au « roi de Bohême et de Hongrie », c'est-à-dire à François II, nouvel empereur, qui vient de succéder à son père. « La France, dira Michelet, avait le sentiment de sa virginité puissante ; elle marchait la tête haute, le cœur pur, sans intérêt personnel ; elle se savait adorable, et dans la réalité, adorée des nations. Elle jugeait parfaitement que l'amour des peuples lui assurait pour toujours l'invariable haine des rois[25]. »

Sept députés seulement osèrent voter contre la déclaration de guerre. Presque tous furent emportés par un enthousiasme irrésistible. « C'est en détestant la guerre, expliquera plus tard Condorcet qui monta à la tribune pour la légitimer, que j'ai voté pour la déclarer[26]. » Cette journée du 20 avril 1792, où Louis XVI se coule dans le rêve révolutionnaire, ouvre la longue guerre qui opposera la Révolution à l'Europe, et elle scelle sans doute le destin de la Révolution et de la France. Cette date symbolise aussi l'avènement d'une mentalité française qui se prolongera bien au-delà de la Révolution. Pendant plus d'un siècle, le nationalisme français s'identifiera avec l'héritage de la guerre révolutionnaire. Le « mourir pour la patrie » portera désormais, dans une mystérieuse ambiguïté, à la fois la volonté de vie et de conquête d'une nation et le rêve d'une libération universelle...

Mme de Staël a été, pendant ces mois de l'hiver 1791-1792,

« tout à son idée d'un gouvernement par une élite de l'intelligence et très heureuse d'avoir trouvé le moyen de mener de front ses affaires de cœur et celles de la nation[27] ». Mais elle n'a pas eu que des raisons d'être heureuse. Les articles, les pamphlets ont été nombreux, dénonçant d'abord son retour à Paris, puis ses intrigues et son zèle odieux au service de son amant[28]. Bertrand de Moleville, adversaire acharné de Narbonne, obligé de quitter lui aussi son ministère, sans doute par souci de l'équilibre, a dit au roi, dans sa lettre d'adieu, ce qu'il pensait de la détestable Mme de Staël : « Cette femme dangereuse pourrait profiter de l'état de crise [...] pour provoquer une insurrection contre le château[29]. » Quant aux affaires de M. de Staël, elles ont été de plus en plus déplorables. Germaine est désormais seule à l'ambassade, car son mari, rappelé par Gustave III, est parti pour Stockholm le 5 février 1792. Avant de partir, il a cru bon d'adresser une longue lettre à Necker, lui donnant les raisons de son rappel, lui expliquant le rôle malheureux joué par Germaine. « Je ne peux cependant pas me dissimuler que le parti décidé qu'elle a pris et qu'elle continue de prendre dans la Révolution a fortement indisposé le roi [...] contre moi. Il est donc important de voir moi-même ce qu'il faut faire et tirer des circonstances le meilleur parti possible. Il ne peut cependant pas vous échapper, Monsieur, que le roi ne sera sans doute pas très disposé à écouter favorablement un homme dont la femme a la réputation de gouverner des ministres qu'il regarde comme rebelles contre leur maître légitime[30]. » Staël insiste auprès de Necker pour que celui-ci enjoigne à Germaine de ne pas rester à Paris. Car tout est devenu menaçant : les hésitations du roi, la fureur des extrémistes, les colères du peuple et la guerre qui vient... Necker est de plus en plus inquiet pour sa fille. Il la supplie de venir à Coppet, d'amener Auguste, il a peur pour elle et pour son enfant. Il ne comprend pas qu'elle reste à Paris, et il ne cesse de vouloir la convaincre. « Il n'a pas laissé passer, écrira-t-elle, quand nous étions séparés, un courrier, un seul courrier sans m'écrire[31]. » Mais elle ne veut pas l'entendre.

Narbonne en disgrâce a rejoint La Fayette, chef d'état-major de l'armée du Nord. Mme de Staël, déguisée en homme et portant du poison, serait, dit-on, allée le retrouver quelques jours au camp d'Arras[32]. Convaincue maintenant que le pire est proche, elle imagine un plan, renouvelé du plan manqué de Fersen, pour sauver la famille royale. Elle achèterait une terre en Normandie, elle y effectuerait plusieurs voyages accompagnée de personnes ressemblant au roi, à la reine et au dauphin, pour familiariser les maîtres de relais ; puis, au jour fixé pour leur évasion, les trois fugitifs partiraient avec elle, ils gagneraient la côte normande et de là ils s'embarqueraient pour l'Angleterre[33]. Elle demande à Malouet de porter ce plan à la connaissance de Louis XVI, mais Malouet n'est pas reçu[34]. Que peut faire Mme de Staël ? Elle est maintenant sans son amant, sans son mari. Son père est loin. Viennent des mois sinistres...

Tandis que cette guerre tant voulue, peu préparée, commençait mal, que la France se retrouvait seule contre l'Autriche, la Prusse, l'Allemagne coalisées, sans le secours vainement négocié de l'Angleterre, de l'Amérique, ces rares nations libérales, tandis que l'on criait à la trahison, l'Assemblée crut devoir démontrer sa force par une suite de décrets signifiant son conflit ouvert avec le roi. Et le 20 juin, tandis que Paris célèbre l'anniversaire du serment du Jeu de Paume, celui aussi de la fuite du roi, le peuple, conduit par ceux que l'on appellera les « meneurs du faubourg », envahit les Tuileries, pénètre dans les appartements royaux et oblige Louis XVI à mettre sur la tête le bonnet rouge qui porte l'emblème de la Révolution. Le roi est contraint de boire à la santé du peuple de Paris qui défile, plusieurs heures, devant lui. L'image du roi prisonnier, insulté, forcé à coiffer le bonnet rouge aidera en Europe, à nourrir la haine de la Révolution...

Le 2 juillet, Paris apprend que l'armée du Nord bat en retraite, qu'elle se replie sur Lille et Valenciennes. Le 11 juillet, Louis XVI se rend à l'Assemblée sur l'invitation de l'évêque constitutionnel Lamourette qui prêche la réconciliation générale. Le roi peut, dans l'enthousiasme du moment, venir sous les acclamations de l'Assemblée, redire sa fidélité à la Constitution, proclamer que « le roi et la nation ne font qu'un » : ni le « baiser Lamourette » comme on dira, ni cette fraternité d'un instant n'effaceront le souvenir de la terrible journée du 20 juin.

La monarchie constitutionnelle rêvée par Mme de Staël agonise. La famille royale croira devoir assister à la fête de la Fédération ; le roi, la reine seront insultés, et Mme de Staël, évidemment présente, verra pleurer Marie-Antoinette[35]. Elle décrira plus tard, dans *Les Considérations,* cette scène qui lui semblera prédire la fin tragique de la monarchie française :

« L'expression du visage de la reine ne s'effacera jamais de mon souvenir ; ses yeux étaient abîmés de pleurs ; la splendeur de sa toilette, la dignité de son maintien contrastaient avec le cortège dont elle était environnée. Quelques gardes nationaux la séparaient seuls de la populace ; les hommes armés, rassemblés dans le Champ-de-Mars, avaient plus l'air d'être réunis pour une émeute que pour une fête. Le roi se rendit à pied du pavillon sous lequel il était jusqu'à l'autel élevé à l'extrémité du Champ-de-Mars. C'est là qu'il devait prêter serment pour la seconde fois à la Constitution, dont les débris allaient écraser le trône. Quelques enfants suivaient le roi en l'applaudissant ; ces enfants ne savaient pas encore de quel forfait leurs pères étaient prêts à se souiller.

« Il fallait le caractère de Louis XVI, ce caractère de martyr qu'il n'a jamais démenti, pour supporter ainsi une pareille situation. Sa manière de marcher, sa contenance avaient quelque chose de particulier ; dans d'autres occasions, on aurait pu lui souhaiter plus de grandeur ; mais il suffisait dans ce moment de rester en tout le même pour paraître sublime. Je suivis de loin sa tête poudrée au milieu de ces têtes à cheveux noirs ; son habit, encore brodé comme jadis, ressortait à côté du costume des gens du peuple qui se pressaient autour de lui. Quand il monta les degrés de l'autel, on crut voir la victime sainte, s'offrant volontairement en sacrifice. Il redescendit ; et, traversant de nouveau les rangs en désordre, il revint s'asseoir auprès de la reine et de ses enfants. Depuis ce jour, le peuple ne l'a plus revu que sur l'échafaud. »

L'HÉROÏQUE GERMAINE

Dans la nuit du 9 au 10 août 1792, le tocsin sonne. À l'Hôtel de Ville arrivent d'heure en heure les commissaires envoyés par les sections. À sept heures du matin, ils sont assez nombreux pour former une Commune insurrectionnelle. Ils chassent la municipalité. Deux colonnes se mettent en marche, venant, l'une du faubourg Saint-Antoine, l'autre de la rive gauche, fortes notamment des fédérés marseillais. Vers dix heures, le roi, qui se sait menacé, se précipite à l'Assemblée avec la reine et le dauphin, il se place à la gauche de Vergniaud qui préside alors : « Je suis venu ici pour éviter un grand crime et je me croirai toujours en sûreté au milieu des représentants de la nation. » « L'Assemblée nationale, lui répond Vergniaud, défendra avec zèle toutes les autorités constituées, elle respecte trop le peuple pour craindre qu'il puisse se porter à des violences répréhensibles, elle ne craint d'ailleurs aucun danger. Au surplus, elle saura, s'il le faut, mourir à son poste... » Comme la Constitution interdit que l'Assemblée délibère en présence du roi, on conduit Louis XVI et la famille royale dans la « loge du logographe », réduit où se tenaient les sténographes, situé derrière le fauteuil du président. Dans les heures qui suivent, l'Assemblée apprend qu'à la suite du départ du roi les Tuileries ont été envahies, que les gardes suisses qui protégeaient la famille royale ont été massacrés dans de violents combats, que le peuple est en train de piller le château. Alors elle capitule. Tant que l'issue du combat avait été douteuse, elle avait traité Louis XVI en roi. Quand l'insurrection fut victorieuse, elle décida de la satisfaire.

Vers treize heures, sur le rapport de Vergniaud, l'Assemblée décrète – « vu les maux de la patrie [...] et considérant que ces maux dérivent principalement des défiances qu'a inspirées la conduite du chef exécutif » – que le peuple français est invité à former une Convention nationale et que le chef du pouvoir exécutif est provisoirement suspendu de ses fonctions. Ainsi la monarchie est-elle abattue. Un second décret rendu quelques instants plus tard décide que le roi et sa famille « resteront en otages ». Réglant l'exercice du pouvoir législatif, l'Assemblée ordonne que les décrets votés auront force de loi, sans la sanction royale. Et, s'emparant du pouvoir exécutif, elle désigne les six ministres qui formeront le Conseil exécutif provisoire. Danton est élu en premier lieu, et nommé ministre de la Justice. Condorcet expliquera ainsi son vote : « Il fallait dans le ministère un homme qui eût la confiance de ce même peuple dont les agitations venaient de renverser le trône. » Il fallait, par précaution, désigner l'un des chefs de l'insurrection.

Enfin, à l'unanimité, l'Assemblée décide d'instituer le suffrage universel. Elle proclame électeurs à la « Convention », nom que prendra la prochaine Assemblée nationale, tous les Français mâles âgés de vingt et un ans, ayant depuis un an un domicile, et vivant du produit de leur travail, à l'exclusion de ceux « en état de domesticité ». Elle maintient seulement, contre l'opinion de la gauche extrême, le système du scrutin à deux degrés qu'avait imaginé la Constituante. Les citoyens désigneront les assemblées primaires qui, à leur tour, éliront les députés à la Convention. L'Assemblée législative se hâte, anxieuse, pressée de céder la place. Le 11 août, elle a achevé sa tâche. La monarchie a vécu, et le roi n'est plus qu'un prisonnier[36]. Ce jour-là, écrira Mme de Staël, la seconde Révolution avait été faite[37]. La première l'avait été par « la puissance de l'opinion ». La seconde l'avait été par la violence et par la peur.

Dès le matin du 10 août, tandis que le canon succédait au tocsin, et que circulaient d'effrayantes rumeurs[38], Mme de Staël s'était fait conduire en voiture vers le château, car elle redoutait le pire. Elle ne parvint que jusqu'au pont Royal, où on lui fit comprendre que de l'autre côté on massacrait. Le soir, elle réussit à passer la Seine, alors que les Tuileries n'étaient plus qu'un champ de carnage. Elle se met à la recherche de ses amis. Elle court de maison en maison, elle cherche Narbonne, Montmorency, Baumets qu'elle sait personnellement menacés. C'est ce soir même qu'elle apprend la mort affreuse de son ami Stanislas de Clermont-Tonnerre qui, arrêté le matin, remis en liberté, poursuivi par le peuple, avait tenté de se cacher, avait été découvert, blessé à coups de faux, puis jeté d'une fenêtre[39]. Narbonne, Montmorency, qui se tenaient cachés, elle réussit à les retrouver. Elle les persuade de venir se réfugier à l'ambassade de Suède. « On ne voulut pas d'abord, dira-t-elle dans ses *Considérations*[40], se servir de ma maison parce qu'on craignait qu'elle n'attirât l'attention, mais d'un autre côté il me semblait qu'étant celle d'un ambassadeur et portant sur la porte le nom d'hôtel de Suède, elle pourrait être respectée, quoique M. de Staël fût absent. » De toute manière, « on ne trouvait personne qui osât recevoir des proscrits ». Elle les enferme « dans la chambre la plus reculée » et elle passe la nuit à surveiller la rue...

Narbonne était recherché, son signalement placardé sur les murs. L'ambassade de Suède n'était pas à l'abri des perquisitions. Deux ou trois jours plus tard, des patrouilles envahissaient l'hôtel de Suède à la recherche des « criminels du 10 Août[41] ». Alors, racontera Mme de Staël, « je commençai par effrayer autant que je pus ces hommes sur la violation du droit des gens qu'ils commettaient[42] », puis « j'eus le courage, avec la mort dans le cœur, de leur faire des plaisanteries sur l'injustice de leurs soupçons. [...] Rien n'est plus agréable aux hommes de cette classe que des plaisanteries ; car, dans l'excès même de leur fureur contre les nobles, ils ont du plaisir à être traités par eux comme des égaux. Je les reconduisis ainsi jusqu'à la porte, et je bénis Dieu de la force extraordinaire qu'il m'avait prêtée dans cet instant[43] ».

Mme de Staël dira[44] comment elle obtint la courageuse complicité d'un jeune médecin de Hanovre, le docteur Bollmann, amené par Gambs, l'aumônier de l'ambassade de Suède, comment elle réussit à faire passer Narbonne et Bollmann, à l'aide de passeports anglais tronqués, en Angleterre où ils parvinrent le 20 août. Narbonne sera le lendemain à Londres, où il rejoindra une autre émigrée, Mme de La Châtre, maîtresse de Jaucourt, autre ami cher de Mme de Staël. Bollmann aussi décrira[45] cette audacieuse aventure et les raisons pour lesquelles il eut l'audace de la mener :

« Gambs me parla du sauvetage d'un malheureux courant un grand danger. Je devinai de qui il s'agissait. Il me conduisit auprès de la femme de l'ambassadeur suédois, Mme de Staël, l'auteur des *Lettres sur Rousseau* qu'elle écrivit à l'âge de seize ans. Vous avez probablement lu ces lettres et avez ainsi une idée de l'esprit et des talents supérieurs de cette femme ; mais je m'efforcerais en vain de vous donner une juste conception de ses qualités de cœur, car même si je vous contais quelle activité incessante elle a déployée dans les jours de détresse de ses amis, comme elle s'est exposée elle-même, comme elle a risqué les démarches les plus téméraires, là même où elle ne pouvait être guidée que par l'intérêt de la plus pure amitié, que par le désir de faire le bien – si je vous contais tout cela, vous croiriez lire un roman et non une vérité historique, et par conséquent, je manquerais encore mon but.

« Mme de Staël a un ami et cet ami est Narbonne, ex-ministre de la Guerre ; ils sont inséparables. Narbonne est un des hommes les plus aimables que j'aie jamais vus. À une connaissance très étendue des hommes, du monde et de la littérature, à un fonds inépuisable de gaieté et d'entrain, à un esprit qui étincelle continuellement dans tout ce qu'il dit et fait, il allie ce complet effacement de soi, cet abandon modeste à ce qui l'entoure qui ne se trouve d'habitude que dans la pure conscience de sa propre valeur, ainsi que cette franchise chevaleresque de l'ancien régime qui est si rare de nos jours et semble un miracle sur terre. Vous ne trouverez donc point étrange que Mme de Staël soit attachée à cet ami, d'autant moins quand je vous dirai qu'on lui a imposé un mari qui n'aurait pas été capable d'inventer la recette d'un plat de pommes de terre et encore moins la poudre. Et vous ne trouverez point étrange non plus que Narbonne, au moyen d'un certain nombre de stratagèmes, afin de concilier son cœur avec sa raison, ait quitté l'armée pour aller à Paris où l'appelait son amie. Il s'y trouvait secrètement mais sa présence y était connue. On voulait sa tête, on le suivait et on parlait de perquisitionner dans sa maison. Quand vous vous souviendrez que les Jacobins sont les ennemis mortels de La Fayette, de Narbonne et de tous les hommes courageux qui se sont rattachés à eux ; que le 10 août a donné un pouvoir illimité à cette horde de malfaiteurs, et, de plus, que Narbonne était le premier sur la liste des victimes dont leur soif de sang voulait s'assouvir, vous pourrez vous représenter la frayeur dans laquelle se trouvait Mme de Staël lorsque, le 14 août au matin, j'entrai dans sa chambre.

« Une femme prête à accoucher et qui se lamente sur le sort de son amant fit une vive impression sur mon imagination.

Narbonne était auprès d'elle. On s'aperçut bientôt que j'étais seul capable de le sauver.

« Une foule de motifs, parmi lesquels ne se trouvaient pas, heureusement pour moi, la beauté de Mme de Staël – car elle était laide – assaillirent mon âme : la joie de pouvoir sauver cet homme, si beau, si noble et calme, la douce pensée de pouvoir rendre à cette femme la paix qu'elle avait perdue pour son ami et qu'elle n'aurait pas perdue pour elle-même, la satisfaction d'une confiance sans bornes qu'on me faisait dans cette grave circonstance, ainsi que l'idée de gagner l'Angleterre et d'améliorer ma situation, plus l'attrait de l'extraordinaire – tout cela, à quoi je ne sus opposer que le danger le plus évident pour ma vie, agit sur moi simultanément et transforma aussitôt une possibilité en une résolution ferme. "Je m'en charge, m'écriai-je, et j'exposerai mon plan." Ce plan fut bientôt prêt et exécuté avec des mesures calmes et réfléchies. J'avais, comme toujours, des amis sur lesquels je pouvais compter, des Allemands en particulier, donc des personnes de sang-froid et d'audace. De la chance, de la présence d'esprit et du courage nous permirent de surmonter maint danger. »

Avec autant de témérité et de sang-froid, Germaine de Staël sauva ensuite ses amis Jaucourt et Lally-Tollendal, qui avaient été conduits à la prison de l'Abbaye et étaient évidemment promis à la mort. Elle décida de se manifester auprès de Manuel, l'un des membres de la Commune, procureur-syndic, Manuel qui se mêlait de littérature et venait de publier des lettres de Mirabeau, « avec une préface bien mauvaise il est vrai[46] ». « Je me persuadai, racontera-t-elle, qu'aimer les applaudissements pouvait rendre accessible de quelque manière aux sollicitations ; ce fut donc à Manuel que j'écrivis pour lui demander une audience. Il me l'assigna pour le lendemain chez lui, à sept heures du matin : c'était une heure un peu démocratique ; mais certes j'y fus exacte. J'arrivai avant qu'il fût levé, je l'attendis dans son cabinet, et je vis son portrait, à lui-même, placé sur son propre bureau ; cela me fit espérer que, du moins, il était un peu prenable par la vanité. Il entra, et je dois lui rendre la justice que ce fut par les bons sentiments que je parvins à l'ébranler[47]. » Elle prédit à Manuel, qui lui parut hésitant, que sans doute ce souvenir lui serait « doux et consolant » lorsqu'il serait peut-être proscrit à son tour. Le lendemain, Manuel avisait Mme de Staël que Lally-Tollendal, recommandé aussi par M. de Condorcet, avait été mis en liberté, et qu'à sa prière il venait de faire libérer M. de Jaucourt. Manuel sera guillotiné six mois plus tard...

LES MASSACRES DE SEPTEMBRE

Quand Mme de Staël eut appris l'arrivée de Narbonne en Angleterre, elle lui écrivit chaque jour pour lui dire son bonheur et sa passion. « Ah mon ami, lui disait-elle le 25 août[48], quel sentiment j'ai éprouvé ce matin, qu'il efface de peines, qu'il porte à remercier l'Être suprême qui m'a si délicieusement sauvé la vie ! Depuis quatre mois qu'un poison sûr ne me quitte pas, je puis enfin espérer qu'il me deviendra inutile, que ton enfant verra le jour et que je serrerai tant que je vivrai dans mes bras son père adoré, son père, objet d'un culte si tendre et si passionné. Laisse-moi me livrer à ce premier mouvement de mon âme ! Tu ne sais pas à quels dangers tu as échappé ! Ces hommes cruels avaient juré ta perte, ils prétendaient avoir trouvé des papiers qui vous compromettaient horriblement et, tout injuste que cela est, ils se croyaient sûrs de votre condamnation. Voilà ce que j'ai su depuis, voilà. »

Mais sa grossesse l'empêche de partir pour Londres, d'oser une difficile traversée. « J'ai été bien tentée d'aller vous rejoindre à Londres, écrit-elle à Narbonne le 28 août[49], mais les devoirs sacrés, des devoirs dont l'observation peut influer sur votre bonheur, me commandent mon long voyage. Ah ! je te conjure de t'occuper de toi pendant que je n'y puis rien, pendant que je ne sais que t'adorer, te regretter et donner la vie à ton enfant ! »

Germaine a décidé de quitter Paris, d'aller en Suisse : « Il y a deux courriers par semaine pour la Suisse ; je vous conjure de n'en jamais manquer un seul. Moi je n'ai qu'une idée, c'est l'envie de vivre parce que c'est doux en vous aimant et en vous voyant, et la certitude de mourir si vous n'existez pas près de moi et heureux par ma passion pour vous[50]. »

Mme de Staël se sait très menacée. Elle n'a plus rien à attendre ici que la prison et la mort. Les passeports qu'elle a demandés, pour sa femme de chambre et pour elle, arrivent enfin. Le 2 septembre, alors que le tocsin sonne, car Longwy et Verdun ont été pris par l'ennemi, elle entreprend le plus difficile des voyages. Encore veut-elle sauver quelqu'un. Elle s'est engagée à prendre, passé la barrière, l'abbé de Montesquiou, proscrit lui aussi, qu'elle conduira en Suisse, déguisé en domestique. « J'avais des passeports très en règle et je me figurais que le mieux serait de sortir en berline à six chevaux, avec mes gens en grande livrée. Il me semblait qu'en me voyant dans cet apparat on me croirait le droit de partir et qu'on me laisserait passer[51]. »

Elle s'est dangereusement trompée. À peine sa voiture s'est-elle engagée dans la rue du Bac qu'« un essaim de vieilles dames sorties de l'enfer » se jettent sur ses chevaux et crient que la fuyarde doit être arrêtée. Voici Mme de Staël conduite par un gendarme à l'Hôtel de Ville[52] : « Il fallait traverser la moitié de Paris, et descendre sur la place de Grève, en face de l'Hôtel de Ville ; or c'était sur les degrés mêmes de l'escalier de cet hôtel que plusieurs personnes avaient été massacrées le 10 août ; aucune femme n'avait encore péri, mais le lendemain la princesse de Lamballe fut assassinée par le peuple, dont la fureur était déjà telle que tous les yeux semblaient demander du sang.

« Je fus trois heures à me rendre du faubourg Saint-Germain à l'Hôtel de Ville : on me conduisit au pas, à travers une foule immense qui m'assaillait par des cris de mort ; ce n'était pas moi qu'on injuriait, à peine alors me connaissait-on ; mais une grande voiture et des habits galonnés représentaient aux yeux du peuple ceux qu'il devait massacrer. Ne sachant pas encore combien dans les révolutions l'homme devient inhumain, je m'adressai deux ou trois fois aux gendarmes, qui passaient près de ma voiture, pour leur demander du secours, et ils me répondirent par les gestes les plus dédaigneux et les plus menaçants. J'étais grosse, et cela ne les désarmait pas ; tout au contraire, ils étaient d'autant plus irrités qu'ils se sentaient plus coupables : néanmoins le gendarme qu'on avait mis dans ma voiture, n'étant point animé par ses camarades, se laissa toucher par ma situation, et il me promit de me défendre au péril de sa vie. Le moment le plus dangereux devait être à la place de Grève ; mais j'eus le temps de m'y préparer d'avance, et les figures dont j'étais entourée avaient une expression si méchante que l'aversion qu'elles m'inspiraient me donnait plus de force.

« Je sortis de ma voiture au milieu d'une multitude armée, et je m'avançai sous une voûte de piques. Comme je montais l'escalier, également hérissé de lances, un homme dirigea contre moi celle qu'il tenait dans sa main. Mon gendarme m'en garantit avec son sabre ; si j'étais tombée dans cet instant, c'en était fait de ma vie : car il est de la nature du peuple de respecter ce qui est encore debout ; mais quand la victime est déjà frappée, il l'achève[53]. »

Mme de Staël fut conduite devant la Commune, que présidait Robespierre, détenue sur le soupçon qu'elle emmenait Narbonne avec elle. « Je respirai parce que j'échappais à la populace : quel protecteur cependant que Robespierre ! Collot d'Herbois et Billaud-Varenne lui servaient de secrétaires, et ce dernier avait conservé sa barbe depuis quinze jours pour se mettre plus sûrement à l'abri de tout soupçon d'aristocratie. La salle était comble de gens du peuple ; les femmes, les enfants, les hommes criaient de toutes leurs forces : *Vive la nation* [54] ! » Elle argumente, elle fait valoir qu'ambassadrice de Suède elle a le droit de partir, et que nul ne peut l'en empêcher. Soudain Manuel arrive : « Il fut très étonné de me voir dans une si triste position. » Pour la protéger, il obtient de l'enfermer dans son cabinet, avec la femme de chambre qui l'accompagne, en attendant que la Commune décide de leur sort. « Nous restâmes là six heures à l'attendre, mourant de faim, de soif et de peur. La fenêtre de l'appartement de Manuel donnait sur la place de Grève, et nous voyions les assassins revenir des prisons avec les bras nus et sanglants, et poussant des cris horribles [55]. »

Le soir, le brasseur Santerre, commandant de la Garde nationale, passe la voir, accompagnant Manuel. Santerre avait gardé quelque reconnaissance à Necker pour des approvisionnements de blé autrefois envoyés dans le faubourg Saint-Antoine où il était distributeur. La nuit venue, Manuel, protégé par l'obscurité, ramena Mme de Staël chez elle, à l'ambassade. Le lendemain, au début de la matinée, Tallien se rend auprès d'elle, chargé par la Commune de l'accompagner jusqu'à la barrière. Il lui apporte deux nouveaux passeports, pour elle et sa femme de chambre, deux passeports seulement, ce qui interdisait d'emmener l'abbé de Montesquiou. « Plusieurs personnes, très compromises alors, étaient dans ma chambre ; je priai Tallien de ne pas les nommer, il s'y engagea et tint sa promesse. Je montai dans ma voiture avec lui. Nous nous quittâmes sans avoir pu nous dire mutuellement notre pensée ; la circonstance glaçait la parole sur les lèvres [56]. »

Ainsi Mme de Staël fut-elle arrachée aux massacres de Septembre. « Je rencontrai encore, écrira-t-elle, dans les environs de Paris quelques difficultés dont je me tirai. » Miraculeusement sauvée, elle s'éloigne de la capitale : « Le flot de la tempête semblait s'apaiser et dans les montagnes du Jura rien ne rappelait l'agitation épouvantable dont Paris était le théâtre [57]. »

La voici en route pour Coppet.

XVIII

Vers l'homme rêvé

Le 7 septembre, Germaine de Staël est à Coppet. Pour Necker, qui la serre enfin dans ses bras, tant d'illusions s'en sont allées ! Il semble à sa fille sombre et tourmenté. L'état de santé de Mme Necker ne cesse d'être plus déplorable. Germaine arrive épuisée par les épreuves, et par sa grossesse : elle est enceinte depuis plusieurs mois. Ses parents savent à peu près tout de sa liaison avec Narbonne, ils savent que l'enfant qu'elle attend est celui de son amant, et qu'elle ne veut que le retrouver vite. Mme Necker est de plus en plus meurtrie par le comportement de Germaine qui lui semble défier sans cesse davantage la loi religieuse et la loi morale. Pris entre sa femme et sa fille, Necker voudrait apaiser leurs relations de jour en jour plus difficiles. Il approuve Suzanne, mais il aime tant Germaine !

Par surcroît, la vie, en Suisse, n'est plus calme du tout. Le 20 septembre, les troupes républicaines entrent en Savoie. L'émotion est de plus en plus vive à Coppet où l'on redoute fort les jours qui viendront. L'armée française aurait, dit-on, l'intention de piller Genève. Et que fera-t-elle des châtelains de Coppet, aujourd'hui détestés et proscrits[1] ?

Chaque jour Germaine écrit à Narbonne. Elle cherche tous les moyens de lui faire parvenir ses lettres, et de recevoir les siennes, si du moins il se donnait la peine de lui en adresser.

« Ah, mon ami, lui écrit-elle dès le 8 septembre[2], il n'y a que toi au monde pour ton amie ! » « Il faut mourir seule ou vivre avec ceux qu'on aime ; je pourrais prendre ici le premier parti. Mon père m'a avertie de ne pas prononcer votre nom devant ma mère, et cela me paraît dur à l'excès parce qu'il ne m'en vient pas un autre. Mon père a le même maintien à cet égard qu'il y a un an, et croient-ils cependant aujourd'hui qu'après avoir sanctifié ma passion par tant de liens et de malheurs, une puissance humaine puisse séparer ma vie de la tienne ? Je me suis demandé ce matin si je jetterais l'opium que je porte toujours sur moi depuis le 20 d'avril. C'est impossible avant d'être réunie à vous pour toujours. Le 1er de mars, nous le brûlerons ensemble ; jusque-là, je t'en conjure, sois très prudent. Soignez votre santé qu'un climat humide peut éprouver, faites beaucoup d'exercice, évitez la société des Français aristocrates ; vous êtes si chevaleresque et ils sont si bêtes. Enfin, laissez-moi vous répéter ce que vous avez daigné quelquefois écouter, c'est qu'Auguste est intéressant, que je sens remuer dans mon sein un nouveau gage de notre tendresse et que le sort de l'un, la vie de l'autre, celle de leur pauvre mère est attachée à vous seul, à l'air que vous respirez[3]. »

« Je veux de longs détails, lui écrit-elle le 12 septembre, sur la situation de votre cœur, de ce cœur si pur où repose toute ma destinée. Je n'ai point de nouvelles de Mr de St. Mon père me parle de tout, hors de ce qui m'intéresse : le lieu de mon séjour et les arrangements de fortune ; sur tout cela il dit vaguement qu'il faut attendre les événements. Il n'y a que la passion qui déteste l'attente et pour qui tous les jours ont une longueur démesurée. Toi-même, sais-tu ce que c'est que la passion et suffit-il de l'inspirer pour la connaître ? L'évêque sera le premier de nos amis qui vous rejoindra ; il sera peut-être mal pour moi auprès de vous. Ai-je besoin de vous armer par le souvenir de ce qui l'aurait attaché à moi ? Je n'écris pas à Mad. de La Châtre parce que vous êtes auprès d'elle et que je ne suis pas avec François de Jaucourt, mais sait-elle par vous combien je l'aime et à quel point il me sera doux de me réunir à elle ? [...] Ange que j'aime, demain je finirais mon existence si je devais vivre séparée de toi seulement une année. Toi seul soutient [*sic*] mon âme abattue par tant d'événements sinistres et me rattache à la vie à travers les idées de mort et de malheur[4]. »

« Ma mère, écrit-elle encore à Narbonne le 24 septembre, ajoute, à beaucoup d'autres inconvénients, une frayeur dont vous n'avez pas d'idée, et quand on sort de Paris on a peine à croire aux dangers de Coppet qui donne l'air dénaturé [*sic*]. Pour me distraire de mille et une peines qui me tueraient si vous n'étiez pas là pour me soutenir, j'écris un traité *sur l'influence des passions sur le bonheur* ; c'est le seul sujet qui tienne d'assez près à mon âme, pour qu'elle ait pu en supporter l'occupation. Dans les situations violentes, ce n'est pas se distraire, c'est méditer avec douceur qui est le plus grand bien auquel on puisse atteindre[5]. »

À Coppet, la situation devient de plus en plus inquiétante. « Nous restons encore ici », écrit-elle à Narbonne le 27 septembre, « la Suisse s'arme et empêchera dit-on l'attaque de Genève. Que je serais mieux près de vous[6] ! » Germaine est préoccupée de tout. Elle est préoccupée de son mari : mais il aurait reçu, écrit-elle à son amant le 2 octobre[7], « une patente » du duc de Sudermanie, frère de Gustave III qui a été assassiné en mars ; ainsi Staël resterait-il ambassadeur et pourrait-il payer les dettes que sa femme a contractées pour lui, car les problèmes d'argent, eux aussi, ne cessent d'être angoissants. Elle est préoccupée de son père qui la réprimande tendrement et fermement, qui s'inquiète de son avenir, du partage de sa vie, de l'insécurité matérielle qu'elle organise, qui redoute le divorce auquel elle pense, et il obtient qu'elle réfléchisse au moins trois mois[8]. Elle est préoccupée de sa mère, de plus en plus agressive et qui échange des lettres avec M. de Staël. Elle est préoccupée de l'enfant qui va naître. Mais elle est surtout préoccupée de Narbonne, qui laisse passer plusieurs courriers sans lui écrire, qui semble ne rien faire pour la rejoindre alors qu'elle fait tout pour qu'il puisse venir en Suisse vivre près d'elle. « Il faut vivre, je pense, lui écrit-elle encore le 2 octobre, pour être tout ce qu'il vous plaira, et je jure à mon ami, malgré la répugnance que cause la répétition d'un mot trop prodigué, je jure que je me tuerais s'il fallait, je ne dis pas être séparée de lui, mais voir M. de Staël deux mois de plus et toi deux mois de moins. Adieu, adieu, écris-moi[9]. »

Ce Narbonne, qui écrit si peu, ne s'est pas senti à l'aise à Londres où se sont installés trop de royalistes émigrés. Il a recherché une maison de campagne, et, vers la mi-septembre, il a loué une belle demeure, Juniper Hall, non loin de Londres, près de Mickleham[10]. La maison est ancienne, vaste, elle a été élégamment restaurée et décorée. Tout près de là résident des familles riches et cultivées, les Lock, mécènes et grands amateurs d'art, les Phillips, qui fréquentent l'élite intellectuelle du pays. Narbonne a offert l'hospitalité à plusieurs amis qui ont réussi à quitter la France, à Mme de La Châtre, à Jaucourt, à Charles de Lameth, à Mathieu de Montmorency et à d'autres, généralement proches de Mme de Staël. Talleyrand, lui, a préféré rester à Londres. Cette colonie d'exilés français – que l'on appellera bientôt les « Junipériens » – mène une vie brillante où se noueront peu à peu les amitiés et les amours. Mme de Staël peut bien écrire à Narbonne, à peu près chaque jour, que leurs vies sont inséparables, qu'elle le rejoindra n'importe où, qu'elle ira vivre ou mourir à ses pieds[11], il semble consentir à vivre sans elle.

VERS L'HOMME RÊVÉ

« IL N'Y A QUE VOUS DE PARFAIT, DE CÉLESTE, D'ENIVRANT »

Depuis l'occupation de la Savoie par l'armée française, les Necker, qui se savent inscrits sur la liste des émigrés, vivent dans l'insécurité, trop près de la frontière française. Le 5 octobre, ils jugent prudent de quitter Coppet, avec leur fille. Ils vont s'installer dans une belle maison, à Rolle, située à vingt kilomètres de là. « Fugitifs à travers la Suisse, écrit-elle de Rolle le 5 octobre à son amant[12], ne sachant dans quel lieu l'on va me traîner, environnée de malheurs presque aussi effroyables que ceux que je viens de quitter, j'ai besoin de vous écrire comme les dévots de prier, d'attacher encore plus ma pensée au seul bien qui puisse faire supporter la vie dans cette époque abandonnée par la Providence et même par le hasard, car tant de chances de malheur dans l'ordre commun ne pouvaient pas se réunir sur un même sort. Tout semble annoncer la guerre avec la Suisse, et mon père qui se trouve également haï des émigrés et des Jacobins est placé ici entre des aristocrates bernois qui nous tourmentent de toutes les manières, et des Jacobins français qui pilleront peut-être nos propriétés ou tout au moins nous supprimeront les deux tiers des revenus en dîmes et droits féodaux. Je ne puis, dans la position où vous êtes, avoir aucune philosophie sur la fortune jusques à ce que vous en soyez sorti. Il faut que tous ces coups aillent à mon cœur. Tout autre que mes parents, d'après ces considérations, iraient [sic] en Angleterre, et certes, un malheur qui me conduirait là me ferait bien illusion sur sa nature. Mais comme il y a quelques risques attachés à traverser l'Allemagne, nous ne saurons jamais prendre ce parti ; nous traînerons de ville en ville, de frayeur en frayeur et j'accoucherai comme les Amazones, auprès de quelque champ de bataille. Nous aimerons

— 331 —

bien cet enfant dont je serai mère, car c'est lui qui est cause que je ne pars pas dans ce moment pour Londres. J'aurais, je crois, décidé mon père à se débarrasser de ma réputation démocrate, sans le danger d'un long voyage dans l'état de grossesse et de santé où je suis. Je sais bien, moi, que l'espérance de te revoir me donnerait des forces surnaturelles, mais savent-ils croire à cette puissance et veulent-ils la respecter ? [...] Que le temps se hâte donc, que ces feuilles tombent, que je donne la vie à ton enfant et que j'aille jurer à son père qu'il est mon ange, mon sauveur, l'objet que j'adore d'un culte idolâtre que toute religion doit réprouver [13] ! »

Germaine sera bientôt mère, mais elle ne pense plus en cet automne de l'année 1792 qu'à organiser sa vie future, sa vie avec l'homme qu'elle aime, et elle veut résoudre tous les problèmes qu'elle affronte. Elle s'agace contre ses parents qui la retiennent et s'unissent maintenant pour rappeler sans cesse leur fille à ses devoirs moraux et religieux. « Mon père, écrit-elle à Narbonne le 11 octobre [14], est au reste tout ce qu'il y a de plus pénible pour moi. Ce n'est pas que je ne croie bien en obtenir les principales bases de mon bonheur comme séjour et comme fortune, mais il fera si bien – je le dis à vous seul – que mon cœur n'en jouira pas. D'abord, il ne cesse de se servir, en parlant de ma grossesse et de ma passion pour vous, des expressions les plus méprisantes. Ma mère lui reproche, l'Évangile à la main, ce qu'elle appelle son indulgence pour moi, et il croit s'acquitter envers Dieu et elle en me prodiguant les expressions de vice et de honte. Je me sens quelquefois révoltée dans tout mon être. Vient [sic] ensuite des propos sur votre caractère, sur la probabilité de votre inconstance, de votre ingratitude, et tout absurde que cela est, il peut voir que ce genre de prédiction fait toujours mal. Hier, je lui disais que je le remerciais d'employer de telles armes pour me détacher de vous, que s'il me parlait au nom de son malheur ou de sa tendresse, je pourrais, non lui obéir, mais souffrir, tandis qu'en parlant ou de mon crime ou du vôtre il laissait mon cœur à l'aise. Enfin, vous n'avez pas d'idée d'une langue plus différente de la nôtre. Est-ce qu'il s'en sert plus qu'autrefois ? Est-ce que de vous avoir connu fait trop sentir tous les contrastes ? Enfin, tout ramène à la douce mais profonde certitude que sans vous il ne resterait rien dans la vie et que la raison même en commanderait le sacrifice. Le grand argument de mon père, pour m'empêcher de partir à présent, c'est ma grossesse. Il dit que j'irais proclamer le père de mon enfant en me rapprochant de vous. Il dit cela beaucoup moins bien que je ne vous le traduis. J'ai pris acte du sacrifice actuel pour mon départ six semaines après mes couches. J'avais cru que ces derniers événements avaient dû consacrer mon sentiment pour vous, mais c'est auprès des âmes sensibles que l'excès de la passion la justifie. Ici l'on pardonne plutôt les torts que le dévouement, et la personnalité qui domine fait bien moins craindre la faute que l'empire qu'elle donne. Je ne veux pas que ces détails sortent jamais de votre bouche : c'est toujours un grand devoir que mon père [*sic*] et, sans l'influence de ma mère, ce serait devenu un véritable bonheur. Mais elle s'est emparé [*sic*] de tous ses défauts ; c'est avec eux qu'elle s'est trouvé le plus d'analogie, et c'est bien plus par leurs défauts que par leurs qualités qu'on gouverne les hommes. »

« C'est une funeste institution que le mariage [15] », écrira-t-elle à son amant le surlendemain. « M. de Staël, qui se dit occupé de moi par amour, vient d'écrire à mon père une lettre de capucin marié. » Elle demande maintenant à Narbonne de la renseigner sur les lois de Suède concernant le divorce... Elle le supplie de lui parler de tout, de ses soucis, de ses peines. « Parlez-moi sur tout cela comme si nous étions mariés. » Chaque jour elle le tient au courant des moindres détails de sa vie, de ses conversations avec ses parents, des reproches échangés, car papa et maman semblent tolérer de plus en plus mal la vie qu'elle entend mener. Dès que le courrier passe sans lettre de

Narbonne, et cela semble se produire de plus en plus souvent, elle s'indigne, elle pleure, elle menace[16] : « Ah mon Dieu que c'est cruel ! Mais s'il reste au fond de votre cœur un sentiment de pitié, il sera ranimé par le sort auquel vous allez me livrer ; celle qui a tant fait pour vous y joindra de nouvelles preuves. Je me brouillerai avec mes parents, je partirai mardi si je n'ai point de lettres de vous ; il est probable que je périrai en route, moi et mon enfant. Que ne nous reste-t-il assez de vie pour expirer à vos pieds, homme léger ! Que de mal vous faites ! »

« Je suis folle, écrira-t-elle encore à Narbonne le 23 octobre, je le sens, mais la passion que j'ai pour vous est trop forte pour mes organes et je passe de la mort à la vie par la privation ou la possession d'une de vos lettres[17]. »

Peut-être a-t-elle raison de pressentir, sans se l'avouer vraiment, que Narbonne a commencé, là-bas, de prendre distance. La passion de Germaine s'exaspère en même temps que ses souffrances. Mais l'écriture l'aide à les supporter et elle travaille résolument à son ouvrage *De l'influence des passions sur le bonheur*[18]. « Il n'y a que vous de parfait, de céleste, d'enivrant... » « Ne m'abandonnez pas, souffrez que je m'attache à vos pas, que je vive de votre présence... Ah ! l'absence est devenue impossible[19]. » Le 15 novembre, alors qu'elle est sur le point d'accoucher, l'exaltation de son amour devient délirante : « Adieu vous, toi, ange, époux, amant, ami. Adieu tout[20]. »

Gibbon est venu rejoindre ses amis Necker à Rolle, où l'inquiétude ne cesse de croître. Il repart le 19 novembre, et, le lendemain, Mme de Staël donne le jour à son fils Albert. Les couches, écrira Necker à son ami Meister, « ont été fort heureuses[21] ». Voué à un destin tragique, Albert mourra à l'âge de vingt ans, tué en duel.

Dès le 22 novembre, Germaine écrit à Narbonne pour lui annoncer la naissance de leur enfant[22] : « Que les premiers caractères de ma main tremblante soient consacrés à dire à mon ami qu'avant-hier 20, après lui avoir écrit, après surtout avoir reçu une lettre de lui, qui seule a pu me rendre la force de supporter d'atroces douleurs, j'ai donné la vie à un fils, beau et brun, qui, comme sa mère, existera pour t'aimer et sera un lien de plus entre nos deux inséparables destinées. Je souffre beaucoup depuis ce temps de l'ébranlement des nerfs, mais il n'y a pas la moindre probabilité que j'en meure. Pour me guérir, je pense que me voilà libre d'aller te rejoindre, qu'en me soignant j'en hâte l'instant et je me soutiens ainsi contre l'ennui et l'isolement. Ah ! n'avoir pu prononcer ton nom ! S'ils me l'avaient permis, je sens que j'aurais moins souffert. Adieu, écrivez-moi ; c'est la vie précisément que je vous demande. On ne veut pas que j'écrive davantage. Après la fièvre du 3e jour, je recommencerai. Adieu. »

La santé de Germaine est chancelante mais qu'importe ! Elle veut partir. Elle veut rejoindre Narbonne à Londres, en attendant qu'ils puissent tous deux s'installer en Suisse et vivre avec leurs enfants. « Je vous ai promis de vous écrire le neuvième jour, écrit-elle le 28 novembre à Gibbon, pour lui annoncer la naissance d'Albert. Je suis très fidèle à ce vœu dont l'accomplissement m'intéresse beaucoup plus que vous. Me voilà mère des Gracques, et j'espère que mes deux fils rétabliront la liberté en France. Il y aura bien des tyrans à assassiner, mais il faut espérer que la haine et le mépris suffiront pour s'en délivrer. En attendant une vingtaine d'années, comment vous verrai-je[23] ? » Gibbon, toujours attentif, a promis de les aider...

« POINT DE VIE SANS TOI »

Pendant ces jours difficiles, Narbonne semble s'être prélassé dans la vie anglaise, et y avoir pris quelques plaisirs. Il fait sa cour à la belle Susan Phillips, tandis que Mme de La Châtre, alors égérie du séduisant Jaucourt, veut bien tenir le rôle d'une aimable maîtresse de maison [24]. Vivre avec Mme de Staël la passion qu'elle exige de lui, est-ce vraiment cela le destin de Narbonne ?

Mais, le 8 novembre, s'est ouvert le débat à la Convention sur le procès du roi Louis XVI accusé d'intelligences avec l'ennemi. Le 20 novembre, a été découverte la fameuse armoire de fer qui a établi ses connivences avec les émigrés. Narbonne, auquel le courage ne manquera jamais, souhaite maintenant rentrer en France. Il veut en effet être entendu au procès, pour soutenir le roi dont il fut le ministre, il veut prendre sa part des injustes griefs qui sont faits à Louis XVI. Avec Liancourt, Lally-Tollendal, Malouet, d'Arblay, ses amis fidèles, il écrit à la Convention, sollicitant un sauf-conduit pour aller à Paris témoigner en faveur du roi. Quand Mme de Staël apprend, probablement par les journaux, la conduite de Narbonne, qu'il lui a cachée, elle n'y voit qu'un moyen dont il use pour lui échapper. Elle est folle de rage. « Vous m'avez donné le coup mortel, M. de Narbonne », lui écrit-elle le 2 décembre [25]. « Je croyais que ma vie valait plus à vos yeux que la plus folle, la plus inutile, la plus dangereuse des démarches soit pour le roi, soit pour vous. Mais il faut que le besoin de paraître vous ait rendu féroce. [...] Si vous sortez de l'Angleterre, je sais ce que j'ai à faire et moi aussi, je suis indépendante, et puisque vous voulez ma vie, vous l'aurez. Je n'aurais pas cru que l'état où je suis vous permît de me tuer, mais à présent, c'est fait, je crois. [...] Barbare, que t'ai-je donc fait pour rendre ma vie un supplice continuel. [...] Si vous mettez les pieds en France, à l'instant même je me brûle la cervelle [26]. »

Germaine est un peu rassurée quand elle apprend que la Convention a refusé à Narbonne le sauf-conduit qu'il demandait, mais elle ne peut lui pardonner cette terrible démarche qui voulait les séparer. « De quel droit avez-vous accepté mon dévouement pour faire de ma vie le plus affreux des supplices[27] ? » Elle apprend à son amant, le 6 décembre, qu'elle ne peut oublier sa cruauté, mais que, dans quinze jours, elle partira pour Paris, et que de là elle gagnera l'Angleterre[28].

Tout se complique durant les derniers jours où Germaine prépare son voyage. Son père redoute qu'elle ne soit assassinée en France. Il a eu le courage de rendre publiques ses *Réflexions présentées à la Nation française sur le procès de Louis XVI*[29] – dont il a adressé un exemplaire au roi –, vain plaidoyer pour tenter de défendre ce souverain qui l'avait plusieurs fois maltraité : « Ô Français ! au nom de votre gloire passée, au nom de votre ancienne renommée, hélas ! peut-être encore, au nom de cette sensibilité, de cette générosité qui firent si longtemps votre plus bel ornement ; mais surtout au nom du ciel, au nom de la pitié, repoussez tous ensemble les projets de ceux qui cherchent à vous entraîner au dernier terme de l'ingratitude, et qui veulent vous associer à leurs violentes passions et à leurs sombres pensées. » Necker sait que Germaine comme lui-même peuvent en France redouter le pire. Il est triste, tourmenté de la voir s'obstiner dans ses projets téméraires. Quant à Mme Necker, elle accuse sa fille de tout, de faire souffrir son père, d'abandonner ses enfants, de martyriser sa mère, d'« attirer sur elle la colère de Dieu[30] ».

Le 23 décembre, Mme de Staël écrit à son amant[31] : « Mon âme est épuisée des combats qu'on lui livre depuis huit jours ; je vous ai à peine écrit depuis ce temps ; pour la première fois de ma vie je ne m'en sentais pas le besoin. Pourquoi vous faire traverser avec moi tous les genres de peine, tous les enfers du Dante ? Un jour des lettres anonymes qui me menacent d'un dieu vengeur, le lendemain tout ce que j'ai de famille ici, mon père et ma mère excepté [*sic*], faisant une démarche en corps pour m'avertir que je me perds, ma mère proposant d'arrêter mes revenus, mon père meilleur dans cette crise que tous les autres et qui finit par essayer de l'arme de son malheur sur un cœur qui reçoit toujours par lui une impression solennelle. Le dernier argument était qu'en perdant l'état et la fortune de M. de Staël je m'ôtais les moyens de vous servir. Enfin, cette grande décision qui est, je le crois, une rupture avec M. de Staël, porte la terreur dans cette maison. On m'accuse de rendre malheureux mon père au moment de sa vie où il est le plus à plaindre, d'abandonner mes enfants. Je proteste que je reviendrai dans quatre mois ; c'est toujours abandonner et le ciel m'en punira. Je dois être arrêtée, assassinée dans ma route, je dois – que sais-je ? Enfin, j'ai été au moment de finir ma vie dans ma dernière scène avec mon père. Ta pensée m'a retenue, non l'espoir certain de t'être nécessaire, mais l'invincible désir de revoir celui dont la présence est bien due à mes longues douleurs. Enfin, je crois que je pars dans trois jours ; ils seront affreux, ces trois derniers jours, affreux dans le genre que je redoute. Mon père, que l'idée de me perdre ramène à moi, se montrera sensible à mon absence, et j'aurai bien besoin de songer à toi pour soutenir mes forces. Ce n'est pas rester qui me semble possible, mais mourir pour cesser ces combats, pour cesser d'affliger ce qui m'entoure. Toutes ces idées cependant me quitteront quand j'approcherai de la mer et, pour vous consoler de mes peines, je dois vous dire qu'au moment où vous recevrez cette lettre elles seront déjà bien diminuées. Le moment est venu de choisir entre toi et le reste de l'univers, et c'est vers toi que tout mon cœur m'entraîne. »

Germaine apprendra, le jour de Noël, que Mme de La Châtre « semble trouver inconvénient » à son arrivée, que Narbonne persiste à vouloir rentrer en France pour se faire entendre au procès de Louis XVI, que tout et tous se liguent contre elle ! N'importe, elle veut partir. « Je t'aime comme une folle. [...] Point de bonheur possible en ton absence, point de vie sans toi[32]. »

Ce dangereux voyage à travers la France, Mme de Staël s'acharne à l'organiser, et elle veut maintenant le précipiter.

« Vous avez l'air de ne pas désirer que je vienne à Londres. Est-ce que vous ne m'aimez plus ? » écrit-elle à son amant le 26 décembre [33]. Elle est décidée à passer sur la résistance obstinée de son père : « Souvenez-vous que mon père est d'un caractère faible, que d'un instant à l'autre il peut se décider en ma faveur, revenir à son premier consentement et qu'alors je pars dans la minute. Ainsi, attendez-moi. Mon Dieu, que mon âme est agitée ! Si je n'espérais pas que je vous serais nécessaire, je mourrais pour en finir. Je crois quelquefois que mon père veut que je parte sans le lui dire. Si je me confirme dans cette opinion, je serai bien vite décidée. Mes passeports sont là. Ah ! si tu m'aimes, je pars [34]. »

Pour échapper à la pression de ses parents, Germaine décide de se rendre soudain à Genève sous le prétexte de s'y reposer quelques jours. Tout l'inquiète : l'enfant qu'elle laisse, l'état de ses parents, le tragique procès de Louis XVI, les risques du voyage. « Ce qu'on me fait souffrir dans la maison paternelle est si horrible », écrit-elle de Genève à Narbonne, « que j'ai fui ici pour respirer jusqu'à mon départ. [...] Ah ! Mon Dieu, prenez garde à vous. L'univers est en feu. Je serai près de vous dans quinze jours ou je mourrai [35]. » Ce même jour, alors qu'elle va partir, elle écrit au cher Gibbon : « La terre tremble de tous les côtés, et il me semble que si je ne me hâte pas de partir, un abîme s'ouvrira entre mes amis et moi [36]. » Le procès du roi, qui a commencé le 11 décembre, l'épouvante : « Et c'est le mot d'égalité qui a soulevé le monde ! C'est le point d'appui qu'Archimède cherchait pour son levier. Mais ce n'est pas dans le ciel, c'est dans l'enfer qu'il s'est trouvé [37]. »

Le 1er janvier 1793, elle s'est mise en route pour traverser la France. Elle veut éviter Paris et, quelques jours, elle séjourne à Passy, où la reçoit son ami le comte de Gouvernet. Mathieu de Montmorency, qui est rentré en France en novembre, lui a promis de la conduire jusqu'à Boulogne-sur-Mer. Elle aborde à Douvres le 20 janvier. De Passy elle avait eu le temps d'écrire à Narbonne, le 9 janvier : « Je suis tout à fait abattue et persuadée que vous n'avez nulle envie de me voir[38]. » La voici un jour ou deux à Londres, probablement chez Talleyrand, puis à Richmond chez Lally-Tollendal et la princesse de Hénin. C'est là sans doute que Narbonne est allé la retrouver[39]. Le 26 janvier les deux amants seront à Juniper Hall, enfin réunis ! Voici autour d'eux ces exilés, ces amis chers, auxquels souvent elle a sauvé la vie, et qu'elle va maintenant aider à vivre, car beaucoup d'entre eux manquent d'argent[40]. Serait-il enfin venu le temps du bonheur ?

Mais, le 21 janvier 1793, le lendemain du jour où Germaine avait débarqué à Douvres, Louis XVI a été guillotiné. Narbonne, comme beaucoup d'exilés, est presque anéanti. Il se croit pour une part responsable. La venue de sa maîtresse, dont le temps l'a peu à peu éloigné, pourrait le réconforter ; mais parce qu'elle l'aime follement et aussi parce qu'elle lui a sauvé la vie, et qu'elle a, pour lui, couru les pires dangers, elle exige de lui une passion qu'il sait ne pouvoir satisfaire. Sans doute eût-il préféré qu'elle ne vînt pas, en tout cas qu'elle ne vînt pas en ces jours sinistres. Pourtant il est assez tendre, reconnaissant et digne pour la bien recevoir, pour tenter de vivre heureux avec elle, ou du moins de faire semblant.

« VEILLE, GRAND DIEU, SUR L'AMI QUI FERMERA NOS YEUX »

Quant à Necker, il contemple, triste et solitaire, le bilan d'une vie déjà longue. Il a soixante ans. Suzanne est de plus en plus malade, enfermée dans ses angoisses, Germaine de plus en plus absente, prise par ses passions. Il ne lui reste qu'à aimer sa femme et sa fille, à réfléchir, à écrire, à penser à Dieu.

Il regarde maintenant, à distance, cette France qu'il a cru si bien servir et qui, à présent, l'épouvante. Il a publié en mai 1792 l'un de ses meilleurs livres, *Du pouvoir exécutif dans les grands États*[41]. Le ton est véhément, presque méprisant, quand Necker considère l'œuvre de l'Assemblée constituante, mais il poursuit, au-delà, une réflexion sur le pouvoir politique dans un grand État moderne. « Cette œuvre, remarque Henri Grange, mériterait une place dans l'histoire des doctrines politiques en tant que théorie du pouvoir dans les sociétés bourgeoises[42]. » Libéré de l'action, Necker a pu librement dénoncer les utopies, la démagogie, défendre le roi, souhaiter clairement une monarchie à l'anglaise. Il a pu dire ce qu'il aurait voulu faire : « Retenir nos premiers législateurs dans le rapide cours de leurs exagérations, [...] pouvoir élever des signaux autour de la raison et prêter à la sagesse de plus vives couleurs. »

« Ah ! sans doute, j'aurais voulu pouvoir retenir nos premiers législateurs dans le rapide cours de leurs exagérations ; j'aurais voulu pouvoir élever des signaux autour de la raison, et prêter à la sagesse de plus vives couleurs, afin de rallier près de ces deux guides ceux qui s'en écartaient si souvent ; oui, je l'aurais voulu pour le repos de la France ; je l'aurais voulu pour son bonheur ; je l'aurais voulu pour sa gloire. Mais ne nous arrêtons plus sur le passé, c'est un temps à jamais perdu pour nous ; il s'engloutit dans la nuit éternelle, et nos regards qui le cherchent, nos regrets qui souvent voudraient s'en ressaisir, ne peuvent plus l'atteindre. Pensez à cette inexorable vérité, vous qui disposez du moment présent, et qui voulez le faire servir tout entier à votre renommée. Vous nous cachez artificieusement votre dernier point de vue ; mais lorsqu'au-dedans du royaume on a détruit la considération du gouvernement, et lorsqu'au-dehors on offense, on irrite tous les souverains de l'Europe, on est bien sûr d'amener, avec tous les genres de guerre, tous les genres de confusion. On n'observe pas, sans la plus profonde douleur, comment un peuple entier peut être abusé par des discours ; comment il peut être gouverné par un petit nombre d'hommes, étonnés eux-mêmes de leur toute-puissance ; et l'on éprouve un dernier déchirement, lorsqu'on voit tant de braves gens, tant d'honnêtes citoyens, abandonner à l'envi, les uns leurs pères, et les autres leurs femmes ou leurs enfants, pour aller défendre, au péril de leur vie, non pas la liberté en général, non pas la liberté qui eût fait le bonheur de la France, non pas la liberté que toutes les nations de l'Europe auraient respectée, mais une liberté spéculative, définie et consacrée par des prêtres métaphysiciens, et dont tous les hommes d'un sens calme seraient plus effrayés que du despotisme[43]. »

L'ouvrage a suscité en France de violentes polémiques[44], en Europe un très vif intérêt. Il a été traduit en anglais et en allemand. En Allemagne, il semble avoir eu un grand retentissement. Ce succès réconforte Necker dans les temps douloureux qu'il traverse et le persuade une fois encore que l'écriture est l'un des remèdes aux souffrances de la vie. Sans doute pense-t-il beaucoup à la mort, ce à quoi Suzanne s'applique à l'encourager. « Ne badinons pas sur la mort », écrira-t-il dans les *Pensées détachées* que Mme de Staël publiera en 1804[45], « nous ne la connaissons pas, tant la vie est une forte distraction. Mais quand elle demande à nous voir, à nous parler en tête-à-tête, quand elle prend jour avec nous pour la suivre dans les ténèbres, quand elle nous dit de venir, et qu'elle ne répond à aucune de nos questions, quel trouble alors doit s'emparer de nous !... Lueurs de la religion, lueurs consolantes, vous apparaissez, et tout va changer. »

Mme Necker, sans cesse plus faible et angoissée, commence à écrire ses *Réflexions sur le divorce*, qui ne seront publiées, par son mari, qu'après sa mort. Elle y exalte l'affection et les vertus de deux époux vieillissants :

« Deux époux attachés l'un à l'autre marquent les époques

de leur longue vie par des gages de vertus et d'affections mutuelles, ils se fortifient du temps passé, et s'en font un rempart contre les attaques du temps présent. Ah ! qui pourrait supporter d'être jeté seul dans cette plage inconnue de la vieillesse ? Nos goûts sont changés, nos pensées sont affaiblies, le témoignage et l'affection d'un autre sont les seules preuves de la continuité de notre existence ; le sentiment seul nous apprend à nous reconnaître ; il commande au temps d'alléger un moment son empire. Ainsi, loin de regretter le monde qui nous fuit, nous le fuyons à notre tour, nous échappons à des intérêts qui ne nous atteignent déjà plus ; nos pensées s'agrandissent comme les ombres à l'approche de la nuit, et un dernier rayon d'amour, qui n'est plus qu'un rayon divin, semble former la nuance et le passage des plus purs sentiments que nous puissions éprouver sur la terre à ceux qui nous pénétreront dans le ciel. Veille, grand Dieu, sur l'ami, sur l'unique ami qui recevra nos derniers soupirs, qui fermera nos yeux et ne craindra pas de donner un baiser d'adieu sur des lèvres flétries par la mort[46] ! »

Et afin que son corps et celui de son mari reposent un jour l'un près de l'autre, sans jamais disparaître, elle se fait expliquer par plusieurs médecins suisses, anglais, français les différents procédés d'embaumement, elle décide d'être immergée dans un liquide approprié, elle arrête la matière de la « corbeille » qui recevra son corps, elle précise l'inclinaison qui devra être donnée à celui-ci. Elle veut que son mari, quand il entrera dans le monument, puisse « contempler ses traits sans horreur ». Elle supplie l'Être suprême de lui épargner l'horreur de survivre à l'homme qui fut sa vie[47].

« L'AMOUR EST L'HISTOIRE DE LA VIE DES FEMMES »

En ces premiers mois de l'année 1793, Germaine de Staël a enfin retrouvé l'homme qu'elle aime. Elle a tout laissé, elle les a tous laissés, ses enfants, ses parents, pour rejoindre le héros de sa folle passion. « J'ai tout sacrifié pour vous », écrira-t-elle quelques mois plus tard à son ange adoré, « ma jeunesse, ma vie, mes enfants, mon père, l'opinion des hommes, la France à mes genoux... J'ai tout fait pour un seul but : passer ma vie avec vous[48]. »

Dans le grand ouvrage *De l'influence des passions sur le bonheur des individus et des nations*, qui l'accaparera plusieurs années, Germaine de Staël écrira sur tout ce qui a bouleversé sa vie, durant ces années terribles. Elle parlera de l'amour de la gloire, qu'elle a tant éprouvé, de tout ce qui devrait en détourner car il est redoutable, mais elle a eu le bonheur de connaître un homme de génie qui a rencontré la gloire sans en subir aucune servitude, son merveilleux père, « l'homme de ce temps qui a recueilli le plus de gloire et qui en retrouvera le plus dans la justice impartiale des siècles[49] ». Elle écrira sur la vanité qu'elle a si souvent rencontrée, celle des hommes, celle des femmes, et sur le besoin de faire effet, « cette passion native de France[50] ». Surtout, regardant sa vie, elle écrira sur l'amour un chapitre « d'une couleur trop sombre », car « la pensée de la mort y est presque inséparable du tableau de l'amour[51] ». Elle dira que « l'amour est de toutes les passions la plus fatale au bonheur[52] », et que pourtant il reste la seule passion des femmes : « l'amour est l'histoire de la vie des femmes, c'est un épisode dans celle des hommes[53] ». Elle dira aussi ce qu'est la douleur de cesser d'être aimée par l'homme aimé, cette douleur qui rend la femme malheureuse et jalouse :

— 344 —

« Il faut errer dans les lieux où il vous a aimée, dans ces lieux dont l'immobilité est là pour attester le changement de tout le reste ; le désespoir est au fond du cœur tandis que mille devoirs, que la fierté même, commandent de le cacher [54]. » Aux femmes trop sensibles et malheureuses, elle donnera le conseil de la vertu, ultime refuge : « Êtres malheureux ! Êtres sensibles ! vous vous exposez, avec des cœurs sans défense, à ces combats où les hommes se présentent entourés d'un triple airain ; restez dans la carrière de la vertu, restez sous sa noble garde ; là il est des lois pour vous, là votre destinée a des appuis indestructibles [55]. »

Mais le cœur meurtri de Germaine de Staël hésite : l'homme aimant, l'homme fidèle au serment, « l'homme qui ne peut supporter la pensée du malheur de l'autre et met l'honneur aussi dans la bonté », l'homme « qui a besoin de la constance pour jouir du vrai bonheur d'aimer [56] », il existe peut-être.... La femme qui rencontrerait cet homme-là, la femme qui serait « l'unique amie d'un tel homme, pourrait triompher, au sein de la félicité, de tous les systèmes de la raison ». Cet homme merveilleux, cet homme rêvé, elle en poursuivra la quête impossible...

LE SOLEIL DU PARFAIT AMOUR

Le 16 mars 1792, le roi de Suède, auquel Madame l'ambassadrice a autrefois adressé tant de lettres aimables [57], Gustave III, s'est rendu à un bal masqué, divertissement fort apprécié de la Cour de Suède [58]. Et pendant ce bal, que Verdi rendra célèbre, un invité a tiré sur le roi qui est tombé au sol, grièvement blessé. Gustave III est mort quelques jours plus tard. L'assassin, Anckarströms, a avoué son acte, ses complices aussi sont passés aux aveux. Adolf Ludvig, comte Ribbing, ancien capitaine des gardes de Gustave III, a été, comme les autres conjurés, condamné à être décapité, et déchu de sa noblesse. Mais le 15 août, après que l'assassin eut été mis à mort, la peine des complices a été commuée, à la surprise indignée de beaucoup de Suédois. Condamnés à l'exil perpétuel, ils ont été conduits à la frontière. Au début de l'année 1793, Ribbing est arrivé en France, où il a été fêté comme un courageux régicide[59]. Mais il préférera, après trois mois passés sur le sol français, solliciter un passeport et passer en Suisse. Il y fera bientôt la connaissance de Mme de Staël[60] : « Il y a ici, écrira-t-elle en juillet 1793, sous un nom supposé, un comte Ribbing, fameux complice » de l'homme qui a tiré sur Gustave III. Ribbing a vingt-huit ans. « Il est superbe de figure, confiera Germaine à son amant, pour les femmes qui aiment ce que l'on appelle la beauté. » Il a « du reste un grand penchant à devenir amoureux de moi [...]. Sérieusement y a-t-il un homme au monde qui ose aimer ta maîtresse[61] ? »

Voici un merveilleux héros qui apparaît, assassin sans doute mais pour défendre la liberté, un héros courageux, timide, intelligent, beau, noble d'âme et d'allure[62]. Le soleil du parfait amour, de la passion partagée, va peut-être se lever enfin...

Épilogue

Cette singulière famille, nous la quitterons ici. Mme Necker, malade et sombre, désespérée par sa fille, vivra encore quelques mois, le cœur partagé entre Dieu et son mari, préparant sa sépulture et son éternité. Elle mourra le 15 mai 1794. Jacques Necker, séparé des affaires de la France, demeurera désormais dans son château de Coppet, et à Genève l'hiver, travaillant, écrivant, disant le souvenir que l'histoire devra garder de lui, méditant sur la vertu, la justice, la raison, sans cesse plus éloigné de sa fille par les lieux, par le temps, et plus proche d'elle par le cœur. Pour Germaine de Staël, une autre vie a commencé, celle des passions, des ruptures, des bonheurs impossibles, celle bientôt de ses combats contre le despote qui saisira l'héritage de la Révolution, celle de la gloire littéraire. Un quart de siècle lui reste à « écrire, lutter, vivre [1] » avant qu'elle ne rejoigne son père et sa mère dans leur immortel tombeau.

Avant de nous éloigner d'eux, regardons une dernière fois cette famille si fière d'elle, regardons un peu ce qui fit son étrangeté en son temps, tâchons d'apercevoir ce qui les a confondus, ce qui les a distingués, parfois même séparés.

Mme Necker de Saussure, la cousine, l'amie bien-aimée de Germaine, nous dit, achevant l'émouvant panégyrique qu'est sa *Notice sur le caractère et les écrits de Mme de Staël*[2], que celle-ci aurait dit à Chateaubriand, résumant ainsi sa vie : « J'ai toujours été la même, vive et triste. [...] J'ai aimé Dieu, mon père, et la liberté. » De même Mme Necker, dans ses ultimes *Pensées et Souvenirs* que son mari a publiés après sa mort, se reconnaissait trois maîtres : Dieu, la vertu et la liberté ; Dieu qui a donné existence à la vertu, la vertu seule source du bonheur et qui n'eût pu exister sans la liberté. « Nous sommes créés libres, mais cependant nous sommes liés à la vertu par tous les moyens qui ne nuisent pas à cette liberté[3]. »

Necker qui aimait, comme sa femme et sa fille, les formules assemblant des mots nobles, n'a cessé d'exalter Dieu et la vertu dans tous ses écrits. Dès son *Éloge de Colbert* en 1773, il voulut tracer le portrait d'un homme exceptionnel seulement animé par la vertu et qui ne chercha jamais qu'à « s'associer aux desseins de Dieu ». « Heureux qui peut, comme Colbert, du haut du séjour éternel entendre dans tous les siècles les bénédictions de son pays, et les applaudissements de l'univers[4]. » Ce bonheur éternel confondant l'amour de Dieu, l'accomplissement de la vertu et les récompenses de la gloire fut-il aussi le destin de Necker ?

« Ô MON DIEU, MON JUGE, MON SAUVEUR »

Ces protestants, venus à Paris pour tenir une telle place dans l'histoire, dans les lettres, n'ont rien renié de la foi religieuse en un temps et dans une société qui prétendaient la rejeter, et beaucoup se sont moqués de cette famille trop encombrée de ses convictions. Fille de pasteur, élevée dans la foi calviniste, Suzanne Necker n'a cessé d'être conduite par le culte de Dieu et le respect de cette morale chrétienne à laquelle sa fille prétendra échapper. Publiant quelques-uns des manuscrits laissés par sa femme [5], Jacques Necker a porté témoignage de ce que jamais les opinions religieuses de celle-ci n'avaient éprouvé la plus légère altération. « Doucement, mais avec une vigilance continuelle, elle écartait les discours qui pouvaient la blesser dans le respect qu'elle portait à l'Être suprême. Nulle espèce de bigoterie ou de pratique minutieuse n'accompagnait ce respect ; il était grand, noble, élevé, et toujours digne, si aucun peut l'être, d'un culte adressé au souverain maître du monde. » Dans les derniers jours de sa vie, au milieu de ses douleurs, Suzanne Necker « élevait ses mains vers l'Être suprême pour le remercier de sa bonté ». Germaine de Staël nous décrira de même son père, quelques heures après la mort de Mme Necker, enfermé dans sa chambre d'où il regardait les Alpes, et parlant de Dieu, de l'âme de sa femme partie : « Son âme plane, peut-être là, me dit-il en me montrant un nuage léger qui passait sur notre tête... » « Il me représentait si bien, dira Germaine, la religion tout entière [6]. » Quand viendra la dernière maladie de Necker, il apparaîtra soutenu par sa foi « dans toute son élévation et sa sensibilité. Il a sans cesse parlé de la religion avec amour et respect ; il a demandé avec ardeur l'indulgence et la miséricorde de Dieu : que sommes-nous si un tel homme croyait avoir besoin d'être pardonné [7] ? »

Sans doute la conviction religieuse de Jacques Necker n'est-elle pas seulement fondée sur sa foi. « Ce protestant, nous dit Henri Grange, est comme sa femme un croyant convaincu ; Mme Necker est demeurée plus attachée au calvinisme de son enfance, à la religion de son père, pasteur d'un petit village vaudois ; tandis que son mari, subissant une évolution naturelle, n'a conservé de son éducation religieuse que les dogmes du déisme traditionnel [8]. » Mais « pour épurée qu'elle soit », la foi de Necker n'en est pas moins sincère. Lorsqu'il publie pour la première fois, en 1788, son ouvrage *De l'importance des opinions religieuses*, Jacques Necker entend faire appel à la raison autant et plus qu'à la foi. Il veut démontrer l'utilité sociale de la religion, son rôle aussi dans le bonheur individuel. Il est inquiet de l'irréligion de son temps et de ses funestes conséquences politiques et sociales. Le *Cours de morale religieuse* qu'il publiera en 1800 prouvera que, dans la solitude et la retraite, sa foi religieuse n'aura fait que s'affermir. La tristesse, la maladie poursuivront le même travail. Il n'est pas question, dans l'œuvre de Necker, observe Frank Bowman[9], ni de l'Incarnation, ni du Verbe, ni de la Résurrection, et dans son *Cours de morale religieuse*, il n'évoque la mort de Jésus qu'une seule fois. Mais l'Être suprême qu'aime Necker porte à la fois la liberté et l'amour. Il protège de l'angoisse, de toutes les angoisses, celles de l'ingratitude, de l'oubli, de la maladie et de la vieillesse qui vient. « Ah si nous nous étions souvenus de l'Éternel aux jours de notre jeunesse ; si nous nous en étions souvenus, durant ces jours qui ne reviendront plus, toutes nos pensées en ce moment seraient douces, toutes seraient à la joie et à l'espérance. Vous qui voyez nos regrets ; vous, les témoins de notre repentir ; jeunes gens, profitez des leçons que vous donne la religion, une religion pleine de sagesse, une religion affectueuse, dont tous les préceptes tendent au bonheur. Ce sont nos vœux, nos tendres vœux pour vous : veuille le Dieu tout-puissant les entendre et les exaucer[10] ! »

Dieu protège des souffrances, de la vieillesse, et préserve de la perte de la personne aimée. C'est Dieu qui fait que Jacques Necker n'a pas quitté Suzanne, et qu'il ne quittera pas Germaine... Ces derniers mots de lui seront entendus dans cette nuit du 9 au 10 avril 1804 où il mourra : « Ô mon Dieu, mon juge, mon sauveur, reçois ton serviteur qui s'avance vers la mort à grands pas[11]... » Puis il paraîtra s'endormir et rendra bientôt le dernier soupir[12].

Sans doute Mme de Staël aima-t-elle Dieu tout autrement que ses parents, que sa mère en tout cas. Elle ne consentit jamais que la morale chrétienne pût diriger sa vie, et surtout surveiller ses amours. Dieu semble peu présent dans son œuvre : il apparaît si vient la souffrance. Pourtant Mme Necker de Saussure, qui la connaît bien, assure que la foi chrétienne ne s'éloigna jamais vraiment d'elle, et qu'au contraire elle se renforça au fil des ans et des épreuves : « Cet esprit indépendant, cette intelligence amie de la lumière, et qui l'accueillait dans toutes les directions, a été de jour en jour plus persuadé des augustes vérités du christianisme[13]. » L'étrangeté de Mme de Staël fut peut-être en son temps d'avoir tant aimé les Lumières, sans rejeter la religion que lui avaient transmise et enseignée ses parents. « La religion et les Lumières ont eu, observe Mme Necker de Saussure, jusqu'à elle séparément leurs défenseurs. Ces deux grandes causes ont été plaidées, pour ainsi dire, contradictoirement ; chacune se trouvant étrangère à tout un système d'idées, il y a eu sous ce rapport une division cachée parmi les hommes ; les uns ne paraissant tolérer le règne de la raison, et les autres celui de la foi, que par pure condescendance. Mme de Staël seule a embrassé avec un même zèle le parti des Lumières et celui de la religion ; elle seule a adopté du fond du cœur ce qu'il y avait de mieux dans les divers âges ; combattant d'un côté les préjugés et l'ignorance ancienne, de l'autre, l'égoïsme et l'incrédulité modernes[14]. »

Comme sa mère, comme son père, quoique autrement, Germaine a aimé Dieu. Elle s'en rapprochera d'autant plus qu'elle pensera à la mort et qu'elle en parlera, cette mort si obstinément présente dans toute son œuvre.

ILS ONT AIMÉ LA LIBERTÉ

Comme ils ont aimé Dieu, ils ont, tous trois, aimé la liberté, ensemble mais différemment. Pour Mme Necker, la liberté est le don de Dieu qui permet à l'être humain d'aller vers le bien ou vers le mal, de choisir la vertu, d'être responsable. Cette liberté divine, elle est aussi, pour elle, le fondement d'une société tolérante et juste. Suzanne écoute parler, avec admiration, Voltaire et Diderot et Fontenelle, et ses amis chers comme Buffon, comme Grimm. Tous ils lui semblent des esprits libres. Ici encore se voit sa tradition calviniste : Suzanne Necker ne cessera de redouter le despotisme, la servitude, l'intolérance, qu'elle croit contraires à l'ordre voulu par Dieu. La charité elle-même – et l'on sait le mal qu'elle se donna pour les hospices de charité – lui semblait l'accomplissement de la liberté de l'esprit, et toujours des bouches éloquentes devront, comme elle, soutenir « la cause des pauvres [15] ».

La réflexion de l'homme public qu'était Necker rejoint souvent celle de sa femme, mais il étend naturellement sa vision de la liberté à l'ordre social et politique. Necker a cru, il a voulu qu'un nouvel ordre fût bâti sur le respect de la liberté de chacun, et cette liberté lui est apparue aussi menacée socialement qu'individuellement. On sait que Necker s'appliqua toute sa vie, même parvenu au sommet du pouvoir, à demeurer un homme libre, obstinément libre, ce qui le contraignit, jugea-t-il, deux fois à la démission. De même crut-il à l'exigeante liberté de l'opinion publique, cette opinion publique dont il fit souvent, trop souvent, sa « boussole ». Et l'on ne peut oublier que Necker, renvoyé par Louis XVI le 11 juillet 1789, devint alors le symbole de la liberté maltraitée, et que son retour parut celui de la liberté triomphante [16]. Si Jacques Necker fut, un temps, idolâtré par les Français, c'est qu'il fut alors, nous dit Edgar Quinet, « l'image de ce bien inconnu, la liberté[17] ». Mais la liberté ne devait pour lui jamais se séparer de la justice, de la modération, de la vertu, et cette exigence l'amena à se méfier sans cesse davantage de la Révolution française. La liberté devait être un principe de gouvernement, non un mythe. Elle ne pouvait conduire à la tyrannie ou lui servir de justification. La liberté, nous rappelle son petit-fils Auguste de Staël, dans sa *Notice sur M. Necker*, fut pour lui plus que le fondement d'un système politique : elle était d'une plus haute origine, elle était pour lui une idée morale[18]. « Défions-nous », prévenait Necker dans son livre *Sur l'administration de M. Necker*, « de ceux qui se servent du nom de la liberté pour exciter un aveugle enthousiasme[19] ». Achevant en 1796 son ouvrage *De la Révolution française*, il appellera la France à ne jamais se séparer de la liberté : « Vous donc, pays renommé dans les fastes de l'histoire, vous dont la liberté sage a brillé si longtemps au milieu des ténèbres d'un ignorant esclavage, ne méconnaissez pas le bien dont vous jouissez, le bien dont vous avez fait l'épreuve ; et gardez-vous de vous laisser éblouir par les chimères politiques que des législateurs novices ont jetées dans le monde. Une grande erreur serait pour vous, plus que pour d'autres, une source de malheurs, et de malheurs sans fin et sans réparation. Votre sol, votre climat, votre prospérité, toute de mains d'hommes, et beaucoup d'autres circonstances vous obligent à des ménagements particuliers. La France, avec son beau ciel, avec sa douce température, avec ses productions diverses ; la France, avec ses vins délicieux, au lieu de vos liqueurs d'orge, avec ses bois, au lieu de votre charbon de terre, avec ses fruits abondants et venus en plein vent, au lieu des résultats laborieux de vos serres chaudes ; la France, avec ses vingt-cinq millions d'hommes, susceptibles à la fois d'ardeur et de patience ; et la France peut-être, avec un caractère national mobile et versatile, avec un caractère qui permet de passer subitement et presque d'une manière aisée du despotisme à la liberté, et de la liberté au despotisme ; la France enfin, qu'on soulève avec des mots, qu'on apaise avec de nouvelles phrases, et qui, dans six mois, a laissé mettre à l'ordre du jour toutes les vertus et tous les crimes[20]. »

L'amour de Mme de Staël pour la liberté ressemblait à celui de son père : elle ne supporta ni despotisme, ni terreur, ni prison, ni mise à mort, et elle se battit toute sa vie contre toutes les formes de tyrannie, masquées ou non. Mais la liberté n'était pas pour elle qu'une conquête de l'ordre social. Elle était aussi, selon l'héritage des Lumières, « le droit au progrès de l'esprit humain[21] », à l'éducation, à la culture, à l'incessant développement de l'intelligence, de la connaissance et de la raison ; et elle était encore la lutte vigilante contre toutes les formes de fanatisme, du fanatisme religieux, politique, intellectuel. Cette liberté de l'esprit portée par les Lumières – qui animera un jour les promesses de l'école laïque –, elle paraît avoir été, pour Mme de Staël, une exigence implacable dans tous ses combats. Et pour elle cette liberté est inséparable de la liberté du cœur, et aussi de la liberté du corps. On sait que Mme Necker n'a pas supporté la vie de sa fille, qu'elle jugeait contraire à la loi religieuse et à la loi morale ; Mme de Staël, elle, n'a jamais consenti qu'une loi quelconque prétendît s'imposer à sa vie et à ses amours.

« Ô TOI, PREMIER SENTIMENT DE MON ENFANCE,
PREMIÈRE PASSION DE MA JEUNESSE »

« J'ai aimé Dieu, mon père, et la liberté » : cette confidence faite par Mme de Staël à Chateaubriand au soir de sa vie passe sous silence ses amours, qui s'en étaient allées avec le temps. Ou plutôt, ne parlant que de l'amour de son père, Mme de Staël parle du seul amour qui sans doute l'ait comblée.

Car l'amour de l'homme fut, tout au long de l'œuvre de Germaine de Staël – comme l'observe Mona Ozouf –, « l'unique histoire » de la femme qui ne peut être heureuse qu'aimant et étant aimée [22]. La femme a peur de marcher isolée dans le monde, elle a peur du silence, de l'absence, de la mort « qui commence à la moitié de la vie [23] », peur de tout. L'amour, à la fois donné et reçu, qui chasse tous les tourments, toutes les inquiétudes, est sans doute, pour elle, le seul chemin du bonheur. « Tirez-moi de moi-même », dira Germaine, suppliante, à son amant [24]...

Cette idée du destin de la femme n'a cessé de poursuivre la fille de Necker... Elle ressentait, nous dit Mme Necker de Saussure, « une profonde pitié pour le sort des femmes [25] » : la femme est vite abandonnée, vite persécutée, et contrainte de vivre tous les tourments, car l'homme qu'elle veut, l'homme qu'elle aime, la déçoit, ou l'oublie, ou s'en va. Simone Balayé a décrit, dans son Introduction aux *Lettres à Ribbing*, l'idée que Mme de Staël n'a cessé de se faire de l'amour, à la fois triomphant et désespéré, et des femmes, héroïnes malheureuses, incomprises d'une société injuste et malveillante [26]. « Le cœur d'une femme, écrivait déjà Minette dans son *Histoire de Pauline*, n'est dans toute sa perfection que quand il s'ignore lui-même. [...] Si, malgré ses fautes, elle aime pour la première fois, l'on a flétri son cœur avant de le toucher [27]. » « C'est par l'âme seule, écrivait-elle dans sa première *Lettre sur Jean-Jacques Rousseau* [28], que les femmes se sentent distinguées. C'est elle qui donne du mouvement à leur esprit, c'est elle qui leur fait trouver quelque charme dans une destinée dont les sentiments sont les seuls événements et les affections les seuls intérêts. » C'est par amour que les femmes peuvent être capables de se dépasser elles-mêmes, d'écrire, de se mêler des affaires publiques, de devenir, pourquoi pas, les égales des hommes...

Tout autre est évidemment pour Germaine de Staël l'homme qui aime ou qui prétend aimer. Plus il est convaincu qu'il est aimé, croit-elle, plus il se détache. « Mieux vaudrait ne pas leur laisser voir ce qu'on souffre, ce qu'on est prête à faire pour eux [29]. » Quelque effort que la femme fasse pour retenir l'homme – et la correspondance de Germaine de Staël dira le génie qu'elle dépensa à se battre contre l'absence de l'homme aimé –, il s'en va, il s'en va discrètement, hypocritement, ou cruellement. « Venez, a-t-elle écrit à Narbonne, retenir sur le bord de la tombe une femme déchirée par d'atroces douleurs [30]. » Ainsi, quoi qu'elle dise, quoi qu'elle fasse, la femme est la victime de l'homme. Elle peut être instruite, cultivée, douée, écoutée, elle n'en est pas moins condamnée. « Examinez l'ordre social et vous verrez bientôt qu'il est tout entier armé contre une femme qui veut s'élever à la hauteur de la réputation des hommes [31]. » L'homme, lui, peut se défendre contre la calomnie, mais « pour les femmes se défendre est un désavantage de plus ; se justifier un bruit nouveau ». « Un homme doit savoir braver l'opinion publique, une femme s'y soumettre », constatera Germaine dans *Delphine* [32]. Et la phrase a souvent été rapportée, que Germaine de Staël écrira dans *De l'Allemagne* [33] : « Il est resté de l'esclavage des femmes des préjugés qui, se combinant avec la grande liberté que la société leur laisse, ont amené beaucoup de maux. On a raison d'exclure les femmes des affaires politiques et civiles, rien n'est plus opposé à leur vocation naturelle que tout ce qui leur donnerait des rapports de rivalité avec les hommes, et la gloire elle-même ne saurait être pour une femme qu'un deuil éclatant du bonheur. »

Simone Balayé observe justement que Mme de Staël, loin de se désintéresser du sort des femmes et d'accepter que l'amour fût leur seul destin, a voulu les défendre, tout au long de son œuvre. « Elle les aime, elle les comprend, elle les plaint, [...] elle souhaite qu'elles avancent d'un pas plus assuré dans ce monde si dur à leur égard[34]. » Germaine rêverait que les femmes ne fussent plus les victimes des hommes. Mais elle garde au fond de son cœur un préjugé qui sans doute limite ses plus courageux combats : la femme, pour elle, n'est vraiment heureuse qu'aimant l'homme, étant aimée de lui. Ce que paraissent dire toutes ses correspondances avec ses amants, avec Narbonne, avec Ribbing, ses lettres qui mêlent la passion, le désespoir, l'amour et la mort. « Dis-moi donc, mon ange, si je suis avilie pour t'aimer, pour n'avoir jamais senti que cette passion ardente[35] », écrivait-elle à Narbonne le 16 octobre 1792. Elle lui écrivait encore le 15 novembre : « Au reste il n'y a qu'un malheur et un bonheur au monde, et de celui-là dépend la mort ou la vie[36]. »

L'amour parfait ? Cet amour donné, reçu, partagé ? Tel est l'amour sans doute impossible... Pourtant Germaine en a l'exemple sous les yeux : l'amour passionné que porte sa mère à son père, et qu'il lui rend. De l'amour conjugal, vécu comme l'amour parfait, elle a tôt vanté les merveilleuses vertus. Les premiers essais littéraires de Minette multiplient, constate David Glass Larg[37], les louanges du mariage, de la plus belle expression de l'amour, celle qui plaît à Dieu. L'amour du mari et de la femme que Dieu a unis pour la vie, et pour après la vie, n'est-il pas la forme sublime de l'amour, que toutes les autres tâchent d'imiter[38] ? L'éloge du mariage, Suzanne Necker y avait consacré des pages émouvantes, exaltant le plus bel amour, selon elle, l'amour vainqueur de toutes les épreuves, vainqueur du temps, l'amour qu'elle vivait avec son mari. « Tout sert donc en ménage, même les imperfections et les défauts. Les affections naissent et se développent par l'espérance d'un long avenir ; et ensuite elles s'augmentent, s'ennoblissent et se fortifient par leur propre durée[39]. » Germaine voit son père et sa mère qui ne cessent de s'aimer davantage, elle voit que le temps qui passe ne fait, ne fera que les réunir. « La pensée de ma mère a dominé sa vie », dira-t-elle au lendemain de la mort de son père. Et parlant de sa mère : « Il lui fallait l'être unique, elle l'a trouvé, elle a passé sa vie avec lui. Dieu lui a épargné le malheur de lui survivre[40]. » Elle racontera de même ce que fut la passion de son père pour sa mère, les « soins pleins de tendresse et d'émotion » dont il l'entoura dans les derniers moments de sa vie[41]. « Je le vis pendant plusieurs heures aux pieds de sa femme mourante s'abandonner à cette émotion profonde, à cette émotion sans contrainte, qui faisait d'un grand homme, d'un homme si rempli de grands intérêts et de hautes pensées, seulement un cœur sensible, seulement un cœur tout pénétré d'affection et de tendresse. »

Fallait-il pourtant consentir que, les années passant, cette passion devînt tendresse ? Mme Necker elle-même a loué, au soir de sa vie, les vertus de l'amitié conjugale[42], ce sentiment, a-t-elle dit, à la fois si profond et si doux. Elle a composé, dans ses dernières années, une *Épigraphe pour une cage de tourterelles dans la maison de deux époux tendrement unis* :

> « *Colombes tendres et fidèles,*
> *De vos amours l'asile est bien choisi ;*
> *Et l'on ne sait si vous êtes ici*
> *Les écoliers ou les modèles*[43]. »

Germaine aussi sourira, parfois, de ce couple de tourterelles qui figurait ses parents. Mais elle rêvera toujours d'une amitié très amoureuse qui pourrait se substituer à l'amour, et le prolonger. À son mari, elle dira souvent comme elle eût aimé, à défaut d'amour, le bonheur d'une « amitié douce et constante », cette « perspective heureuse[44] ». Parlant d'Eric de Staël, elle avouera, moqueuse, car elle savait se moquer : « De tous les hommes que je n'aime pas, mon mari est celui que je préfère[45]. » À ses amants, elle écrira parfois que, le temps passant, elle aimerait au moins garder d'eux leur amitié. « Un seul bien m'est nécessaire pour vivre, écrira-t-elle à Narbonne, un seul m'est dû, un seul doit me rester à jamais c'est votre amitié. Je jure de fixer ma vie où d'autres liens vous entraîneront, de les voir sans me plaindre, et d'être encore reconnaissante des moments que vous leur arracherez pour votre amie[46]. » À Ribbing, elle offrira, s'il devait se détacher d'elle, de choisir le lien qui lui conviendrait le mieux : « sœur, femme, maîtresse, amie, disposez de moi ». Mais ces suppliques inventées pour éloigner l'horreur de l'abandon furent-elles sincères ? L'amitié pouvait-elle vraiment lui servir de substitut à l'amour ? Chez Germaine de Staël, ni l'amour ni l'orgueil ne supporteront jamais, en réalité, le départ, l'éloignement de l'homme aimé.

Ce « véritable » amour, celui de l'homme passionnément amoureux, celui qu'avait autrefois chanté Guibert exaltant Zulmé[47], cet amour qui embrase tout l'être, coule avec le sang, rapproche l'homme des dieux, et surtout ne s'enfuit jamais, cet amour décidément impossible, Minette ne l'aura peut-être vécu qu'avec son père. Seul son père l'aura aimée comme elle voulait être aimée, tous les jours et très ardemment. Sans doute, observe Simone Balayé, s'est-elle vue « traitée en rivale par une mère passionnément éprise de son mari et très jalouse[48] », mais le père a réussi, autoritaire et habile, à ne décevoir ni l'une ni l'autre des passions que sa femme et sa fille éprouvèrent pour lui. Il incarne « dans la fusion amoureuse impossible[49] » l'homme idéal, l'homme doué de toutes les vertus, l'homme qui pourrait tenir tous les rôles. Germaine dira cette passion merveilleuse au lendemain de la mort de son père, dans le portrait qu'elle fera de lui et qui se termine par ces mots écrits à Coppet le 25 octobre 1804 : « L'on a vu sûrement des carrières plus heureuses, des noms plus éclatants, des destinées plus longues, des succès plus soutenus : mais un tel dévouement pour la Nation française, mais un génie si vertueux, mais un caractère si bon, un cœur si noble et si tendre, on ne le reverra plus ; ni les hommes ni moi nous ne le reverrons plus[50]. »

En perdant son père, Germaine perdait son protecteur, son père, son frère, son ami, « celui que j'aurais choisi pour l'unique affection de ma vie, si le sort ne m'avait pas jetée dans une autre génération que la sienne ». Était-ce donc l'amour parfait qui s'en était allé ce jour-là ? « L'amour pour le père, constate Simone Balayé, fut pour elle le superlatif du bonheur[51] », ce bonheur qui lui fut refusé dans le mariage. Cet amour-là, il durera au-delà de la mort. Il sera, pour Mme de Staël, le seul amour qui ait accompagné toute sa vie. Mais l'amour du père, constate encore Simone Balayé, est placé par Germaine « au centre de l'acte autobiographique[52] ». Parler de lui, c'est toujours parler d'elle...

VIVRE LA PLUME À LA MAIN

Pour les regarder d'un peu plus près tous les trois, il faudrait aussi prendre le temps d'observer ce que fut, chez eux, le culte dominateur de l'esprit, de toutes les expressions de l'esprit, et notamment la soif de lire, d'écrire et de parler. La parole, la conversation jouèrent, on le sait, un rôle essentiel dans leur vie. Si même, selon l'abbé Morellet, Necker était « nul dans la conversation, ne sortant de son silence que pour lâcher quelques traits piquants et quelques persiflages[53] », toute son œuvre dit l'importance attachée par lui à la parole éloquente. Les vendredis de Mme Necker, où brillèrent tant de beaux esprits, ont laissé à tous ceux qui n'en furent pas jaloux un précieux souvenir[54]. Benjamin Constant, peu impartial il est vrai, dira l'extraordinaire talent de conversation de Germaine de Staël, « cette magie indéfinissable », « ce talent que tous les pouvoirs qui ont médité l'injustice ont toujours redouté comme un adversaire et comme un juge[55] ». Comme beaucoup d'autres, Constant décrira « cette imagination pleine d'éloquence et de poésie » qui éblouissait tous ceux qui l'entendaient, cet art des mots, « cette flexibilité pleine de grâce », cette flamme intérieure qui resplendissait dans les yeux de Germaine, et le charme qu'elle répandait. « Rien de plus beau que d'entendre Mme de Staël parler », racontera-t-il, évoquant l'éblouissement que ressentit Mme Récamier la première fois où elle rencontra cette femme illustre[56] qui subjuguait par ses paroles.

Lire, parler, écrire bien sûr : ils ont vécu tous trois, on l'a dit, la plume à la main. M. Necker n'aimait pas voir sa femme écrire, soit qu'il fût trop traditionnel pour consentir aux femmes le talent d'écrire, soit qu'il redoutât pour elles le jugement de l'opinion publique. « Il ne faut pas », écrivait-il dans ses *Esquisses de pensées*, publiées après sa mort, « que les femmes se permettent aucun faux mouvement[57] ». Suzanne Necker écrivit, outre ses *Réflexions sur le divorce* et son *Traité des inhumations précipitées*, d'abondants souvenirs, fragments, pensées et traités, et de très nombreuses lettres que M. Necker publia partiellement après la mort de sa femme. Ces *Mélanges*, écrits d'une plume souvent maladroite et empesée, parfois brillante, dont Sainte-Beuve a loué les mérites, traduisent une réflexion qui ressemble à son auteur : sévère, toujours enveloppée de vertus, donneuse de leçons, et volontiers solennelle. Mais ces textes méritent d'être lus, car ils parlent bien de Mme Necker, de son âme, de son intelligence, de cette tristesse aussi qui ne la quittait guère, et de son ambition secrète, de tout ce que l'on connaît mal d'elle.

Des nombreux livres écrits par Jacques Necker il ne sera parlé ici que pour observer son écriture. On sait que son style volontiers emphatique, parfois grandiloquent, lui fut souvent reproché. « Toujours, remarquait Sainte-Beuve, il amalgamera la métaphysique et l'image dans des alliances ternes et fatigantes[58]. » Souvent on voit chez lui « un léger ridicule », notamment lorsque, dans ses exordes ou ses péroraisons, il veut s'abandonner sans mesure à l'éloquence rhétorique. Mais Necker, théoricien de la réflexion politique, moraliste, volontiers sermonneur, n'en est pas moins, comme le consent Sainte-Beuve, un écrivain très remarquable, trop oublié. Certains de ses livres atteignent même, dans une écriture qui à beaucoup d'égards porte encore les traditions du XVIIe siècle, à une véritable beauté. Sainte-Beuve, concluant son étude sur l'œuvre de Necker, admet que, formé par l'usage, il était arrivé à se faire un style, « style singulier, fin, abstrait, qui se grave peu dans la mémoire et ne se peint jamais dans l'imagination mais qui atteint pourtant à l'expression rare de quelques hautes vérités[59] ». L'œuvre écrite de Necker, qui allie souvent si bien la réflexion et l'émotion, mériterait sans doute d'être mieux connue.

Il serait tout à fait présomptueux de vouloir observer ici le génie littéraire de Mme de Staël et les extraordinaires ressources de son style. On se contentera de remarquer les traits qui rapprochent l'écriture de Mme de Staël de celle de son père, parfois aussi de celle de sa mère. Le vocabulaire, l'ordonnancement des mots, leur répétition, la construction de la phrase, le rythme même indiquent souvent une étonnante filiation, au point que l'on pourrait sans peine – et ils l'eussent volontiers accepté – prêter des textes de l'un à l'autre. Ce qui sépare Mme de Staël de ses parents, objectera-t-on, c'est le génie littéraire, encore que, dans cette singulière famille, ils n'aient cessé, tous trois, de se trouver du génie mutuellement. Suzanne Necker affirmait que le talent de son mari, c'était le génie[60], mais elle accordait du génie à tous ceux qu'elle admirait ou qu'elle aimait. Publiant les manuscrits de Mme Necker, Jacques Necker louera non tout à fait le génie de sa femme, mais la puissance de sa réflexion : « Je doute qu'aucun ouvrage renferme un plus grand nombre d'idées[61]. » Le génie de sa fille, Mme Necker peut n'avoir pas eu le temps, ni surtout le goût de le remarquer. Jacques Necker, lui, l'a souvent célébré. La grande voie que Germaine de Staël va ouvrir à la littérature française, que Rousseau avait sans doute entrouverte, devra beaucoup à l'héritage de ses parents, à l'éducation, à la culture reçues d'eux, à tout ce qu'ils attendaient, ce qu'ils exigeaient de l'esprit humain, même s'ils léguèrent à leur fille des dons extraordinaires qu'ils n'avaient pas. Ce qu'exprimera Mme de Staël, notamment dans *De la littérature*, et déjà dans les *Lettres sur [...] J.-J. Rousseau*, ce que beaucoup d'autres rediront après elle – que la littérature « a pour fin de révéler l'homme inté-rieur[62] », que la réflexion et l'émotion sont inséparables, que l'écrivain doit mêler les affections de son âme aux idées géné-rales –, elle le doit sans doute à l'influence de son père autant qu'à celle de Rousseau, son merveilleux père qui, dira-t-elle, « part de l'extrémité des maux en ayant pour but la perfection des biens[63] », son père qui, tout au long de son œuvre, n'a jamais séparé ses idées de ses sentiments. Pour Mme de Staël, faire l'éloge de Rousseau, c'est encore faire l'éloge de Necker, de son ange tutélaire. Il a réalisé, pense-t-elle, au service de la France ce qu'elle fera, elle, pour la littérature : il n'a jamais dissocié l'émotion de la réflexion. « La leçon qu'elle transmet-tra au romantisme, écrit Simone Balayé[64], mais que tous les romantiques ne suivront pas, c'est l'alliance, qu'elle tente de vivre en elle-même, de la raison, du sentiment et de la foi, de l'imagination, du cœur et de l'intelligence, de la mélancolie et de la philosophie, de la nostalgie et de l'énergie. » Cette alliance, ou cette confusion, a beaucoup reçu de l'héritage familial.

Et tous trois, ils ont cru que l'on ne pouvait pas vivre sans écrire, ils ont éprouvé l'écriture comme la vie elle-même, faite du sentiment et de la raison, des vertus, des passions, et protégeant de la mort. Germaine écrivait n'importe où, assise ou debout, dans sa chambre ou dehors, parfois même dans la voiture qui l'emmenait. « Dès que j'écris ma tête se monte », disait-elle, se moquant un peu de soi[65]. L'écriture est toujours là, pour chasser la mélancolie, le désespoir. Elle emporte, elle exalte, elle protège. Elle est une amie toujours disponible, toujours fidèle, la seule amie qui jamais n'abandonne.

« CET INGRÉDIENT DE TRISTESSE »

Car il faut se protéger. La trinité des Necker, portée par l'ambition, par la gloire, mêlée à l'histoire et à la littérature, n'a cessé de devoir affronter des tourments dont, ensemble ou séparément, ils aggravaient volontiers l'importance. La plupart de leurs écrits disent leurs agitations et leurs craintes. Il faut d'abord lutter contre l'ennui, l'ennui qui les prend vite. La dernière phrase de *Dix Années d'exil*, cette phrase que Germaine de Staël n'a pas achevée, nous laisse cette confidence : « J'ai toujours été fort sujette à l'ennui[66]... » Elle a décrit l'ennui qui lui venait chez ses parents, à Coppet, quand elle se promenait dans le parc, contemplant le lac et la montagne. « Je m'ennuie ici », écrivait-elle à l'un ou l'autre de ses amants, toujours rêvant de les rejoindre. Même son père ne parvenait pas à l'arracher à cet ennui qui vite la conduisait à la mélancolie. « Je m'ennuie, j'aime tendrement mon père, écrivait-elle à son mari, mais c'est un culte et l'on bâille à l'église[67]. » Elle s'ennuie, elle soupire dès qu'elle est loin du théâtre de Paris, de cette agitation dont elle a tant besoin ! Necker aussi connaît l'ennui, l'ennui qu'il éprouve dans la paix de sa retraite, l'ennui qui lui vient de la pénible vieillesse[68] et dont seuls Dieu, l'écriture et sa fille peuvent, peut-être, le tirer.

Il n'y a pas loin de l'ennui à la mélancolie. Simone Balayé nous a montré la place de la mélancolie dans l'œuvre de Germaine de Staël[69]. Écrivant en 1790, alors qu'elle n'avait pas vingt-cinq ans, le *Portrait de Mélanie*[70], qui à certains égards était son propre portrait, Germaine de Staël a parlé de cette mélancolie – « le cœur se flétrit, la vie se décolore » –, la mélancolie d'une âme douce, d'une conscience pure. Cette mélancolie vient au fil des ans, « quand la vie cesse de croître », ou encore elle vient de la souffrance longtemps supportée. Mélanie est morte, progressivement, de cette mélancolie irrésistible « provoquée par la perte de l'objet aimé, et continuellement attirée par le regret de n'être point aimée[71] ». Évoquant Mme de Staël, Paul Bénichou a décrit, dans *Le Sacre de l'écrivain*, la place que tiendra la mélancolie dans le « spiritualisme libéral » dont elle fut l'initiatrice[72]. « À l'époque où nous vivons, dira Germaine de Staël dans *De la littérature*, la mélancolie est la véritable inspiration du talent : qui ne se sent pas atteint de ce sentiment ne peut prétendre à une grande gloire comme écrivain[73]. » L'écrivain, dira-t-elle encore, ne saurait se passer de cet « ingrédient de tristesse » qui nourrit son imaginaire. De toute manière, la mélancolie parle à l'homme de sa destinée. « Ce que l'homme a fait de plus grand, il le doit au sentiment douloureux de l'incomplet de sa destinée. » Mme de Staël aura beaucoup aimé, chez Rousseau, cette ordinaire tristesse du génie[74] qui les réunissait. Toujours il lui faudra du mouvement, du bruit, des voyages, des périls, des audaces pour qu'elle échappe à ce sentiment qu'elle cultive autant qu'elle le fuit. « Ses yeux se remplissaient de larmes au plus petit mot sévère ou sensible, et les battements de son cœur s'apercevaient sous ses vêtements, au moindre mouvement de plaisir ou de peine[75] », car le temps était bref qui la portait de la mélancolie au désespoir ou à la joie.

Ainsi faut-il se protéger de la tristesse, sans trop la contrarier, pour en garder la part la meilleure, celle qui nourrit l'imaginaire. Mais il faut surtout se protéger du malheur, sous toutes les formes qu'il prend, le malheur de n'être pas aimé, le malheur d'être abandonné, le malheur de la solitude, et aussi les malheurs que la vie porte avec elle, la maladie, la vieillesse et la mort. Cette famille n'a cessé d'être hantée par l'idée de la vieillesse, de cette vieillesse qui, selon Mme Necker, venait si vite aux femmes qu'elles devaient, dès l'âge de vingt-cinq ans, s'y préparer. Nombreux sont les « pensées et souvenirs » de Suzanne Necker qui sont consacrés à la vieillesse, à la dégradation du corps et de l'esprit, et, chez les femmes, à l'effacement de la beauté. Pourtant elle tenta, quand elle vit, très tôt, venir la vieillesse, de la comprendre et même de lui chercher de bons côtés. « Les vieillards sont comme les vins, a-t-elle écrit dans ses *Mélanges*, ils se corrompent ou se perfectionnent[76]. » Elle a voulu regarder « le soir de la vie de deux époux qui ont connu ensemble une longue carrière » comme « un soleil couchant qui s'agrandit et se colore de toutes les beautés du monde[77] ». Décrivant, non sans quelque cruauté, la vieillesse de Mme Geoffrin, elle a tâché d'y découvrir des vertus nouvelles, venues du temps : « La vieillesse de Mme Geoffrin ressemble à celle des arbres dont on connaît l'âge par l'espace qu'ils occupent et la quantité de racines qu'ils ont jetées[78]. » Suzanne Necker vit venir la vieillesse comme une épreuve très douloureuse qu'elle devait accepter parce qu'elle était reçue de Dieu. Elle n'eut pas le temps de beaucoup vieillir.

Mme de Staël a longuement décrit ce que fut la vieillesse de son père, ce que furent ces deux dernières années, de 1802 à 1804, où, ayant écrit son *Cours de morale religieuse*, tant chargé d'évocations de la mort, il eut le sentiment que sa vie s'achevait. « Il me semble, écrira Germaine après la mort de son père, que la vieillesse, du moins celle de mon père, ne paraissait plus le déclin de la vie, mais le commencement de l'immortalité. J'atteste que dans les dernières années de son existence il avait pris quelque chose de céleste dans le regard, dans les paroles[79]. » Mais l'amour de sa fille ne pouvait masquer à Necker la douloureuse réalité. « Il lui était pénible d'être vieux et gros, écrira-t-elle encore ; sa taille, qui était devenue très grosse et qui lui rendait les mouvements difficiles, lui causait un sentiment de timidité qui le détournait d'aller dans le monde. Il ne montait presque jamais en voiture : il ne se promenait pas quand il pouvait être vu. [...] Il me disait quelquefois : "Je ne sais pourquoi je suis humilié des infirmités de l'âge, mais enfin, je sens que je le suis." [80] » Mme de Staël pourra écrire qu'il n'y avait que son père au monde qui ait su inspirer pour la vieillesse « un mélange de respect et d'intérêt » et encore qu'« il avait fait de la vieillesse quelque chose de si noble et de si touchant qu'il m'en est resté l'impression du plus profond attendrissement pour tout homme d'un âge avancé[81] », elle supportera difficilement la vieillesse de l'homme tant aimé, tant admiré. Elle ne pouvait accepter, racontera Mme Necker de Saussure, de voir un vieillard en son père : « Quelqu'un lui ayant dit une fois que M. Necker était vieilli, [...] elle répondit qu'elle regarderait comme son plus grand ennemi celui qui lui répéterait des mots pareils[82] ». À elle aussi la vieillesse, sa propre vieillesse, faisait peur, et elle a souvent évoqué les redoutables effets du temps qui passe. Mais heureusement, « le ciel l'avait faite imprévoyante ». Elle ne cessera tout à la fois de redouter la vieillesse et de la fuir...

« MON PÈRE M'ATTEND SUR L'AUTRE BORD »

On sait l'étrange relation de la famille Necker avec la mort[83].
« La mort dans l'amour » est, dans l'œuvre de Mme de Staël,
« l'apothéose de la femme[84] ». L'une meurt d'avoir mal aimé,
l'autre d'avoir caché ses fautes, une autre de ne pas être aimée,
une autre pour offrir sa mort à celui qu'elle aime. Les unes se
tuent, les autres se laissent mourir, d'autres encore sont massacrées par le désespoir. Mais la mort est toujours présente,
seule issue à l'impossible bonheur, châtiment du péché ou
exaltation de l'amour sublime. La mort clôt le roman, la nouvelle, la tragédie, ou plutôt elle l'ouvre, sur une suite inconnue,
car la mort, nous dit Mme de Staël – comme l'a dit Robespierre
dans son ultime discours – n'est que « le commencement de
l'immortalité ». « Nous nous réunirons dans le ciel », promet
Pauline mourante[85] à l'homme auquel elle a caché sa faute,
« en mourant je me crois digne de toi ». La mort n'est pas, le
plus souvent, châtiment[86]. Elle est promesse, promesse de
l'amour conquis ou retrouvé, promesse de la fidélité éternelle[87].

La mort, on l'a dit, fut un thème obsessionnel pour cette
trinité. Suzanne n'a cessé d'y penser, d'en parler. On se souvient de la lettre qu'elle écrivait à son futur mari le soir qui
précéda la cérémonie du mariage : « Que l'instant de ma mort
soit le plus haut degré de ton amour, et ce sera le plus beau
jour de ma vie[88]. » On sait le soin qu'elle consacra, durant sa
dernière maladie, à organiser son embaumement, à construire
le projet de sa sépulture, tant elle voulait que sa mort continuât
sa vie et celle de son mari, la vie des âmes, mais aussi la vie
des corps[89]. Et l'angoisse de la mort, l'obsession de la mort,
on les voit aussi chez Jacques Necker. Rares sont ses livres qui

ne parlent pas de la mort, de sa propre mort, de la crainte et de l'espérance qu'il associe à la mort[90]. Celle-ci fournit, il est vrai, un thème privilégié à l'éloquence. L'écriture qu'elle sollicite est volontiers belle et convaincante. La rhétorique aime la mort, Necker le sait, et s'en sert. Les invocations à la mort lui ont inspiré de beaux textes. Ainsi dans son *Cours de morale religieuse*[91] : « La mort !... La mort !... Quel nom je viens vous prononcer ! La mort !... Tout fuit, tout disparaît devant elle. Quelle image sombre et terrible je fais offrir à vos pensées ! Le printemps a coloré nos campagnes, la terre s'est parée d'un éclat nouveau ; les fleurs, les plantes, les arbrisseaux, nos jardins, nos prairies, tout s'anime, tout s'embellit. La mort !... Et vous ne verrez plus un si beau spectacle ; et vous n'assisterez plus au retour solennel des magnificences de la nature !

« Le mouvement continuel du monde social attire vos regards, irrite votre curiosité ; vous vous y réunissez par les différentes prétentions de l'orgueil ou de la vanité ; vous faites du plus petit intérêt une grande inquiétude, du plus faible désir une forte passion : vous êtes enfin dans tout le sérieux de la vie. La mort !... Et ce monde, avec qui vous croyez avoir fait une alliance éternelle, ne sera rien pour vous, comme vous ne serez rien pour lui ; et pas un grain de votre poussière ne s'animera aux mots d'ambition, de succès, de gloire et de célébrité, à ces mots qui, hier encore, exaltaient votre sentiment, faisaient bondir toutes vos pensées. La mort !... Et vous serez un corps glacé, sans action et sans parole, et que l'immensité des sables de la terre appelle et revendique.

« Hélas ! et qu'elle est surtout effrayante, cette dernière perspective ! Les plus doux liens, les plus tendres affections vous rendent heureux ; et votre cœur palpite aux noms si puissants de père ou de mère, d'épouse ou d'époux, de fils ou de frère ; vous croyez qu'avec des sentiments si vifs, si continuels et qui placent votre vie hors de vous, aucune fin, aucune interruption n'est possible. La mort !... L'inexorable mort !...

Et vous n'entendrez pas même les cris de douleur, les plaintes lamentables des amis que vous aurez quittés, et qui vous redemandent, vous rappellent en vain. Ô mort ! le roi des épouvantements, que vous avez été bien nommée ! Dieu de bonté, Dieu d'espérance ! ah ! nous vous chercherons ! »

Sans doute Necker, quand il mourut, crut-il rejoindre Dieu, sa femme, et commencer d'attendre sa fille. « Mon père m'attend sur l'autre bord », dira Germaine de Staël au moment de mourir. Nous avons décrit, dans le prologue, ce que furent l'agonie, la mort, l'inhumation de Germaine de Staël. Peut-être cette angoisse permanente de la mort leur permit-elle, à tous les trois, au bout du chemin, de mieux l'affronter. Mais cette crainte, cette obsession, et aussi cet amour de la mort, tout à la fois châtiment, accomplissement, rédemption, sacrifice parfait et promesse d'éternité, furent sans doute chez eux trois l'expression d'une éducation et d'une foi communes, quoique autrement vécue. L'immortalité devait unir leurs âmes, et le tombeau leurs corps.

LE CULTE DE LA GLOIRE

Pour échapper aux épreuves de la vie et à la mort sans cesse présente, on peut compter sur la parole, sur l'écriture, sur toutes les formes de l'esprit en éveil, en travail, en agitation. La famille Necker nous a légué un étonnant exemple de la confiance en l'esprit humain, de l'esprit qui lit, écoute, parle et écrit. « Les jouissances de l'esprit, écrivait Mme de Staël, sont faites pour calmer les orages du cœur[92]. » La puissance de l'esprit et sa nécessaire liberté sont les conditions de la vie. « Si j'avais de la puissance, j'obligerais tout le monde à avoir de l'esprit[93]... » Mais faut-il compter sur la gloire ? Germaine a pu dire que la gloire n'était pour une femme que « le deuil éclatant du bonheur[94] » ; elle a pu croire, vouloir croire, comme nous le rappelle Mona Ozouf, que « l'été de la gloire pourrait prolonger dans la vie des femmes, le printemps si fugace de l'amour[95] », elle a pu imaginer l'amour et la gloire comme les deux saisons de l'existence féminine, elle n'a, en réalité, dans sa vie, cessé de rechercher, de réclamer le bonheur et la gloire ensemble, et jamais elle n'a voulu sacrifier l'un à l'autre. Certes, elle y fut aidée, comme chacun dans sa famille, par un sentiment très vif de sa supériorité et de « l'immense distance » qui la séparait « du reste des hommes ». « Ce n'est pas de l'égoïsme », remarquera Benjamin Constant[96] en très proche observateur, « c'est du culte. L'égoïsme a quelque chose de honteux et d'embarrassé qui le décèle et qui encourage les autres à le condamner. Le culte de Mme de Staël pour elle-même intéresse au contraire les spectateurs, et leur communique un certain respect religieux. [...] Il est accompagné d'une bonne foi parfaite et il fournit une démonstration précieuse de la puissance de la bonne foi. Mme de Staël est de bonne foi successivement dans mille sens contraires, mais comme dans chacun des moments où elle parle elle est réellement de bonne foi, on est subjugué par l'accent de vérité qui retentit dans ses paroles. La raison que l'on croyait avoir disparaît, et l'on se tâte pour savoir si l'on est bien le même être, si l'on a bien la même intelligence qu'une heure avant, quand on ne l'entendait pas. »

Ce culte que tous trois se portèrent, et qui tant irrita ceux qui ne les aimaient pas, il était aussi une exigence de la gloire. Si le rôle de Suzanne Necker ne fut pas de rechercher, pour elle, la gloire, elle prit sa part de la gloire qui allait à son mari, et dont elle devait être le parfait instrument[97]. La gloire de M. Necker fut jour après jour le plus grand souci, et l'incessant travail de sa femme, elle fut pour lui l'accomplissement légitime de sa vie, sa consolation aussi contre toutes les formes d'injustice et d'ingratitude qui l'accableront. On sait ce que fut chez Necker l'obsession de l'opinion publique, cet amour de l'opinion publique qui accompagna toute sa carrière[98]. Il n'aimait vraiment que « la gloire », écrira sa fille en 1804, et il ne pouvait souffrir « le moindre nuage sur sa réputation[99] ».

Necker, dans tous ses livres, n'a cessé de construire la superbe statue de ce qu'il était, ou de ce qu'il voulait être. Il fut l'intraitable défenseur de la Vertu, l'apôtre de la Justice et de la Raison, celui qui voulait le bonheur des hommes et croyait en leur intelligence et leur sagesse. Et s'il fut un temps idolâtré par les Français, c'est bien sûr qu'il avait incarné, pour les servir, toutes les hautes vertus qui devaient concourir à leur bonheur. « L'opinion publique, dira-t-il dans l'un des derniers manuscrits qu'a publiés sa fille[100], est plus forte et plus éclairée que la loi ; elle est plus forte parce qu'elle est présente partout, qu'elle exerce son empire dans la société et jusqu'au sein des familles ; elle est plus éclairée parce que si la loi peut être l'ouvrage d'un seul homme qui se tromperait, l'opinion est le résultat des pensées des nations et des siècles. » Mais il ajoutera, rendu pessimiste par l'histoire : « Dans les pays où l'opinion publique est morte, l'on gouverne bien plus commodément, mais aussi les louanges que l'on reçoit n'ont pas le caractère qui en fait le prix ; c'est un bruit d'esclaves, et non un sentiment éclairé. » Écrivant ces lignes, Necker pense-t-il à Napoléon ? Cette gloire que Necker a tant aimée, voici qu'elle s'est peu à peu écartée de lui. Sans doute n'est-elle donc plus qu'un bruit d'esclaves...

Ainsi le culte de la gloire fut-il commun à Necker et à sa fille. Elle en eut comme lui la passion, même si elle en a souvent affronté et dénoncé les dangers, et si elle s'est méfiée de ses simulacres[101], tels les récompenses et les honneurs que distribuent les souverains et qui séduisent les écrivains au risque d'enchaîner leur liberté. « Elle avait, observera Benjamin Constant[102], comme tous les génies supérieurs, une grande passion pour la gloire. » Sans doute la haine qu'elle inspirera à Napoléon, les persécutions que l'Empereur lui infligera, l'importance qu'il attachera à la femme et à l'écrivain libres et influents qu'elle était lui paraîtront-elles ajouter à sa gloire, à cette gloire si vertueuse et courageuse dont son père avait été le symbole. Mais, rappellera Constant, à travers les orages de la Révolution, puis de l'Empire, de la Terreur et de la tyrannie, jamais le souci de sa gloire ne l'empêcha de se ranger toujours du côté de la liberté, et « parmi les vaincus, lors même qu'elle s'était séparée d'eux avant leur défaite[103] ».

« LA DÉESSE DE L'ABONDANCE »

Pour échapper au malheur et tenter, pourquoi pas, d'aller vers l'impossible bonheur, celui de l'amour parfait, Germaine de Staël était ainsi armée : aidée de Dieu et de son père, aimant la liberté de l'esprit, les plaisirs et les souffrances de l'écriture, et la gloire qui récompense forcément le génie. Mais le meilleur, le plus sûr moyen d'approcher du bonheur, elle ne l'a, au fond, jamais trouvé que dans la vie, dans tous les instants, les lieux, les gestes et les mots de la vie. Elle fut, nous dit Mme Necker de Saussure « la déesse de l'abondance[104] », par la richesse et le foisonnement de sa pensée et de ses émotions, par la puissance d'un esprit dont le mouvement fut toujours en fièvre, mais aussi parce qu'elle aima prendre et dévorer tout ce que la vie pouvait imaginer. Elle fut écrivain, mais aussi comédien, musicien, chanteur, quand cela lui faisait plaisir ou quand cela plaisait à d'autres. Elle adora les bals, les fêtes, toutes les réjouissances de la vie mondaine et les fastes de la Cour des rois. Elle rêva de fréquenter les souverains, les philosophes, les savants, les artistes, tous les gens puissants et les grands esprits. Elle aima les bijoux, les toilettes, les ornements de la vie et les conversations, et les lectures. Elle raffola des voyages, même si elle prétendit qu'ils n'étaient qu'un triste plaisir, des voyages qu'elle décida de faire, de ceux même auxquels elle fut contrainte par l'exil. Elle se plut à affronter la haine, elle ne fut jamais arrêtée par aucun risque, elle ne s'effraya d'aucune audace, au prix possible de sa vie. Elle ne put consentir aucune injustice, aucun martyre, aucune vengeance, aucun massacre, aucune mise à mort, même habillés des plus nobles vertus. Elle osa n'importe quoi pour sauver ses amis, tous ceux aussi qui avaient besoin d'elle. Elle adora son père, elle aima ses amants, passionnément, successivement ou ensemble, celui qui partait et celui qui venait, elle aima les gestes et les mots de l'amour, et les enfants chéris nés de l'amour, elle les aima tous, elle aima tout pourvu qu'elle vécût intensément, follement même, prenant de la vie le possible et l'impossible, le pire et le meilleur, tout ce que son destin pouvait contenir ! Après quoi viendrait la mort, le temps de retrouver ceux qui s'en étaient déjà allés, le temps de Dieu, le temps du repos. Tel fut sans doute son rêve : vivre éperdument pour ne pas mourir, puis voir venir la mort comme une nouvelle vie.

Notes

PROLOGUE

1. J. Christopher Herold : *Germaine Necker de Staël*, traduit de l'anglais par Michelle Maurois, Paris, Plon, 1962, p. 482 *sq.*

2. Mme Necker de Saussure : *Notice sur le caractère et les écrits de Madame de Staël*, dans *Œuvres complètes de Mme la baronne de Staël publiées par son fils*, Paris, Treuttel et Würtz, t. 1, p. CCLXIV.

3. Chateaubriand : *Mémoires d'outre-tombe*, t. II, texte de l'édition originale (1849), préface, notes et commentaires de Pierre Clarac, Le Livre de poche, LGF, pp. 676-677.

4. B. d'Andlau : *Madame de Staël*, Genève, Librairie Droz, 1960, 4ᵉ éd. Coppet, 1985, p. 93.

5. *Souvenirs du feu duc de Broglie*, Paris, Calmann Lévy, 1886, p. 384, cités par Pierre Kohler : *Madame de Staël au château de Coppet*, Lausanne, éd. SPES, 1929, p. 92 *sq.*

6. Comte d'Haussonville : *Le Salon de Madame Necker*, Paris, Calmann-Lévy, 1900, t. II, pp. 302-303.

7. Chateaubriand : *Mémoires d'outre-tombe, op. cit.*, t. III, p. 385.

8. J. Christopher Herold : *Germaine Necker de Staël, op. cit.*, p. 480.

9. Comte d'Haussonville : *Madame de Staël et M. Necker*, Calmann-Lévy, 1925, p. 61 *sq.*

10. *Id., ibid.*, p. 65 *sq.*

11. *Manuscrits de Monsieur Necker publiés par sa fille*, « Du caractère de Monsieur Necker et de sa vie privée », Genève, J. J. Paschoud Libraire, an XIII, p. 147.

12. Edgar Faure : *La Disgrâce de Turgot*, Paris, Gallimard, 1961, p. 521.

13. Lady Blennerhassett : *Madame de Staël et son temps, 1766-1817,*

traduit de l'allemand par Auguste Dietrich, Paris, Louis Westhausser, 1890, t. 1, p. 551 *sq.*

14. Michelet : *Histoire de la Révolution française*, présentation de Claude Mettra, Paris, « Bouquins », Robert Laffont, 1979, p. 126 *sq.*

15. Lamartine : *Histoire des Constituants*, Paris, Victor Lecou et Pagnesse, 1855, t. 1, p. 56 *sq.*

16. Alexis de Tocqueville : *L'Ancien Régime et la Révolution*, t. II, vol. 2, *Fragments et Notes inédites sur la révolution*, texte établi et annoté par André Jardin, Paris, Gallimard, NRF, 1953, p. 113.

17. Henri Grange : *Les Idées de Necker*, Paris, Klincksieck, 1974, p. 618 *sq.*

18. Marcel Gauchet : « Necker », *Dictionnaire critique de la Révolution française*, par François Furet et Mona Ozouf, Paris, Flammarion, 1988, p. 307.

19. François Furet : *L'Héritage de la Révolution française*, Paris, Hachette, 1989, Introduction, p. 31 *sq.*

20. Madame Necker de Saussure : *Notice sur le caractère et les écrits de Madame de Staël*, dans *Œuvres complètes de Mme la baronne de Staël publiées par son fils, op. cit.*, p. CCCXLIX.

21. Sainte-Beuve : *Causeries du lundi*, Paris, Garnier Frères, 3ᵉ éd., t. IV, p. 240 *sq.*

22. « Une ambition de femme au siècle des Lumières, le cas de Madame Necker », par Valérie Hannin, *Cahiers staëliens*, 1985, n° 36, p. 5 *sq.*

23. Madame Necker de Saussure : *Notice sur le caractère et les écrits de Madame de Staël*, dans *Œuvres complètes de Mme la baronne de Staël publiées par son fils, op. cit.*, p. XX.

24. *Dix Années d'exil*, édition critique par Simone Balayé et Mariella Vianello Bonifacio, Paris, Fayard, 1996, p. 176.

25. Germaine de Staël : « Du caractère de Monsieur Necker et de sa vie privée », *op. cit.*, p. 126.

26. Béatrice Jasinski : *Mme de Staël, Correspondance générale*, 1ʳᵉ partie, *Lettres de jeunesse*, Paris, Jean-Jacques Pauvert, MCMLXII.

27. « De l'influence des passions », *Œuvres complètes*, t. III, p. 37, cité par Béatrice Jasinski : *Lettres de jeunesse*, 2ᵉ partie, *op. cit.*, p. 529.

28. Papiers retrouvés à Coppet. Le chiffre est barré puis écrit de nouveau, puis de nouveau barré. Cf. B. d'Andlau : *La Jeunesse de Madame de Staël, op. cit.*, p. 42, note 13.

29. « Un inédit staëlien : le "Portrait de Mélanie" », analyse de l'œuvre par Anne Amend et Norman King, *Cahiers staëliens*, n° 42, 1990-1991, p. 19.

30. Mme de Staël : « Du caractère de M. Necker et de sa vie privée », *op. cit.*, p. 106 *sq.*

31. Cité par Ghislain de Diesbach : *Mme de Staël*, Paris, Librairie académique Perrin, 1983, p. 511 *sq.* Sur les rapports de la gloire et de l'amour chez Mme de Staël, *cf.* David Glass Larg, *Madame de Staël, la vie dans l'œuvre*, Paris, Librairie ancienne Édouard Champion, 1924, p. 152 *sq.*

CHAPITRE PREMIER
La belle Curchod

1. Lady Blennerhasset : *Mme de Staël et son temps, 1766-1817,* traduit de l'allemand par Auguste Dietrich, Paris, Louis Westhausser, 1890, t. 1, p. 19.

2. Valérie Hannin : « Une ambition de femme au siècle des Lumières, le cas de Madame Necker », *Cahiers staëliens*, 1985, n° 36, p. 5 *sq.*

3. Comte d'Haussonville : *Le Salon de Madame Necker,* Paris, Calmann-Lévy, 1900, t. II, p. 16.

4. J. Christopher Herold : *Germaine Necker de Staël*, traduit de l'anglais par Michelle Maurois, Paris, Plon, 1962, p. 14.

5. Sainte-Beuve : *Causeries du lundi*, Paris, Garnier frères Libraires, t. IV, p. 240 *sq.*

6. Lady Blennerhassett : *Mme de Staël et son temps, 1766-1817, op. cit.,* t. 1, p. 20.

7. Sur l'originalité de l'œuvre de Gibbon, cf. François Furet : « Civilisation et barbarie selon Gibbon », *L'Atelier de l'histoire*, Paris, Flammarion, 1982.

8. Lady Blennerhassett : *Mme de Staël et son temps, 1766-1817, op. cit.,* t. 1, p. 22.

9. J. Christopher Herold : *Germaine Necker de Staël, op. cit.*, p. 17.

10. Gibbon : *Mémoires*, cités par Lady Blennerhassett, *Mme de Staël et son temps, op. cit.*, t. 1, p. 24.

11. J. Christopher Herold : *Germaine Necker de Staël, op. cit.*, p. 17.

12. Lady Blennerhassett : *Mme de Staël et son temps, 1766-1817, op. cit.,* t. 1, p. 30 *sq.*

13. *Nouveaux Mélanges extraits des manuscrits de Madame Necker*, Paris, Charles Pougens et Genets, an X, 1801, t. II, « Portrait de son ami » p. 242 *sq.*

14. Lady Blennerhassett : *Mme de Staël et son temps, 1766-1817, op. cit.*, t. 1, p. 35.

15. J. Christopher Herold : *Germaine Necker de Staël, op. cit.*, p. 23.

16. *Id., ibid.*, p. 24.

17. *Nouveaux Mélanges, op. cit.*, t. II, p. 20.

18. Ghislain de Diesbach : *Necker ou la Faillite de la vertu*, Paris, Librairie académique Perrin 1987, p. 54.

CHAPITRE II

Suzanne, Jacques et Louise

1. Cf. les très bonnes biographies de Jacques Necker : Édouard Chapuisat : *Necker*, Paris, Librairie du Recueil Sirey, 1938 ; Jean Égret : *Necker ministre de Louis XVI*, Paris, Librairie Champion, 1975 ; Ghislain de Diesbach : *Necker ou la Faillite de la vertu, op. cit.*

2. Ghislain de Diesbach : *Necker ou la Faillite de la vertu, op. cit.*, p. 26.

3. *Id., ibid., loc. cit.*

4. *Œuvres complètes de Monsieur Necker*, Paris, Treuttel et Würtz, 1820, « Notice sur Monsieur Necker » par A. de Staël-Holstein, son petit-fils, p. V *sq.*

5. Ghislain de Diesbach : *Necker ou la Faillite de la vertu, op. cit.*, p. 30.

6. Lady Blennerhassett : *Mme de Staël et son temps, 1766-1817*, traduit de l'allemand par Auguste Dietrich, Paris, Louis Westhausser, 1890, t. 1, p. 551 *sq.*

7. Ghislain de Diesbach : *Necker ou la Faillite de la vertu, op. cit.*, p. 55.

8. Lettre citée par *id., ibid.*, p. 57.

9. Lettre citée par *id., ibid.*, p. 58.

10. Lettre citée par *id., ibid.*, p. 59.

11. J. Christopher Herold : *Germaine Necker de Staël*, traduit de l'anglais par Michelle Maurois, Paris, Plon, 1962, p. 25.

12. Lady Blennerhassett : *Mme de Staël et son temps, op. cit.*, t. 1, p. 42 *sq.* ; Comte d'Haussonville : *Le Salon de Mme Necker*, Paris, Calmann-Lévy, 1900, t. 1, p. 113 *sq.*

13. Lady Blennerhassett : *Mme de Staël et son temps, op. cit.*, t. 1, p. 43.

14. *Id., ibid.*, p. 49.

15. *Mélanges extraits des manuscrits de Mme Necker*, Paris, Charles Pougens, an VI (1798), t. 1, p. 148.

16. *Mélanges extraits des manuscrits de Mme Necker*, t. 1, *op. cit.*, p. 330.

17. Ghislain de Diesbach : *Necker ou la Faillite de la vertu, op. cit.*, p. 60.

18. Comte d'Haussonville : *Madame de Staël et M. Necker, op. cit.*, p. 59.

19. *Œuvres complètes de M. Necker,* publiées par son petit-fils, A. de Staël-Holstein, dans sa « Notice sur M. Necker », Paris, Treuttel et Würtz Libraires, 1820, t. 1, p. CCCXXIX.

20. Ghislain de Diesbach : *Madame de Staël,* Paris, Librairie académique Perrin, 1983, p. 19.

21. B. d'Andlau : *La Jeunesse de Mme de Staël*, Paris-Genève, Librairie Droz, 1970, p. 17.

22. Lettre inédite à la conseillère Reverdil, avril 1766, citée par B. d'Andlau, *La Jeunesse de Mme de Staël, op. cit.* p. 17.

23. Lettre citée par *id., ibid.*, p. 17.

24. *Id., ibid.*, p. 20 et 21.

25. Lettre à la conseillère Reverdil, citée par *id., ibid.*

26. *Id., ibid.*, p. 23.

27. *Id., ibid.*, p. 23.

CHAPITRE III

Le salon de Mme Necker

1. Valérie Hannin : « Une ambition au siècle des Lumières, le cas de Madame Necker », *Cahiers staëliens*, n° 36, p. 11.

2. *Nouveaux Mélanges extraits des manuscrits de Mme Necker*, Paris, Pougens, 1801, t. I, p. 82.

3. Valérie Hannin : « Une ambition au siècle des Lumières, le cas de Madame Necker », *op. cit.*, p. 5 *sq.*

4. Lady Blennerhassett : *Madame de Staël et son temps, 1766-1817*, traduit de l'allemand par Auguste Dietrich, Paris, Louis Westhausser, t. 1, p. 84 *sq.*

5. Sainte-Beuve : *Causeries du lundi*, Paris, Garnier Frères, 3ᵉ éd., t. IV, p. 246 *sq.*

6. Comte d'Haussonville : *Le Salon de Mme Necker*, Paris, Calmann-Lévy, 1900, p. 114.

7. Sainte-Beuve : *Causeries du lundi, op. cit.*, p. 247.

8. *Id., ibid.*, p. 247.

9. Lady Blennerhassett : *Mme de Staël et son temps, op. cit.*, pp. 86-87.

10. Sainte-Beuve : *Causeries du lundi, op. cit.*, p. 246.

11. Marmontel : *Mémoires*, cité par Lady Blennerhassett : *Mme de Staël et son temps, op. cit.*, pp. 86-87.

12. *Infra*, p. 63 *sq*.

13. *Mémoires de l'abbé Morellet*, Paris, Mercure de France, 1988, p. 143.

14. Ghislain de Diesbach : *Necker ou la Faillite de la vertu,* Librairie académique Perrin, 1978 et 1987, p. 65.

15. Valérie Hannin : « Une ambition au siècle des Lumières, le cas de Madame Necker », *op. cit.*, p. 15.

16. *Mélanges extraits des manuscrits de Mme Necker*, Paris, Charles Pougens, an VI (1798) t. 1, p. 336.

17. J. Christopher Herold : *Germaine de Staël*, traduit de l'anglais par Michelle Maurois, Paris, Plon, 1962, p. 31.

18. Ghislain de Diesbach : *Necker ou la Faillite de la vertu, op. cit.*, p. 66.

19. Abbé F. Galiani : *Correspondance*, Calmann Lévy, 1890, p. 227 *sq*.

20. Valérie Hannin : « Une ambition au siècle des Lumières, le cas de Madame Necker », *op. cit.*, p. 19.

21. B. d'Andlau : *La Jeunesse de Mme de Staël*, Genève, Librairie Droz, 1970, p. 28.

22. Ami intime de Necker.

23. Ghislain de Diesbach : *Necker ou la Faillite de la vertu, op. cit.*, p. 79.

24. *Mémoires*, cité par *id., ibid.*, p. 398.

25. *Mémoires* de l'abbé Morellet, I, p. 154, cité par Lady Blennerhassett : *Mme de Staël et son temps, op. cit.*, t. I, p. 89.

26. Ghislain de Diesbach : *Necker ou la Faillite de la vertu, op. cit.*, p. 28.

27. Baronne d'Oberkirch : *Mémoires*, I, ch. 13, cité par Lady Blennerhassett : *Mme de Staël et son temps, op. cit.*, t. 1, p. 90.

28. Comte d'Haussonville : *Le Salon de Mme Necker*, Paris, Calmann-Lévy, 1900, t. 1, p. 220.

29. *Id., ibid.*, p. 285 *sq*.

30. Lady Blennerhassett : *Mme de Staël et son temps, op. cit.*, t. 1, p. 67.

31. Duchesse d'Abrantès : *Histoire des salons de Paris. Tableaux et portraits du grand monde,* Paris, Ladvocat Libraire, 1837, p. 113 *sq*.

32. Ghislain de Diesbach : *Mme de Staël*, Paris, Librairie académique Perrin, 1983, p. 26.

33. Comte d'Haussonville : *Le Salon de Mme Necker, op. cit.*, p. 123.

34. *Id., ibid.*, p. 147. Valérie Hannin : « Une ambition au siècle des Lumières, le cas de Madame Necker », *op. cit.*, pp. 14-15.

35. Comte d'Haussonville : *Le Salon de Mme Necker, op. cit.*, p. 168.

36. *Id., ibid.*, p. 176.

37. *Id., ibid.*, pp. 181-182.

38. Cité par *id.*, *ibid.*, p. 203.

39. *Id.*, *ibid.*, pp. 300-301.

40. *Id.*, *ibid.*, p. 314.

41. *Id.*, *ibid.*, p. 350.

42. *Mélanges extraits des manuscrits de Mme Necker*, t. III, *op. cit.*, p. 212.

43. *Ibid.*, pp. 221 à 223.

44. Comte d'Haussonville : *Le Salon de Mme Necker*, t. 1, *op. cit.*, p. 356.

45. *Id.*, *ibid.*, p. 358.

46. *Nouveaux Mélanges extraits des manuscrits de Mme Necker*, t. 1, avertissement de l'éditeur M. Necker, *op. cit.*, p. XVII.

CHAPITRE IV

Telle est la destinée d'un grand homme..

1. Ghislain de Diesbach : *Necker ou la Faillite de la vertu,* Librairie académique Perrin, Paris, 1987, p. 82.

2. Édouard Chapuisat : *Necker (1732-1804),* Paris, Librairie du Recueil Sirey, 1938, p. 24.

3. *Œuvres complètes de M. Necker, publiées par M. le baron de Staël-Holstein, son petit-fils,* Treuttel et Würtz, 1820, p. XIII.

4. Ghislain de Diesbach : *Necker ou la Faillite de la vertu, op. cit.*, p. 82.

5. Édouard Chapuisat : *Necker (1732-1804), op. cit.*, p. 32.

6. *Id.*, *ibid.*, p. 32.

7. *Id.*, *ibid.*, p. 33.

8. *Id.*, *ibid.*, p. 40.

9. Janvier et février 1772. A. de Staël-Holstein : « Notice sur M. Necker », *Œuvres complètes de M. Necker*, Paris, Treuttel et Würtz Libraires, 1820, t. I, p. xx.

10. Édouard Chapuisat : *Necker (1732-1804), op. cit.*, p. 51, note 2.

11. A. de Staël-Holstein : « Notice sur M. Necker, », *Œuvres complètes de M. Necker, op. cit.*, p. XXII.

12. Édouard Chapuisat : *Necker (1732-1804), op. cit.*, p. 52.

13. *Id.*, *ibid.*, p. 48.

14. Lady Blennerhassett : *Madame de Staël et son temps,* traduit de l'allemand par Auguste Dietrich, Louis Westhausser, éditeur, Paris, 1890, t. 1, pp. 98-99.

15. *Œuvres complètes de M. Necker*, t. XV, « Réponse au mémoire de M. l'abbé Morellet sur la Compagnie des Indes », imprimée en exécution

de la délibération des actionnaires, prise dans l'Assemblée générale du 8 août 1769, *op. cit.*, p. 129.

16. *Œuvres complètes de M. Necker,* t. XV, *op. cit.*, pp. 201-202.

17. Cité par Ghislain de Diesbach : *Necker ou la Faillite de la vertu, op. cit.*, p. 91.

18. Abbé Morellet : *Mémoires sur le XVIIIe siècle et sur la Révolution*, Mercure de France, Paris, 1988, p. 148.

19. Édouard Chapuisat : *Necker (1732-1804), op. cit.*, p. 59.

20. *Œuvres complètes de M. Necker,* t. XV, *Éloge de Jean-Baptiste Colbert*, *op. cit.*, p. 10.

21. *Ibid.*, p. 68.

22. Ghislain de Diesbach : *Necker ou la Faillite de la vertu, op. cit.*, p. 122.

23. *Id., ibid., loc. cit.*

24. Sur la relation de Turgot et de Necker, cf. Edgar Faure : *La Disgrâce de Turgot*, Paris, Gallimard, NRF 1961, p. 243 *sq.*

25. *Id., ibid.*, p. 243.

26. Cité par Ghislain de Diesbach : *Necker ou la Faillite de la vertu, op. cit.*, p. 133.

27. *Œuvres complètes de M. Necker*, « Sur la législation et le commerce des grains », t. 1, *op. cit.*, p. 333-334.

28. *Ibid.*, pp. 334 à 336.

29. *Manuscrits de M. Necker publiés par sa fille*, « Du caractère de M. Necker et de sa vie privée », Genève, J.J. Paschoud Libraire, an XIII, p. 7.

30. « À propos du voyage de M. et Mme Necker en Angleterre en 1776 », L.-A. Boiteux, *Cahiers staëliens*, n° 12.

31. Cf. *supra*, p. 31.

32. Ghislain de Diesbach : *Necker ou la Faillite de la vertu, op. cit.*, p. 138.

33. L.-A. Boiteux : *Cahiers staëliens*, n° 12, *op. cit.*, p. 20.

34. Edgar Faure : *La Disgrâce de Turgot, op. cit.*, p. 507 *sq.*

35. Édouard Chapuisat : *Necker (1732-1804), op. cit.*, p. 75.

36. Lettre du 4 juin 1776, citée par Édouard Chapuisat : *Necker (1732-1804), op. cit.*, p. 75.

37. L.-A. Boiteux : *Cahiers staëliens*, n° 12, *op. cit.*, p. 25.

38. Ghislain de Diesbach : *Necker ou la Faillite de la vertu, op. cit.*, p. 139.

39. Sur ce « roman », cf. *id., ibid.*, p. 141 *sq.* et Édouard Chapuisat, *op. cit.*, p. 75.

40. Édouard Chapuisat : *Necker (1732-1804)*, *op. cit.*, p. 78.

41. Lady Blennerhassett : *Mme de Staël et son temps (1766-1817)*, t. 1, *op. cit.*, p. 127.

42. *Id.*, *ibid.*, p. 128.

Chapitre V

Minette

1. Mme Necker de Saussure : *Notice sur le caractère et les écrits de Mme de Staël*, dans *Œuvres complètes de Mme la baronne de Staël*, Paris, Treuttel et Würtz Libraires, 1829, p. XX.

2. *Id.*, *ibid.*, p. XXI.

3. Lettre à la conseillère Reverdil, octobre 1767, citée par B. d'Andlau : *La Jeunesse de Mme de Staël*, Paris-Genève, Librairie Droz, 1970, p. 23.

4. Lettre du 10 septembre 1768, citée *id.*, *ibid.*, p. 23.

5. B. d'Andlau : *La Jeunesse de Mme de Staël*, *op. cit.*, p. 24.

6. Ghislain de Diesbach : *Madame de Staël*, Paris, Librairie académique Perrin, 1987, p. 35.

7. Mme Necker de Saussure : *Notice sur le caractère et les écrits de Mme de Staël*, dans *Œuvres complètes de Mme la baronne de Staël*, *op. cit.*, p. XXIV.

8. B. d'Andlau : *La Jeunesse de Mme de Staël*, *op. cit.*, p. XXIV.

9. *Id.*, *ibid.*, p. 26.

10. *Id.*, *ibid.*, p. 26.

11. *Id.*, *ibid.*, p. 27.

12. Mme Necker de Saussure : *Notice sur le caractère et les écrits de Mme de Staël*, dans *Œuvres complètes de Mme la baronne de Staël*, *op. cit.*, p. XXII.

13. *Id.*, *ibid.*, *loc. cit.*

14. Les *Notes sur l'enfance de Mme de Staël* par Catherine Rilliet Huber ont été publiées dans les numéros 1 et 2 d'*Occident et Cahiers staëliens*, juin 1933 et mars 1934.

15. Catherine Rilliet Huber : *Notes sur l'enfance de Mme de Staël*, *op. cit.*, p. 41.

16. *Id.*, *ibid.*, p. 42.

17. *Id.*, *ibid.*, pp. 42-43.

18. B. d'Andlau : *La Jeunesse de Mme de Staël*, *op. cit.*, p. 33.

19. *Id.*, *ibid.*, *loc. cit.*

20. Comte d'Haussonville : *Le Salon de Mme Necker*, Paris, Calmann-Lévy, *op. cit.*, t. II, p. 33.

21. Lady Blennerhassett : *Mme de Staël et son temps,* traduit de l'allemand par Auguste Dietrich, Paris, Louis Westhausser, 1890, t. 1, p. 175.

22. Comte d'Haussonville : *Le Salon de Mme Necker, op. cit.*, t. II, p. 34 *sq.*

23. B. d'Andlau : *La Jeunesse de Mme de Staël, op. cit.*, pp. 38-39.

24. Catherine Rilliet Huber : *Notes sur l'enfance de Mme de Staël, op. cit.*, p. 46.

25. Comte d'Haussonville : *Le Salon de Mme Necker, op. cit.*, t. II, p. 34 *sq.*

26. Catherine Rilliet Huber : *Notes sur l'enfance de Mme de Staël, op. cit.*, p. 141.

27. *Id.*, *ibid.*, pp. 140-141.

28. Lady Blennerhassett : *Mme de Staël et son temps*, t. 1, *op. cit.*, p. 194.

29. B. d'Andlau : *La Jeunesse de Mme de Staël, op. cit.*, p. 36 *sq.*

30. Comte d'Haussonville : *Le Salon de Mme Necker, op. cit.*, t. II, p. 40, cité par B. d'Andlau : *La Jeunesse de Mme de Staël, op. cit.*, p. 38.

31. B. d'Andlau : *La Jeunesse de Mme de Staël, op. cit.*, p. 39.

32. Cf., sur les dates des séjours à Saint-Ouen, Béatrice Jasinski : *Madame de Staël, Correspondance générale, Lettres de jeunesse*, 1re partie, *1777-1778*, Jean-Jacques Pauvert, 1962, p. 4 *sq.*

33. B. d'Andlau : *La Jeunesse de Mme de Staël, op. cit.*, p. 40.

34. Catherine Rilliet Huber : *Notes sur l'enfance de Mme de Staël, op. cit.*, p. 141 *sq.*

35. *Id.*, *ibid.*, p. 143.

36. *Id.*, *ibid.*, p. 145.

37. Mme Necker de Saussure : *Notice sur le caractère et les écrits de Mme de Staël*, dans *Œuvres complètes de Mme la baronne de Staël, op. cit.*, p. XXXIII.

38. *Id.*, *ibid.*, *loc. cit.*

39. Printemps ou été de 1778 ou 1779, Béatrice Jasinski : *Lettres de jeunesse*, 1re partie, *op. cit.*, p. 7.

40. Béatrice Jasinski : *Lettres de jeunesse*, 1re partie, *op. cit.*, p. 8.

41. *Id.*, *ibid.*, p. 11.

42. Comte d'Haussonville : *Le Salon de Mme Necker*, t. II, pp. 35 et 36.

43. *Id.*, *ibid.*, p. 46.

44. Mme Necker de Saussure : *Notice sur le caractère et les écrits de Mme de Staël*, dans *Œuvres complètes de Mme la baronne de Staël, op. cit.*, p. XLIII.

45. *Id.*, *ibid.*, p. XXXV.
46. *Id.*, *ibid.*, p. XXXVII.
47. Comte d'Haussonville : *Le Salon de Mme Necker*, *op. cit.*, t. II, p. 47.
48. *Id.*, *ibid.*, p. 48.
49. Papiers inédits de Mme Necker, Archives de Coppet. Rapportés par B. d'Andlau : *La Jeunesse de Mme de Staël*, *op. cit.*, pp. 42-43.
50. B. d'Andlau : *La Jeunesse de Mme de Staël*, *op. cit.*, pp. 43-44.
51. *Id.*, *ibid.*, pp. 47 et 48.
52. *Id.*, *ibid.*, p. 48.

CHAPITRE VI

Le porteur de flambeaux

1. Cité par Ghislain de Diesbach : *Necker ou la Faillite de la vertu*, Librairie académique Perrin, Paris, 1978 et 1987, p. 149.
2. Édouard Chapuisat : *Necker*, Paris, Librairie du Recueil Sirey, 1938, p. 83.
3. Jean Égret : *Necker, ministre de Louis XVI*, Paris, Librairie Honoré Champion, 1975, p. 51.
4. Sur l'administration de M. Necker par lui-même, *Œuvres complètes de M. Necker*, Paris, Treuttel et Würtz Libraires, 1829, t. VI, p. 324 *sq.*
5. Édouard Chapuisat : *Necker, op. cit.*, p. 85.
6. *Manuscrits de M. Necker, publiés par sa fille*, « Du caractère de M. Necker et de sa vie privée », Genève, Paschoud Libraire, an XIII, p. 30 *sq.*
7. Jean Égret : *Necker, ministre de Louis XVI*, *op. cit.*, p. 66.
8. Necker : « Compte rendu au roi », *Œuvres complètes*, *op. cit.*, t. II, p. 13.
9. Jean Égret : *Necker, ministre de Louis XVI*, *op. cit.*, p. 73.
10. Necker : « Traité de l'administration des finances de la France », *Œuvres complètes*, t. IV, 1821, p. 126 *sq.*
11. Jean Égret : *Necker, ministre de Louis XVI*, p. 77 *sq.*
12. *Id.*, *ibid.*, p. 88 *sq.*
13. Arrêt du Conseil du 17 août 1779, cité dans *id.*, *ibid.*, p. 91.
14. Ghislain de Diesbach : *Necker ou la Faillite de la vertu*, *op. cit.*, p. 160. Valérie Hannin, « La fondation de l'hospice de la Charité : une expérience médicale au temps du rationalisme expérimental », *Revue d'histoire moderne et contemporaine*, janvier-mars, 1984.

15. Ghislain de Diesbach : *Necker ou la Faillite de la vertu, op. cit.,* p. 162.

16. Cf. *supra,* chapitre IV.

17. Jean Égret : *Necker, ministre de Louis XVI, op. cit.,* p. 99 *sq.*

18. *Id.*, *ibid.*, p. 99 *sq.*

19. Ghislain de Diesbach : *Necker ou la Faillite de la vertu, op. cit.,* p. 166.

20. *Id.*, *ibid.*, p. 169.

21. *Id.*, *ibid.*, p. 190.

22. *Collection complette* [*sic*] *de tous les ouvrages pour et contre M. Necker,* Utrecht, 1781, tome I, p. 3 *sq.*

23. Ghislain de Diesbach : *Necker ou la Faillite de la vertu, op. cit.,* p. 194.

24. Édouard Chapuisat : *Necker, op. cit.,* p. 93 *sq.*

25. Ghislain de Diesbach : *Necker ou la Faillite de la vertu, op. cit.,* p. 196.

26. Jean Égret : *Necker, ministre de Louis XVI, op. cit.,* p. 167.

27. *Id.*, *ibid.*, p. 168. Ghislain de Diesbach : *Necker ou la Faillite de la vertu, op. cit.,* p. 202.

28. Ghislain de Diesbach : *Necker ou la Faillite de la vertu, op. cit.,* p. 206.

29. Jean Égret : *Necker, op. cit.,* p. 61.

30. Mme de Staël : *Considérations sur les principaux événements de la Révolution française, ouvrage posthume de Mme la baronne de Staël,* publié par M. le duc de Broglie et M. le baron de Staël, Paris, Delaunay, et Bossanges et Masson, 1818, t. 1, p. 98 *sq.*

31. Ghislain de Diesbach : *Necker ou la Faillite de la vertu, op. cit.,* p. 209.

32. *Œuvres complètes de M. Necker publiées par M. le baron de Staël-Holstein, son petit-fils,* Paris, Treuttel et Würtz Libraires, t. II, p. 1 *sq.*

33. Ghislain de Diesbach : *Necker ou la Faillite de la vertu, op. cit.,* p. 209.

34. Simone Balayé : *Madame de Staël. Écrire, lutter, vivre,* « Madame de Staël et l'idée d'opinion publique », Genève, Droz, 1994, p. 176.

35. Necker : *Œuvres complètes, op. cit.,* t. II, p. 139.

36. David Glass Larg : *Madame de Staël, la vie dans l'œuvre, 1766-1800,* Paris, Librairie ancienne Édouard Champion, 1924, p. 8. Lady Blennerhassett : *Mme de Staël et son temps,* traduit de l'allemand par Auguste Dietrich, Paris, Louis Westhausser, 1890, t. 1, p. 185.

37. Ghislain de Diesbach : *Necker ou la Faillite de la vertu, op. cit.*, p. 216.

38. *Id., ibid.*, p. 215.

39. Mme de Staël : *Manuscrits de M. Necker publiés par sa fille*, « Du caractère de M. Necker et de sa vie privée », Genève, J. J. Paschoud, an XIII, pp. 33-33.

40. *Supra*, p. 102.

41. « Notice sur M. Necker », par A. de Staël-Holstein : *Œuvres complètes, op. cit.*, p. CLXVIII. Ghislain de Diesbach : *Necker ou la Faillite de la vertu, op. cit.*, p. 220.

42. A. de Staël-Holstein : « Notice sur M. Necker », dans *Œuvres complètes de Monsieur Necker, op. cit.*, p. CLXXIV.

43. *Id., ibid., loc. cit.*

44. Ghislain de Diesbach : *Necker ou la Faillite de la vertu, op. cit.*, p. 224.

45. *Id., ibid.*, p. 225.

46. Mme de Staël : *Considérations sur les principaux événements de la Révolution française, op. cit.*, p. 104 *sq.*

47. *Manuscrits de M. Necker, publiés par sa fille :* « Du caractère de M. Necker et de sa vie privée », *op. cit.*, p. 57.

48. *Mélanges, extraits des manuscrits de Mme Necker*, « Portrait de M. Necker », p. 372 *sq.*, t. II, Paris, Charles Pougens, an VI.

49. Ghislain de Diesbach : *Necker ou la Faillite de la vertu, op. cit.*, p. 227.

50. *Id., ibid., loc. cit.*

51. « Notice sur M. Necker », par A. de Staël-Holstein : *Œuvres complètes de Monsieur Necker, op. cit.*, p. CLXXXII.

52. Ghislain de Diesbach : *Necker ou la Faillite de la vertu, op. cit.*, p. 227.

53. Comte d'Haussonville : *Le Salon de Mme Necker*, Paris, Calmann Lévy, 1900, t. II, pp. 163-164.

CHAPITRE VII

La retraite et la gloire

1. Lady Blennerhassett : *Madame de Staël et son temps*, traduit de l'allemand par Auguste Dietrich, Paris, Louis Westhausser, 1890, t. 1, p. 335.

2. Comte d'Haussonville : *Le Salon de Mme Necker*, Paris, Calmann Lévy, 1900, t. II, p. 167.

3. Béatrice Jasinski : *Mme de Staël. Correspondance générale, Lettres de jeunesse*, 1ʳᵉ partie, Paris, J.-J. Pauvert, MCMLXII, t. I, p. 18.

4. B. d'Andlau : *La Jeunesse de Mme de Staël*, Paris-Genève, Librairie Droz, 1970, p. 59.

5. *Id., ibid.*, p. 60.

6. *Id., ibid.*, cité par Ghislain de Diesbach : *Mme de Staël*, Paris, Librairie académique Perrin, 1983, p. 44 *sq.*

7. B. d'Andlau : *La Jeunesse de Mme de Staël, op. cit.*, p. 58 *sq.*

8. Sainte-Beuve : *Causeries du lundi*, « M. Necker », Paris, Garnier frères, t. VII, p. 335.

9. M. Necker : *Œuvres complètes de Monsieur Necker publiées par M. le baron de Staël-Holstein son petit-fils*, Paris, Treuttel et Würtz Libraires, 1820, t. IV et V.

10. *Id., ibid.*, « De l'administration des Finances », t. V, *op. cit.*, p. 616.

11. *Id., ibid.*, p. 619 *sq.*

12. Sainte-Beuve : *Causeries du lundi, op. cit.*, p. 338 *sq.* (à propos de l'éloge de Colbert).

13. Mme de Staël : *Considérations sur les principaux événements de la Révolution française, ouvrage posthume de Madame la baronne de Staël*, publié par M. le duc de Broglie et M. le baron de Staël, Paris, Delaunay, et Bossanges et Masson, 1818, t. 1, pp. 111 *sq.*

14. Henri Grange : *Les Idées de Necker*, Paris, Librairie Klincksieck, 1974, p. 38 *sq.*

15. Édouard Chapuisat : *Necker (1732-1804)*, Paris, Librairie du Recueil Sirey, 1938, p. 120.

CHAPITRE VIII

Les langueurs de maman

1. *Coppet. Histoire et architecture*, ouvrage réalisé sous la direction de Monique Bory, Genève, éd. Cabédita, imprimerie Slatkine, 1998.

2. Pierre Kohler : *Mme de Staël au château de Coppet*, Éd. Spes, Lausanne, 1929, p. 12 *sq.* B. d'Andlau : *La Jeunesse de Mme de Staël*, Paris-Genève, Librairie Droz, pp. 44 *sq.* Comte d'Haussonville : *Le Salon de Mme Necker*, Paris, Calmann Lévy, 1882, t. 2, p. 222 *sq.*

3. Ghislain de Diesbach : *Madame de Staël*, Paris, Librairie académique Perrin, 1983, p. 47.

4. *Id.*, *ibid.*, p. 47.

5. B. d'Andlau : *La Jeunesse de Mme de Staël*, *op. cit.*, p. 65.

6. Béatrice Jasinski : *Mme de Staël, Correspondance générale, Lettres de jeunesse,* 1re partie, Paris, J.-J. Pauvert, 1962, p. 23.

7. Ghislain de Diesbach : *Mme de Staël*, *op. cit.*, p. 47. Pierre Kohler, *op. cit.*, p. 22.

8. Béatrice Jasinski : « Lettre à Jonathan Polier de Corcelles », *Lettres de jeunesse*, *op. cit.*, 1re partie, p. 26

9. B. d'Andlau : *La Jeunesse de Mme de Staël*, *op. cit.*, p. 71. Cf. Béatrice Jasinski, *Lettres de jeunesse*, 1re partie, *op. cit.*, p. 30.

10. B. d'Andlau : *La Jeunesse de Mme de Staël*, *op. cit.*, p. 74.

11. *Id.*, *ibid.*, p. 75.

12. Béatrice Jasinski : *Lettres de jeunesse*, 1re partie, *op. cit.*, p. 33. *Mélanges extraits des manuscrits de Mme Necker*, Paris, Charles Pougens, an IV, « Lettres à Thomas, déc. 1784 » t. III, p. 199 *sq.*

13. B. d'Andlau : *La Jeunesse de Mme de Staël*, *op. cit.*, p. 75 *sq.*

14. Cité par Béatrice Jasinski : *Lettres de jeunesse*, 1re partie, *op. cit.*, pp. 32-33.

15. *Id.*, *ibid.*, p. 35 *sq.*

16. B. d'Andlau : *La Jeunesse de Mme de Staël*, *op. cit.*, p. 84.

17. « De la morale naturelle suivie du bonheur des sots » par M. Necker, 1788. Le texte sera publié après sa mort par Mme de Staël dans *Manuscrits de M. Necker publiés par sa fille*, Genève, J. J. Paschoud Libraire, an XIII, p. 84 *sq.*

18. Mme de Staël : *Choix de lettres, 1778-1817*, présenté et commenté par Georges Solovieff, préface de la comtesse Jean de Pange, Éd. Klincksieck, Paris, 1970, p. 37 *sq.*

CHAPITRE IX

« Tourne le feuillet, papa »

1. *Occident et Cahiers staëliens,* 1er juin 1930, 15 juillet 1931, 15 octobre 1932. Mme de Pange avait établi le texte et ajouté quelques notes. Il a été publié de nouveau par Simone Balayé avec la préface de Mme de Pange, dans le n° 28 des *Cahiers staëliens* (1980, p. 55). Le même numéro des *Cahiers* comprend une remarquable étude de Jean Starobinski : *Le Journal*

de Mlle Necker : réflexion et passion, op. cit., p. 25. « Mme de Staël, écrit Mme de Pange dans sa préface (*op. cit.*, p. 56), avoue elle-même avoir détruit les principaux passage de ce *Journal de son cœur*, dont elle fit don plus tard à son ami Mathieu de Montmorency, qui le remettra, après la mort de Germaine de Staël, à sa fille, la duchesse de Broglie. »

2. Simone Balayé : *Mme de Staël. Écrire, lutter, vivre*, Droz 1994, « La statue intérieure », p. 25 *sq.*

3. L'ouvrage sera publié en 1788.

4. Simone Balayé : *Mme de Staël. Écrire, lutter, vivre, op. cit.*, p. 31.

5. David Glass Larg : *Mme de Staël, la vie dans l'œuvre, 1766-1800*, Paris, Librairie ancienne Édouard Champion, 1924, p. 17 *sq.*

6. « Mon journal », *Cahiers staëliens*, n° 28, 1980, p. 63.

7. *Id., ibid., loc. cit.*

8. Simone Balayé : *Mme de Staël. Écrire, lutter, vivre, op. cit.*, p. 34.

9. « Mon journal », *op. cit.*, p. 73.

10. *Ibid.*, 21 juillet 1985, p. 60.

11. *Ibid.*, 13 août 1785, p. 76.

12. David Glass Larg : *Mme de Staël, la vie dans l'œuvre, op. cit.*, p. 19.

13. Jean Starobinski : *Le Journal de Mlle Necker : réflexion et passion, op. cit.*, p. 30.

14. « Mon journal », *op. cit.*, 31 juillet 1785, pp. 66-67.

15. Cf. *infra*, p. 144 *sq.*

16. « Mon journal », *op. cit.*, 11 août 1785, p. 72.

17. *Ibid.*, 10 août 1785, pp. 69-70.

18. *Ibid.*, 10 août 1785, p. 70.

19. *Ibid.*, 16 août 1785, p. 76 *sq.*

20. *Ibid.*, 16 août 1785, p. 78.

21. *Ibid.*, 16 août 1785, p. 78 *sq.*

22. *Ibid.*, 31 juillet 1785, p. 66.

23. *Ibid.*, 10 août 1785, p. 68.

24. Cf. Simone Balayé : « Repères chronologiques », dans *Madame de Staël, Œuvres de jeunesse*, Paris, Desjonquères, 1997, p. 21.

25. B. d'Andlau : *La Jeunesse de Mme de Staël*, « Portrait de Monsieur Necker par sa fille, août 1785 », Paris-Genève, Librairie Droz, 1970, p. 153 *sq.*

26. *Id., ibid.*, pp. 156-157.

27. *Id., ibid.*, p. 157.

28. *Id., ibid.*, p. 158.

29. *Id., ibid.*, pp. 68-69.

30. *Mélanges extraits des manuscrits de Mme Necker*, t. II, « Portrait de

M. Necker fait en 1797 », Paris, Charles Pougens et Genets, an X, 1801, p. 372 *sq.*

31. B. d'Andlau : *La Jeunesse de Mme de Staël*, « Portrait de Monsieur Necker fait en 1787 », *op. cit.*, pp. 372-374.

32. *Id.*, *ibid.*, pp. 374-375.

33. *Id.*, *ibid.*, p. 382 *sq.*

34. *Id.*, *ibid.*, pp. 387-388.

35. *Id.*, *ibid.*, p. 400.

36. *Id.*, *ibid.*, p. 401.

37. *Id.*, *ibid.*, pp. 397-398.

38. *Id.*, *ibid.*, pp. 378-379.

39. *Id.*, *ibid.*, pp. 403-404.

40. Mme de Staël : « Du caractère de M. Necker », *op. cit.*, p. 97.

41. *Mélanges, extraits des manuscrits de Mme Necker*, t. 1, « Observations de l'éditeur, M. Necker », pp. VI, VII, VIII.

42. *Ibid.*, p. X *sq.*

43. *Ibid.*, p. XV.

CHAPITRE X

Baronne de Staël

1. *Sophie* ne sera publié qu'en 1790.

2. David Glass Larg : *Mme de Staël, la vie dans l'œuvre 1766-1800*, Paris, Librairie ancienne Édouard Champion, pp. 32 *sq.* ; cf. Sainte-Beuve : *Les Grands Écrivains français. XIXᵉ siècle : Mme de Staël*, Paris, Garnier, 1932, p. 10 *sq.*

3. *Sophie ou les Sentiments secrets* – acte I, scène II, cité par David Glass Larg : *Mme de Staël, la vie dans l'œuvre, op. cit.*, p. 30 *sq.*

4. B. d'Andlau : *La Jeunesse de Mme de Staël*, Paris-Genève, Librairie Droz, 1970, p. 87 *sq.*

5. Lady Blennerhassett : *Mme de Staël et son temps,* traduit de l'allemand par Auguste Dietrich, Paris, Louis Westhausser, 1890, t. 1, p. 201.

6. *Id.*, *ibid.*, p. 202.

7. *Cahiers staëliens*, n° 28, « Mon journal », p. 74.

8. Béatrix d'Andlau : *La Jeunesse de Mme de Staël, op. cit.*, pp. 89-90.

9. *Id.*, *ibid.*, p. 91.

10. Sur cette famille, cf. *id.*, *ibid.*, p. 62 ; J. Christopher Herold : *Germaine Necker de Staël*, traduit de l'anglais par Michelle Maurois, Paris,

Plon, 1962, p. 61 *sq.* ; Laurent Greilsamer, *Le Prince foudroyé, la vie de Nicolas de Staël*, Paris, Fayard, 1998, p. 13 *sq.*

11. J. Christopher Herold : *Germaine Necker de Staël, op. cit.*, p. 62 ; Lady Blennerhassett : *Mme de Staël et son temps, op. cit.*, p. 230 ; Béatrix d'Andlau : *La Jeunesse de Mme de Staël, op. cit.*, p. 92 *sq.* ; Ghislain de Diesbach : *Mme de Staël*, Paris, Librairie académique Perrin, 1983, p. 58.

12. Ghislain de Diesbach : *Mme de Staël, op. cit.*, p. 58.

13. J. Christopher Herold : *Germaine Necker de Staël, op. cit.*, p. 62.

14. Ghislain de Diesbach : *Mme de Staël, op. cit.*, p. 59.

15. Lady Blennerhassett : *Mme de Staël et son temps, op. cit.*, t. 1, p. 232.

16. Ghislain de Diesbach : *Mme de Staël, op. cit.*, p. 59.

17. Lady Blennerhassett : *Mme de Staël et son temps, op. cit.*, t. 1, p 234.

18. *Id., ibid.*, t. 1, p 236.

19. Cité par Ghislain de Diesbach : *Mme de Staël, op. cit.*, p. 62.

20. Lady Blennerhassett : *Mme de Staël et son temps, op. cit.*, t. 1, p 236 ; B. d'Andlau : *La Jeunesse de Mme de Staël, op. cit.*, p. 96.

21. Ghislain de Diesbach : *Mme de Staël, op. cit.*, p. 64.

22. Lettre du 23 oct. 1785, citée par Béatrice Jasinski : *Correspondance générale de Mme de Staël. Lettres de jeunesse*, 1re partie, Paris, Jean-Jacques Pauvert, MCLMXII, Introduction, p. XXVIII.

23. Lettre inédite citée par *id., ibid., loc. cit.*

24. Ghislain de Diesbach : *Mme de Staël, op. cit.*, p. 64.

25. « Mon journal », 11 août 1785, *op. cit.*, p. 71.

26. Béatrice Jasinski : *Lettres de jeunesse, op. cit.*, 1re partie, *loc. cit.*

27. Lady Blennerhassett : *Mme de Staël et son temps, op. cit.*, t. 1, p. 239.

28. *Id., ibid., loc. cit.*

29. Béatrice Jasinski : *Lettres de jeunesse, op. cit.*, 1re partie, p. 42.

30. *Id., ibid.*, p. 44 *sq.*

31. *Id., ibid.*, p. 51.

32. *Id., ibid.*, p. 52.

33. « Mon journal », 11 août 1785, *op. cit.*, p. 71.

34. B. d'Andlau : *La Jeunesse de Madame de Staël, op. cit.*, p. 101.

35. Béatrice Jasinski : *Lettres de jeunesse, op. cit.*, 1re partie, p. 57.

36. B. d'Andlau : *Madame de Staël*, Genève, Librairie Droz, 1960, 4e éd. et Coppet, 1985, p. 21 ; Lady Blennerhassett : *Mme de Staël et son temps, op. cit.*, t. 1, p. 245 *sq.*

37. Béatrice Jasinski : *Lettres de jeunesse, op. cit.*, 1re partie, pp. 58-59.

38. Mme de Staël : préface de la comtesse Jean de Pange, *Choix de lettres (1778-1817)*, présenté et commenté par Georges Solovieff, Paris, 1970, Éd. Klincksieck, pp. 42-43.

39. Ghislain de Diesbach : *Mme de Staël, op. cit.*, p. 67.

40. *Id., ibid., loc. cit.*

41. Lady Blennerhassett : *Mme de Staël et son temps, op. cit.*, t. I, p. 245 *sq.*

42. J. Christopher Herold : *Germaine Necker de Staël, op. cit.*, p. 57.

43. *Cahiers staëliens*, n° 47, 1995-1996, John Isbell, « Le comte de Guibert : *Zulmé, morceau traduit du grec* », p. 5 *sq.*

44. J. Christopher Herold : *Germaine Necker de Staël, op. cit.*, p. 58.

45. Sainte-Beuve : *Les Grands Écrivains français*, Paris, Librairie Garnier Frères, p. 13.

46. J. Christopher Herold : *Germaine Necker de Staël, op. cit.*, p. 58.

47. Béatrice Jasinski : *Lettres de jeunesse, op. cit.*, 1re partie, Introduction, p. XXX.

48. Cf. *supra*, p. 137.

49. Ghislain de Diesbach : *Madame de Staël, op. cit.*, p. 70.

CHAPITRE XI

M. de Saint-Écritoire

1. Mme de Staël : *Œuvres de jeunesse*, présentation de S. Balayé, texte établi par John Isbell et annoté par Simone Balayé, Paris, Éditions Desjonquières, Paris, 1997, p. 7 *sq.*

2. Cf. *supra*, pp. 87.

3. « Mon journal », *Cahiers staëliens*, n° 28, *op. cit.*, pp. 69 et 70.

4. *Mélanges extraits des manuscrits de Mme Necker*, Paris, Charles Pougens et Genets, an X, 1801, t. III, p. 177.

5. *Ibid.*, p. 272.

6. *Ibid.*, p. 423.

7. *Ibid.*, p. 432.

8. Paul Bénichou : *Le Sacre de l'écrivain, 1750-1830*, Paris, Gallimard, NRF, 1996.

9. B. d'Andlau : *La Jeunesse de Mme de Staël*, Paris-Genève, Librairie Droz, 1970, p. 103.

10. *Id., ibid.*, p. 103. Le texte de la romance est publié en appendice, p. 125 *sq.*

11. *Id., ibid.*, Appendice, p. 130.

12. *Id., ibid.*, Appendice pp. 133-134. Mme d'Andlau a publié dans

l'Appendice de son ouvrage quelques-uns des « premiers essais » de Germaine Necker, *op. cit.*, p. 125 *sq.*

13. Cf. *supra*, p. 149 *sq.*

14. Mme de Staël : *Œuvres de jeunesse, op. cit.*, p. 7 *sq.*

15. Mme Necker de Saussure : *Notice sur le caractère et les écrits de Mme de Staël.* dans *Œuvres complètes de Mme la baronne de Staël*, Paris, Treuttel et Würtz Libraires, 1820, pp. XI-XLVIII.

16. David Glass Larg : *Mme de Staël, la vie dans l'œuvre, 1766-1800*, Paris, Librairie ancienne Édouard Champion, 1924, p. 26.

17. Mme Necker de Saussure : *Notice sur le caractère et les écrits de Mme de Staël*, dans *Œuvres complètes de Mme la baronne de Staël, op. cit.*, p. XLIX.

18. B. d'Andlau : *La Jeunesse de Mme de Staël, op. cit.*, p. 105.

19. Cf. *infra*, pp. 288-290.

20. Cf. *supra*, p. 132.

21. Cf. *supra*, p. 106 *sq.*

22. B. d'Andlau : *La Jeunesse de Mme de Staël, op. cit.*, p. 106.

23. Cf. *supra*, p. 141.

24. B. d'Andlau : *La Jeunesse de Mme de Staël, op. cit.*, p. 107.

25. *Id., ibid., loc. cit.*

26. Mme de Staël : *Œuvres de jeunesse*, présentées par Simone Balayé, préface de Mme de Staël, *op. cit.*, p. 157.

27. *Id., ibid.*, p. 8.

28. *Id., ibid.*, p. 198.

29. B. d'Andlau : *La Jeunesse de Mme de Staël, op. cit.*, p. 108.

30. Mme de Staël : *Œuvres de jeunesse, op. cit.*, p. 230.

31. *Id., ibid.*, « Mirza ou lettre d'un voyageur », p. 157 *sq.*

32. *Id., ibid.*, p. 159 *sq.*

33. Mme Necker de Saussure : *Notice sur le caractère et les écrits de Mme de Staël*, dans *Œuvres complètes de Mme la baronne de Staël, op. cit.*, p. LIV.

34. Mme de Staël : *Œuvres de jeunesse*, présentation, *op. cit.*, p. 10.

35. David Glass Larg : *Mme de Staël, la vie dans l'œuvre, op. cit.*, p. 52.

36. Béatrice Jasinski : *Correspondance générale de Mme de Staël. Lettres de jeunesse*, 1re partie, Jean-Jacques Pauvert MCMLXII, p. 147.

37. Mme de Staël : *Œuvres de jeunesse, op. cit.*, p. 35. Un autre avertissement accompagnera la deuxième édition en 1798, puis une « seconde préface » accompagnera une nouvelle édition en 1814.

38. David Glass Larg : *Mme de Staël, la vie dans l'œuvre, op. cit.*, p. 49.

39. Mme de Staël : *Œuvres de jeunesse*, présentation, *op. cit.*, pp. 13-14.

40. Mme Necker de Saussure : *Notice sur le caractère et les écrits de Mme de Staël*, dans *Œuvres complètes de Mme la baronne de Staël, op. cit.*, p. LVI.

41. Mme de Staël : *Œuvres de jeunesse, op. cit.*, p. 35.

42. *Id., ibid.*, p. 37.

43. *Id., ibid.*, p. 38.

44. *Id., ibid.*, pp. 97-98.

45. David Glass Larg : *Mme de Staël, la vie dans l'œuvre, op. cit.*, p. 71.

46. Simone Balayé : *Madame de Staël, Lumières et liberté*, Paris, Éditions Klincksieck, 1979, p. 30.

47. Lettre première : « Du style de Rousseau et de ses premiers discours sur les sciences, l'inégalité des conditions et le danger des spectacles », *in* Mme de Staël : *Œuvres de jeunesse, op. cit.*, p. 47.

48. Sainte-Beuve : *Les Grands Écrivains français,* « XIXᵉ siècle, Mme de Staël », Paris, Librairie Garnier Frères, p. 14.

49. Georges Poulet : « La pensée critique de Madame de Staël », *Preuves*, décembre 1966, réédité dans *La Conscience critique*, Paris, Librairie José Corti, 1971, p. 15 *sq.*

50. Georges Poulet : « La pensée critique de Madame de Staël », *Preuves, op. cit.*, p. 23.

51. « De la littérature », Didot, I, p. 334, cité par Georges Poulet, *op. cit.*, 25.

52. Simone Balayé : *Mme de Staël, Lumières et liberté, op. cit.*, p. 32.

53. Mme de Staël : *Œuvres de jeunesse, Lettres sur Jean-Jacques Rousseau, op. cit.*, p. 43.

54. Simone Balayé : *Madame de Staël, Lumières et liberté, op. cit.*, p. 32.

CHAPITRE XII

Les premiers nuages

1. Simone Balayé : « Madame de Staël et le ruisseau de la rue du Bac », *Cahiers staëliens*, n° 12, p. 3 *sq.*

2. Lettre de Madame de Staël à son mari, citée par Lady Blennerhassett : *Mme de Staël et son temps,* traduit de l'allemand par Auguste Dietrich, 3 vol., Paris, Louis Westhausser, 1890, p 257.

3. David Glass Larg : *Madame de Staël, la vie dans l'œuvre, 1766-1800*, Paris, Librairie ancienne Édouard Champion, 1924, p. 55.

4. *Id., ibid.*, p. 55 *sq.*

5. Béatrice Jasinski : Madame de Staël, *Correspondance générale, Lettres de jeunesse*, 1re partie, 1777-août 1778, Paris, Jean-Jacques Pauvert, MCMLXII, « Lettre à Gustave III », 15 mars 1786, pp. 60-61.

6. *Id., ibid.*, « Lettre à Gustave III », 9 août 1786, *op. cit.*, p. 99.

7. *Id., ibid.*, « Lettre à Gustave III », 11 novembre 1786, *op. cit.*, p. 137 *sq.*

8. Jeu de cartes où gagne celui des joueurs qui s'est le plus rapproché du nombre « quinze ».

9. Béatrice Jasinski : *Lettres de jeunesse*, 1re partie, *op. cit.*, « Lettre à Gustave III » peu avant le 28 décembre 1787, p. 217 *sq.*

10. Cf. *supra*, p. 183 *sq.*

11. *Nouveaux Mélanges extraits des manuscrits de Mme Necker*, « Portrait de Moultou », Paris, Charles Pougens et Genets, an X, 1801, 2 volumes, t. 2, p. 242.

12. *Mélanges extraits des manuscrits de Mme Necker*, Paris, Charles Pougens, 1798, t. 1, p. 330 *sq.*

13. Cf. *supra*, p. 127.

14. Béatrice Jasinski : *Lettres de jeunesse*, 1re partie, *op. cit.*, « À M. de Staël », printemps de 1786, 1re partie, p. 81

15. *Id., ibid.*, « À M. de Staël » 3 juillet 1786, p. 88.

16. *Id., ibid.*, « À M. de Staël », 3 juillet 1786, p. 89.

17. *Id., ibid.*, « À M. de Staël, ce jeudi soir » [fin de printemps ou été 1786], p. 91.

18. *Id., ibid.*, « À M. de Staël » [été 1786], p. 92.

19. *Id., ibid.*, « À M. de Staël [ce mardi 8 août ? 1786] », p. 98.

20. *Id., ibid.*, « À M. de Staël », Dormans, à minuit, ce mercredi 6 septembre 1786, p. 117.

21. *Id., ibid.*, p. 118, Plombières, dimanche 10 septembre 1786.

22. *Id., ibid., loc. cit.*

23. *Id., ibid.*, « À M. de Staël », p. 121 *sq.*

24. *Id., ibid.*, « À M. de Staël », dimanche matin [17 septembre 1786], p. 125.

25. *Id., ibid.*, « À M. de Staël », p. 125. Sans doute M. de Staël a-t-il dû lui paraître contraint, en 1785, à Marolles, lors de ses premières visites.

26. *Id., ibid.*, « À M. de Staël, jeudi soir » [21 septembre], pp. 127-128.

27. *Id., ibid.*, « À M. de Staël, ce vendredi à 3 heures du matin » [29 septembre 1786], p. 131.

28. Cf. *supra*, p. 180 *sq.*

29. Cf. *supra*, p. 193 *sq.*

30. Cf. *supra*, p. 183 *sq.*

31. Béatrice Jasinski : *Lettres de jeunesse*, 1re partie, *op. cit.*, « Lettre à M. de Staël », automne 1786, p. 151.

32. *Id., ibid.*, p. 146.

33. Béatrice Jasinski : *Lettres de jeunesse*, 1re partie, *op. cit.*, « Lettre à M. de Staël », mi-octobre ou novembre 1786, p. 150.

34. Ghislain de Diesbach : *Necker ou la Faillite de la vertu*, Librairie Académique Perrin, 1978 et 1987, p. 266.

35. Cf. *supra*, p. 106.

36. Ghislain de Diesbach : *Necker ou la Faillite de la vertu, op. cit.*, p. 266.

37. Jean Égret : *Necker, ministre de Louis XVI*, Paris, Librairie Honoré Champion, 1975, p. 198 *sq.*

38. *Œuvres complètes de M. Necker publiées par M. le baron de Staël-Holstein son petit-fils*, à Paris, chez Treuttel et Würtz Libraires 1820, t. II, p. 159 *sq.*

39. Jean Égret : *Necker, ministre de Louis XVI, op. cit.*, p. 200.

40. *Œuvres complètes de M. Necker publiées par M. le baron de Staël-Holstein son petit-fils, op. cit.*, t. II, pp. 224-225.

41. Jean Égret : *Necker, ministre de Louis XVI,* p. 201.

42. *Considérations sur les principaux événements de la Révolution française, ouvrage posthume de Mme la baronne de Staël publié par M. le duc de Broglie et M. le baron de Staël*, Paris, Delaunay, et Bossanges et Masson, 1818, 1re partie, p. 115 *sq.*

43. Necker devait se retirer non à plus de 40 lieues mais à plus de 20 lieues de Paris.

44. *Manuscrits de M. Necker publiés par sa fille,* « Du caractère de M. Necker et de sa vie privée », Genève, J.J. Paschoud Libraire, an XIII, p. 40.

45. Othenin d'Haussonville : « Un projet de lettre de Mme Necker à Louis XVI », *Cahiers staëliens*, n° 20, juin 1976, p. 5 *sq.*

46. *Considérations sur les principaux événements de la Révolution française, ouvrage posthume de Mme la baronne de Staël publié par M. le duc de Broglie et M. le baron de Staël, op. cit.*, p. 116.

47. Béatrice Jasinski : *Lettres de jeunesse*, 1re partie, *op. cit.*, « À M. de Staël », 1er mai 1787 à six heures du matin, p. 154.

48. *Id., ibid.*, « À M. de Staël », Château-Renard, 4 mai 1787, p. 159.

49. *Id., ibid.*, « À M. de Staël, 7 mai 1787 », p. 159.

50. Cf. *supra*, p. 56 et p. 171.

51. Béatrice Jasinski : *Lettres de jeunesse, op. cit.*, « À M. de Staël, 6 mai

1787 », p. 163. Germaine avait confié à son mari quatre lettres pour qu'il les fît porter à leurs destinataires, dont l'une était destinée à M. de Guibert.

52. *Id., ibid.*, « À M. de Staël », lettre du 11 mai 1787, p. 163.

53. *Id., ibid., loc. cit.*

54. *Id., ibid.*, « À M. de Staël », de La Rivière, mercredi [16 mai 1787], p. 169 *sq.*

55. *Id., ibid.*, « À M. de Staël », 23 mai 1787, pp. 176-177.

56. *Id., ibid.*, « À M. de Staël », de La Rivière ce dimanche [20 mai 1787], p. 171.

57. *Id., ibid.*, « À M. de Staël », de La Rivière ce mardi [22 mai 1787], p. 174.

58. *Id., ibid.*, Lettre de Mme Necker, p. 181.

59. *Id., ibid.*, « À M. de Staël », 1ᵉʳ juin 1787 à 1 heure du matin, p. 185.

60. En ce sens, Jean Égret : *Necker, ministre de Louis XVI, op. cit.*, p. 206.

61. Béatrice Jasinski : *Lettres de jeunesse, op. cit.*, 1ʳᵉ partie, p. 190.

62. Ghislain de Diesbach : *Necker ou la Faillite de la vertu, op. cit.*, p. 272 *sq.*

63. *Œuvres complètes de M. Necker publiées par M. le baron de Staël-Holstein son petit-fils, op. cit.*, t. II, p. 243 *sq.*

64. *Ibid.*, t. XII, p. 18.

65. Béatrice Jasinski : *Lettres de jeunesse, op. cit.*, 1ʳᵉ partie, pp. 201-203.

66. *Id., ibid.*, p. 146.

67. *Id., ibid.*, p. 202.

68. *Id., ibid.*, « À M. de Staël [1787-1788] », p. 216.

69. *Id., ibid.*, « À M. de Staël dimanche soir [1787-1788] », p. 216.

CHAPITRE XIII

Le retour de l'idole

1. Jean Égret : *Necker, ministre de Louis XVI, 1776-1790*, Paris, Librairie Honoré Champion, 1975, p. 206.

2. Cité par Lady Blennerhassett : *Mme de Staël et son temps,* traduit de l'allemand par Auguste Dietrich, 3 vol., Paris, Louis Westhausser, 1890, t. 1, p 354.

3. Jean Égret : *Necker, ministre de Louis XVI, op. cit.*, p. 207.

4. Ghislain de Diesbach : *Necker ou la Faillite de la vertu*, Librairie académique Perrin, 1978 et 1987, p. 284.

5. Jean Égret : *Necker, ministre de Louis XVI, op. cit.*, p. 209.

6. *Id.*, *ibid.*, pp. 208-209.

7. *Œuvres complètes de M. Necker publiées par M. le baron de Staël-Holstein son petit-fils*, à Paris, chez Treuttel et Würtz Libraires, 1820, t. IX, p. 27.

8. Jean Égret : *Necker, ministre de Louis XVI*, *op. cit.*, p. 209.

9. *Id.*, *ibid.*, p. 209.

10. *Œuvres complètes de M. Necker publiées par M. le baron de Staël-Holstein son petit-fils*, *op. cit.*, t. IX, pp. 32-33.

11. Lady Blennerhassett : *Mme de Staël et son temps*, *op. cit.*, t. 1, p 382.

12. *Considérations sur les principaux événements de la Révolution française, ouvrage posthume de Mme la baronne de Staël publié par M. le duc de Broglie et M. le baron de Staël*, Paris, Delaunay, Bosssanges et Masson, 1818, t. 1, p. 158.

13. *Ibid.*, t. 1, p. 159.

14. Béatrice Jasinski : *Madame de Staël, Correspondance générale, Lettres de jeunesse*, 2ᵉ partie, septembre 1788-décembre 1791, Jean-Jacques Pauvert, 1962, p. 251.

15. *Considérations sur les principaux événements de la Révolution française, op. cit.*, t. 1, p. 159.

16. *Ibid.*, t. 1, p. 157.

17. *Ibid.*, t. 1, p. 158.

18. Béatrice Jasinski : *Lettres de jeunesse*, 2ᵉ partie, septembre 1788-décembre 1791, p. 253.

19. *Id.*, *ibid.*, *loc. cit.*

20. *Id.*, *ibid.*, p. 254.

21. *Id.*, *ibid.*, *loc. cit.*

22. *Nouveaux Mélanges extraits des manuscrits de Mme Necker*, Paris, Charles Pougens et Genets, an X, 1801, 2 vol. t. 1, p. 109.

23. Béatrice Jasinski : *Lettres de jeunesse*, « À M. de Staël », à 9 heures [automne de 1788], *op. cit.*, 1ʳᵉ partie, p. 256.

24. *Id.*, *ibid.*, « À M. de Staël », Versailles ce dimanche à 10 heures [automne 1788-début 1789], p. 266.

25. *Id.*, *ibid.*, « À M. de Staël » [automne 1788, septembre 1789], p. 269.

26. *Id.*, *ibid.*, « À M. de Staël » [lundi, automne 1788-septembre 1789], p. 270.

27. *Id.*, *ibid.*, « À M. de Staël », à midi, mars 1789, p. 285.

28. *Id.*, *ibid.*, p. 284.

29. *Id.*, *ibid.*, « À M. de Staël », à onze heures et demie [extrême fin de mars 1789], p. 287.

30. *Id.*, *ibid.*, « À M. de Staël », premiers jours d'avril 1789, p. 290.

31. Necker, *De la Révolution française*, dans *Œuvres complètes de M. Necker publiées par M. le baron de Staël-Holstein son petit-fils, op. cit.*, t. IX, p. 33-34.

32. Jean Égret : *Necker, ministre de Louis XVI, op. cit.*, p. 227 *sq.*

33. « Sur l'administration de M. Necker », cité par *id.*, *ibid.*, p. 232.

34. Cf. *supra*, chap. VI.

35. Jean Égret : *Necker, ministre de Louis XVI, op. cit.*, p. 216.

36. Necker : *De la Révolution française*, dans *Œuvres complètes de M. Necker publiées par M. le baron de Staël-Holstein son petit-fils, op. cit.*, t. IX, p. 39.

37. Jean Égret : *Necker, ministre de Louis XVI, op. cit.*, p. 245 *sq.*

38. *Id.*, *ibid.*, p. 290 *sq.*

39. Sur les hésitations de Necker, cf. *id.*, *ibid.*, p. 244.

40. *Considérations sur les principaux événements de la Révolution française, op. cit.*, t. I, p. 180.

41. Necker : *De la Révolution française*, dans *Œuvres complètes de M. Necker publiées par M. le baron de Staël-Holstein son petit-fils, op. cit.*, t. IX, p. 64.

42. Journal de Gouverneur Morris, cité par Jean Égret : *Necker, ministre de Louis XVI, op. cit.*, p. 278.

43. *Considérations sur les principaux événements de la Révolution française, op. cit.*, p. 190.

44. Jean-Denis Bredin : *Sieyès*, Paris, Éditions de Fallois, 1988, p. 107 *sq.*

45. Jean Égret : *Necker, ministre de Louis XVI, op. cit.*, p. 288.

46. Necker : *De la Révolution française*, dans *Œuvres complètes de M. Necker publiées par M. le baron de Staël-Holstein son petit-fils, op. cit.*, t. IX, p. 171.

47. *Id.*, *ibid.*, p. 171.

48. *Id.*, *ibid.*, p. 175.

49. *Id.*, *ibid.*, pp. 180-181.

50. Jean Égret : *Necker, ministre de Louis XVI, op. cit.*, p. 289 *sq.* Necker : *De la Révolution française*, dans *Œuvres complètes de M. Necker publiées par M. le baron de Staël-Holstein son petit-fils, op. cit.*, t. IX, p. 186 *sq.*

51. Jean Égret : *Necker, ministre de Louis XVI, op. cit.*, p. 291. Necker ne parle pas de cette entrevue dans *La Révolution française.*

52. *Id.*, *ibid.*, pp. 292-293.

53. Michelet : *Histoire de la Révolution française*, présentation de Claude Mettra, Paris, « Bouquins », Robert Laffont, 1979.

54. Ernest Lavisse : *Histoire de la France contemporaine*, t. I, p. 33.

55. Necker : *De la Révolution française*, dans *Œuvres complètes de M. Necker publiées par M. le baron de Staël-Holstein son petit-fils, op. cit.*, t. IX, pp. 212-213.

56. *Considérations sur les principaux événements de la Révolution française, op. cit.*, t. I, p. 225.

57. Necker : *De la Révolution française*, dans *Œuvres complètes de M. Necker publiées par M. le baron de Staël-Holstein son petit-fils, op. cit.*, t. IX, p. 214.

58. *Considérations sur les principaux événements de la Révolution française, op. cit.*, t. 1, p. 227 *sq.*

59. Necker : *De la Révolution française*, dans *Œuvres complètes de M. Necker publiées par M. le baron de Staël-Holstein son petit-fils, op. cit.*, t. IX, pp. 214-215.

CHAPITRE XIV

L'apothéose du père

1. Mme de Staël : *Œuvres complètes. Lettres sur les écrits et le caractère de J.-J. Rousseau*, t. 1, seconde préface, p. 5.

2. Lady Blennerhassett : *Mme de Staël et son temps (1766-1817),* traduit de l'allemand par Auguste Dietrich, 3 vol., Paris, Louis Westhausser, 1890, t. I, p. 332.

3. Mme de Staël : *Œuvres de jeunesse*, texte établi par John Isbell, présenté et annoté par Simone Balayé, p. 15 *sq.*, Paris, Éd. Desjonquères, 1997.

4. Mme de Staël : *Lettres à Narbonne*, préface de la comtesse Jean de Pange, introduction, notes et commentaires par Georges Solovieff, Paris, Gallimard 1960, introduction de Georges Solovieff, p. 13. Mme de Staël : *Correspondance générale*, t. II, première partie, *Lettres inédites à Louis de Narbonne*, texte établi et présenté par B. Jasinski, p. IX.

5. Lady Blennerhassett : *Mme de Staël et son temps, (1766-1817), op. cit.*, t. II, p. 13.

6. Mme de Staël : *Lettres à Narbonne, op. cit.*, p. 14.

7. *Id., ibid.*, p. 14.

8. *Id., ibid.*, « Nion, 4 sept. 1793 », p. 334.

9. *Id., ibid.*, p. 14.

10. Cf. *supra*, p. 56 et 171.

11. Béatrice Jasinski : *Mme de Staël, Correspondance générale, Lettres de*

jeunesse, 1re partie, 1777-août 1788, Paris, J.-J. Pauvert, MCMLXII, p. XXXIII.

12. *Id.*, *ibid.*, *loc. cit.*

13. *Id.*, *ibid.*, *loc. cit.*

14. Cf. *supra*, pp. 198-199.

15. J. Christopher Herold : *Germaine Necker de Staël*, traduit de l'anglais par Michelle Maurois, Paris, Plon, 1962, p. 96.

16. Mme de Staël : *Lettres à Narbonne*, *op. cit.*, p. 16.

17. Béatrice Jasinski : *Lettres de jeunesse*, *op. cit.*, 2e partie, « À M. de Staël », avril-début juillet 1789, p. 294.

18. *Id.*, *ibid.*, « À M. de Staël », avril-sept. 1789, p. 297.

19. *Id.*, *ibid.*, « À M. de Staël », août-sept. 1789, p. 298.

20. *Id.*, *ibid.*, « À M. de Staël », avril-sept. 1789 », p. 301.

21. Cf. *infra*, chap. XVIII.

22. Mme de Staël : *Lettres à Narbonne,* Introduction, notes et commentaires de Georges Solovieff, *op. cit.*, p. 26. « L'on pourrait dire que Narbonne n'est, somme toute, que la préfiguration de Constant », constate Georges Solovieff.

23. Jean Égret : *Necker, ministre de Louis XVI*, Paris, Librairie Honoré Champion, 1975, p. 302.

24. *Mémoires de Bailly*, t. 1, pp. 266-267, cité par *id.*, *ibid.*, p. 303.

25. Jean Égret : *Necker, ministre de Louis XVI*, *op. cit.*, p. 303.

26. Édouard Chapuisat : *Necker (1732-1804)*, Paris, Librairie du Recueil Sirey, 1938, p. 181.

27. *Id.*, *ibid.*, p. 181.

28. Jean Égret : *Necker, ministre de Louis XVI*, *op. cit.*, pp. 305-306.

29. Mme de Staël : *Considérations*, t. 1, p. 235. Mme de Staël a fait le récit de ces événements dans ses *Considérations sur les principaux événements de la Révolution française, ouvrage posthume de Madame la baronne de Staël, publié par M. le duc de Broglie et M. le baron de Staël*, Paris, Delaunay, et Bossanges et Masson, 1818, et dans *Du caractère de M. Necker et de sa vie privée*, p. 72 sq.

30. Jean Égret : *Necker, ministre de Louis XVI*, *op. cit.*, p. 306-307.

31. *Manuscrits de M. Necker publiés par sa fille*, « Du caractère de M. Necker et de sa vie privée », Genève, J.J. Paschoud Libraire, an XIII, p. 53.

32. Mme de Staël : *Considérations sur les principaux événements de la Révolution française*, *op. cit.*, p. 236.

33. *Manuscrits de M. Necker publiés par sa fille*, « Du caractère de M. Necker et de sa vie privée », *op. cit.*, p. 55.

34. Lady Blennerhassett : *Mme de Staël et son temps, op. cit.*, t. 1, p. 31.

35. Mme Necker et Mme de Staël apprendront la nouvelle à Francfort. Béatrice Jasinski : *Lettres de jeunesse, op. cit.*, 2ᵉ partie, pp. 312-313.

36. *Œuvres complètes de M. Necker publiées par M. le baron de Staël-Holstein son petit-fils,* Paris, Treuttel et Würtz Libraires, 1820, « De la Révolution française », t. IX, p. 236 *sq.*

37. *Œuvres complètes de M. Necker publiées par M. le baron de Staël-Holstein son petit-fils*, « De la Révolution française », *op. cit.*, t. IX, p. 237.

38. *Manuscrits de M. Necker publiés par sa fille*, « Du caractère de M. Necker et de sa vie privée », *op. cit.*, p. 58.

39. *Id., ibid.*, p. 60.

40. *Œuvres complètes de M. Necker publiées par M. le baron de Staël-Holstein son petit-fils*, « De la Révolution française », *op. cit.*, t. IX, p. 237 *sq.*

41. Mme de Staël : *Considérations sur les principaux événements de la Révolution française, op. cit.*, pp. 238-239.

42. Cité par Jean Égret : *Necker ministre de Louis XVI, op. cit.*, p. 310.

43. *Lettre du 24 juillet 1789*, à M. Necker de Germany. *Manuscrits de M. Necker publiés par sa fille, op. cit.*, p. 60 ; Comte d'Haussonville : *Le Salon de Mme Necker*, 2 vol. Paris, Calmann Lévy, 1900, t. 2, p. 212.

44. *Manuscrits de M. Necker publiés par sa fille*, « Du caractère de M. Necker et de sa vie privée », *op. cit.*, p. 63 *sq.*

45. *Id., ibid., loc. cit.*

46. Jean Égret : *Necker, ministre de Louis XVI, op. cit.*, p. 317.

47. Mme de Staël : *Considérations sur les principaux événements de la Révolution française, op. cit.*, pp. 254 et 255.

48. Mme de Staël : *Manuscrits de M. Necker publiés par sa fille*, « Du caractère de M. Necker et de sa vie privée », *op. cit.*, p. 68.

49. Jean Égret : *Necker, ministre de Louis XVI, op. cit.*, p. 321.

50. Necker : *De la Révolution française*, dans *Œuvres complètes de M. Necker publiées par M. le baron de Staël-Holstein son petit-fils, op. cit.*, t. IX, pp. 245-246.

51. Jean Égret : *Necker, ministre de Louis XVI, op. cit.*, p. 320 *sq.* Ghislain de Diesbach : *Necker ou la Faillite de la vertu*, Paris, Librairie académique Perrin, 1978 et 1987, p. 338.

52. Jean Égret : *Necker, ministre de Louis XVI, op. cit.*, p. 322.

53. Necker : *De la Révolution française*, dans *Œuvres complètes de M. Necker publiées par M. le baron de Staël-Holstein son petit-fils, op. cit.*, t. IX, p. 248.

54. Béatrice Jasinski : *Lettres de jeunesse, op. cit.*, 2ᵉ partie, « À Gustave III » (16 août 1789), p. 325 *sq.*

55. *Id., ibid.*, « À Gustave III » (16 août 1789), p. 329.

56. Simone Balayé : *Mme de Staël et la Révolution, Lumières et liberté*, Paris, Klincksieck, 1979, p. 36.

57. *Id., ibid.*, p. 37.

58. Mme de Staël : *Considérations sur les principaux événements de la Révolution française, op. cit.*, p. 256.

CHAPITRE XV

Ainsi s'en est allé Necker

1. Jean Égret : *Necker, ministre de Louis XVI (1776-1790)*, Paris, Librairie Honoré Champion, 1975, p. 326 *sq.*

2. *Id., ibid.*, p. 327.

3. Journal de Gouverneur Morris, 12 novembre, cité par Jean Égret : *Necker, ministre de Louis XVI, op. cit.*, p. 329.

4. *Œuvres complètes de M. Necker publiées par M. le baron de Staël-Holstein son petit-fils*, « De la Révolution française », Paris, Treuttel et Würtz Libraires, 1820, 15 vol., t. IX, p. 251 *sq.*

5. Jean Égret : *Necker, ministre de Louis XVI, op. cit.*, p. 340.

6. Rapport de Necker, 27 août 1789, *Œuvres complètes de M. Necker publiées par M. le baron de Staël-Holstein son petit-fils*, t. VII, p. 21 *sq.*

7. Discours prononcé par M. Necker, premier ministre des Finances, à l'Assemblée nationale le 24 septembre 1789, *Œuvres complètes de M. Necker publiées par M. le baron de Staël-Holstein son petit-fils, op. cit.*, t. VII, p. 83 *sq.*

8. *Ibid.*, t. VII, p. 115.

9. Projet de décret présenté à l'Assemblée nationale par le premier ministre des Finances le 1ᵉʳ octobre 1789, *Œuvres complètes de M. Necker publiées par M. le baron de Staël-Holstein son petit-fils, op. cit.*, t. VII, p. 121 *sq.*

10. Jean Égret : *Necker, ministre de Louis XVI, op. cit.*, p. 349, note 96.

11. *Sur l'administration de M. Necker*, cité par *id., ibid.*, p. 350.

12. Tous les mémoires ont été publiés dans le tome VII des *Œuvres complètes de M. Necker publiées par M. le baron de Staël-Holstein son petit-fils*.

13. « Sur l'administration de M. Necker », cité par Jean Égret : *Necker, ministre de Louis XVI, op. cit.*, p. 351.

14. « Sur l'administration de M. Necker », pp. 151-152, cité par *id.*, *ibid.*, p. 350.

15. Mme de Staël : *Considérations sur les principaux événements de la Révolution française*, cité *id.*, *ibid.*, p. 353.

16. Mme de Staël : *Considérations sur les principaux événements de la Révolution française*, t. 1, p. 268.

17. *Œuvres complètes de M. Necker publiées par M. le baron de Staël-Holstein son petit-fils*, « De la Révolution française », *op. cit.*, t. IX, p. 259.

18. Lettre de M. Necker, premier ministre des Finances, à M. le président de l'Assemblée nationale, Versailles, le 11 septembre 1789. Sur le veto : *id.*, *ibid.*, t. VII, p. 48 *sq.*

19. *Id.*, *ibid.*, t. VII, p. 66.

20. Cité par Jean Égret : *Necker, ministre de Louis XVI, op. cit.*, p. 356.

21. Béatrice Jasinski : *Mme de Staël, Correspondance générale, Lettres de jeunesse*, 2ᵉ partie, Paris, Jean-Jacques Pauvert, MCMLXII, « À M. de Staël », vendredi 11 septembre 1789, p. 335.

22. Jean Égret : *Necker, ministre de Louis XVI, op. cit.*, p. 364.

23. *Sur l'administration de M. Necker*, cité par *id.*, *ibid.*, p. 365.

24. *Ibid.*, cité par *id.*, *ibid.*, p. 366.

25. Jean Égret : *Necker, ministre de Louis XVI, op. cit.*, p. 367 *sq.* ; Ghislain de Diesbach : *Necker ou la Faillite de la vertu*, Paris, Librairie académique Perrin, 1978 et 1987, p. 353 *sq.*

26. *Œuvres complètes de M. Necker publiées par M. le baron de Staël-Holstein son petit-fils*, « De la Révolution française », *op. cit.*, t. II, p. 73 *sq.* ; Jean Égret : *Necker, ministre de Louis XVI, op. cit.*, p. 368.

27. Ghislain de Diesbach : *Necker ou la Faillite de la vertu, op. cit.*, p. 354.

28. Mme de Staël : *Considérations sur les principaux événements de la Révolution française*, t. 1, chap. XI : « Des événements du 5 et du 6 octobre 1789 », *op. cit.*, p. 332 *sq.*

29. *Id.*, *ibid.*, p. 340 *sq.*

30. *Id.*, *ibid.*, p. 342 *sq.*

31. *Id.*, *ibid.*, *loc. cit.*

32. Bertrand de Molleville, cité par Jean Égret : *Necker, ministre de Louis XVI, op. cit.*, p. 371.

33. *Œuvres complètes de M. Necker publiées par M. le baron de Staël-Holstein son petit-fils*, « De la Révolution française », *op. cit.*, t. IX, p. 281.

34. Mme de Staël : *Considérations sur les principaux événements de la Révolution française, op. cit.*, p. 345.

35. Michelet : *Histoire de la Révolution française*, présentation de Claude Mettra, Paris, « Bouquins », Robert Laffont, 1979, t. 1, pp. 245-246.

36. Béatrice Jasinski : *Lettres de jeunesse, op. cit.*, 2ᵉ partie, p. 338 *sq.*

37. *Id.*, *ibid.*, « À Stanislas de Clermont-Tonnerre, minuit » (fin de l'été-automne 1789), *op. cit.*, 2ᵉ partie, p. 355.

38. *Id.*, *ibid.*, « À M. de Staël, ce mardi » [fin de l'été-automne 1789], *op. cit.*, 2ᵉ partie, p. 356.

39. *Id.*, *ibid.*, 1ʳᵉ partie, Introduction, p. XXXV.

40. *Id.*, *ibid.*, 2ᵉ partie, p. 362.

41. *Id.*, *ibid.*, *loc. cit.*

42. *Id.*, *ibid.*, « À M. de Staël » [début de 1790 ?], p. 359.

43. Anne Amend et Norman King : « Un inédit staëlien, le "Portrait de Mélanie" », *Écrits de jeunesse de Mme de Staël, Cahiers staëliens*, n° 42, p. 5.

44. *Ibid.*, pp. 13-14.

45. Mme de Staël : « Du caractère de M. Necker et de sa vie privée », *op. cit.*, p. 72 *sq.*

46. Jean Égret : *Necker, ministre de Louis XVI, op. cit.*, p. 397.

47. Dénonciation faites au tribunal public par Marat, cité par Jean Égret : *Necker, ministre de Louis XVI, op. cit.*, p. 398.

48. *Id.*, *ibid.*, pp. 398-399.

49. Marcel Gauchet : « Necker interprète de la Révolution », *Dictionnaire critique de la Révolution française*, Paris, Flammarion, 1992, p. 307 *sq.*

50. Jean Égret : *Necker, ministre de Louis XVI, op. cit.*, p. 401.

51. Henri Grange : *Les Idées de Necker*, Paris, Librairie Klincksieck, 1974, p. 430.

52. Necker : *Du pouvoir exécutif dans les grands États*, p. 549 *sq.*, cité par Henri Grange, *Les Idées de Necker, op. cit.*, p. 431.

53. *Manuscrits de M. Necker publiés par sa fille*, « Du caractère de M. Necker et de sa vie privée », *op. cit.*, p. 79.

54. Cité par Jean Égret : *Necker, ministre de Louis XVI, op. cit.*, pp. 417-418.

55. *Id.*, *ibid.*, pp. 420-421.

56. Necker : « De la Révolution française », cité par *id.*, *ibid.*, p. 424.

57. *Œuvres complètes de M. Necker publiées par M. le baron de Staël-Holstein son petit-fils*, « Mémoire du premier ministre des Finances lu à l'Assemblée nationale le 6 mars 1790 : Moyens de combler le déficit », *op. cit.*, t. VII, p. 266 *sq.*

58. *Ibid.*, pp. 285-286.

59. *Ibid.*, « Mémoire lu à l'Assemblée nationale par M. Necker le 29 mai 1790 : Budget des trois derniers mois de 1790 », *op. cit.*, t. VII, pp. 391-392.

60. *Ibid.*, p. 402 *sq.*

61. Jean Égret : *Necker, ministre de Louis XVI, op. cit.*, p. 440.

62. *Œuvres complètes de M. Necker publiées par M. le baron de Staël-Holstein son petit-fils*, t. VII, *op. cit.*, p. 448 *sq.*

63. Jean Égret : *Necker, ministre de Louis XVI, op. cit.*, p. 442.

64. *Id., ibid.*, p. 442.

65. *Id., ibid.*, pp. 443-444.

66. *Id., ibid.*, p. 444.

67. *Manuscrits de M. Necker publiés par sa fille*, « Du caractère de M. Necker et de sa vie privée », *op. cit.*, pp. 82-83.

68. Marquis de Nicolaï : *Lettre du 17 septembre 1790*, citée par Béatrice Jasinski, *Lettres de jeunesse, op. cit.*, 2ᵉ partie, p. 364.

CHAPITRE XVI

Le ciel gris de l'ennui

1. Comte d'Haussonville : *Le Salon de Mme Necker*, Calmann Lévy, Paris, 1900, t. II, p. 290.

2. *Des inhumations précipitées*, à Paris, de l'Imprimerie royale, 1790, publié dans *Transhumances culturelles*, Mélanges, Pise, Éd. Libreria Golliardica, 1985.

3. Cf. *supra*, prologue.

4. *Nouveaux Mélanges extraits des manuscrits de Mme Necker*, Paris, Charles Pougens et Genets, an X, 1801, t. II, p. 259 *sq.*

5. *Ibid.*, p. 314 *sq.*

6. David Glass Larg : *Madame de Staël, la vie dans l'œuvre, 1766-1800*, Paris, Librairie ancienne Édouard Champion, 1924, p. 95.

7. *Œuvres complètes de M. Necker publiées par M. le baron de Staël son petit-fils*, « Sur l'administration de M. Necker », t. VI, p. 3 *sq.*

8. Ghislain de Diesbach : *Mme de Staël*, Paris, Librairie académique Perrin, 1983, p. 109.

9. Béatrice Jasinski : *Mme de Staël, Correspondance générale, Lettres de jeunesse*, Paris, J.-J. Pauvert, MCMLXII, 2ᵉ partie, « À M. de Staël, le 15 octobre [1790] », p. 369.

10. On ne sait ce que fut cette démarche. *Id., ibid.*, p. 369.

11. *Id.*, *ibid.*, « À M. de Staël, ce 19 octobre [1790] », p. 371.

12. *Id.*, *ibid.*, *loc. cit.*

13. Paul Gautier : *Mathieu de Montmorency et Mme de Staël*, Paris, Plon, 1908, p. 4 *sq.*

14. Mme de Staël : *Lettres inédites à Louis de Narbonne,* Préface de la comtesse Jean de Pange, Introduction, notes et commentaires par Georges Solovieff, Paris, Gallimard 1960, p. IX.

15. Cf. *supra*, pp. 25-28.

16. Description par Mme de Genlis, citée par Béatrice Jasinski : *Lettres de jeunesse*, 2ᵉ partie, *op. cit.*, p. 373.

17. Béatrice Jasinski : *Lettres de jeunesse*, *op. cit.*, 2ᵉ partie, « À M. de Staël, Coppet, ce 22 octobre [1790] », p. 373 *sq.*

18. *Id.*, *ibid.*, « À M. de Staël, Coppet, 24 octobre 1790 », p. 377.

19. *Id.*, *ibid.*, p. 390.

20. Paul Gautier : *Mathieu de Montmorency et Mme de Staël*, *op. cit.*, p. 6.

21. Béatrice Jasinski : *Lettres de jeunesse*, « À M. de Staël, Coppet, ce 19 novembre [1790] », t. II, p. 396.

22. *Id.*, *ibid.*, *op. cit.*, « À M. de Staël, Coppet, ce 14 novembre [1790] », p. 391.

23. *Id.*, *ibid.*, « À M. de Staël, Coppet, ce 28 novembre [1790] », pp. 402-403.

24. *Id.*, *ibid.*, « À M. de Staël, Coppet, [29] novembre [1790] », pp. 403-404.

25. Ghislain de Diesbach : *Mme de Staël*, *op. cit.*, p. 110.

26. *Id.*, *ibid.*, *loc. cit.*

27. Béatrice Jasinski : *Lettres de jeunesse*, *op. cit.*, 2ᵉ partie, « À M. de Staël, Genève, 9 décembre [1790] », p. 410.

28. *Id.*, *ibid.*, « À M. de Staël, Genève, ce 18 décembre [1790] », p. 416.

29. Cf. *supra*, p. 179.

30. Béatrice Jasinski : *Lettres de jeunesse, op. cit.*, 2ᵉ partie, p. 419 ; Ghislain de Diesbach : *Mme de Staël*, *op. cit.*, p. 111.

31. Ghislain de Diesbach : *Mme de Staël*, *op. cit.*, p. 112.

32. *Id.*, *ibid.*, *loc. cit.*

33. Béatrice Jasinski : *Lettres de jeunesse*, *op. cit.*, 2ᵉ partie, « À M. de Staël, Nogent, samedi [8 janvier 1791] », p. 420.

34. Ghislain de Diesbach : *Mme de Staël*, *op. cit.*, p. 113.

35. *Id.*, *ibid.*, *loc. cit.*

36. Béatrice Jasinski : *Lettres de jeunesse, op. cit.*, 2ᵉ partie, pp. 420-421 ; Ghislain de Diesbach : *Mme de Staël*, *op. cit.*, p. 115.

37. *Id.*, *ibid.*, p. 423, « À M. de Staël » [février-mars 1791 ?].

38. *Id.*, *ibid.*, p. 424, « À M. de Staël » [février-mars 1791 ?].

39. *Id.*, *ibid.*, p. 427, « À M. de Staël » [Besançon ce 5 mai 1791].

40. Cf. *supra*, p. 274 *sq.*

41. Ghislain de Diesbach : *Mme de Staël, op. cit.*, p. 114.

42. Béatrice Jasinski : *Lettres de jeunesse, op. cit.*, 2ᵉ partie, p. 430-431, Lettre à Nils von Roseinstein, 9-11 mai 1791.

43. *Id.*, *ibid.*, p. 432, « À M. de Staël, Genève, ce 11 mai [1791] ».

44. *Id.*, *ibid.*, p. 437, « À M. de Staël, 21 mai [1791] ».

45. *Id.*, *ibid.*, p. 443 *sq.*, « À M. de Staël, Coppet, ce 12 juin [1791] ».

46. *Id.*, *ibid.*, p. 450, « À M. de Staël, Coppet, ce 17 juin [1791] ».

47. *Id.*, *ibid.*, pp. 446-447, « À M. de Staël, Coppet, ce 23 juin [1791] ».

48. *Id.*, *ibid.*, p. 450 *sq.*, « À M. de Staël, Coppet, ce 28 juin [1791] ».

49. *Id.*, *ibid.*, p. 447, « Lettre de M. de Staël à sa femme ».

50. *Id.*, *ibid.*, p. 449.

51. *Id.*, *ibid.*, p. 449, Lettre du 26 juin [1791] à M. de Staël.

52. Cf. *supra*, chap. X.

53. Béatrice Jasinski : *Lettres de jeunesse, op. cit.*, 2ᵉ partie, pp. 454-455, « À M. de Staël, 3 juillet 1791 ».

54. Necker : *Du pouvoir exécutif dans les grands États*, in *Œuvres complètes de M. Necker publiées par M. le baron de Staël-Holstein son petit-fils*, t. VIII, chap. VII, « Dernières pensées », p. 598 *sq.*

55. Mme Necker : *Nouveaux Mélanges extraits des manuscrits de Mme Necker*, t. II, p. 298.

56. Béatrice Jasinski : *Lettres de jeunesse, op. cit.*, 2ᵉ partie, p. 461, « À M. de Staël, Cologny ce 19 juillet [1791] ».

57. *Id.*, *ibid.*, p. 462 *sq.*, « À M. de Staël, Coppet, ce 22 juillet [1791] ».

58. *Id.*, *ibid.*, p. 467, « À M. de Staël, Coppet, ce 28 juillet (1791] ».

59. *Id.*, *ibid.*, p. 469 *sq.*, « À M. de Staël, Coppet, 30 juillet [1791] ».

60. *Id.*, *ibid.*, p. 477, « À M. de Staël, Coppet, ce 9 août [1791] ».

61. *Id.*, *ibid.*, p. 479, « À M. de Staël, Coppet, ce 11 août [1791] ».

62. Sur Alexandre Chevassu, cf. *id.*, *ibid.*, p. 481.

63. Mme de Staël : *Considérations sur les principaux événements de la Révolution française*, t. I, *op. cit.*, pp. 432 à 434.

Chapitre XVII
Dans la tempête

1. Béatrice Jasinski : *Mme de Staël, Correspondance générale, Lettres de jeunesse*, 2ᵉ partie, Paris, J.-J. Pauvert, MCMLXII, p. 484 *sq.*

2. Michelet : *Histoire de la Révolution française*, présentation de Claude Mettra, Paris, Robert Laffont, « Bouquins », 1979, t. 1, p. 614.

3. J.-D. Bredin : *Sieyès, la clé de la Révolution française,* Paris, Éd. de Fallois, 1988, *op. cit.*, p. 212 *sq.*

4. Béatrice Jasinski : *Lettres de jeunesse, op. cit.*, 2ᵉ partie, *Lettres diverses, 1792-15 mai 1794*, p. 351.

5. *Id.*, *ibid.*, p. 486 *sq.*

6. Cf. *supra*, p. 290.

7. Mme de Staël : *Lettres à Narbonne*, Préface de la comtesse Jean de Pange, Introduction, notes et commentaires par Georges Solovieff, Paris, Gallimard 1960, p. 16.

8. *Id.*, *ibid.*, p. 15.

9. Béatrice Jasinski assure que la nomination de Narbonne fut proposée et obtenue par des « Constitutionnels » et non par des Girondins. Béatrice Jasinski : *Lettres de jeunesse, op. cit.*, 2ᵉ partie, *Lettres diverses*, p. 315.

10. *Id.*, *ibid.*, p. 486. Lady Blennerhassett : *Mme de Staël et son temps (1766-1817)*, traduit de l'allemand par Auguste Dietrich, 3 vol., Paris, Louis Westhausser, t. 2, p. 94 *sq.*

11. J. Christopher Herold : *Germaine Necker de Staël*, traduit de l'anglais par Michelle Maurois, Paris, Plon, 1962, p. 112.

12. Béatrice Jasinski : *Lettres de jeunesse, op. cit.*, 2ᵉ partie, p. 521.

13. A. Söderjhelm, *Fersen et Marie-Antoinette*, p. 227, cité par Ghislain de Diesbach : *Mme de Staël*, Librairie académique Perrin, Paris, 1983, p. 119.

14. Béatrice Jasinski : *Lettres de jeunesse, op. cit.*, 2ᵉ partie, p. 524 *sq.*

15. Cité par Lady Blennerhassett : *Mme de Staël et son temps (1766-1817)*, *op. cit.*, p. 98.

16. *Madame de Staël, ses amis, ses correspondants, Choix de lettres. 1778-1817*, présenté et commenté par Georges Solovieff, préface de la comtesse Jean de Pange, Paris, Klincksieck, 1970, p. 17.

17. *Ibid.*, p. 17.

18. *Ibid.*, *loc. cit.*

19. Béatrice Jasinski : *Lettres diverses, op. cit.*, p. 317.

20. Ghislain de Diesbach : *Mme de Staël, op. cit.*, p. 121.

21. *Id., ibid., loc. cit.*

22. Georges Solovieff : *Madame de Staël, ses amis, ses correspondants. Choix de lettres, 1778-1817, op. cit.*, p. 17.

23. Béatrice Jasinski : *Lettres diverses, op. cit.*, p. 323.

24. Georges Solovieff : *Madame de Staël, ses amis, ses correspondants. Choix de lettres, 1778-1817, op. cit.*, p. 18 ; cf. Béatrice Jasinski : *Lettres diverses, op. cit.*, 2ᵉ partie, p. 343 *sq.*

25. J.-D. Bredin : *Sieyès, la clé de la Révolution française, op. cit.*, p. 215 *sq.*

26. Élisabeth Badinter et Robert Badinter, *Condorcet*, Paris, Fayard, 1988, p. 404.

27. David Glass Larg, *Mme de Staël, la vie dans l'œuvre, 1766-1800*, Paris, Librairie ancienne Édouard Champion, 1924, p. 97.

28. Ghislain de Diesbach : *Mme de Staël, op. cit.*, p. 116 *sq.*

29. Émile Dard : *Le Comte de Narbonne*, p. III, cité par Ghislain de Diesbach : *Mme de Staël, op. cit.*, p. 122.

30. Comtesse de Pange : *M. de Staël*, p. 161, cité par Ghislain de Diesbach : *Mme de Staël, op. cit.*, p. 123.

31. *Manuscrits de M. Necker publiés par sa fille*, « Du caractère de M. Necker et de sa vie privée », Genève, J.-J. Paschoud Libraire, an XIII, p. 97.

32. Georges Solovieff : *Madame de Staël, ses amis, ses correspondants. Choix de lettres, 1778-1817, op. cit.*, p. 19 ; Lady Blennerhassett : *Mme de Staël et son temps (1766-1817), op. cit.*, t. II, p. 126.

33. Ghislain de Diesbach : *Mme de Staël, op. cit.*, p. 122.

34. Lady Blennerhassett : *Mme de Staël et son temps (1766-1817), op. cit.*, t. II, p. 135.

35. Mme de Staël : *Considérations sur les principaux événements de la Révolution française, op. cit.*, t. 2, p. 51 *sq.*

36. J.-D. Bredin : *Sieyès, la clé de la Révolution française, op. cit.*, pp. 226-227.

37. Mme de Staël : *Considérations sur les principaux événements de la Révolution française, op. cit.*, t. II, p. 56.

38. Ghislain de Diesbach : *Mme de Staël, op. cit.*, p. 124.

39. *Id., ibid., loc. cit.*

40. Mme de Staël : *Considérations sur les principaux événements de la Révolution française, op. cit.*, t. II, p. 64.

41. Ghislain de Diesbach : *Mme de Staël, op. cit.*, p. 124.

42. Mme de Staël : *Considérations sur les principaux événements de la Révolution française, op. cit.*, t. II, pp. 64, 66.

43. *Id., ibid.*, p. 66.

44. *Id., Lettres à Narbonne*, « Récit du sauvetage de Narbonne », p. 52 *sq.*

45. *Id., ibid.*, p. 47 *sq.*

46. *Id., Considérations sur les principaux événements de la Révolution française, op. cit.*, t. II, p. 68 *sq.*

47. *Id., ibid., loc. cit.*

48. Georges Solovieff : *Madame de Staël, ses amis, ses correspondants. Choix de lettres, 1778-1817, op. cit.*, p. 63 *sq.*, Lettre à Narbonne, Paris, 25 août 1792.

49. *Id., ibid.*, p. 70 *sq.*, Lettre à Narbonne, Paris, 28 août 1792.

50. *Id., ibid.*, p. 73 *sq.*, Lettre à Narbonne, Paris, 30 août 1792.

51. Mme de Staël : *Considérations sur les principaux événements de la Révolution française, op. cit.*, t. II, p. 71 *sq.*

52. *Id., ibid.*, p. 72 *sq.*

53. *Id., ibid.*, p. 73 *sq.*

54. *Id., ibid.*, p. 74 *sq.*

55. *Id., ibid.*, p. 75.

56. *Id., ibid.*, p. 77.

57. *Id., ibid., loc. cit.*

CHAPITRE XVIII

Vers l'homme rêvé

1. Béatrice Jasinski : *Mme de Staël. Correspondance générale. Lettres diverses, 1792-15 mai 1794*, t. II, Paris, J.-J. Pauvert, MCMLX, p. 366 *sq.*

2. Mme de Staël : *Lettres à Narbonne*, Préface de la comtesse Jean de Pange, Introduction, notes et commentaires de Georges Solovieff, Paris, Gallimard, 1960, p. 79 *sq.*, « Coppet, 8 septembre 1792 ».

3. *Id., ibid.*, p. 80, « Coppet, 8 septembre 1792 ».

4. *Id., ibid.*, p. 83 *sq.*, « Coppet, ce 12 septembre 1792 ».

5. *Id., ibid.*, p. 96 *sq.*, « Coppet, ce 24 septembre ».

6. *Id., ibid.*, p. 101, « Coppet, ce 27 septembre 1792 ».

7. *Id., ibid.*, p. 104 *sq.*, « Coppet, ce 2 octobre 1792 ».

8. *Id., ibid., loc. cit.* ; Béatrice Jasinski : *Lettres inédites à Louis de Narbonne*, p. 35 *sq.*

9. Béatrice Jasinski : *Lettres inédites à Louis de Narbonne, op. cit.*, p. 37, « Coppet, ce 2 octobre [1792] ».

10. Sur Juniper Hall, cf. Georges Solovieff : Introduction aux *Lettres à Narbonne, op. cit.*, p. 87 *sq.*

11. Béatrice Jasinski : *Lettres inédites à Louis de Narbonne, op. cit.*, p. 6 *sq.* « 27 [26] août 1792 » ; Georges Solovieff : Introduction aux *Lettres à Narbonne, op. cit.*, p. 68.

12. Georges Solovieff : Introduction aux *Lettres à Narbonne, op. cit.*, p. 109 *sq.*, « Rolles, ce 5 octobre [1792] ».

13. *Id., ibid.*, p. 111, « Rolles, ce 5 octobre 1792 ».

14. *Id., ibid.*, p. 114-115, « Rolles, ce 11 octobre 1792 ».

15. *Id., ibid.*, p. 117 *sq.*, « Rolles, ce 13 octobre 1792 ».

16. *Id., ibid.*, p. 122-123, « Rolles, ce 21 octobre [1792] ».

17. *Id., ibid.*, p. 123, « Rolles, ce 23 octobre 1792 ».

18. Elle publiera *De l'influence des passions sur le bonheur des individus et des nations*, en 1796.

19. Georges Solovieff : Introduction aux *Lettres à Narbonne, op. cit.*, p. 130, « Lettre du 2 novembre 1792 ».

20. *Id., ibid.*, p. 145, « Rolles, ce 15 novembre 1792 ».

21. Lettre du 19 décembre 1792, citée dans Mme de Staël : *Lettres à Narbonne, op. cit.*, p. 149.

22. Georges Solovieff : Introduction aux *Lettres à Narbonne, op. cit.*, p. 145, « Rolles, ce 15 novembre 1792 ».

23. Béatrice Jasinski : *Lettres diverses, op. cit.*, t. II, 2e partie, p. 369, Lettre à Gibbon, « Rolles, 28 novembre [1792] ».

24. Georges Solovieff : Introduction aux *Lettres à Narbonne, op. cit.*, p. 138 *sq.*

25. *Id., ibid.*, pp. 157-158, « Rolles, 2 décembre 1792 ».

26. *Id., ibid.*, p. 158, « Rolles, ce 2 décembre 1792 ».

27. *Id., ibid., loc. cit.*

28. *Id., ibid.*, p. 160, « Rolles, ce 6 décembre 1792 ».

29. *Œuvres complètes de M. Necker publiées par M. le baron de Staël-Holstein, son petit-fils*, Paris, Treutel et Würz Libraires, 1820, 15 vol., t. XI, p. 342 *sq.*

30. Georges Solovieff, Introduction aux *Lettres à Narbonne, op. cit.*, p. 158, Lettre du 3 décembre 1792.

31. *Id., ibid.*, p. 174 *sq.*, « Rolles, ce 23 décembre 1792 ».

32. *Id., ibid.*, p. 179 *sq.*, « Rolles, 25 décembre 1792 ».

33. *Id., ibid.*, p. 182, « Rolles, 26 décembre 1792 ».

34. *Id., ibid.*, p. 184, « Rolles, ce 26 décembre [1792] au soir ».

35. *Id.*, *ibid.*, p. 185, « Genève, ce 28 décembre 1792 ».

36. Béatrice Jasinski : *Lettres diverses*, *op. cit.*, t. II, 2ᵉ partie, p. 375, Lettre à Gibbon, « Genève, 28 décembre [1792] ».

37. *Id.*, *ibid.*, *loc. cit.*

38. Georges Solovieff, Introduction aux *Lettres à Narbonne, op. cit.*, p. 187 *sq.*, « Passy, 9 janvier [1793] ».

39. Note de *id.*, *ibid.*, p. 189. À moins qu'il ne fût venu la rejoindre à Douvres. Béatrice Jasinski : *Lettres à Narbonne*, *op. cit.*, t. II, 2ᵉ partie, p. 377.

40. David Glass Larg : *Mme de Staël, la vie dans l'œuvre (1766-1800)*, Paris, Librairie ancienne Édouard Champion, 1924, p. 101.

41. Necker : *Œuvres complètes de M. Necker publiées par M. le baron de Staël-Holstein son petit-fils*, *op. cit.*, t. VIII.

42. Henri Grange : *De l'originalité des idées politiques de Necker*, Actes de la huitième journée de Coppet (8 septembre 1984), *Cahiers staëliens*, n° 36, 1985, p. 64.

43. *Œuvres complètes de M. Necker publiées par M. le baron de Staël-Holstein son petit-fils*, « Du pouvoir exécutif dans les grands États », *op. cit.*, t. VIII, p. 595-596 *sq.*

44. Henri Grange : *De l'originalité des idées politiques de Necker*, *op. cit.*, pp. 64-65.

45. *Œuvres complètes de M. Necker publiées par M. le baron de Staël-Holstein son petit-fils*, « Pensées détachées », *op. cit.*, t. XV, p. 277.

46. Mme Necker : *Réflexions sur le divorce*, À Lausanne et à Paris, chez Aubin Desenne, nouvelle édition, Paris, Charles Pougens, an XI (1802). Publiées à nouveau avec une étude littéraire et morale par M. de Lescure, dans la collection « Les petits chefs-d'œuvre », Librairie des bibliophiles, 1881.

47. Comte d'Haussonville : *Madame de Staël et M. Necker, d'après leur correspondance inédite*, Paris, Calmann Lévy, 1925, p. 63.

48. Georges Solovieff : *Madame de Staël, ses amis, ses correspondants. Choix de lettres, 1778-1817*, « Le séjour à Juniper Hall », *op. cit.*, p. 196 *sq.*

49. « De l'influence des passions sur le bonheur des individus et des nations », *Œuvres complètes de Mme la baronne de Staël, publiées par son fils, précédées d'une notice sur le caractère et les écrits de Mme de Staël par Mme Necker de Saussure*, à Paris, Treuttel et Würtz, Libraires, 1820, 17 volumes, *op. cit.*, t. III, p. 45 *sq.*

50. *Id.*, *ibid.*, pp. 69 à 71.

51. *Id.*, *ibid.*, p. 115.

52. *Id.*, *ibid.*, p. 125.

53. *Id.*, *ibid.*, p. 135.
54. *Id.*, *ibid.*, p. 131.
55. *Id.*, *ibid.*, p. 140 *sq.*
56. *Id.*, *ibid.*, pp. 141-142.
57. Cf. *supra*, p. 191 *sq.*
58. Béatrice Jasinski : *Lettres diverses*, *op. cit.*, 2ᵉ partie, p. 483 *sq.*
59. *Id.*, *ibid.*, p. 484.
60. Mme de Staël : *Lettres à Ribbing*, préface de la comtesse de Pange, introduction et notes par Simone Balayé, *Introduction*, p. 22 *sq.*
61. Introduction de Simone Balayé, in *Lettres à Ribbing*, *op. cit.*, p. 15.
62. Mme de Staël : *Lettres à Narbonne*, *op. cit.*, p. 270 *sq.*, « Coppet 23 juillet [1793] ».

ÉPILOGUE

1. Simone Balayé : *Mme de Staël. Écrire, lutter, vivre*, préface de Roland Mortier, postface par Frank Paul Bowman, Genève, Droz 1994.
2. *Œuvres complètes de Mme la baronne de Staël, publiées par son fils, précédées d'une notice sur le caractère et les écrits de Mme de Staël par Mme Necker de Saussure*, Paris, Treuttel et Würtz, Libraire, 1820, 17 vol., t. IX, p. CCCLXIII.
3. *Nouveaux Mélanges extraits des manuscrits de Mme Necker*, Paris, Charles Pougens et Genets, an X (1801), 2 vol., t. 2, pp. 212-213.
4. *Œuvres complètes de M. Necker publiées par M. le baron de Staël-Holstein son petit-fils*, Paris, Treuttel et Würtz Libraires, 1820, 15 vol., « Éloge de Colbert », t. IX, p. 70. Cf. *supra*, p. 65.
5. *Mélanges extraits des manuscrits de Mme Necker*, Paris, Charles Pougens, an VI (1798, vieux style), 3 vol. précédés des observations de l'éditeur, M. Necker, t. I, p. X *sq.*
6. *Manuscrits de M. Necker publiés par sa fille*, « Du caractère de M. Necker et de sa vie privée », Genève, J.-J. Paschoud Libraire, an XIII, p. 108 *sq.*
7. *Ibid.*, p. 149.
8. Henri Grange : *Les Idées de Necker*, Librairie C. Klincksieck, Paris, 1974, p. 54.
9. Frank Bowman : « Necker et l'apologétique », dans *Jacques et Suzanne Necker réinterprétés*, Actes de la huitième journée de Coppet (8 septembre 1984), *Cahiers staëliens*, n° 36, p. 31 *sq.*

10. *Œuvres complètes de M. Necker publiées par M. le baron de Staël-Holstein son petit-fils*, « Cours de morale religieuse », *op. cit.*, t. XIII, p. 433.

11. *Id.*, *ibid.*, Notice sur M. Necker par A. de Staël-Holstein, p. CCCL.

12. Ghislain de Diesbach : *Necker ou la Faillite de la vertu*, Paris, Librairie académique Perrin, 1978 et 1987, p. 459.

13. *Œuvres complètes de Mme la baronne de Staël, publiées par son fils, précédées d'une notice sur le caractère et les écrits de Mme de Staël par Mme Necker de Saussure*, *op. cit.*, p. X.

14. *Id.*, *ibid.*, pp. CXCVII et CXCVIII.

15. *Nouveaux Mélanges extraits des manuscrits de Mme Necker*, *op. cit.*, t. II, p. 306.

16. Cf. *supra*, chapitre XIV.

17. Edgar Quinet : *La Révolution*, Préface de Claude Lefort, Paris, Berlin, 1987, p. 105.

18. *Œuvres complètes de M. Necker publiées par M. le baron de Staël-Holstein son petit-fils*, Notice sur M. Necker, *op. cit.*, t. 1, p. CCCXXII.

19. Necker : *Sur l'administration de M. Necker*, cité dans les *Cahiers staëliens*, n° 12, par Simone Balayé et Marie-Laure Chastang : *Un ouvrage inconnu de Mme de Staël sur M. Necker*, p. 50 *sq.*

20. *Œuvres complètes de M. Necker publiées par M. le baron de Staël-Holstein son petit-fils*, « De la Révolution française », *op. cit.*, t. X, p. 334 *sq.*

21. J. Christopher Herold : *Germaine Necker de Staël*, traduit de l'anglais par Michelle Maurois, Paris, Plon, 1962, p. 480.

22. Mona Ozouf : *Les Mots des femmes. Essais sur la singularité française*, « Germaine ou l'inquiétude », Paris, Fayard, 1995, p. 115 *sq.*

23. *Œuvres complètes de Mme la baronne de Staël, publiées par son fils, précédées d'une notice sur le caractère et les écrits de Mme de Staël par Mme Necker de Saussure*, « De l'influence des passions », *op. cit.*, p. 217.

24. Mona Ozouf : *Les Mots des femmes. Essais sur la singularité française*, « Germaine ou l'inquiétude », *op. cit.*, p. 115.

25. *Œuvres complètes de Mme la baronne de Staël, publiées par son fils, précédées d'une notice sur le caractère et les écrits de Mme de Staël par Mme Necker de Saussure*, *op. cit.*, pp. CI *sq.*

26. Mme de Staël : *Lettres à Ribbing*, Introduction de Simone Balayé, *op. cit.*, p. 29.

27. *Histoire de Pauline, Œuvres de jeunesse*, *op. cit.*, p. 217.

28. Mme de Staël : *Œuvres de jeunesse, Lettres sur Jean-Jacques Rousseau*, *op. cit.*, p. 47 *sq.*

29. Mona Ozouf : *Les Mots des femmes. Essais sur la singularité française*, « Germaine ou l'inquiétude », *op. cit.*, p. 116.

30. Cité par *id.*, *ibid.*, p. 117.

31. Mme de Staël : *De la littérature*, p. 339, cité par Simone Balayé : « Comment être femme et écrivain », dans *Mme de Staël. Écrire, lutter et vivre, op. cit.*, p. 22.

32. Mme de Staël : *Delphine*, édition critique par Simone Balayé et Lucia Omacini, Genève, Droz, 1987, p. 71.

33. Mme de Staël : *De l'Allemagne*, t. IV, p. 369, cité par Simone Balayé : *Mme de Staël. Écrire, lutter, vivre, op. cit.*, p. 22.

34. Simone Balayé, *ibid.*, p. 23.

35. Georges Solovieff, *op. cit.*, p. 120. Mme de Staël : *Lettres à Narbonne,* « Rolles, ce 16 octobre 1792 ».

36. Georges Solovieff, *ibid.*, p. 145.

37. David Glass Larg : *Mme de Staël, la vie dans l'œuvre, 1766-1800,* Paris, Librairie ancienne Édouard Champion, 1924, p. 26 *sq.*, *supra,* p. 000.

38. Cf. *supra*, p. 38 *sq.*

39. Mme Necker : *Réflexions sur le divorce*, Paris, Aidions Lescure, Librairie des bibliophiles, 1881, p. 45 et 53.

40. *Manuscrits de M. Necker publiés par sa fille*, « Du caractère de M. Necker et de sa vie privée », *op. cit.*, p. 11.

41. *Ibid.*, p. 107.

42. Cf. *supra.*

43. *Nouveaux Mélanges extraits des manuscrits de Mme Necker, op. cit.,* t. I, p. 243.

44. Béatrice Jasinski : *Madame de Staël, correspondance générale, Lettres de jeunesse,* 2ᵉ partie, Paris, J.-J. Pauvert, MCMLXII, *Lettre à M. de Staël, 21 mai 1791*, p. 37.

45. Ghislain de Diesbach : *Mme de Staël, op. cit.*, p. 11.

46. Mona Ozouf : *Les Mots des femmes. Essais sur la singularité française. op. cit.*, p. 119.

47. *Cahiers staëliens*, n° 47, comte de Guibert : *Zulmé, morceau traduit du grec*, p. 5 *sq.*

48. Simone Balayé : « La statue intérieure », dans *Mme de Staël. Écrire, lutter, vivre, op. cit.*, p. 25 *sq.*

49. *Id.*, *ibid.*, p. 31.

50. *Manuscrits de M. Necker publiés par sa fille*, « Du caractère de M. Necker et de sa vie privée » ; Simone Balayé : « La statue intérieure », *op. cit.*, p. 153.

51. *Ibid.*, p. 44.

52. *Ibid.*, *loc. cit.*

53. Abbé Morellet : *Mémoires sur le XIXᵉ siècle et sur la Révolution,*

introduction et notes de Jean-Pierre Guicciardi, Paris, Mercure de France, 1988, p. 144. Mme du Deffand est d'un avis contraire ; cf. Sainte-Beuve : *Causeries du lundi,* 3ᵉ éd., t. VII, Paris, Garnier Frères Libraires, « Necker », p. 333.

54. Cf. *supra*, chapitre III.

55. Benjamin Constant : *Portraits, mémoires, souvenirs,* textes établis par Ephraïm Harpaz, Paris, Librairie Honoré Champion, 1992, p. 215.

56. *Id., ibid.,* « Les mémoires de Juliette », p. 280.

57. *Manuscrits de M. Necker publiés par sa fille*, « Esquisses de pensées », *op. cit.*, p. 220.

58. Sainte-Beuve : *Causeries du lundi,* « Necker », *op. cit.*, p. 338.

59. *Id., ibid.,* p. 369.

60. Cf. *supra*, p. 148 *sq.*

61. *Mélanges extraits des manuscrits de Mme Necker, op. cit.,* t. I, p. V.

62. Georges Poulet : « La pensée critique de Mme de Staël », *Preuves*, décembre 1966. Réédité dans *La Conscience critique*, Paris, Librairie José Corti, 1971, p. 23.

63. Cité par Simone Balayé : Madame de Staël, *Œuvres de jeunesse*, présentation, p. 15.

64. Simone Balayé : « À propos du préromantisme », p. 302, dans *Madame de Staël. Écrire, lutter, vivre, op. cit.*

65. Mme Necker de Saussure, *Notice sur la carrière et les écrits de Mme de Staël, op. cit.,* p. CCCXXVII.

66. Mme de Staël : *Dix Années d'exil,* édition critique par Simone Balayé et Mariella Vianello Bonifacio, Paris, Fayard, 1996, p. 313.

67. Lettre du 5 février 1796, citée par Simone Balayé dans « La statue intérieure », *Madame de Staël. Écrire, lutter, vivre, op. cit.*, p. 32.

68. *Manuscrits de M. Necker publiés par sa fille, op. cit.,* « Les vieillards », p. 48.

69. Simone Balayé : Mme de Staël, *Œuvres de jeunesse, op. cit.*, présentation, p. 14 *sq.*

70. Cf. *supra*, chapitre XI.

71. « Un inédit staëlien : le "Portrait de Mélanie" », n° 42, par Anne Amend et Norma King, *Cahiers staëliens*, p. 21.

72. Paul Bénichou : *Le Sacre de l'écrivain*, Paris, Gallimard, 1996, p. 238.

73. Mme de Staël : *De la littérature*, p. 132 *sq.*, cité par Paul Bénichou : *Le Sacre de l'écrivain, op. cit.*, p. 238.

74. David Glass Larg : *Madame de Staël, la vie dans l'œuvre, op. cit.,* p. 70 *sq.*

75. B. d'Andlau : *La Jeunesse de Mme de Staël, op. cit.,* p. 115.

76. Mme Necker : *Mélanges extraits des manuscrits de Mme Necker, op. cit.,* t. III, p. 291.

77. *Id., ibid.,* p. 208.

78. *Id., ibid.,* p. 241 *sq.*

79. Mme de Staël : « Du caractère de M. Necker et de sa vie privée », *op. cit.,* p. 103.

80. *Id., ibid.,* p. 122.

81. *Id., ibid.,* p. 123.

82. Mme Necker de Saussure, *Notice sur la carrière et les écrits de Mme de Staël, op. cit.,* p. CCXIX.

83. Cf. *supra,* prologue.

84. David Glass Larg : *Mme de Staël, la vie dans l'œuvre, op. cit.,* p. 38.

85. Mme de Staël : *Histoire de Pauline. Œuvres de jeunesse, op. cit.,* pp. 229-230.

86. Simone Balayé : *Madame de Staël, Lumières et liberté,* « Les romans », Paris, Éd. Klincksieck, 1979, p. 137 *sq.*

87. *Id., ibid., loc. cit.*

88. Cf. *supra,* p. 35 *sq.*

89. Cf. *supra,* p. 36.

90. Franck Paul Bowman : *Necker et l'apologétique. Jacques et Suzanne Necker réinterprétés, op. cit.,* p. 48.

91. *Œuvres complètes de M. Necker publiées par M. le baron de Staël-Holstein son petit-fils,* « Cours de morale religieuse », *op. cit.,* t. XIV, p. 264 *sq.*

92. Mme de Staël : *Lettres sur Rousseau,* préface à la première édition, 1778.

93. Mme Necker de Saussure : *Notice sur la carrière et les écrits de Mme de Staël, op. cit.,* p. CCXCII.

94. Cf. *supra,* p. 20.

95. Mona Ozouf : *Les Mots des femmes. Essais sur la singularité française,* « Germaine ou l'inquiétude », *op. cit.,* p. 120.

96. Benjamin Constant : *Portrait, mémoires, souvenirs,* « Les Mémoires de Juliette », *op. cit.,* p. 280 *sq.*

97. Cf. *supra,* chapitre III.

98. Mme de Staël : « Du caractère de M. Necker et de sa vie privée », *op. cit.,* p. 7.

99. *Id., Considérations sur les principaux événements de la Révolution*

française, ouvrage posthume de Mme la baronne de Staël, publié par M. le duc de Broglie et M. le baron de Staël, Paris, Delaunay, et Bossanges et Masson, 3 vol. t. I, p. 98 *sq.*

100. *Manuscrits de M. Necker publiés par sa fille, op. cit.,* pp. 141 et 192.

101. Simone Balayé : *Madame de Staël. Écrire, lutter, vivre,* « Les rapports de l'écrivain et du pouvoir », *op. cit.,* p. 147.

102. Benjamin Constant : « De Mme de Staël et de ses ouvrages », dans *Portraits, mémoires, souvenirs, op. cit.,* p. 212.

103. *Id., ibid.,* p. 213.

104. Mme Necker de Saussure : *Notice sur la carrière et les écrits de Mme de Staël, op. cit.,* p. CCIII.

Bibliographie

I

Il faut mentionner, en préalable, la bibliographie donnée par Simone Balayé dans son ouvrage *Madame de Staël. Lumières et Liberté* (p. 256 *sqq.*), Paris, Éd. Klincksieck, 1979.

Par ailleurs, la bibliographie des travaux de Simone Balayé sur Mme de Staël et le groupe de Coppet, classée par dates de publication, est donnée dans *Madame de Staël. Écrire, lutter, vivre*, Genève, Droz, 1994, p. 351 *sqq.*

On se référera à Pierre H. Dubé, *Bibliographie de la critique sur Mme de Staël, 1789-1994*, Genève, Droz, 1998.

On se référera également aux ouvrages cités dans les biographies de Necker et de Mme de Staël ci-dessous énumérées.

II - Œuvres de la famille Necker

1/ *Œuvres de Jacques Necker*

- *Œuvres complètes de M. Necker publiées par M. le Baron de Staël-Holstein, son petit-fils*, Paris, Treuttel et Würtz Libraires, 1820, en 17 volumes.
- *Manuscrits de Mr Necker publiés par sa fille*, à Genève, chez J.J. Paschoud, Libraire, an XIII, précédé de *Du caractère de Mr Necker et de sa vie privée* par Madame de Staël, Coppet, 25 octobre 1804.
- *De la morale naturelle*, suivi de *Du bonheur des sots* par M. Necker à Paris, 1798.

BIBLIOGRAPHIE

2/ *Œuvres de Mme Necker*

- *Mélanges extraits des manuscrits de Mme Necker*, Paris, Charles Pougens, an VI (1798) – 3 volumes précédés des observations de l'éditeur, M. Necker.
- *Nouveaux Mélanges extraits des manuscrits de Mme Necker*, Paris, Charles Pougens et Genets, an X, 1801, 2 volumes.
- *Réflexions sur le divorce*, Paris, publiées par M. de Lescure, Librairie des bibliophiles, 1881.
- *Des inhumations précipitées*, Paris, Imprimerie royale, 1790.

3/ *Œuvres de Mme de Staël*

- *Œuvres complètes de Mme la Baronne de Staël, publiées par son fils*, précédées d'une *Notice sur le caractère et les écrits de Mme de Staël* par Madame Necker de Saussure, à Paris, chez Treuttel et Würtz, Libraires, 1820, 17 volumes.
- *Considérations sur les principaux événements de la Révolution françoise, ouvrage posthume de Madame la Baronne de Staël, publié par M. le Duc de Broglie et M. le Baron de Staël,* Paris, Delaunay, Bossanges et Masson, 1818, 3 volumes.
- *Des circonstances actuelles qui peuvent terminer la Révolution et des principes qui doivent fonder la république en France*, édition critique par Lucia Omacini, Paris, Genève, Droz, 1979.
- *Delphine*, édition critique par Simone Balayé et Lucia Omacini, Genève, Droz, 1987.
- *Dix Années d'exil*, édition critique par Simone Balayé et Mariella Vianello Bonifacio, Paris, Fayard, 1996.
- *Réflexions sur le procès de la reine par une femme*, préface de Chantal Thomas, Paris, Mercure de France, 1996.
- *Œuvres de jeunesse*, présentation de Simone Balayé, texte établi par John Isbell et annoté par Simone Balayé, Paris, Éditions Desjonquères, 1997.
- *Lettres et Pensées du maréchal-prince de Ligne* publiées par Madame la baronne de Staël-Holstein, à Paris, Paschoud Libraire, et à Genève, 1809.
- *Écrits de jeunesse de Madame de Staël, Cahiers staëliens*, n° 42, 1990-1991 ; cf. Anne Amend et Norman King, « Un inédit staëlien : le "Portrait de Mélanie" », p. 5, et Lucia Omacini, « Fragments politiques inédits de Madame de Staël », p. 49.

BIBLIOGRAPHIE

III - Correspondances

– Béatrice W. Jasinski a remarquablement établi, présenté et annoté la *Correspondance générale* de Mme de Staël. Il est fait, ici, de fréquentes références aux textes écrits par Béatrice W. Jasinski et notamment aux correspondances publiées dans les quatre premiers volumes.

Tome I – Première partie – *Lettres de jeunesse, première partie, 1777-1788*, Paris, Jean-Jacques Pauvert, 1962.

Tome I – Deuxième partie – *Lettres de jeunesse, deuxième partie, septembre 1788-décembre 1791*, Jean-Jacques Pauvert, 1962.

Tome II – Première partie – *Lettres inédites à Louis de Narbonne*, Jean-Jacques Pauvert, 1960.

Tome II – Deuxième partie – *Lettres diverses 1792-15 mai 1794*, Jean-Jacques Pauvert, 1965.

Tome III – Première partie – *Lettres de Mézery et de Coppet, 16 mai 1794-16 mai 1795*, Jean-Jacques Pauvert, 1968.

Tome III – Deuxième partie – *Lettres d'une nouvelle républicaine, 17 mai 1795-fin novembre 1796*, Jean-Jacques Pauvert, 1974.

Tome IV – Première partie – *Du Directoire au Consulat, 1er décembre 1796-15 décembre 1800*, Jean-Jacques Pauvert, 1976.

Tome IV – Deuxième partie – *Lettres d'une républicaine sous le Consulat, 16 décembre 1800-31 juillet 1803*, Jean-Jacques Pauvert, 1978.

Tome V – Première partie – *France et Allemagne, 1er août 1803-19 mai 1804*, Paris, Hachette, 1982.

Tome V – Deuxième partie – *Le Léman et l'Italie, 19 mai 1804-9 novembre 1805*, Hachette, 1985.

Tome VI – De *Corinne* vers *De l'Allemagne*, Paris, Klincksieck, 1983.

– La correspondance générale de Mme de Staël est d'autre part publiée par Georges Solovieff sous la forme d'une anthologie :
Madame de Staël, ses amis, ses correspondants. Choix de lettres 1778-1817, présenté et commenté par Georges Solovieff, préface de la comtesse Jean de Pange, Paris, Klincksieck, 1970.

On citera par ailleurs les principales correspondances particulières de Mme de Staël, et de M. Necker, qui ont été ici utilisées :
– Mme de Staël : *Lettres à Narbonne*, préface de la comtesse Jean de Pange, introduction, notes et commentaires par Georges Solovieff, Paris, Gallimard, 1960.

– Mme de Staël : *Lettres à Henri Meister*, publiées par P. Usteri et E. Ritter, Paris, Hachette, 1904.
– Mme de Staël : *Lettres à Nils von Rosenstein*, publiées par L. Maury, *Revue bleue*, mai-juin 1950.
– Benjamin Constant et Mme Récamier : *Lettres 1807-1830*, édition critique refondue et augmentée par Ephraïm Harpaz, Paris, Honoré Champion, 1992.
– Paul Gautier : *Madame de Staël et Napoléon*, Paris, Plon, 1903.
– Paul Gautier : *Mathieu de Montmorency et Madame de Staël, d'après les lettres inédites de M. de Montmorency à Mme Necker de Saussure*, Paris, Plon, 1908.
– Comte d'Haussonville, de l'Académie française : *Madame de Staël et M. Necker d'après leur correspondance inédite*, Paris, Calmann Lévy Éditeurs, 1925.
– E. Beau de Loménie : *Lettres de Mme de Staël à Mme Récamier*, Paris, Domat, 1952.
– Robert de Luppé : *Madame de Staël et J.B.-A. Suard, correspondance inédite, 1786-1871*, Genève, Droz, 1970.
– Baronne de Nolde : *Madame de Staël and Benjamin Constant*, Putnam, New York et Londres, 1967, introduction et notes par Paul L. Léon. Avant-propos de Gustave Rudler, Paris, Kra, 1928.
– Comtesse Jean de Pange : *François de Pange et Mme de Staël*, Paris, Plon, 1925.
– Victor de Pange : *Madame de Staël et le duc de Wellington*, Paris, Gallimard, 1962.

On observera que les *Mélanges* et les *Nouveaux Mélanges* extraits des manuscrits de Mme Necker contiennent de nombreuses lettres à Gibbon, à Diderot, à Grimm, à l'abbé Galiani, à Meister, à Guibert, à Saussure, à Thomas, à Buffon, à Moultou, à tous ceux qu'elle aimait, qu'elle admirait.

Enfin, les *Cahiers staëliens* publiés par la Société des études staëliennes contiennent de nombreuses lettres de Mme de Staël.

IV - Les *Cahiers staëliens*

De nombreuses références sont faites aux *Cahiers staëliens*, publiés chez Slatkine, à Genève, Champion, à Paris, par la Société des études staëliennes fondée par la comtesse Jean de Pange, et présidée par Simone Balayé.

Les *Cahiers staëliens* ont publié non seulement des textes et des correspondances inédits, mais de nombreux articles indispensables à la connaissance de la famille Necker. Les principaux articles ici utilisés seront mentionnés, pour la commodité du lecteur, dans la liste des « livres et articles ».

De même convient-il de consulter les actes du colloque tenu au château de Coppet en juillet 1966, *Madame de Staël et l'Europe*, publiés en 1970 par les éditions Klincksieck, et les actes du 5e colloque de Coppet tenu à Tübingen en juillet 1993, *Le Groupe de Coppet et l'Europe, 1789-1830*, publiés en 1984 à Lausanne, Institut Benjamin-Constant, et à Paris, Touzot 1994 (volumes 15 et 16 des *Annales Benjamin Constant*).

V - Principaux ouvrages utilisés

On mentionnera d'abord les excellentes biographies de Necker et de Germaine de Staël et les livres essentiels auxquels il est fait de fréquentes références :

Sur Jacques Necker

CHAPUISAT Édouard, *Necker (1732-1804)*, Paris, Librairie du Recueil Sirey, 1938.

DIESBACH Ghislain de, *Necker ou la Faillite de la vertu*, Librairie académique Perrin, 1987.

ÉGRET Jean, *Necker, ministre de Louis XVI 1776-1790*, Paris, Librairie Honoré Champion, 1975.

GRANGE Henri, *Les Idées de Necker*, Paris, Librairie Klincksieck, 1974.

On doit ici mentionner l'importance de textes déjà rencontrés :
– La préface de Mme de Staël aux *Manuscrits de Mr Necker publiés par sa fille*, à Genève, chez Paschoud, an XIII, préface ayant pour titre « Du caractère de M. Necker et de sa vie privée ».
– La *Notice sur M. Necker* par A. de Staël-Holstein, son petit-fils, qui précède la publication des *Œuvres complètes*, à Paris, chez Treuttel et Würtz libraires, 1820.

Sur Mme de Staël

ANDLAU B. d', *La Jeunesse de Madame de Staël de 1766 à 1786*, Paris, Genève, Librairie Droz, 1970.

ANDLAU B. d', *Madame de Staël*, Genève, Librairie Droz, 1960, 4e éd., 1985.

BIBLIOGRAPHIE

BALAYÉ Simone, *Les Carnets de voyage de Mme de Staël, contribution à la genèse de ses œuvres,* Genève, Librairie Droz, 1971.

BALAYÉ Simone, *Madame de Staël. Écrire, lutter, vivre,* préface de Roland Mortier, postface par Frank Paul Bowman, Genève, Droz, 1994.

BALAYÉ Simone, *Madame de Staël, Lumières et liberté*, Paris, Klincksieck, 1979.

BLENNERHASSETT Lady, *Madame de Staël et son temps,* traduit de l'allemand par Auguste Dietrich, Paris, Louis Westhausser, 1890, 3 vol.

DIESBACH Ghislain de, *Madame de Staël*, Paris, Librairie académique Perrin, 1983.

GAUTIER Paul, *Madame de Staël et Napoléon*, Paris, Plon, 1921.

HEROLD J. Christopher, *Germaine Necker de Staël*, traduit de l'anglais par Michelle Maurois, Paris, Plon, 1962.

KOHLER Pierre, *Madame de Staël au château de Coppet*, Lausanne, Spes, 1929.

KOHLER Pierre, *Madame de Staël et la Suisse*, Lausanne, Payot, 1916.

LACRETELLE Pierre de, *Madame de Staël et les hommes*, Paris, Grasset, 1939.

LANG André, *Une vie d'orages : Germaine de Staël*, Paris, Calmann Lévy, 1958.

LARG David Glass, *Madame de Staël, la vie dans l'œuvre, 1766-1800*, Paris, Librairie ancienne Édouard Champion, 1924.

LARG David Glass, *Madame de Staël, la seconde vie, 1800-1807*, Genève, Slatkine Reprints, 1974.

LEVAILLANT Maurice, *Une amitié amoureuse : Mme de Staël et Mme Récamier*, Paris, Hachette, 1956.

PANGE comtesse Jean de, *Monsieur de Staël*, Paris, Édition des Portiques, 1931.

RITTER Eugène, *Notes sur Mme de Staël, ses ancêtres, et sa famille, sa vie et sa correspondance*, Genève, H. George, 1899.

TURQUAN Jules, *Madame de Staël, sa vie amoureuse, politique et mondaine*, Paris, Émile-Paul, 1926.

Il faut rappeler enfin l'importante *Notice sur le caractère et les écrits de Madame de Staël*, écrite par Madame Necker de Saussure, sa cousine, et qui ouvre l'édition des *Œuvres complètes de Madame la baronne de Staël publiées par son fils*, à Paris chez Treuttel et Wûrtz, 1820.

Les nombreux écrits – ceux notamment de Simone Balayé – nécessaires pour comprendre et connaître cette singulière famille – introductions, notes, textes de présentation, articles de revues et de journaux, communications de colloques –, et qui ont beaucoup aidé à la conception et à la rédaction du présent ouvrage sont mentionnés, les uns ci-dessus, les autres dans la liste qui suit des « ouvrages et articles ».

OUVRAGES ET ARTICLES

ABRANTÈS duchesse d', *Histoire des salons de Paris, tableaux et portraits du grand monde*, Paris, Ladvocat Libraire, 1837.

AMEND-SÖCHTING Anne, « La grille qui donne sur le grand chemin – Réflexions à propos des œuvres de jeunesse de Mme de Staël », *Cahiers staëliens*, n° 48, 1996-1997.

AMEND-SÖCHTING Anne, « Les trois Sophie. Comment Mme de Staël dépeint la condition des femmes », *Cahiers staëliens*, n° 49, 1997-1998.

AMEND-SÖCHTING Anne, et KING Norman, « Un inédit staëlien : le "Portrait de Mélanie" » dans « Écrits de jeunesse de Mme de Staël », *Cahiers staëliens*, n° 42, 1990.

BAILLEUL J.-Ch., *Examen critique de l'ouvrage posthume de Mme la Bnne de Staël ayant pour titre Considérations sur les principaux événements de la révolution française*, Paris, Ant. Bailleul, 1918.

BALAYÉ Simone, « La bibliothèque de Mme de Staël », *Cahiers staëliens*, n° 22, 1977.

BALAYÉ Simone, « Mme de Staël et le ruisseau de la rue du Bac », *Cahiers staëliens*, n° 12, Paris, 1971.

BALAYÉ Simone, et CHASTANG Marie-Laure, « Un ouvrage inconnu de Mme de Staël sur M. Necker », *Cahiers staëliens*, n° 12, 1971.

BÉDÉ Jean-Albert, « Mme de Staël, Rousseau et le suicide », *Revue d'histoire littéraire de la France*, janvier 1966.

BÉNICHOU Paul, *Le Sacre de l'écrivain, 1750-1830*, Paris, Gallimard NRF, 1996.

BERCHET Jean-Claude, « Deux lettres inédites de Mme de Staël à Chateaubriand », *Cahiers staëliens*, n° 47, 1995-1996.

BOITEUX L.A., « À propos du voyage de M. et Mme Necker en Angleterre en 1776 », *Cahiers staëliens*, n° 12, 1971.

BORY Jean-René, « Le mystère du mausolée de Coppet », *Tribune de Genève*, 25-26 juillet 1959, et Actes du premier colloque de Coppet, 1966, Paris, Klincksieck, 1979, p. 119 *sqq.*

BOSSE Monika, « "Ce hasard qui m'entraîna dans la carrière littéraire", Écrits de jeunesse de Madame de Staël », *Cahiers staëliens*, n° 42, 1990.

BOWMAN Frank Paul, « Necker et l'apologétique », Actes de la huitième journée de Coppet (8 septembre 1984), Paris, Société des études staë- liennes, *Cahiers staëliens*, n° 36, 1985.

BREDIN Jean-Denis, *Sieyès, la clé de la Révolution française*, Paris, Éditions de Fallois, 1988.

BROGLIE Albertine de Staël, duchesse de, « Extraits d'un journal d'enfance d'Albertine de Staël, p.p. la comtesse Jean de Pange », *Revue d'histoire littéraire de la France*, janvier 1966.

CABANIS José, *Chateaubriand, qui êtes-vous ?* Paris, Gallimard, 1998.

CHATEAUBRIAND, *Mémoires d'outre-tombe*, texte de l'édition originale (1849), préface, notes, commentaires de Pierre Clarac, Le Livre de poche, Paris, Librairie générale française, 1995.

CONSTANT Benjamin, *Cent Lettres*, choisies et présentées par Pierre Cordey, Lausanne, Bibliothèque romande, 1974.

CONSTANT Benjamin, *Fragments d'un ouvrage abandonné sur la possibilité d'une Constitution républicaine dans un grand pays*, introduction par Henri Grange, Paris, Aubier, 1791.

CONSTANT Benjamin, *Portraits, mémoires, souvenirs*, textes établis par Ephraïm Harpaz, Paris, Librairie Honoré Champion, 1992.

CORDEY Pierre, « Madame de Staël et les prédicants lausannois », *Cahiers staëliens*, n° 8, avril 1969.

CORDEY Pierre, *Madame de Staël et Benjamin Constant sur les bords du Léman*, Lausanne, Payot, 1966.

CORDEY Pierre, *Madame de Staël ou le Deuil éclatant du bonheur*, Lausanne, Rencontre, 1967.

DELON Michel, « Mme de Staël dans les dictionnaires du Bicentenaire » dans « Écrits de jeunesse de Madame de Staël », *Cahiers staëliens*, n° 42, 1990.

FAGUET Émile, « Mme de Staël », *Revue des Deux Mondes*, t. 83, 1887.

FAURE Edgar, *La Disgrâce de Turgot*, Paris, Gallimard, NRF, 1961.

FÉLIX-FAURE Jacques, *Stendhal lecteur de Mme de Staël*, préface de V. Del Litto, Aran (Suisse), Éditions du Grand Chêne, 1974.

FURET François, « Civilisation et barbarie selon Gibbon », *L'Atelier de l'histoire*, Paris, Flammarion, 1982.

FURET François, *L'Héritage de la Révolution française*, Paris, Hachette, 1989.

FURET François, *La Révolution*, 2 vol., Paris, Hachette, 1988.

BIBLIOGRAPHIE

FURET François, et HALEVI Ran, *La Monarchie républicaine, la Constitution de 1791*, Paris, Fayard, 1996.

FURET François, et OZOUF Mona, *Dictionnaire critique de la Révolution française*, Paris, Flammarion, 1988.

GALIANI abbé F., *Correspondance*, par Lucien Perey et Gaston Maugras, Paris, Calmann Lévy, 1889.

GAUCHET Marcel, « Necker interprète de la révolution », *Dictionnaire critique de la Révolution française*, Paris, Flammarion 1992.

GAUTIER Paul, *Mathieu de Montmorency et Mme de Staël*, Paris, Librairie Plon, 1908.

GENGEMBRE Gérard, « La mise en dictionnaire de Mme de Staël ou la fille des Lumières éclairée par le "Grand Dictionnaire universel du XIXe siècle" », *Cahiers staëliens*, n° 48, Paris, Jean Touzot, 1996-1997.

GRANGE Henri, « De l'originalité des idées politiques de Necker », dans *Jacques et Suzanne Necker réinterprétés*, Actes de la huitième journée de Coppet (8 septembre 1984), *Cahiers staëliens*, n° 36, 1985.

GRANGE Henri, « Necker, Mme de Staël et la Constitution de l'an III », *Approches des Lumières*, mélanges offerts à Jean Fabre, Paris, Klincksieck, 1974.

GREILSAMER Laurent, *Le Prince foudroyé, la vie de Nicolas de Staël*, Paris, Fayard, 1998.

GUILLEMIN Henri, *Madame de Staël et Napoléon*, Paris, Plon, 1959.

GUSDORF Georges, *La Conscience révolutionnaire, les idéologues*, Paris, Payot, 1978.

GUTWIRTH Madelyn, « Un rapprochement inattendu : la *Mirza* de Mme de Staël et la *Velléda* de Chateaubriand », *Cahiers staëliens*, n° 47, Paris, Jean Touzot, 1995-1996.

HANNIN Valérie, « La fondation de l'hospice de la Charité : une expérience médicale au temps du rationalisme expérimental », *Revue d'histoire moderne et contemporaine*, janvier-mars 1984.

HANNIN Valérie, « Une ambition de femme au siècle des Lumières : le cas de Mme Necker » dans *Jacques et Suzanne Necker réinterprétés*, Actes de la huitième journée de Coppet (8 septembre 1984), *Cahiers staëliens*, n° 36, 1985.

HAUSSONVILLE comte d', *Le salon de Madame Necker*, Paris, Calmann Lévy, 1900.

HAUSSONVILLE comte d', *Madame de Staël et M. Necker*, d'après leur correspondance inédite, Paris, Calmann Lévy, 1925.

HAUSSONVILLE comte d', *Madame de Staël et l'Allemagne*, Paris, Calmann Lévy, 1928.

BIBLIOGRAPHIE

HAUSSONVILLE comte Othenin (d'), « Un projet de lettre de Mme Necker à Louis XVI », *Cahiers staëliens*, n° 20, 1976.

HENNING Ian Allan, *L'Allemagne de Mme de Staël et la Polémique romantique*, Genève, Slatkine Reprints, 1975.

HERRIOT Édouard, *Un ouvrage inédit de Mme de Staël*, Paris, Plon, 1904.

HOFMANN Étienne, « Necker, Constant et la question constitutionnelle », Actes de la huitième journée de Coppet (8 septembre 1984), *Cahiers staëliens*, n° 36, 1985.

HOFMANN Étienne, *Les Principes de politique de Benjamin Constant*, Paris, Hachette Littératures, 1997.

HOOCK-DEMARLE Marie-Claire, « Coppet lieu de mémoire », *Cahiers staëliens*, n° 45, Paris, Jean Touzot, 1993-1994.

HOOCK-DEMARLE Marie-Claire, « Femmes en miroir : Germaine de Staël vue par Mme de Gerando », *Cahiers staëliens*, n° 48, Paris, Jean Touzot, 1996-1997.

ISBELL John, « Le comte de Guibert : *Zulmé, morceau traduit du grec* », *Cahiers staëliens*, n° 47, Paris, Jean Touzot, 1995-1996.

JAUME Lucien, « Opinion publique et légitimité : l'interprétation jacobine », *Échec au libéralisme*, Paris, Éditions Kimé, 1990.

JAUME Lucien, *L'Individu effacé ou le paradoxe du libéralisme français*, Paris, Fayard, 1997.

KING Norman, « Politique, littérature et diplomatie : lettres nouvelles de Germaine de Staël à Nils von Rosenstein (1786-1802) » dans « Écrits de jeunesse de Madame de Staël », *Cahiers staëliens*, n° 42, 1990.

LACORNE Denis, *L'Invention de la république : le modèle américain*, Paris, Hachette, « Pluriel », 1991.

LAMARTINE Alphonse de, *Histoire des Constituants*, Paris, Victor Lecou et Pagnerre, 1855.

LANG André, « L'amitié, source des passions de Mme de Staël », *Madame de Staël et l'Europe*, Paris, Éditions Klincksieck, 1970.

LANG André, « L'extraordinaire histoire du mariage de Germaine Necker et d'Éric de Staël de Holstein », *Les Œuvres libres*, août 1956.

LESPINASSE Julie de, *Lettres*, édition établie et présentée par Jacques Dupont, Paris, La Table ronde, 1997.

LUPPÉ comte Robert de, *Les Idées littéraires de Mme de Staël et l'Héritage des Lumières, 1795-1800*, Paris, Vrin, 1969.

MAN Paul de, « Madame de Staël et Jean-Jacques Rousseau », *Preuves*, décembre, 1966.

MANENT Pierre, *Histoire intellectuelle du libéralisme : dix leçons*, Paris, Calmann Lévy, 1987.

MICHELET Jules, *Histoire de la Révolution française*, présentation de Claude Mettra, Paris, Robert Laffont, « Bouquins », 1979.

MISTLER Jean, *Madame de Staël et Maurice O'Donnell*, Paris, Calmann Lévy, 1926.

MOHRT Michel, *Benjamin ou Lettres sur l'inconstance*, Paris, Gallimard, 1989.

MORELLET abbé André, *Mémoires sur le XVIIIe siècle et sur la Révolution*, introduction et notes de Jean-Pierre Guicciardi, Paris, Mercure de France, 1988.

MORNET Daniel, *Les Origines intellectuelles de la Révolution française, 1715-1787*, Paris, Librairie Armand Colin, 1933.

MORTIER Roland, « Madame de Staël ou la fidélité », *Cahiers staëliens*, n° 28, 1980.

MORTIER Roland, « Mme de Staël et l'héritage des Lumières », Colloque de Coppet. Repris par l'auteur dans son recueil *Clartés et Ombres du siècle des Lumières*, Genève, Droz, 1969.

NICOLET Claude, *L'Idée républicaine en France*, Paris, Gallimard, 1982.

NORVINS Jacques de, *Mémorial*, publié avec un avertissement et des notes par L. de Lanzac de Labori, t. 1er, *1769-1793*, Paris, Plon, 1896.

OMACINI Lucia, « Fragments politiques inédits de Mme de Staël » dans « Écrits de jeunesse de Mme de Staël », *Cahiers staëliens*, n° 42, 1990.

OMACINI Lucia, et BALAYÉ Simone, « À propos des "Lettres sur J.-J. Rousseau" », dans « Écrits de jeunesse de Mme de Staël », *Cahiers staëliens*, n° 42, 1990.

OZOUF Mona, « Esprit public », *Dictionnaire critique de la Révolution française*, Paris, Flammarion, 1988.

OZOUF Mona, *Les Mots des femmes. Essais sur la singularité française*, Paris, Fayard, 1995.

PANGE comtesse Jean de, « Le mystérieux voyage de M. Necker en Angleterre », *Revue des Deux Mondes*, 1er avril 1948.

PANGE comtesse Jean de, *Auguste-Guillaume Schlegel et Mme de Staël*, Paris, Éditions Albert, 1938.

PANGE comtesse Jean de, *Madame de Staël et François de Pange*, Paris, Plon, 1925.

PANGE comtesse Jean de, *Madame de Staël et la découverte de l'Allemagne*, Paris, Malfère, 1929.

PANGE comtesse Jean de, *Monsieur de Staël*, Paris, Éditions des Portiques, 1931.

PANGE Victor de, *Madame de Staël et le duc de Wellington*, Paris, Gallimard, 1962.

PFLAUM Rosalynd, *La Famille Necker, Mme de Staël et sa descendance*, Paris, Fischbacher, 1969.

POMEAU René, « Mme de Staël et la Suisse », *Cahiers staëliens*, n° 28, 1980.

POULET Georges, *La Conscience critique*, Paris, Librairie José Corti, 1971.

POULET Georges, « La pensée critique de Mme de Staël », *Preuves*, n° 180, décembre 1966.

POULET Georges, « Espérance et souvenir dans l'expérience et la pensée de Mme de Staël », Colloque de Coppet. Réédité dans *Mesure de l'instant. Études sur le temps humain*, Paris, Plon, 1968.

QUINET Edgar, *La Révolution*, préface de Claude Lefort, Paris, Belin, 1987.

RILLIET-HUBER Catherine, « Notes sur l'enfance de Mme de Staël », *Cahiers staëliens,* n° 5 et 6, 1933-1934.

ROCHE Daniel, *La France des Lumières*, Paris, Fayard, 1993.

ROSANVALLON Pierre, *Le Sacre du citoyen, histoire du suffrage universel en France*, Paris, Gallimard, 1992.

ROSSET François, « Mme de Staël et les paradoxes de l'autobiographie dans les "Dix Années d'exil" », *Cahiers staëliens*, n° 48, 1996-1997.

SAINTE-BEUVE, *XIXe siècle. Madame de Staël*, « Les grands écrivains français », Paris, Garnier frères, 1932.

SAINTE-BEUVE, *Causeries du lundi*, 3e éd., tome IV et tome VII, Paris, Garnier Frères Libraires.

SAINTE-BEUVE, *Œuvres*, texte présenté et annoté par Maxime Leroy, Paris, Gallimard, « Bibliothèque de la Pléiade », 1956.

SAINTE-BEUVE, *Portraits de femmes*, édition crit. de Gérald Antoine, Paris, Gallimard, « Folio », 1998.

SAINT-GIRONS Baldine, « Le sublime et le beau chez Mme de Staël », dans *Cahiers staëliens*, n° 45, 1993-1994.

SOLOVIEFF Georges, « Scènes de la vie de Coppet », *Cahiers staëliens*, n° 45, 1993-1994.

SOREL Albert, *Madame de Staël*, Paris, Hachette, 1890.

SOURIAN Ève, *Madame de Staël et Henri Heine : les deux Allemagne*, Paris, Didier, 1974.

STAËL-HOLSTEIN Eric Magnus, baron de, *Correspondance diplomatique du baron de Staël-Hosltein*, documents inédits sur la Révolution (1783-1799) publiés avec une introduction par L. Léouzon-le-Duc, Paris, Hachette, 1881.

STAROBINSKI Jean, « Le journal de Mlle Necker : réflexion et passion », *Cahiers staëliens*, n° 28, 1980.

STAROBINSKI Jean, « Suicide et mélancolie chez Mme de Staël », Colloque de Coppet, publié également dans *Preuves,* 1966.

BIBLIOGRAPHIE

TAINE Hippolyte, *Origines de la France contemporaine*, t. 1 : *La Révolution*, Paris, Hachette, 1896.

THIERS Auguste, *Histoire de la Révolution française*, Paris, Furne et Cie, 1865.

TOCQUEVILLE Alexis de, *L'Ancien Régime et la Révolution*, tome II, volume 2, « *fragments et notes inédites sur la Révolution* » texte établi et annoté par André Jardin, Paris, Gallimard, NRF, 1952.

WAGENER Françoise, *La Comtesse de Boigne*, Paris, Flammarion, 1986.

WARIN Regnault de, *Esprit de Madame la Baronne de Staël-Holstein*, Paris, Planches, 1818.

YOUNG Arthur, *Voyages en France pendant les années 1787-88-89 et 90*, 3 vol., Paris, chez Buisson Libraire, 1793, l'an second de la République.

Collection complette [*sic*] *de tous les ouvrages pour et contre M. Necker*, 3 tomes, Utrecht, 1781.

Coppet, Histoire et architecture, ouvrage réalisé sous la direction de Monique Bory, Genève, Éd. Cabédita, Imprimerie Slatkine, 1998.

Le Groupe de Coppet et la Révolution française, Actes du quatrième Colloque de Coppet, 20-23 juillet 1988, Lausanne, Institut Benjamin Constant, 1988.

Les Conditions de la vie intellectuelle et culturelle en Suisse romande au temps des Lumières, Actes du colloque organisé par l'Institut et l'Association Benjamin Constant 17-18 novembre 1995, Lausanne, Institut Benjamin Constant, Genève et Paris, Éditions Champion Slatkine, 1996.

Remerciements

Ma pensée va d'abord vers François Furet, mon ami, mon ami si cher, que la mort a emporté. C'est lui qui, le premier, m'a conduit vers cette « singulière famille » que j'avais un peu fréquentée, déjà grâce à lui, travaillant autrefois sur l'abbé Sieyès. François m'a si bien parlé de Jacques Necker, de son illustre fille, de leur place dans l'histoire et la littérature ! Ce livre, très imparfait, j'eusse tant voulu le lui montrer ! J'eusse attendu, avec bonheur, avec inquiétude aussi, ses critiques, ses encouragements, son regard affectueux, son sourire moqueur. François n'est plus là... Pourtant, il me semble qu'il ne nous a pas quittés.

Je remercie Simone Balayé, qui a bien voulu me soutenir de son exceptionnelle compétence et de son attentive amitié. J'ai eu la chance non seulement d'être éclairé par ses écrits, mais de pouvoir écouter ses conseils, ses si justes remarques. Je sais tout ce que lui doit ce modeste travail. Qu'elle me permette de lui dire ici mon affectueuse gratitude.

Je remercie le comte Othenin d'Haussonville, qui m'a fait connaître et aimer Coppet, Coppet dont il a su entretenir la mémoire et la vie avec autant d'intelligence que de dévouement. Il a bien voulu lui aussi m'éclairer de tout ce qu'il sait de cette famille, la sienne, qu'il connaît et comprend si bien. Mon amicale reconnaissance va vers lui.

Je remercie Béatrice W. Jasinski, dont les remarquables travaux sur Mme de Staël et sa *Correspondance* me furent très utiles, et je remercie tous ceux qui m'ont aidé non seulement par leurs écrits sur Jacques Necker, sur Germaine de Staël, mais aussi par leurs rencontres, leurs dialogues, leurs communications, toutes les formes de connaissance reçues d'eux, notamment dans les colloques organisés par la Société des études staëliennes.

Je ne puis oublier que c'est à mon cher ami Claude Reymond, professeur à l'université de Lausanne, que je dois d'avoir pour la première fois rencontré Coppet et le groupe de Coppet. Que de conversations au bord du lac, qui m'ont éclairé et réjoui ! Qu'il soit remercié.

Je remercie aussi Étienne Hofmann et Madame Hofmann, grâce à qui j'ai reçu le précieux appui de l'Institut Benjamin Constant, si même j'ai quitté Germaine avant qu'elle ne rencontrât Benjamin.

À Madame Schaetzel, sans le travail et la patience de qui ce livre n'existerait pas, va ma gratitude.

Je remercie Françoise Briquet, qui a suivi, avec moi, durant cinq ans, toutes les étapes de ce projet. Je la remercie de son aide inlassable et si précieuse, et je lui dis ma reconnaissante affection.

Comment taire ce que je dois à mes éditeurs, qui m'ont soutenu tout au long de ce chemin ? À Claude Durand, qui m'a éclairé de ses conseils, de ses critiques, de ses encouragements, de sa très vigilante amitié ; à Denis Maraval, qui a bien voulu porter à ce travail une attention tout à la fois minutieuse et synthétique. À tous deux, je voudrais dire la gratitude de leur ami. Je garde le cher souvenir de nos rencontres, de ces moments aussi où, grâce à Simone Balayé, la trinité des Necker voulut bien nous tenir compagnie...

Jacques, Suzanne et Germaine, je n'aurai pas l'audace de les remercier. Pourtant, je leur dois plusieurs années d'un

REMERCIEMENTS

labeur enthousiaste, et j'ai souvent entretenu la merveilleuse illusion de vivre non loin d'eux. Mais l'indulgence n'était pas leur vertu principale, et les défauts de ce livre me font redouter leur jugement...

J.-D. B.

Index des noms de personnes

INDEX DES NOMS DE PERSONNES

Index préparé par Catherine Joubaud.

Table des matières

Cet ouvrage a été composé par
I.G.S.-Charente Photogravure
à l'Isle-d'Espagnac (16)

Impression réalisée sur CAMERON par
BRODARD ET TAUPIN
La Flèche

pour le compte des Éditions Fayard
en mai 1999